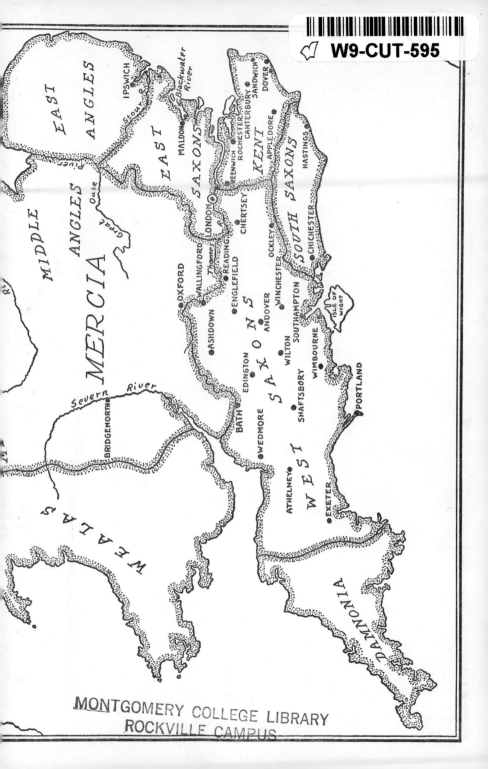

CÐO·O·LIAÞ þe nu þriſ on helle· þ ſyndon þ y̅ſ
two ⁊ þaꞇo· gumene gund leſ þe· haꝼað uſ god
ſylꝼa· ꝼoꞃ ſpaꞃen on þaſ ſſ ſꞇyꞃꞇan miſ
cꞇaſ· ſ ꝩa heuſ ne meᵹ æniᵹe ſynne ᵹe
ſꞇælan· þ þe him on þam lande· lað ᵹeꝼꞃiſn edon·
he hæꝼd uſ þeah þæꞇ · ohꞇeſ be ſynede· be þoꞃſꞇ on
ꞇilna pꞇa mæꞇꞇe· ne maᵹon þe þaſ ꝩꞃaꞇe ᵹeꝼꞃiſn
man· ᵹelꞇꞇunan him mid lað þ pihꞇe· þ heuſ haꝼað
þaſ leohꞇeſ be ſynede· he hæꝼd nu ᵹemean cod· anne
middanᵹꞇꞇꞃd· þæꞃ he hæꝼd mon ᵹeþoꞃhꞇene· æꝼꞇ
hiſ on licneſſe· mid þam he pile eꝼꞇ ᵹeꝛeꞇꞇan· heo ſona
ꞃice· mid hluꞇꞇꞃum ſaulum· þe þaſ ſ culon hyᵹan
ᵹthꞃne· þ þe on adame· ᵹiꝼ þe æꝼꞃe mæᵹꞇn ⁊ on hiſ
ꞇeꝼꞃum ſ ꝩa ſome· and an ᵹebeꞇan· on þ ſhꞇan him
þan pillan ſiniſ· ᵹiꝼ þe hiꞇ mæᵹꞇn pihꞇe aꝼ þ ſican·
ne ᵹelyꝼe ic me nu· þæꞇ leohꞇeſ ſyndon· þæꞇ þe he
him þenceð lange niotan· þæꞇ thoꞃ mid hiſ enᵹla cꞃeꝼ
ꞇe· ne maᵹon þe þon aldne ᵹthꞃinnan· þ þe mihꞇ aᵹꞇ ᵹo
ðꞇꞃ· mod on pæꞃꞇꞃ· uꞇon oð þ ſhꞇan hiꞇ nu· monna beaꞃn
num· þ hæð ſon ꞃice· nu þe hiꞇ habban ne moꞇon· ᵹe
don þ hie hiſ hyldo ꝼon læꞇꞇ· þ hie þon þꞃſ don· þ he
mid hiſ poꞃde bebead· þonne þꞃſid he him pꞃaðon
mode· a hþꞇ hie ꝼꞃom hiſ hyldo· þonne ſ culon hie
þaſ helle ſeꞇꞃan· ⁊ þaſ ᵹumman ᵹundaſ· þonne mo
ꞇon þe hie uſ ꞇo ᵹionᵹum habban· ꝼina beaꞃn· on
þyſum ꝼæꞇꞇꞃum clomme· onᵹinnað nu ymb þa ſyn
de þ ſhꞇean·

OLD ENGLISH HANDBOOK

BY

MARJORIE ANDERSON, Ph.D.

*Associate Professor of English, and Chairman, Department of English,
Hunter College of the City of New York*

AND

BLANCHE COLTON WILLIAMS, Ph.D.

*Late Head, Department of English, Hunter College of the City of
New York*

HOUGHTON MIFFLIN COMPANY

The Riverside Press Cambridge

The Riverside Press
CAMBRIDGE · MASSACHUSETTS
PRINTED IN THE U.S.A.

FOREWORD

Old English Handbook had its inception some years ago in the desire of the senior collaborator to present to the student a volume of selections from Pre-Conquest manuscripts. The modern editor, depending too often upon preceding editors, not only had repeated well-worn selections but had perpetuated textual errors. Though believing that from the small body of Old English literature certain passages inevitably must be used in any collection representative of that literature, she also believed that examples not chosen or infrequently chosen might supersede legitimately those quoted and requoted. She hoped, further, that the Pre-Conquest scene, in all its variety, might be conveyed by placing before the student the vocabulary of the Old English layman. She had observed, also, that contemporary teaching of phonetics rarely had been extended to include, in Old English texts, the sound-history of the Modern English word, and saw the need of a chapter on phonetic changes in the language.

The junior collaborator, who shared these ideas, wished to make a book that would follow the middle path between extreme simplicity and elaborate complexity. After a tentative Table of Contents was arranged, she visited England to study manuscripts at Exeter, in the British Museum, in the Bodleian, and in Cambridge University Library. Later, the senior collaborator made a similar visit and read a number of the scripts, with particular attention to settling doubtful or disputed readings. Thenceforward, the junior collaborator was occupied with the composition of the book, the senior collaborator acting chiefly as adviser. The greater labor is that of M. A.; the responsibility involved is equally that of B. C. W.   The authors share the fortunes of the *Hand-book*, which aims primarily to include the best selections of the more familiar material with selections less familiar, in authentic texts based on manuscripts and edited only so far as clarity and necessary information demand.   The preliminary study of the grammar is of the every-day language used by the West-Saxon of average culture in the days of King Alfred.   Several works which have been published since this *Handbook* was begun, works which are worthy contributions to the study of Old English, have not obviated, in the opinion of the collaborators, the desirability of the volume as planned.

No writer of an Old English grammar can fail to owe a debt of gratitude to the scholars whose careful studies have lightened his task.   The writers of this book freely acknowledge the debt. They wish also to thank the curators of the British Museum, the Bodleian Library, and Cambridge University Library.   They are grateful particularly to Sir Edwyn Hoskyns, Librarian of Corpus Christi College, Cambridge; to Mr. T. Bishop, Keeper of Western Manuscripts in the Bodleian; and to Canon Maclaren, of Exeter Cathedral.   Finally they wish to thank Miss Sylvia Rosen of the *Comet Press*, Brooklyn, for her invaluable assistance in the task of reading proof.

M. A.

B. C. W.

CONTENTS

GRAMMAR

READER

GRAMMAR

INTRODUCTION

1. Importance of the study of Old English. English is one of the richest languages in the world because from the earliest times to the present day those who have used it have not hesitated to borrow from other tongues whenever they saw the need. Despite the large number of words of foreign origin in our dictionaries, however, our language is fundamentally English, that is, Germanic, and for this reason, if for no other, a study of this native element in its earliest recorded form, Old English or Anglo-Saxon, is important.

2. Early races in Britain. The early history of Britain is a chronicle of successive invasions, and the fact that the island was ruled by five different races during these years fostered from the beginning a polyglot language. These five peoples, with the omission of the Picts, whose origin is shrouded in mystery, were the following:

(1) the Celts, who came to Britain in two great migrations, the Goidelic or Gaelic Celts, ancestors of the Irish and Scots, and the Brythonic or British Celts, whose modern descendants are the Welsh;

(2) the Romans, who arrived first under Julius Cæsar in 55 B.C., had conquered the natives by A.D. 120, retained conquest until 280, and who gradually lost control after the withdrawal of the legions in 410;

(3) the Angles, Saxons, and Jutes, three Germanic tribes from the lower part of the Danish peninsula, who according to tradition came in A.D. 449 under the leadership of Hengest

and Horsa to aid the British king, Vortigern, against his
enemies, and who, liking the land, subjugated the Britons
and remained as conquerors;

(4) the Danes who, beginning a series of invasions in the latter
part of the eighth century, were subdued by King Alfred
about a hundred years later, but wrested the throne from
his successors, and in 1016 or 1017 established, as sovereign,
King Canute;

(5) the Normans who, under William the Conqueror, conquered
the English in 1066 and became thereafter the ruling race
in the island.

The language of the Angles, Saxons, and Jutes after they had
become completely severed from their continental home forms
the basis of modern English.   These Germanic tribes adopted
very few of the words used by their predecessors, the Celts and
the Romans, and in turn their language, receiving comparatively
few additions from their Danish conquerors, was strong enough
finally to emerge triumphant from its conflict with the French
speech of the Normans.

3. Indo-European family of languages.   English belongs to the
great Indo-European or Indo-Germanic family of languages, that
family which comprises most of the tongues of Europe.   The posi-
tion of English in the family and its relation to the other members
may best be seen by tracing the various branches of the family
tree.   There are eight main branches of the Indo-European group,
as follows:

(1) *Indo-Iranian*, which may be divided into two groups:

(a) *Indian*, in its oldest form known as Sanskrit, the lit-
erary language of India in which the sacred books of
the Brahmins, the Vedas, were composed about 1500 B.C.;
in its intermediate stage represented by various literary

languages called Prakrits; and in its modern form existing in the various present-day dialects of India, among which are the Hindustani, the Bengali, and the Hindi;

(b) *Iranian*, represented in its oldest stage by two dialects, Old Persian and Avestan or Zend, the latter being the language of the Zend-Avesta, the religious books of the Zoroastrian religion; in its intermediate stage by the Middle Persian dialect called Pahlavi; and in its present stage by Modern Persian, a direct descendant of Pahlavi, and several dialects, among them Kurdish and Afghan.

(2) *Armenian*, in its oldest form the literary language of early Armenian Christians, with descendants in living dialects spoken by approximately four million people scattered today throughout the world.

(3) *Albanian*, the tongue of ancient Illyrian provinces, now spoken in modern Albania.

(4) *Greek*, the classical language of ancient Greece, and modern Greek, both dialectal and literary.

(5) *Latin* or *Italic*, including Latin and its modern descendants, the Romance languages, chief among which are Italian, French, Spanish, Portuguese, and Roumanian.

(6) *Celtic*, divided into three groups: Gaulish, the language of ancient Gaul, of which little is known; Brythonic, whose modern descendants are Welsh, Cornish, and Breton; and Gaelic, represented today by Irish, Scotch-Gaelic, and Manx.

(7) *Balto-Slavic*, to the Baltic division of which belong Lithuanian, Lettish, and Prussian, the last named of these having died out in the seventeenth century; to the Slavic division, Russian, Polish, Czechoslovakian, Slovenian, Serbo-Croatian, and Bulgarian.

(8) *Germanic*, which has three divisions:

    (*a*) *East Germanic*, the only remnant of which is *Gothic*, known to us through the translation of the Bible made by Ulfilas (A.D. 311?–383);

    (*b*) *North Germanic*, subdivided into West Norse, represented by Old Norwegian and Old Icelandic and their modern descendants; and East Norse, represented by Old Danish and Old Swedish and their modern descendants;

    (*c*) *West Germanic*, which has five main subdivisions: Old High German, spoken originally in the southern highlands of Germany, from which modern literary German is descended; Old Saxon or Low German, spoken in the northern lowlands of Germany, from which comes modern Low German or Plattdeutsch; Old Low Franconian, the western dialect of which was the ancestor of modern Dutch and Flemish; Old Frisian, the continental dialect most closely connected with English, spoken in northwestern Germany and the provinces of the Netherlands near the coast, today the language of the Dutch province of Friesland and its adjoining islands, the German district of Oldenburg, and the west coast of Schleswig with its neighboring islands; Old English, the ancestor of our modern English.

4. Divisions of the English Language. The English language is divisible chronologically into three main parts:

(1) *Old English*, extending approximately from A.D. 700, the time of our earliest records, to 1100, the period from the earliest settlement to 700 being sometimes included under the distinguishing subtitle of Primitive Old English:

(2) *Middle English*, from 1100 to 1500;

(3) *Modern English*, from 1500 to the present.

These dates are of course largely arbitrary, but they are con-venient to remember.

Old English, with which we are chiefly interested in this book, had four main dialects:

(1) *Northumbrian*, which, as its name implies, was spoken in the district north of the Humber, in the territory between that river and the river Forth, and which, as this part of the country was settled by the Angles, was an Anglian dialect;

(2) *Mercian*, spoken in the middle part of England, between the Thames and the Humber, and also Anglian in character;

(3) *West Saxon*, a Saxon dialect spoken by most of the people south of the Thames, with the exception of those who used

(4) *Kentish*, the dialect of the Jutes, who settled in Kent and part of Surrey.

These four dialects had their respective counterparts in Middle English, Northumbrian becoming what is known as Northern Middle English, Mercian becoming Midland, West Saxon becom-ing Southern, and Kentish remaining Kentish. Our present standard speech is a descendant of one form of the Midland dia-lect, and through it traces its source back to the Mercian. We should expect, therefore, to study Old English chiefly through the Mercian dialect; but because Mercian manuscripts are lacking, we study instead West Saxon, the dialect in which most of the Old English writings have come down to us. The reason for this predominance of West Saxon manuscripts is twofold: most of the prose was originally West Saxon; and the poetry, largely Anglian, was copied by West Saxon scribes, whose transcriptions

are extant. Two periods of West Saxon are distinguishable: the
first, known as Early West Saxon (EWS), is the language of King
Alfred (reigned 871–901) and his contemporaries; the second, or
Late West Saxon (LWS), centers around the prose writer, Ælfric
(fl. 955–1025). Early West Saxon is the standard form used in
the following grammar.

  5. Brief survey of Old English literature. The first great
period of Old English literature lasted throughout the political
supremacy of the Angles, until the West Saxons rose to power in
the ninth century. Most of the great Old English poetry belongs
to this Anglian period. *Beowulf*, the various so-called pagan
Elegies, and the Christian poems grouped around the names of
Cædmon and Cynewulf — all are products of these early cen-
turies. The Angles, moreover, gave their name to the island,
Englaland, the land of the Angles, and to the language, called
Englisc, that is English, not only by them but also by the West
Saxons.

  With the decline of Anglian supremacy, however, the center
of power shifted. York, the Anglian capital, from which Alcuin
had gone forth to instruct the youth of Charlemagne's court, gave
place in importance, both political and cultural, to Winchester,
the chief city of Wessex. Alfred, after he became king, centered
in his court at Winchester the revival of that learning which, as
he himself tells us, had once made the English famous on the con-
tinent but had since so sadly declined. To Alfred's untiring
efforts we owe a large part of the extant Old English literature,
for he not only had the old poetry transcribed into West Saxon
but translated, or had translated by his scholars, some of the im-
portant Latin works of early mediæval times which he thought
his people should know, notably Boethius's *Consolation of Philos-
ophy*, Bede's *Ecclesiastical History*, Pope Gregory's *Pastoral Care*,

and Orosius's *History of the World*, thus creating a new body of Old English prose. The *Anglo-Saxon Chronicle* was also begun under his direction.

After Alfred's time the chief name of importance is Ælfric, who lived in the last half of the tenth and first part of the eleventh centuries. His *Homilies, Saints' Legends,* and other religious works are also in prose, a prose which was in most of his writings so alliterative as occasionally to be classed as poetry. After Ælfric's time Old English prose gradually shades into early Middle English, and by the time the *Anglo-Saxon Chronicle* was receiving its last entry at Peterborough in 1154, the period of Old English was at an end.

PHONOLOGY

PRONUNCIATION

6. The Old English alphabet as it is used in this book is like that of modern English with the addition of two characters and the omission of four letters. The two added characters are þ, called "thorn," and ð, called "crossed d" or "eth," the capital of which is Ð. They are used interchangeably in Old English manuscripts for the voiced and voiceless sounds of th. The letters j, q, v, and z are not found in Old English writing and k is used rarely.

7. The vowels in Old English were pronounced approximately as follows:

Phonetic Symbol

a as in *artistic*	a	faran, *to go*
ā as in *father*	*a*:	hām, *home*
æ as in *cat*	æ	fæt, *vat*
ǣ as in *fairy*	ɛ	lǣran, *to teach*
e as in *get*	e	metan, *to measure*
ē as in *obey*	ei [2]	gēs, *geese*
i as in *pick*	i	sittan, *to sit*
ī as in *marine*	i:	mīn, *mine*
o as in *dog*	ɔ	folc, *folk*
ō as in *tone*	ou [2]	sōna, *soon*

[1] As the Anglo-Saxons used the British form of the Roman alphabet, most of their letters differ in appearance from those of modern English. They also borrowed two characters from the Teutonic runic alphabet, "thorn" mentioned above, and "wen" which took the place of w. In the manuscripts we also find the character ᵹ (yok) used for g.

[2] This sound was a monophthong in Old English but in Modern English the nearest approximation to it is a diphthong, as shown in the phonetics.

Phonetic Symbol (continued)

u as in *pull*	u	cuman, *to come*	
ū as in *school*	u:	hūs, *house*	
y as in German *Münster*	y	mynster, *cathedral*	
ȳ as in German *Schüler*	y:	lȳtel, *little*	

8. The diphthongs in Old English were accented on the first element, the second element being much obscured. Their pronunciation was approximately as follows:

Phonetic Symbol

ea = æ + a as in *about*	æə	ceald, *cold*
ēa = ǣ + a as in *about*	ɛə	hēap, *heap*
eo = e + o as in *November*	eo	deorc, *dark*
ēo = ē + o as in *November*	eio	frēond, friend
ie [1] = i + a as in *about*	iə	hierde, *shepherd*
īe = ī + a as in *about*	i:ə	līefan, *leave*
io [2] = i + o as in *November*	io	hiord, *herd*
īo = ī + o as in *November*	i:o	frīo, *free*

The front or palatal vowels in Old English are æ, ǣ, e, ē, i, ī; the back or guttural vowels are a, ā, o, ō, u, ū; y, ȳ are mixed vowels. Of the diphthongs ie, īe are entirely palatal, and ea, ēa, eo, ēo, io, īo have the first element palatal.

9. The majority of consonants in Old English were pronounced as in modern English. The few exceptions are given below.

c had the sound of **k,** never that of **s.** It had a palatal or gut-

---

[1] ie, īe belong to Early West Saxon; in Late West Saxon they are usually written i. ī or more commonly **y, ȳ.**

[2] io, īo are also Early West Saxon forms. In Late West Saxon they were usually written **eo, ēo.**

tural quality dependent upon its use with palatal or guttural vowels, as in cild, *child*, corn, *corn*.[1]

g had two sounds. Before or after a palatal vowel[2] or any diphthong, it was pronounced like the modern English consonantal y in *yes*. Examples: gescieppan, *to create*, gearu, *ready*, gieldan, *to yield*, mæg, *kinsman*, weg, *way*, legde, *laid*, dæges, genitive of *day*. Before or after a guttural or mixed vowel and with consonants it had the guttural pronunciation of the German g in *tragen*.[3] Examples: gār, *spear*, lagu, *lake*, grindan, *grind*. This sound, often difficult for modern English-speaking people to pronounce, especially in the initial position, is approximated by the sound of g in *go*.

The combinations cg and ng were pronounced like dg in *sedge* and ng in *linger*. Examples: secgan, *to say*, hungor, *hunger*.

f, s, and þ, ð each had two sounds, one voiced and the other voiceless. Between vowels, or between vowels and voiced consonants they were voiced, that is, they were pronounced respectively like v, z, and th in *this*. Examples: giefan, *to give*, seolfor, *silver*, frēosan, *to freeze*, gīslas, *hostages*, brōþor, *brother*, māðma, genitive plural of *treasure*. In all other positions they were voiceless, that is, they were pronounced respectively like f in *feather*, s in *sun*, and th in *think*. Examples: fēond, *enemy*, lēof, *dear*, æfter, *after*, sinc, *treasure*, rās, *rose*, lāst, *track*, þurstig, *thirsty*, sōð, *true* The pronouns ðū, ðæt, ðēs and their inflectional forms may have the voiced sound of th.

---

[1] Palatal c in late Old English developed into ch. Scholars who believe this change took place before 900 make ch the standard pronunciation of c before a palatal vowel, pronouncing cild, for example, as if it were child.

[2] Except one caused by mutation of a guttural vowel, as for example, gǣst, *thou goest*, gēs, *geese*, where it had a guttural sound. (See Par. 16.)

[3] Before ȝ, y, late spellings of ie, ie, g is palatal.

h in the initial position had the sound of h in modern English. Examples: hālig, *holy*, hātan, *to call.* In the medial and final positions it was pronounced like the German ch in *Licht* or *Nacht.* Examples: feohtan, *to fight*, ðōhte, *thought*, seolh, *seal.*

ACCENTUATION

10. The Germanic branch of the Indo-European family of languages had as one of its chief distinguishing features the fixation of the accent which in primitive Indo-European had shifted from syllable to syllable and which continued to shift in Greek and Latin. Examples in modern English of derivatives from the Germanic and from the Greek or Latin will show the difference in these two systems of accentuation. In contrast to *friend* (O.E. frēond), *friendly, friendless, friendship, friendliness,* all of which have the accent on the first syllable, we find *telegraph, telegraphy, telegraphic* (from the Greek) and *certify, certificate, certification* (from the Latin), where the accent shifts from one syllable to another.[1]

In Old English the rules of accentuation are simple. Simple words, that is, words which are not compounds, have the accent on the first syllable. Examples: cræftig, *crafty*, heofonas, *heavens*, ðancode, *thanked.* Compound substantives (nouns, adjectives, or adverbs) have the accent on the first syllable of the first part of the compound unless it is one of the prefixes ge, be, for.[2] Examples: cildhād, *childhood*, unriht, *wrong*, inweardlīce, *in-*

[1] Many examples of Latin or Greek derivatives in English can be found in which the accent is fixed but this usage is due to the tendency in English to treat words of foreign origin as if they were native and to apply to them Germanic principles.

[2] The accented forms of these three prefixes, ga, bi, and fra, still survive in a few words. Examples: gamol, *aged*, bīleofa, *food.* fracod; *wicked.*

wardly, but gebéd, *prayer,* behāt, *promise,* forgifennis, *forgiveness.* Compound verbs have the accent on the root syllable, with the prefix unaccented. Examples: ādrīfan, *drive away,* forbéran, *suffer,* oferstīgan, *rise above,* onginnan, *begin,* tōteran, *tear to pieces,* wiðsacan, *strive against.*

SOUND CHANGES

11. Old English vowels underwent various phonetic changes during the development of the language. Most of these occurred in the pre-literary period but a comparison with records in other closely related languages, Gothic, Old High German, Old Norse, has made it possible to trace their history in Old English. A knowledge of them is necessary for any intelligent comprehension of the language. The principal sound changes are given below.

CHANGE OF A TO Æ AND O

12. The change of a to æ was one of the earliest of Old English sound changes. It took place either in a closed syllable (one ending in a consonant), or in an open syllable (one ending in a vowel) when the vowel of the following syllable was **e.** When the vowel of the following syllable was **a, o,** or **u, a** in an open syllable remained **a.**[1] Before a nasal it either remained **a** or became **o,** the latter being more common in Early West Saxon, the former in Late West Saxon. Examples: stæf, stæfes, stafas (*staff,* nominative, genitive singular, nominative plural), gafol, *tax,* lagu, *lake;* long, lang, *long.*

---

[1] Exceptions to these rules may be found, as, for example, the use of **a** in the imperative singular and past participle of Class VI strong verbs, where regularly **æ** would be expected: bac, **bake,** bacen, *baked,* scac, *shake,* scacen, *shaken;* and the frequent use of **a** rather than **æ** before doubled consonants abbudisse, *abbess,* habban, *to have.*

BREAKING

13. The next important sound change in point of time was called breaking. The principal vowels affected by this change were **æ, e, i.** These, when immediately followed by l plus a consonant, r plus a consonant, h plus a consonant or a single h, became the short diphthongs, ea, eo, io.[1] There is one exception to this rule. Before l plus a consonant the vowels e or i broke only when the consonant was **c** or **h.** Otherwise they remained **e** and **i.** Occasionally ǣ and ī broke to ēa and īo (later written ēo) before a single h or h plus a consonant.

Examples:

* **hældan**[2]	became	**healdan,** *to hold*
* **ðærf**	became	**ðearf,** *need*
* **mæht**	became	**meaht,** *might*
* **gefæh**	became	**gefeah,** *rejoiced*
* **berg**	became	**beorg,** *hill*
* **fehtan**	became	**feohtan,** *to fight*
* **eh**	became	**eoh,** *horse*
* **melc**	became	**meolc,** *milk*
* **selh**	became	**seolh,** *seal*
* **meltan**	remained	**meltan,** *to melt*
* **delfan**	remained	**delfan,** *to delve*
* **hird**	became	**hiord,** later **heord,** *herd*
* **liht**	became	**lioht,** later **leoht,** *light, not heavy*
* **līht**	became	**līoht,** later **lēoht,** *light, bright*
* **nǣh**	became	**nēah,** *near*

[1] A similar effect may be observed in the glide sound produced by the exaggerated pronunciation of the modern English words, *fair, bell, mire.* This glide sound is represented in Old English by the second element of the diphthong.

[2] An asterisk before a word indicates a prehistoric form.

DIPHTHONGIZATION BY INITIAL PALATAL

14. The third important sound change which took place in Old English was the conversion of certain vowels to diphthongs by the presence of an initial palatal consonant. The vowels æ, ǣ, e, were changed by the preceding initial palatals, c, g, sc, to the diphthongs ea, ēa, ie.[1]

Examples: * cæster (Lat. *castra*) became ceaster, *town*
         * gæt   became geat, *got*
         * scæl   became sceal, *shall*
         * cǣce   became cēace, *cheek*
         * gǣr   became gēar, *year*
         * scǣð   became scēað, *sheath*
         * gelpan   became gielpan, *to boast*
         * sceran   became scieran, *to shear*

That breaking belonged to an earlier period of the language than diphthongization by an initial palatal can be seen in words like **georn**, *eager*, in which the original e (* gern), which might have been affected by either of these two sound changes, has been broken to **eo** rather than palatalized to **ie**. In words like **geard**, *yard*, originally * gærd, where the same result would have been reached by either process, it is better for the student to consider that the earlier change, that is, breaking, has taken place.

GEMINATION

15. Gemination or doubling is an early sound change which took place in West Germanic before Old English had become separated from the other West Germanic dialects. The letter **j** following any single consonant, except **r**, which was preceded by a

---

[1] Occasionally a and o were also diphthongized by the palatal **sc**, as. for example, scafan or sceafan, *to shave*, Scottas or Sceottas, *Scots*.

short vowel, geminated or doubled that consonant. In the Old English period the vowel was mutated (see next paragraph) and the j was dropped.

Examples: * cwæljan became cwellan, *to kill*
        * framjan became fremman, *to perform*
        * hæfjan   became hebban, *to raise*
        Note f doubled became bb.
        * lægjan   became lecgan, *to lay*
        Note g doubled became cg.
      * swærjan became swerian, *to swear*
        Note the lack of gemination because the consonant is an r.

MUTATION

16. Mutation or umlaut is the change produced in an accented radical vowel or diphthong by a sound in the following syllable. In Old English there were two kinds of mutation, that produced by an i or j and that resulting from an o (a) or u in the following syllable. The first of these, the i-mutation, is the more important and is usually referred to merely as umlaut or mutation.

At an early date, probably the seventh century, the i and j which caused the mutation in most cases either disappeared or were changed to e. The i disappeared when it was in a final position after a long syllable; otherwise it generally became e. Examples: * bōci became bēc, *books;* * stædi became stede, *place.* The j disappeared except when it followed an r preceded by a short vowel, in which case it became an i. Examples: * bandjan became bendan, *to bend;* * hærjan became herian, *to praise.*

17. List of mutations:

a (o) before nasals becomes **e**

    * stangi > steng, *pole*

    * drancjan > drencan, *to drench*

    * manni > menn, *men*

    Examples from literary Old English:

    mann, *man*   menn, *men*

    lang, *long*   lengra, *longer*   lengþu, *length*

    nama, *name*   nemnan, *to name*

ā becomes **ǣ**

    * lārjan > lǣran, *to teach*

    * brādjan > brǣdan, *to spread*

    * lāfjan > lǣfan, *to leave*

    Examples from literary Old English:

    lār, *lore*   lǣran, *to teach*

    brād, *broad*   brǣdan, *to spread*

    lāf, *remnant*   lǣfan, *to leave*

æ becomes **e**

    * slægi > slege, *blow*

    * stæpjan > steppan, *to step*

    Example from literary Old English:

    hwæt, *bold*   hwettan, *to incite*

o becomes **e**

    * dohtri > dehter, dat. of *daughter*

    * morgin > mergen, dat. of *morning*

      Note: The mutation of **o** to **e** is very limited be-
cause by an earlier Germanic law **u** followed by **i** or **j**
in the next syllable (or by **n** + a consonant) remained **u**,

whereas other **u**'s changed into **o**'s. Compare **gold** and **gylden** (O.H.G. **guldin**).

Examples from literary Old English:

dohtor, *daughter*   dat. **dehter**

morgen, *morning*   dat. **mergen**

ō becomes **ē**

   * fōdjan > fēdan, *to feed*

   * gōsi > gēs, *geese*

Examples from literary Old English:

fōda, *food*   fēdan, *to feed*

gós, *goose*   gēs, *geese*

tōþ, *tooth*   tēþ, *teeth*

dōn, *to do*   dēþ, *he does*

u becomes **y**

   * þurstjan > þyrstan, *to thirst*

   * burgi > byrig, *cities*

   * puteus (Lat.) > pytt, *pit*

Examples from literary Old English:

þurst, *thirst*   þyrstan, *to thirst*

burg, *city*   byrig, *cities*

full, *full*   fyllan, *to fill*

ū becomes **ȳ**

   * fūsjan > fȳsan, *to make ready*

   * mūsi > mȳs, *mice*

Examples from literary Old English:

fūs, *ready*   fȳsan, *to make ready*

mūs, *mouse*   mȳs, *mice*

cū, *cow*   cȳ, *cows, kine*

brūcan, *to enjoy*   brȳcð, *he enjoys*

ea becomes ie (LWS i or **y**)

* healdiþ > hielt, *holds*
* ealdira > ieldra, *older*

Examples from literary Old English:

healdan, *to hold*	hielt, *he holds*
eald, *old*	ieldra, *older*
beald, *bold*	bieldan, *to embolden*

ēa becomes **īe** (LWS ī or **ȳ**)

* ge-flēamjan > geflīeman, *to put to flight*
* drēamjan > drȳman, *to rejoice*

Examples from literary Old English:

flēam, *flight*	geflīeman, *to put to flight*
drēam, *joy*	drȳman, *to rejoice*
ēaðe, *easy*	īeðra, *easier*
hēah, *high*	hīehst, *highest*

eo (**io**) becomes ie (LWS i or y)

* weorcjan > wyrcan, *to work*

Examples from literary Old English:

weorc, *work*	wyrcan, *to work*
feorr, *far*	fierra, *farther*
geong, *young*	giengra, *younger*
heorte, *heart*	hyrtan, *to hearten*

ēo (**īo**) becomes **īe** (LWS ī or **ȳ**)

* þēodjan > þȳdan, *to submit*

Examples from literary Old English:

trēow, *faith*	getrīewe, *faithful*
cēosan, *to choose*	cīest, *he chooses*
lēoht, *light*	līehtan, *to shine*

The change of **e** to **i** which is seen principally in the second and third persons singular present of strong verbs may be classed among the mutations, although it is a Primitive Germanic change, antedating the Old English mutation by several centuries. Examples: bricð, 3rd pers. sing. pres. of **brecan**, *to break;* stilþ, 3rd pers. sing. pres. of **stelan**, *to steal.*

U-O-MUTATION

18. The second or guttural mutation took place at a later period in the development of the language, probably about 700. It occurred when the vowels **a, e, i** in an accented syllable followed by a single consonant were diphthongized by **u** or **o** in the following syllable to **ea, eo, io,** a result which, it will be seen, is the same as that obtained by breaking. This mutation was not very common in the West Saxon dialect. In fact perhaps the only instance of the mutation of **a** in West Saxon is in the word **ealu,** *ale* (*alo), the fairly frequent occurrences of it in poetry being due to an Anglian source, as in the words **eafora**, *heir*, **heafoc**, *hawk*, **cearu**, *care.*

Other examples of this mutation are the following: **geogoð,** *youth*, **geofon**, *sea*, **heonon**, *hence*, **sweotol**, *clear*, **teola**, *well*, **nioþu-weard**, *beneath*, **wiotan**, *to know*, **siodu**, *custom.*

LOSS OF MEDIAL H

19. The loss of medial h took place in Old English about 700. Between a liquid (l or r) and a vowel (usually inflectional) h disappeared, the root-vowel being lengthened in compensation.

Examples: **seolh**, gen. **sēoles**, *seal*; **mearh**, gen. **mēares**, *horse.*

20. Intervocalic **h** also disappeared about the same time with resultant contraction of the vowels or diphthongs preceding and following it.

Examples: * sleahan > * slēaan > slēan, *to slay;* * gefeohan > * gefēoan > gefēon, *to rejoice;* * wrīhan > wrīon or wrēon, *to cover;* * hōhan > * hōan > hōn, *to hang;* * hēahes > * hēaes > hēas, gen. of hēah, *high;* * tēohan > * tēoan > tēon, *to draw.*

LATER CHANGES

21. Before **ht** and **hs** the diphthongs **eo, io**, which resulted from breaking, became **ie (i, y)**, a change which is sometimes called palatal mutation.

Examples: **cneoht, cnieht, cniht, cnyht,** *boy;* **seox (x = hs), siex, six, syx,** *six.*

22. ea, ēa were sometimes simplified to **e, ē** before **h, x, g, c,** or after the palatals **c, g, sc.**

Examples: **seh** for **seah,** *saw;* **ðēh** for **ðēah,** *though;* **fex** for **feax,** *hair;* **ēge** for **ēage,** *eye;* **bēcn** for **bēacen,** *sign;* **celf** for **cealf,** *calf;* **cēs** for **cēas,** *chose;* **gef** for **geaf,** *gave;* **gēr** for **gēar,** *year;* **sceft** for **sceaft,** *shaft;* **scēp** for **scēap,** *sheep.*

23. Medial **g** was often lost when it followed a short vowel and preceded **d** or **n,** the vowel being lengthened in compensation. This law originally was true only of words where the vowel was palatal in character, but it later became applicable also to words containing guttural vowels.

Examples: **frignan, frīnan,** *to ask;* **þegen, þegn, þēn,** *servant;* **ālegdon, ālēdon,** *laid;* **regnian, rēnian,** *to prepare.*

24. A preceding **w** often labialized the diphthongs **eo, io** to **u** or **o.**

Examples: **sweotol, swutol,** *clear;* **weorold, worold,** *world;* **wiota, wuta,** *wise man.*

METATHESIS

25. Metathesis, or the shifting of a consonant from one place to another in a word, may sometimes be found in Old English.

The letter most often affected is **r** in combination with a nasal or **s**.

Examples: Gothic, **þriskan**, Old English, **þerscan**, *to thresh;* Goth. **gras**, O.E. **gærs**, *grass;* Goth. **brinnan**, O.E. **beornan**, *to burn;* Goth. **rinnan**, O.E. **iernan**, *to run.*

Sc is also metathesized to **cs**, usually written **x**, both forms occurring in Old English.

Examples: **fisc, fix,** *fish;* **ascian, acsian, axian,** *to ask.*

It is to be noted that not infrequently metathesis has again occurred in modern English, and the present form is similar to the original.

OTHER SOUND CHANGES

26. A few other sound changes of importance, notably Gradation or Ablaut and Grammatical Change, will be described in connection with the verbs where they may best be seen in operation.

---

27. For the student's convenience in identifying the principal sound changes, another grouping is given below:

ea   is the result of breaking of **æ**
                    diphthongization of **æ** by initial palatal
                    u-o-mutation of **a**

ēa   is the result of diphthongization of **ǣ** by initial palatal

eo (io)   is the result of breaking of **e** or **i**
                    u-o-mutation of **e** or **i**

ie (i, y) is the result of diphthongization of **e** by initial palatal
                    mutation of any short diphthong

y   is also the result of mutation of **u**

īe (ī, ȳ) is the result of mutation of any long diphthong

ȳ   is also the result of mutation of **ū**

ǣ   may be mutation of **ā**

e   may be mutation of **æ**, **a** before nasal, or **o**

ē   may be mutation of **ō**

CHANGES FROM OLD ENGLISH TO MODERN ENGLISH

The accompanying diagram, which is adapted from the mod-
ern English vowel triangle used by phoneticians, indicates the
approximate positions of the O.E. vowels. It will be remembered
that in the divisions, front, mixed, and back, the vowels are
classed according to that part of the tongue most raised, and that
in the divisions, close, half-close, half-open, and open, they are
classed according to the height to which the tongue is raised. The
student should keep in mind, further, that as the period of Old
English approached that of Middle English, terminal vowels and
certain vowels of unaccented syllables more and more acquired
the indefinite ə sound, represented (in Chaucer's works, for
example) by the letter e.

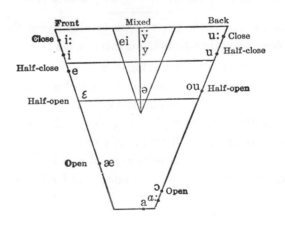

I. Vowels

28. a (a), usually unchanged in writing, is the source of **ei, æ, ε,
ou, e.**

Illustrations:

(1) a > ei lafian > *lave;* wadan > *wade;* magan > *may;*
    wanian > *wane.*

(2) a > æ habban > *have;* hand > *hand;* can > *can.*

(3) a > ɛ faran > *fare.*

(4) a > ou wald > *wold.*

(5) a > e manig > *many.*

a + w, g is the source of ɔ:. For example, dragan > *draw;*
haga > *haw.*

ā (*a*:) is the source of ou, written *o, oa, oe;* of ɔ:, written *au,
oa;* of a; of ei; of u:, written *o;* of ʌ, written *o.*

Illustrations:

(1) *a* : > ou lād > *load, lode;* bān > *bone;* hāl > *whole;*
    hām > *home;* gā > *go;* āþ > *oath;* rād > *road,*
    rode; bāt > *boat;* fāg > *foe;* tā > *toe;* wā >
    woe.

(2) *a*: > ɔ: brād > *broad;* āht > *aught;* lāc > [*wed*]*lock.*

   a: followed by r is the source of the diphthong ɔ:ə.
    hār > *hoary;* lār > *lore;* sār > *sore.*

(3) *a*: > a lāst > *last;* āscian > *ask.*[1]

(4) *a*: > u hād > *hood.*

(5) *a*: > u: hwā > *who;* twā > *two.*

(6) *a*: > ʌ ān > *one.*

æ (æ), usually unchanged phonetically, but written *a,* is
the source also of ei, e.

Illustrations:

(1) æ > æ æsc > *ash;* æt > *at;* bæþ > *bath;* cræftig >
    crafty; fæst > *fast.*

---

[1] American pronunciation The British remains lɑ:st, etc.

(2) æ > ei　dæg > *day;*　læt > *late;*　mægen > *main;*
wæcnan > *waken.*

(3) æ > e　ræst > *rest;* gæst > *guest.*

æ also becomes **ou** in cwæþ > *quoth.*

ǣ (ɛ) usually became **iː,** written *ea, ee, ie;* but is the source, also, of ɛə, **ei, e.**

Illustrations:

(1) ɛ > iː　　wǣd > *weed;* grǣdig > *greedy;* dǣd > *deed;*
mǣl > *meal;* hǣðen > *heathen;* bǣr > *bier.*

(2) ɛ > ɛə　　ǣr > *ere;* hwǣr > *where;* þǣr > *there.*

(3) ɛ > ei　　fǣge > *fey;* grǣg > *grey;* wǣfre > *waver;* wǣn
> *wain.*

(4) ɛ > e　　ǣfre > *ever;* wǣpen > *weapon;* ǣnig > *any;*
ǣrende > *errand;* þǣm > *them;* lǣssa > *less;*
lǣtan > *let.*

e (e) usually remained **e,** written *e,* but was also the source
of **ʒː,** written *u;* of **ei;** of **ɛ,** written *a, ai, ea;* and of **iː.**

Illustrations:

(1) e > e　　　**fen** > *fen;*　bed > *bed;*　benc > *bench;*
betera > *better;* denn > *den;* ende > *end;*
ferian > *ferry;* meltan > *melt;* sendan >
send.

(2) e > ʒː　　　berstan > *burst.*

(3) e > ei　　　þegn > *thane;* hete > *hate;* secgan > *say;*
segl > *sail;* weg > *way.*

(4) e > ɛ　　　beran > *bear;* leger > *lair;* mere > *mare.*

(5) e > iː　　　medo > *mead (drink);* stelan > *steal.*

ě (ei) usually became **iː,** written *ea, e, ee,* but in a few words
remained **ei,** written *ai.*

Illustrations:

(1) ei > i: cēne > *keen;* cwēn > *queen;* dēman > *deem;*
fēdan > *feed;* hēdan > *heed;* mē > *me;*
mētan > *meet;* þē > *thee;* wērig > *weary.*

(2) ei > ei gēn > *again;* twēgen > *twain.*

ĭ (i) usually remained i, but also became ai, written *i.*

Illustrations:

(1) i > i biter > *bitter;* clif > *cliff;* disc > *dish;* finger > *finger;* onginnan > *begin;* gif > *if;*
him > *him;* scip > *ship;* smiþ > *smith.*

(2) i > ai bindan > *bind;* cniht > *knight;* licgan > *lie;*
milde > *mild;* niht > *night;* riht > *right;*
fliht > *flight;* mihtig > *mighty.*

ī (i:) became ai, i, written *i* (occasionally *y*), e, ju, written
ew.

Illustrations:

(1) i: > ai mīn > *mine;* bīdan > *bide;* fīf > *five;* glīdan
> *glide;* grīpan > *gripe;* īsig > *icy;* līf > *life;*
mīl > *mile;* wīf > *wife.*

(2) i: > i līc > *lych;* fīftig > *fifty;* rīce > *rich;* wīc >
wick.

(3) i: > e gīt > *yet.* e becomes ʒ: in *thirty* < þrītig,
through the influence of ante-vocalic r.

(4) i: > ju nīwe > *new.*

o (ɔ) remained ɔ or was lengthened to ɔ:, written *o, au, ou,*
and is the source of ou, æ, ʒ:, ei.

Illustrations:

(1) ɔ > ɔ or ɔ: storm > *storm;* dohtor > *daughter;* for > *for;*
folgian > *follow;* God > *God;* horn > *horn;*

hors > *horse;* long > *long;* norþ > *north;* oft > *oft;* bohte > *bought;* ford > *ford;* forþ > *forth.*

(2) ɔ > ou   bodian > *bode;* dol > *dolt;* folc > *folk;* open > *open;* gold > *gold;* holt > *holt.*

(3) ɔ > æ   brond > *brand;* hond > *hand;* stondan > *stand;* onsponnan > *unspan.* (See a > æ)

(4) ɔ > ɜ: dorste > *durst;* word > *word;* morþor > *murder;* worold > *world.*

(5) ɔ > ei   gomen > *game.* (See a > ei)

ō (ou) remained ou, written *o, oo;* is the source of u:, u, ʌ and ɔ:, written *o, oo, ou.*

Illustrations:

(1) ou > ou   grōwan > *grow;* flōr > *floor.*

(2) ou > u: cōl > *cool;* dōn > *do;* bōt > *boot;* dōm > *doom;* hrōf > *roof.*

(3) ou > u   fōt > *foot;* gōd > *good;* lōcian > *look.*

(4) ou > ʌ   brōþor > *brother;* flōd > *flood;* glōf > *glove.*

(5) ou > ɔ: brōhte > *brought;* sōhte > *sought;* þōhte > *thought.*

u (u) remained u, written *u, o,* and is the source of u:, ou, ʌ, and of au, written *ou.*

Illustrations:

(1) u > u   ful > *full;* wulf > *wolf.*

(2) u > u: wund > *wound (a hurt or cut).*

(3) u > ou   murnan > *mourn.*

(4) u > ʌ   lufian > *love;* cuman > *come;* sum > *some;* under > *under;* þus > *thus;* wundor > *wonder.*

(5) **u > au**   sund > *sound;*   hund > *hound;*   grund > *ground;* wunden > *wound.*

ū (**u:**) remained **u:**, written *oo, ou,* and is the source of **u** (rarely), **ʌ**, **au, ɔ.**

Illustrations:

(1) **u: > u:**   rūm > *room;* uncūþ > *uncouth.*

(2) **u: > u**   brūcan > *brook.*

(3) **u: > ʌ**   būton > *but;* scūfan > *shove;* ūs > *us;* tūx > *tusk.*

(4) **ū: > au**   ūt > *out;* hūs > *house;* būgan > *bow;* mūs > *mouse;* hū > *how;* nū > *now;* būr > *bower.*

(5) **u: > ɔ**   belūcan > *lock.*

y (**y**), nearly identical with **i** (**i**), early became interchangeable with **i** in writing and is the source of the same sounds, as well as of **i:.**

Illustrations:

(1) **y > i**   cyning > *king;* cyssan > *kiss;* dynnan > *din.*

(2) **y > ʒ:**   gyrdan > *gird;* wyrcan > *work.*

(3) **y > i:**   gyldan > *yield;* scyld > *shield;* wyrd > *weird;* yfel > *evil.*

ȳ (**y:**), nearly identical with **i:**, became **ai** (or ai:ə), became **i:** (or i:ə), written *ea, ee,* or became **i.**

Illustrations:

(1) **y: > ai**   lȳs > *lice;* mȳs > *mice.*

(1. b)   fȳr > *fire.*

(2) **y: > i:**   stȳl > *steel;* nȳd > *need.*

(2. b)   hīeran > *hear.*

(3) **y: > i**   lȳtel > *little.*

II. Diphthongs

29. ea (æə) became æ, a:, ɔ:, ei, e.

Illustrations:

(1) **æə > æ**   fealu > *fallow;*   **nearo** > *narrow;*   **sleac >**
slack; weaxan > *wax;* sceal > *shall.*

(2) **æə > a:**   scearp > *sharp;* earm > *arm;* geard > *yard;*
hearm > *harm;* hearp > *harp;* **eart** > *art;*
healf > *half.*

(3) **æə > ɔ:**   eal(l) > *all;*   feallan > *fall;*   **sealt** > *salt;*
sweart > *swart;* **weal(l)** > *wall;* weard >
ward.

(4) **æə > ei**   bealo > *bale;*   eahta > *eight;*   **ealo** > *ale;*
gesceap > *shape;* sceadu > *shade.*

(5) **æə > e**   weallend > *welling;* ceaster > *chester.*

ĕa (ɛə) became i:, ei, e, ai, ou, ju.

Illustrations:

(1) **ɛə > i:**   bēacen > *beacon;*   bēatan > *beat;*   bēam >
beam; cēap > *cheap;* drēam > *dream;* **ēac**
> *eke;* gēar > *year;* sēaþ > *seethe;* stēap >
steep.

(2) **ɛə > ei**   slēan > *slay.*

(3) **ɛə > e**   bēacnian > *beckon;* dēad > *dead;* hēafod >
head; ongēan > *against;* rēad > *red;* þrēat-
ian > *threaten.*

(4) **ɛə > ai**   ēage > *eye;* hēah > *high;* nēah > *nigh.*

(5) **ɛə > ou**   þēah > *though;* scēawian > *show;* **wēa** >
woe.

(6) **ɛə > ju**   fēa > *few;* hēawan > *hew;* þēaw > *thew.*

eo (eo) became ʒ:, e, i:, ai. a:, ou.

Illustrations:

(1) eo > ȝ: eorl > *earl;* eorþe > *earth;* ceorl > *churl;* weorc > *work;* leornian > *learn.*

(2) eo > e   heofon > *heaven;* seofon > *seven;* geolo > *yellow.*

(3) eo > i: hleonian > *lean;* feoh > *fee.*

(4) eo > ai   beorht > *bright;* feohte > *fight.*

(5) eo > a: feor > *far;* ðeorc > *dark;* heorte > *heart;* heorþ > *hearth;* ceorfan > *carve.*

(6) eo > ou   heolster > *holster;* seowian > *sew.*

ēo (eio) became i: (or i:ə), i, e, ai, u:.

Illustrations:

(1) eio > i: lēof > *lief;* fēond > *fiend;* bēo > *be;* sēon > *see;* hlēo > *lee.*

(1. b.)   drēorig > *dreary;* bēor > *beer.*

(2) eio > i   sēoc > *sick.*

(3) eio > e   hēold > *held;* brēost > *breast;* dēofol > *devil;* frēond > *friend.*

(4) eio > ai   lēoht > *light.*

(5) eio > u: trēow > *tru*(th); scēotend > *shooting;* grēow > *grew;* cēosan > *choose.*

ie (iə), see i, y; for example — hierde, hirde, hyrde > *herder.*

īe (i:ə), see ī, ȳ; for example — hīeran, hȳran > *hear.*

io (io), see eo, i, y; for example — giofan, geofan > *give;* giong, geong > *young;* nioþor, niþer > *nether.*

īo (i:o), see ēo, ī, ȳ; for example — līoht, lēoht > *light;* cīo- san, cēosan > *choose;* dīope, dēope > *deep*(ly); rīodan, rīdan > *ride.*

III. Consonants

30. Consonants, in general, have remained as they were. It has been observed above that th in Old English was represented by þ (thorn) or ð (eth), and that g, whether palatal or guttural, was represented by ʒ (yok).

ʒ, guttural, remains guttural, initially, when followed by one of the letters a, o, u, or a consonant. Illustrations: gā > *go;* gāst > *ghost;* God > *God;* glīdan > *glide;* grētan > *greet;* grindan > *grind.* It first became w, usually, in the middle of a word, and the w was then vocalized. Illustrations: folgian > *follow;* haga > *haw;* galga > *gallows;* morgen > *morrow.* It may remain guttural at the end or, after becoming w or h, be vocalized; note, for example, sorg, sorh > *sorrow;* burg, burh > *burgh* or *borough.*

ʒ, palatal, is the source of consonantal y at the beginning of a word. Illustrations: geard > *yard;* geogoþ > *youth;* gīt > *yet* (but the sound may disappear altogether: gif > *if*). It is the source of vowel y, or i, at the end of a word: hālig > *holy;* bysig > *busy* (and may disappear altogether: græg > *gray;* weg > *way* [1]). Medially, the sound is often lost. Illustrations: mægen > *main;* þegn > *thane;* segl > *sail;* twēgen > *twain.*

C, guttural, written *c,* remains guttural, initially, when followed by one of the letters a, o, u, or a consonant. Illustrations: can > *can;* cōl > *cool;* cræft > *craft;* cuman > *come.*

C, written *k,* is (1) guttural: cēne > *keen;* cyssan > *kiss;* cyning > *king;* cwēn > *queen* (where qu is the equivalent of **kw**); (2) the sound may disappear altogether: cnāwan > *know.*

C, guttural, at the end (1) remains guttural: ēac > *eke;* hafoc >

---

[1] The symbol remains; the consonantal sound is lost, only the diphthong representing it.

hawk; folc > *folk;* līc > *like;* (2) becomes tʃ: hwilc > *which;* swylc > *such;* sprǣc > *speech;* līc > *lych.* Medially, **c**, guttural, remains guttural: bēacen > *beacon;* draca > *drake.*

C, palatal, is the source of tʃ, written *ch* or *tch.* Illustrations: cild > *child;* lǣce > *leech;* rīce > *rich;* ceorl > *churl.*

INFLECTION

NOUNS

31. Old English nouns, like those of modern German, have three genders, masculine, feminine, and neuter; two numbers, singular and plural; and four cases, nominative, genitive, dative, and accusative. A fifth case, the instrumental, corresponding to the Latin ablative, originally existed but it early took the same form as the dative. Remains of it may be seen in the singular masculine and neuter of strong adjectives and of certain pronouns.

There are two main classes of nouns, strong and weak, the former including those nouns whose stem originally ended in a vowel, the latter those whose stem originally ended in **n.** A few minor consonantal declensions also exist.

A. STRONG DECLENSIONS

MASCULINES

I. a-declension or -as plurals

32. This is called the a-declension because the stem of the noun originally ended in -a, which however was lost in historic Old English; e.g., *gāra, O.E. gār, *spear*. This group, which corresponds to the Latin **o** or second declension (*hortus, horti*), contains most of the masculine nouns in Old English ending in a consonant or in **e** and is the most important of all the declensions. As the nominative plural is the case in which gender is most easily distinguishable in Old English, these nouns are often called, because of the ending of that case, -as plurals. There are three subdivisions of this declension: a-stems, ja-stems, and wa-stems.

(a) *a-stems*

33. The nouns belonging to this group all end in a consonant.

(1) MONOSYLLABLES

Paradigms: gār, *spear;* stæf, *staff;* seolh, *seal;* eoh, *horse.*

Singular

Nom.	gār	stæf	seolh	eoh
Gen.	gāres	stæfes	sēoles	ēos
Dat.	gāre	stæfe	sēole	ēo
Acc.	gār	stæf	seolh	eoh

Plural

Nom.	gāras	stafas	sēolas	ēos
Gen.	gāra	stafa	sēola	ēona
Dat.	gārum	stafum	sēolum	ēom (ēoum)
Acc.	gāras	stafas	sēolas	ēos

It will be noted that the accusative case, both singular and plural, is like the nominative.

34. Like gār are declined the following: ād, *fire,* æsc, *ash, spear,* āþ, *oath,* bēag, *ring,* beorn, *man,* būr, *bower,* camp, *battle* from Lat. *campus,* cēap, *bargain,* ceorl, *churl,* cnyht, *knight,* disc, *dish* from Lat. *discus,* dōm, *doom,* eorl, *earl,* flōd, *flood,* forst, *frost,* gāst, *ghost,* hām, *home,* helm, *helmet,* heorð, *hearth,* hlāf, *loaf,* hring, *ring,* hund, *hound,* mōr, *moor,* munt, *mountain* from Lat. *mons,* orc, *flagon* from Lat. *orca, urceus,* port, *port* from Lat. *portus,* prēost, *priest* from Lat. *presbyter,* rāp, *rope,* rond, *shield,* scealc, *servant* sceaft, *shaft,* scop, *bard,* scyld, *shield,* smiþ, *smith,* sōn, *sound* from Lat *sonus,* stōl, *stool,* swān, *swain,* tūn, *town,* wǣn, *wain,* wulf, *wolf,* and many others.

35. Like **stæf** are declined **dæg**, *day*, **hwæl**, *whale*, **pæð**, *path*. For the change in root vowel see Paragraph 12.[1]

36. Like **seolh** are declined **ealh**, *temple*, **eolh**, *elk*, **feorh**, *life*, **mearh**, *horse*. For the loss of h see Paragraph 19.

37. Like **eoh** are declined **scōh**, *shoe*, **slōh**, *slough*. The genitive plural of these is taken from the weak declension. Eoh may also be neuter.

(2) DISSYLLABLES

38. Paradigms: **hlāford**, *lord;* **þēoden**, *prince;* **nægel**, *nail;* **hamor**, *hammer*.

Singular

Nom. Acc.	hlāford	þēoden	nægel	hamor
Gen.	hlāfordes	þēodnes	nægles	hamores
Dat.	hlāforde	þēodne	nægle	hamore

Plural

Nom. Acc.	hlāfordas	þēodnas	næglas	hamoras
Gen.	hlāforda	þēodna	nægla	hamora
Dat.	hlāfordum	þēodnum	næglum	hamorum

39. Like **hlāford** are declined dissyllables ending in -að, -oð, -dōm, -els, -hād, -ing, -ling, as, e.g., fiscað, *fishing*, huntoð, *hunting*, cynedōm, *kingdom*, fætels, *vessel* (also neuter), cildhād, *childhood*, cyning, *king*, dēorling, *darling*.

40. Nouns ending in -el, -en, -er, -ol, -on, -or usually contract when the first syllable is long, as in **þēoden**; when the first syllable is short they sometimes contract as in **nægel**, and sometimes keep

[1] Mæg, *kinsman*, also conforms to this declension; æ + g in an open syllable followed by a, o, or u in the next syllable reverts to the original ā (māgas). A newer form, mægas, also exists.

the vowel of the second syllable as in hamor. A long syllable is one containing a long vowel or diphthong, or a short vowel or diphthong followed by two or more consonants; a short syllable is one with a short vowel or diphthong and one or no following consonants.

41. Like þēoden are declined æppel, *apple*, cyrtel, *kirtle*, engel, *angel*, ēþel, *home*, fengel, *prince*, gīsel, *hostage*, morgen, *morning* (dat. mergen), bolster, *pillow*, brember, *bramble*, finger, *finger*, ōfer, *shore*, ancor, *anchor* from Lat. *ancora*, ealdor, *chief*, etc.

42. Like nægel are declined hægel, *hail*, þegen, *thane*, fugol, *bird*, þunor, *thunder*.

43. Like hamor are declined cradol, *cradle*, pistol, *epistle* from Lat. *epistola*, sadol, *saddle*, canon, *canon* from Lat. *canon*, heofon, *heaven*.

(b) ja-stems

44. Nouns in this group are so-called because the original suffix was -ja. This j caused mutation of the radical vowel if it was a vowel capable of mutation, and gemination of the final consonant (except r) if single and preceded by a short vowel. The j remained as an i in oblique cases only when the consonant was r, as in here conjugated below. Nouns of this group ending in e, with the exception of here, had originally long radical syllables; those ending in a consonant have geminated syllables which were originally short. They are all declined like the a-stems.

45. Paradigms: mēce, *sword;* bridd, *young bird;* here, *army;* wrītere, *writer.*

Singular

Nom. Acc.	mēce	bridd	here	wrītere
Gen.	mēces	briddes	heriges, heries, herges	wrīteres
Dat.	mēce	bridde	herige, herie, herge	wrītere

Plural

Nom. Acc.	mēcas	briddas	herigas, herias, hergas	wrīteras
Gen.	mēca	bridda	heriga, heria, herga	wrītera
Dat.	mēcum	briddum	herigum, herium, hergum	wrīterum

46. Like **mēce** (original long stem and no gemination) are declined **ende**, *end*, **esne**, *servant*, **hierde**, *shepherd*, **hwǣte**, *wheat*, etc.

47. Like **bridd** (original short stem and gemination) are declined **hlynn**, *noise*, **hrycg**, *ridge*, **pytt**, *pit*, **secg**, *man*, **wecg**, *wedge*, etc.

48. Here is the only noun with an **r** in the root.

49. Like **wrītere** are declined several derivatives in -ere, nouns of agency: **bōcere**, *scholar*, **fiscere**, *fisher*, **fugelere**, *fowler*, **hearpere**, *harper*, **sǣdere**, *sower*, etc.

(c) *wa-stems*

50. The few nouns of this group had a stem originally ending in -wa. This w became u in the nominative and accusative singular of words with a short root syllable ending in a consonant. Otherwise the declension of this group is like that of the a-stems.

51.　　　　　　　Paradigms: **bearu**, *grove;* **þēaw**, *custom.*

	Singular		*Plural*	
Nom. Acc.	bearu	þēa(w)	bearwas	þēawas
Gen.	bearwes	þēawes	bearwa	þēawa
Dat.	bearwe	þēawe	bearwum	þēawum

The inflected forms of the short-stemmed nouns sometimes have a u before the w, as bearuwes, etc.

52. Other wa-stems are **dēaw**, *dew* (also neuter), **hlǣw**, *mound,* **hrā(w)**, *corpse*, **snā(w)**, *snow*, **þēo(w)**, *servant.*

II. *i-declension or -e plurals*

53. This declension, corresponding to the Latin i-declension (*princeps, principis*), is distinguished by mutation of the radical vowel caused by the original i of the stem. The i was dropped after a long root syllable and remained as e after a short root syllable. Most of the nouns of this declension have taken the endings of the a-declension; the only distinguishing mark remaining is the e in the nominative and accusative plural which a few words, chiefly names of peoples, still retain.

54.   Paradigms: **sele,** *hall;* **dæl,** *part.* [7]

	Singular		Plural	
Nom. Acc.	sele	dæl	sele, -as	dælas
Gen.	seles	dæles	sela	dæla
Dat.	sele	dæle	selum	dælum

55. The nominative-accusative plural ending e is found in the words **ielde,** *men,* **elfe,** *elves,* **lēode,** *peoples,* **Dene,** *Danes,* **Engle,** *Angles,* **Mierce** (gen. **Miercna**), *Mercians,* **Norðymbre,** *Northumbrians,* **Seaxe** (gen. **Seaxna**), *Saxons,* and compounds in **-ware,** as **ceasterware,** *city-dwellers.*

56. Other short-stemmed nouns like **sele** are **bite,** *bite,* **bryne,** *burning,* **byre,** *son,* **byrele,** *cup-bearer,* **cyme,** *coming,* **ele,** *oil,* **gryre,** *terror,* **hryre,** *fall,* **hyge,** *mind,* **slege,** *blow,* **stede,** *place,* **þyle,** *orator,* **wlite,** *beauty,* etc., and abstracts in **-scipe,** like **frēondscipe,** *friendship,* **gebēorscipe,** *banquet.*

57. Other long-stemmed nouns like **dæl,** which are declined like those of the a-declension but have a mutated radical vowel are **drinc,** *drink,* **feng,** *grasp,* **flyht,** *flight,* **fyrst,** *time,* **giest,** *guest,* **lyft,** *air,* **steng,** *pole,* **swēg,** *sound,* **wyrm,** *worm, dragon,* etc.

III. u-declension

58. The u-declension, corresponding to the Latin u-declension (*fructus, fructus*), originally contained masculine, feminine, and neuter nouns, but all except one neuter, the now indeclinable **fela,** *much,* had left the declension before the period of historic Old English and most of the masculines and feminines have also gone over into the **a** and **o** declensions. In the few remaining nouns, **u** is present in the nominative and accusative singular after a short syllable and is lost after a long syllable.

59. Paradigms: **wudu,** *wood;* **feld,** *field.*

	Singular		*Plural*	
Nom. Acc.	wudu	feld	wuda, -u	felda, -as
Gen.	wuda	felda, -es	wuda	felda
Dat.	wuda	felda, -e	wudum	feldum

60. Like **wudu** is declined **sunu,** *son.* **Heoru,** *sword,* **lagu,** *lake,* **mago,** *kinsman,* **medu,** *mead,* **sidu,** *custom,* show traces of the declension in a few surviving forms.

61. Other nouns like **feld,** with traces of this declension and parallel forms in the a-declension, are **eard,** *country,* **ford,** *ford,* **hād,** *rank,* **hearg,** *temple,* **weald,** *forest,* **winter,** *winter,* **sumor,** *summer.*

NEUTERS

I. a-declension; -u or unchanged plurals

(a) a-stems

(1) MONOSYLLABLES

62. With one difference, the neuters in this group are declined like the masculines. The nominative-accusative plural, instead

of ending in -as, ends in -u, this u being dropped after a long
syllable. The nominative and accusative plural of long-syllabled
words are therefore the same as the nominative and accusative
singular.

63. Paradigms: clif, *cliff;* bæð, *bath;* wīf, *wife;* sweord, *sword;*
feorh, *life.*

Singular

Nom. Acc.	clif	bæð	wīf	sweord	feorh
Gen.	clifes	bæðes	wīfes	sweordes	fēores
Dat.	clife	bæðe	wīfe	sweorde	fēore

Plural

Nom. Acc.	clifu	baðu	wīf	sweord	feorh
Gen.	clifa	baða	wīfa	sweorda	fēora
Dat.	clifum	baðum	wīfum	sweordum	fēorum

64. Like clif are declined other neuters with a short syllable:
brim, *sea,* hliþ, *cliff,* hof, *court,* lim, *limb,* scip, *ship,* spor, *track,* etc.,
and also monosyllables with a prefix, as bebod, *command,* genip,
mist, gewrit, *writing.*

65. Like bæð are declined cræt, *cart,* dæl, *dale,* fæt, *vat,* græf,
grave, scræf, *cavern,* stæð, *shore,* swæð, *track,* etc. For the change
in vowel in these words see Paragraph 12 and compare the de-
clension of the masculine a-stem, stæf.

66. Like wīf and sweord, representative of the two types of long
syllable, are declined many nouns: bān, *bone,* bearn, *child,* bill,
sword, bold, *building,* bord, *shield,* brēost, *breast,* cild, *child,* dēor,
deer, folc, *folk,* gēar, *year,* gielp, *boast,* hilt, *hilt,* holt, *wood,* hord,
hoard, hors, *horse,* hūs, *house,* hwēol, *wheel,* lāc, *gift,* land, *land*
lēaf, *leaf,* līc, *body,* līf, *life,* nēat, *cattle,* ord, *point,* rēaf, *dress,* scēap

sheep, scrīn, *shrine* from Lat. *scrinium*, spell, *tale*, swīn, *swine*, þing, *thing*, wīn, *wine* from Lat. *vinum*, word, *word*, and others.

67. Like feorh, with the loss of medial h, are declined a few other words: feoh, *cattle*, holh, *hollow*, wōh, *evil*, etc.

(2) DISSYLLABLES

68. Paradigms: wundor, *wonder;* gafol, *tribute*

	Singular		*Plural*	
Nom. Acc.	wundor	gafol	wundru, -or	gafol, -u
Gen.	wundres	gafoles	wundra	gafola
Dat.	wundre	gafole	wundrum	gafolum

After a long radical syllable the middle vowel is usually syncopated in inflection, as in wundor; after a short radical syllable the middle vowel generally remains, as in gafol. The u of the nominative-accusative plural ending usually is present when the radical syllable is long and is dropped when it is short. Neither of these rules, however, is invariable.

69. Like wundor, with a long radical syllable, are declined symbel, *feast*, bēacen, *beacon*, ellen, *strength*, fācen, *deceit*, tācen, *token*, wǣpen, *weapon*, wolcen, *cloud*, mynster, *monastery*, tīber, *sacrifice*, hēafod, *head*, dēofol, *devil*, tungol, *star*, āttor, *poison*, ealdor, *life*, morþor, *murder*, seolfor, *silver*, wuldor, *glory*.

70. Like gafol, with a short radical syllable, are declined gamen, *sport*, mægen, *might*, wæter, *water*.

(*b*) *ja-stems*

71. These have the same peculiarities as the masculine ja-stems Paradigms: flet(t), *floor;* wǣge, *cup;* wēsten, *waste.*

Singular

Nom. Acc.	flet(t)	wǣge	wēsten
Gen.	flettes	wǣges	wēsten(n)es
Dat.	flette	wǣge	wēsten(n)e

Plural

Nom. Acc.	flet(t)	wǣgu	wēsten(n)u
Gen.	fletta	wǣga	wēsten(n)a
Dat.	flettum	wǣgum	wēsten(n)um

72. Like flet(t), with an original short stem and gemination, are declined bed(d), *bed*, cyn(n), *kin*, den(n), *den*, fen(n), *fen*, wed(d), *pledge*. These may have a single final consonant in the nominative and accusative singular and plural.

73. Like wǣge, with an original long stem and no gemination, are declined all neuter nouns ending in -e with the exception of ēage and ēare. (See Paragraph 123.) These include a large number with the prefix ge-. Examples are ǣrende, *errand*, rīce, *kingdom*, ʒigle, *jewel*, wīte, *punishment*, yrfe, *heritage*, yrre, *anger*, getimbre, *structure*, geþēode, *language*, geþinge, *agreement*, gewǣde, *armor*, etc

74. Like wēsten are declined fæsten, *fastness*, bærnet(t), *arson*, fyrwet(t), *curiosity*, and a few others. The double consonant may or may not be present in the nominative and accusative singular and is often simplified in the inflectional forms.

(c) wa-stems

75. Paradigms: bealu, *evil;* cnēo, *knee.*

	Singular		*Plural*	
Nom. Acc.	bealu, -o	cnēo(w)	bealu, -o	cnēo(w), -wu
Gen.	bealwes	cnēowes	bealwa	cnēowa
Dat.	bealwe	cnēowe	bealwum	cnēowum

76. These have the same peculiarities as the masculine **wa-stems.** The plural cnēowu is a late form by analogy with bealu. Other words in this small group are **mealu,** *meal,* **searu,** *device,* **teoru,** *tar,* declined like bealu; and **hlēo(w),** *covering,* **strēa(w),** *straw,* **trēo(w),** *tree,* declined like **cnēo(w).**

II. i-declension

77. The neuter nouns of this declension have completely gone over to the a-declension. The mutated radical vowel is the only distinguishing feature.

78. Paradigms: **sife,** *sieve;* **lǣn,** *loan.*

	Singular		*Plural*	
Nom. Acc.	sife	lǣn	sifu	lǣn
Gen.	sifes	lǣnes	sifa	lǣna
Dat.	sife	lǣne	sifum	lǣnum

79. Like **sife,** with a short root syllable and the endings **e** in the nominative-accusative singular and **u** in the nominative-accusative plural, are declined ofdæle, *declivity,* orlege, *fate,* spere, *spear.*

80. Like **lǣn,** with a long root syllable and no ending in the plural, are declined flæsc, *flesh,* hǣl, *health,* hilt, *hilt.*

FEMININES

I. o-declension or -a plurals

81. This declension is so-called because the stem of the nouns originally ended in **o.** It corresponds to the Latin **a** or first declension (*porta, portae*), and is composed entirely of feminine nouns. There are three subdivisions, **o-stems, jo-stems, and wo-stems.**

(a) *o-stems*

82. Nouns with a short radical syllable keep the original ending -u in the nominative singular; those with a long syllable drop it.

Paradigms: cearu, *care;* gūð, *battle.*

Singular		*Plural*	
Nom. cearu	gūð	ceara, -e	gūða, -e
Gen. ceare	gūðe	ceara, -ena	gūða, -ena
Dat. ceare	gūðe	cearum	gūðum
Acc. ceare	gūðe	ceara, -e	gūða, -e

The original ending of the genitive plural was -a; the ending -ena, often found, was taken from the weak declension.

83. Like **cearu**, with a short radical syllable, are declined andswaru, *answer,* cwalu, *murder,* faru, *journey,* giefu, *gift,* lufu, *love,* nafu, *nave,* racu, *narrative,* sacu, *persecution,* sceamu, *shame,* scolu, *shoal,* swaðu, *track,* wracu, *revenge,* wraþu, *support,* etc.

84. Like gūð, with a long radical syllable, are declined ār, *favor,* bōt, *remedy,* dūn, *down,* eaxl, *shoulder,* folm, *hand,* frēod, *peace,* glōf, *glove,* grāp, *grasp,* heall, *hall,* healf, *half,* hwīl, *while,* lād, *way,* lāf, *remnant,* lār, *lore,* lind, *shield,* mearc, *mark,* mēd, *meed,* rād, *ride,* reord, *speech,* rūn, *rune,* sorh, *sorrow,* sprǣc, *speech,* stīg, *path,* strǣt, *street* from Lat. *strata,* þearf, *need,* þēod, *nation,* wund, *wound,* and many others.

DISSYLLABLES

85. Paradigms: feþer, *feather;* hlædder, *ladder.*

Singular		*Plural*	
Nom. feþer	hlædder	feþera, -e	hlæddra, -e
Gen. feþere	hlæddre	feþera	hlæddra
Dat. feþere	hlæddre	feþerum	hlæddrum
Acc. feþere	hlæddre	feþera, -e	hlæddra, -e

The middle vowel is syncopated in inflection when the radical syllable is long, as in hlædder; it is retained when the radical syllable is short, as in feþer.

86. Like feþer are declined bysen, *example*, fetor, *fetter*, fyren, *sin*, sylen, *gift*.

87. Like hlædder are declined ceaster, *city* from Lat. *castra*, frōfor, *comfort*, sāwol, *soul*.

(b) jo-stems

88. These correspond to the masculine and neuter ja-stems and are distinguished by a mutated root vowel and by gemination of the final consonant if the radical syllable was short. The inflectional endings are the same as those of the o-stems.

89. Paradigms: benn, *wound;* ræst, *rest*.

	Singular		*Plural*	
Nom.	ben(n)	ræst	benna, -e	ræsta, -e
Gen.	benne	ræste	benna	ræsta
Dat.	benne	ræste	bennum	ræstum
Acc.	benne	ræste	benna, -e	ræsta, -e

90. Like benn, with geminated consonant, are declined brycg, *bridge*, cribb, *crib*, ecg, *edge*, hell, *hell*, nytt, *use*, sibb, *kinship*, synn, *sin*, wynn, *joy*.

91. Like ræst, with a long syllable, are declined hild, *battle*, milts, *kindness*, wylf, *she-wolf*, ȳð, *wave*.

POLYSYLLABLES

92. These nouns end in -en, -es, -nes; a great majority of them are abstract in meaning. Gemination of the final consonant occurs.

93.   Paradigms: gyden, *goddess;* swētnes, *sweetness.*

	Singular		*Plural*	
Nom.	gyden	swētnes	gydenna, -e	swētnessa, -e
Gen.	gydenne	swētnesse	gydenna	swētnessa
Dat.	gydenne	swētnesse	gydennum	swētnessum
Acc.	gydenne	swētnesse	gydenna, -e	swētnessa, -e

94. Other nouns of this group are byrðen, *burden,* fyxen, *she-fox,* *vixen,* gīemen, *responsibility,* lygen, *falsehood,* æðelnes, *nobility,* clǣnnes, *purity,* hālignes, *holiness,* mildheortnes, *mercy.*

(c) wo-stems

95. As in the wa-stems, the original w becomes u in the nominative singular when the root syllable is short; when the syllable is long the u is lost.

96. Paradigms: seonu, *sinew;* mǣd, *meadow;* hrēow, *repentance.*

	Singular		
Nom.	seonu	mǣd	hrēo(w)
Gen.	seonwe	mǣdwe	hrēowe
Dat.	seonwe	mǣdwe	hrēowe
Acc.	seonwe	mǣdwe	hrēowe

	Plural		
Nom.	seonwa, -e	mǣdwa, -e	hrēowa, -e
Gen.	seonwa	mǣdwa	hrēowa
Dat.	seonwum	mǣdwum	hrēowum
Acc.	seonwa, -e	mǣdwa, -e	hrēowa, -e

97. Like seonu are declined beadu, *battle,* nearu, *distress,* sceadu, *shadow.* Sceadu sometimes has the forms of the o-stems.

98. Like mǣd is declined lǣs, *pasture.*

99. Like hrēow are declined stōw, *place*, trēow, *faith*.

100. The inflected forms of the short-stemmed nouns sometimes have u before the w, as in seonuwe, etc.

FEMININE ABSTRACT NOUNS

101. Three types of abstract nouns may be placed under the o-declension, because, although they were not originally o-stems, their inflection is like that of the o-stems.

(1) *Abstracts in -ung*

102.   Paradigm: bodung, *preaching*.

	Singular	*Plural*
Nom.	bodung	bodunga, -e
Gen.	bodunga, -e	bodunga
Dat.	bodunga, -e	bodungum
Acc.	bodunga, -e	bodunga, -e

The ending -a in the genitive, dative, accusative singular is the commoner of the two forms.

103. Other nouns of this type are blētsung, *blessing*, costnung, *temptation*, getācnung, *signification*, hādung, *ordination*, lēasung, *falsehood*, leornung, *learning*, þrōwung, *suffering*.

(2) *Abstracts in -þu*

104.   Paradigm: yrmþu, *misery*

	Singular	*Plural*
Nom.	yrmþu, -o	yrmþa, -e, -u, -o
Gen.	yrmþe, -u, -o	yrmþa
Dat.	yrmþe, -u, -o	yrmþum
Acc.	yrmþe, -u, -o	yrmþa, -e, -u, -o

105. These nouns were originally formed from adjectives and had the suffix -iþu, i causing mutation of the radical vowel and then being syncopated. For example, earm, *miserable* + iþu, with mutation and syncopation becomes iermþu or yrmþu, *misery*. The u of the nominative singular is often dropped. These nouns, as will be seen from the paradigm, often keep the u throughout the entire singular.

106. Other nouns of this group are cēnþu, *boldness*, geohþo, *sorrow*, hȳnþu, *humiliation*, lengþu, *length*, mǣrþo, *fame*, myrþu, *mirth*, strengþu, *strength*, werhþu, *damnation*.

(3) Abstracts in -in

107. Paradigm: bysigu, *trouble*

Singular	Plural
Nom. bysigu, -o	bysiga, -e, -u, -o
Gen. bysige, -u, -o	bysiga
Dat. bysige, -u, -o	bysigum
Acc. bysige, -u, -o	bysiga, -e, -u, -o

108. These nouns were also originally formed from adjectives by adding the suffix -in, i causing mutation of the radical vowel. The mutated vowel is still seen, but the inflectional endings early became those of the o-declension.

109. Other nouns declined like bysigu are bieldu, *boldness*, ieldo, *age*, fyrhto, *fright*, gesynto, *prosperity*, hǣlu, *salvation*, hyldo, *favor*, snyttro, *wisdom*, strengu, *strength*, wlencu, *pride*.

II. i-declension or -e plurals

110. The feminine nouns of this declension all have long stems; those with short stems are declined like the nouns of the o-declension. The mutated radical vowel and the accusative singular without an ending are the distinguishing signs of the declension.

111.   Paradigms: **tīd,** *time;* **wyrd,** *fate.*

	Singular		*Plural*	
Nom.	tīd	wyrd	tīde, -a	wyrde, -a
Gen.	tīde	wyrde	tīda	wyrda
Dat.	tīde	wyrde	tīdum	wyrdum
Acc.	tīd, -e	wyrd, -e	tīde, -a	wyrde, -a

The accusative singular in -e and the nominative-accusative plural in -a, endings taken from the o-declension, may also be found.

112. Other nouns of this class are **ǣht,** *possession,* **bēn,** *prayer,* **brȳd,** *bride,* **cwēn,** *queen,* **dǣd,** *deed,* **ēst,** *favor,* **fierd,** *army,* **miht,** *might,* **nȳd,** *need,* **scyld,** *guilt,* **spēd,** *speed,* **wēn,** *expectation.*

III. u-declension

113. Only a very few feminine nouns of this declension remain, **duru,** *door,* and hand, *hand,* being the most important. The rest have gone over to the o-declension. The inflectional endings are those of the masculine u nouns, the u of the nominative-accusative singular disappearing after a long syllable.

114.   Paradigms: **duru,** *door;* hand, *hand.*

	Singular		*Plural*	
Nom.	duru	hand	dura	handa
Gen.	dura	handa	dura	handa
Dat.	dura	handa	durum	handum
Acc.	duru	hand	dura	handa

115. The other nouns in this declension are nosu, *nose*, cweorn, *mill*, flōr, *floor*, all of which may be found with the inflectional endings of the o-declension.

B. WEAK DECLENSION

(*n-stems*)

116. This large declension corresponds to the Latin n-stems (*lumen, lumenis*). It contains all masculine nouns ending in -a in the nominative singular, all feminines ending in -e, and two neuters ending in -e. The n is part of the original stem as may be seen from the genitive plural.

MASCULINES

117.   Paradigms: cnapa, *boy;* wēa, *woe.*

Singular			Plural	
Nom. cnapa	wēa	cnapan	wēan	
Gen. cnapan	wēan	cnapena	wēana	
Dat. cnapan	wēan	cnapum	wēam, wēaum	
Acc. cnapan	wēan	cnapan	wēan	

118. Like cnapa are declined Alwalda, *Lord,* bana, *slayer,* boda, *messenger,* brytta, *dispenser,* cempa, *warrior,* draca, *dragon* from Lat. *draco,* eafora, *son,* egesa, *terror,* flota, *sailor, ship,* fruma, *beginning,* galga, *gallows,* gefēra, *companion,* gerēfa, *reeve,* guma, *man,* hālga, *saint,* hunta, *hunter,* lēoma, *light,* līchoma, *body,* mōna, *moon,* naca, *ship,* nama, *name,* pāpa, *pope* from Lat. *papa,* sefa, *mind,* stēda, *steed,* wiga, *warrior,* wita, *counselor,* and many others.

119. Like wēa, with contraction, are declined frēa, *lord,* gefēa, *joy,* pēa, *peacock* from Lat. *pavo,* and a few others.

FEMININES

120. Paradigms: **hearpe**, *harp;* **flā**, *arrow.*

	Singular		*Plural*	
Nom.	hearpe	flā	hearpan	flān
Gen.	hearpan	flān	hearpena	flāna
Dat.	hearpan	flān	hearpum	flānum
Acc.	hearpan	flān	hearpan	flān

121. Like hearpe are declined ælmesse, *alms,* bune, *cup,* bȳme, *trumpet,* byrne, *coat-of-mail, byrnie,* carte, *chart* from Lat. *charta,* cirice, *church,* eorþe, *earth,* fæmne, *maiden,* feohte, *fight,* folde, *earth,* folme, *hand,* heorte, *heart,* nædre, *adder,* sunne, *sun,* syrce, *shirt-of-mail,* tunge, *tongue,* wīse, *manner,* etc.

122. Like flā, with contraction, are declined bēo, *bee,* rēo, *covering,* tā, *toe,* and a few others.

NEUTERS

123. Paradigm: **ēare**, *ear.*

	Singular	*Plural*
Nom.	ēare	ēaran
Gen.	ēaran	ēarena
Dat.	ēaran	ēarum
Acc.	ēare	ēaran

124. The one other neuter noun in this declension is ēage, *eye.* It will be seen that the neuters are declined exactly like the feminines with the exception of the accusative singular, which is like the nominative.

C. MINOR DECLENSIONS

Five small declensions may for convenience be grouped together.

I. Radical Consonant Declension (Mutation Plurals)

125. The nouns in this group are monosyllables ending in a consonant. They have mutation of the root vowel but no inflectional ending in the dative singular and nominative-accusative plural, because these cases originally ended in -i and -iz, i causing the mutation.

MASCULINES

126. Paradigms: **mann,** *man;* **tōþ,** *tooth.*

	Singular		*Plural*	
Nom. Acc.	man(n)	tōþ	men(n)	tēþ
Gen.	mannes	tōþes	manna	tōþa
Dat.	men(n)	tēþ	mannum	tōþum

127. The only other masculine of this declension is **fōt,** *foot,* plural **fēt.**

FEMININES

128. Paradigms: **gōs,** *goose;* **mūs,** *mouse;* **burg,** *city;* **cū,** *cow.*

	Singular			
Nom. Acc.	gōs	mūs	burg	cū
Gen.	gēs, gōse	mȳs, mūse	byr(i)g, burge	cȳ, cūe
Dat.	gēs	mȳs	byr(i)g	cȳ

	Plural			
Nom. Acc.	gēs	mȳs	byr(i)g	cȳ, cȳe
Gen.	gōsa	mūsa	burga	cūa, cūna, cȳna
Dat.	gōsum	mūsum	burgum	cūm, cūum

The genitive singular of the feminines may have mutation or may have an unmutated vowel with the regular genitive ending, -e, by analogy with the o-stems.

129. Other nouns of this group are bōc, *book*, pl. bēc, brōc, *breeches*, pl. brēc, gāt, *goat*, pl. gēt, lūs, *louse*, pl. lȳs, neaht, niht, *night*, pl. niht. The genitive nihtes often found in adverbial usage is formed by analogy with dæges, with which word it is often used.

NEUTERS

130. There is only one neuter remaining, scrūd, *garment*, which has the dative singular, scrȳd, but is otherwise declined like an a-stem.

Singular		*Plural*
Nom. Acc.	scrūd	scrūd
Gen.	scrūdes	scrūda
Dat.	scrȳd	scrūdum

II. r-declension

131. This declension consists of nouns of relationship ending in -r: fæder, *father*, brōðor, *brother*, mōdor, *mother*, dohtor, *daughter*, sweostor, *sister*. The collective plurals gebrōðor, -ru, *brothers*, and gesweostor, -ru, *sisters*, complete this group.

132. Paradigms:

		Singular			
Nom. Acc.	fæder	brōðor	mōdor	dohtor	sweostor
Gen.	fæder fæd(e)res	brōðor	mōdor	dohtor	sweostor
Dat.	fæder	brēðer	mēder	dehter	sweostor

Plural

Nom. Acc	fæd(e)ras	$\begin{cases} \text{brōðor} \\ \text{brōðru} \end{cases}$	$\begin{cases} \text{mōdor} \\ \text{mōdru,} \\ \text{-dra} \end{cases}$	$\begin{cases} \text{dohtor} \\ \text{dohtru,} \\ \text{-tra} \end{cases}$	$\begin{cases} \text{sweostor} \\ \text{sweostru,} \\ \text{-tra} \end{cases}$
Gen.	fæd(e)ra	brōðra	mōdra	dohtra	sweostra
Dat.	fæd(e)rum	brōðrum	mōdrum	dohtrum	sweostrum

III. nd-declension

133. This declension is composed of masculine nouns formed from present participles.

134. Paradigms: fēond, *enemy;* wīgend, *warrior.*

	Singular		*Plural*	
Nom. Acc.	fēond	wīgend	$\begin{cases} \text{fīend,} \\ \text{fēond,} \\ \text{fēondas} \end{cases}$	$\begin{cases} \text{wīgend,} \\ \text{wīgende,} \\ \text{wīgendas} \end{cases}$
Gen.	fēondes	wīgendes	fēonda	wīgendra
Dat.	fīend, fēonde	wīgende	fēondum	wīgendum

135. Like fēond, with mutation in the dative singular and nominative-accusative plural, are declined frēond, *friend,* tēond, *accuser.*

136. The -e in the nominative-accusative plural and the -ra in the genitive plural of wīgend are taken from the declension of the present participle as an adjective (see Paragraph **219, 7**). Other nouns similarly declined are āgend, *owner,* būend, *dweller,* dēmend, *judge,* Hǣlend, *Savior,* hettend, *enemy,* Nergend, *Savior,* rīdend, *rider,* scyppend, *creator,* wealdend, *ruler.*

IV. *þ-declension*

137. Only four nouns of this declension remain: hæleð, *hero*, and mōnað, *month* (masculine); mæg(e)ð, *maiden* (feminine); ealu, *ale* (neuter).

138. Paradigms:

Singular

Nom. Acc.	hæle, hæleð	mōnað	mæg(e)ð	ealu
Gen.	hæleðes	mōn(a)ðes	mæg(e)ð	ealoð
Dat.	hæleðe	mōn(a)ðe	mæg(e)ð	ealoð

Plural

Nom. Acc.	hæleð, hæleðas	mōnað, mōn(e)ðas	mæg(e)ð	
Gen.	hæleða	mōn(e)ða	mæg(e)ða	ealeða
Dat.	hæleðum	mōn(e)ðum	mæg(e)ðum	

The ð in the nominative singular of these words was not there originally but was taken from the inflected cases. The genitive singular forms in -es and nominative-accusative plural forms in -as come from the a-declension.

V. *es-, os-declension; -ru plurals*

139. This declension of neuters, corresponding to the Latin neuters in -us (*pecus, pecoris*), has lost most of its nouns to the a- and i-declensions. The distinguishing feature of the declension, the r in the suffix, no longer appears in the singular but only in the plural forms.

140.　　　　　　　　Paradigm: **cealf**, *calf*.

Singular		*Plural*
Nom Acc.	cealf	cealfru
Gen.	cealfes	cealfra
Dat.	cealfe	cealfrum

141. Like **cealf** are declined ǣg, *egg*, **lamb**, *lamb*, and sometimes **cild**, *child*. **Lamb** and **cild** both have also the nominative-accusative plural forms without an ending. Such words as **dōgor**, *day*, **ēagor**, *sea*, **hrȳðer**, *cattle*, **sigor**, *victory*, **wildor**, *beast*, show the original r in the singular but are declined like nouns of the a-declension.

D. COMPOUND NOUNS

142. To this account of the various declensions a word may be added about compound nouns, which constitute a very large part of the vocabulary of Old English, especially the poetry. The two elements of the compound, when both are nouns, may or may not be of the same gender. In the latter case the gender of the compound is that of the second element. A short list follows, showing the various combinations of genders which may be found.

(1) Masculine-neuter, declined as neuter:

> **bēah-hord**, *treasure-hoard*, **dæg-weorc**, *day's work*, **gum-cynn**, *mankind*, **medo-ærn**, *meadhall*, **morgen-lēoht**, *morning-light*, **stān-clif**, *stone cliff*.

(2) Masculine-feminine, declined as feminine:

> **dæg-hwīl**, *day*, **ende-lāf**, *last remnant*, **fēond-grāp**, *enemy's grip*, **here-spēd**, *success in war*, **maþþum-gifu**, *treasure gift*, **medo-benc**, *mead-bench*.

(3) Feminine-masculine, declined as masculine:

> **beadu-rinc**, *warrior*, **candel-stæf**, *candlestick*, **ceaster-būend**, *city dweller*, **eaxl-gestealla**, *shoulder companion*, **gūþ-rinc**, *warrior*, **heal-þegn**, *hall-thane*.

(4) Feminine-neuter, declined as neuter:

    beadu-lāc, *battle-sport*, eorþ-hūs, *earth-house*, fyrd-lēoþ, *war-song*, hilde-bill, *war-sword*.

(5) Neuter-masculine, declined as masculine:

    bān-cofa, *body*, bēor-sele, *beer-hall*, ellen-gǣst, *powerful demon*, folc-cyning, *folk-king*, fȳr-draca, *fire-dragon*, glēo-mann, *gleeman*, gold-smiþ, *goldsmith*, sinc-gyfa, *treasure-giver*.

(6) Neuter-feminine, declined as feminine:

    brim-wylf, *sea-wolf*, ealu-benc, *ale-bench*, flet-rǣst, *hall-bed*, folc-cwēn, *folk-queen*, hord-burh, *treasure-city*, līf-wynn, *life-joy*.

PRONOUNS

PERSONAL PRONOUNS

143.

FIRST PERSON

	Singular	*Dual*	*Plural*
Nom.	ic, *I*	wit, *we two*	wē, *we*
Gen.	mīn	uncer	ūre, ūser
Dat.	mē	unc	ūs
Acc.	mē, mec	unc, uncit	ūs, ūsic

SECOND PERSON

Nom.	þū, *thou*	git, *ye two, you two*	gē, *ye, you*
Gen.	þīn	incer	ēower, īower
Dat.	þē	inc	ēow, īow
Acc.	þē, þec	inc, incit	ēow, īow, ēowic

THIRD PERSON

Singular

Masculine	Feminine	Neuter
Nom. hē, *he*	hēo, hīo, hīe, hī, *she*	hit, *it*
Gen. his	hiere, hire, hyre	his
Dat. him	hiere, hire, hyre	him
Acc. hine, hiene, hyne	hīe, hī, hȳ, hēo	hit

Plural

All Genders

Nom. hīe, hī, hȳ, hēo, hīo, *they*
Gen. hiera, hira, hyra. heora, hiora
Dat. him, heom
Acc. hīe, hī, hȳ, hēo, hīo

144. The personal pronouns, it will be noticed, in addition to the modern singular and plural have also a dual number in the first and second persons, which is translated by *we* (*our, us*) *two* and *ye* or *you* (*your, you*) *two*. There are also many variants of some of the forms, the most common spelling in each case being given first. The early accusative forms, **mec, ðē, uncit, incit, ūsic, ēowic,** were soon supplanted by the dative forms. The oblique case endings, as will be seen later, are like those of the strong adjectives.

REFLEXIVE PRONOUNS

145. There is no independent reflexive pronoun in Old English, the various forms of the personal pronoun being used as reflexives. For emphasis the adjective, **self,** is sometimes used with the pronoun, in such cases being declined to agree with the pronoun it

modifies.   Examples: Hē hine tǣhte, *He taught himself;* Ac ic ðā
sōna eft mē selfum andwyrde, *But I then at once answered myself*

POSSESSIVE PRONOUNS

146. The possessive pronouns of the first two persons in Old
English were formed from the genitives of the personal pronouns
and are declined like strong adjectives.   They are **mīn**, *my* **or**
mine, **þīn,** *thy* or *thine,* **uncer,** *of us two,* **incer,** *of you two,* **ūre,** *our*
or *ours,* **ēower,** *your* or *yours.*   The third person possessive, **sīn,** *his,*
her or *hers, its, their* or *theirs,* formed from the stem of an old re-
flexive cognate with the Latin *suus,* and also declined like a strong
adjective, was seldom used, its place being taken by the genitives
of the third personal pronoun, his, *his,* hiere, *her,* his, *its,* hiera,
their, which are not declined.

DEMONSTRATIVE PRONOUNS

147. There are two main demonstratives in Old English: **sē,**
that, and **þēs,** *this.*   The first of these is also used as the definite
article, *the,* and sometimes in place of the third personal pronoun,
he, as in the sentence, **þæt sē on foldan læg,** *so that he lay on the*
earth.   For its use as a relative see Paragraph **151.**

148. Declension of **sē**

Singular

Masculine	*Feminine*	*Neuter*
Nom. **sē,** *that,* **the**	**sēo, sīo**	**þæt**
Gen. **þæs**	**þǣre**	**þæs**
Dat. **þǣm, þām**	**þǣre**	**þǣm, þām**
Acc. **þone, þæne, þane**	**þā**	**þæt**
Ins.[1] **þȳ, þon, þē**		**þȳ, þon, þē**

[1] Instrumental.

Plural

All Genders

Nom. þā
Gen. þāra, þǣra
Dat. þǣm, þām
Acc. þā

149. Declension of þēs

Singular

Masculine	*Feminine*	*Neuter*
Nom. þēs, *this*	þēos, þīos	þis
Gen. þis(s)es	þisse, þis(se)re	þis(s)es
Dat. þis(s)um	þisse, þis(se)re	þis(s)um
Acc. þisne	þās	þis
Ins. þ̄s, þīs		þ̄s, þīs

Plural

All Genders

Nom. þās
Gen. þissa, þeossa, þis(se)ra
Dat. þis(s)um, þys(s)um, þeos(s)um
Acc. þās

150. In the demonstrative sē ilca, *the same*, ilca is declined like a weak adjective. The demonstrative self (seolf, silf, sylf), *self*, is declined either strong or weak.

RELATIVE PRONOUNS

151. The relative in Old English may be expressed in three main ways:

(1) By the relative particle, þe, which is indeclinable.

Example: Sē ilca God þe gescēop Adam, *the same God who created Adam.*

(2) By the demonstrative sē and its inflected forms.

Examples: Ðā wæs ān man rihtwīs ætforan God, sē wæs Nōe gehāten, *There was one man righteous before God who was named Noah;* Hēr fēng tō rīce Osric þone Paulīnus ǣr gefullode, *In this year Osric, whom Paulinus had baptized, came to the throne.*

(3) By the combination of the demonstrative sē with the particle þe, in which sē is declined and þe remains indeclinable.

Examples: Ðā sē ellengǣst... sē þe in þȳstrum bād, *Then the bold demon who waited in darkness;* healsbēaga mǣst þara þe ic on foldan gefrægen hæbbe, *the greatest of necklaces of which I have heard on earth.*

Occasionally the relative þe is used in combination with some form of the personal pronoun.

Example: Fæder ūre, þū þe eart on heofenum, *Our Father who art in heaven.*

INTERROGATIVE PRONOUNS

152. The interrogative pronoun, *who, what,* has only two genders, masculine and neuter, and no plural.

Singular

Masculine		*Neuter*
Nom.	hwā, *who*	hwæt, *what*
Gen.	hwæs	hwæs
Dat.	hwǣm, hwām	hwǣm, hwām
Acc.	hwone, hwane, hwæne	hwæt
Ins.	hwī, hwȳ, hwon	hwī, hwȳ, hwon

153. The instrumental form, **hwon,** is used in the phrase, for **hwon,** *why.* Another form of the instrumental exists in **hū,** *how,* used only as an adverb.

154. The interrogatives **hwæðer,** *which of two,* and **hwilc** (**hwylc, hwelc**), *which, what kind of,* are declined like strong adjectives.

INDEFINITE PRONOUNS

155. (1) The commonest indefinite pronouns are: **ælc,** *each;* **ān,** *a, an;* **nān,** *no one, none;* **ǣnig,** *any;* **nǣnig,** *none;* **ōðer,** *another, other;* **sum,** *someone, a certain one;* **swilc,** *such a one;* **man,** *one, they.* All of these with the exception of the last, which is indeclinable, may be declined like strong adjectives.

(2) The interrogative pronouns **hwā, hwæðer, hwilc** may also be used as indefinites, with the following meanings: **hwā, hwilc,** *someone, anyone;* **hwæt,** *something, anything;* **hwæðer,** *someone, whichever.* They are also combined with **swā . . . swā** in the forms **swā hwā swā,** *who(so)ever,* **swā hwæt swā,** *what(so)ever,* **swā hwæðer swā,** *which(so)ever of two.*

(3) Compounds of these interrogatives also give indefinites:

> **āhwā,** *anyone;* **āhwæt,** *anything;* **āhwæðer** (**āwðer, āðer, ōhwæðer, ōwðer, ōðer**), *either, each*
>
> **ǣghwā,** *anyone;* **ǣghwæt,** *anything;* **ǣghwæðer** (**ǣgðer**), *either, each;* **ǣghwilc,** *each, every one*
>
> **ǣthwā,** *each*
>
> **gehwā,** *each, every one;* **gehwelc,** *each, every one;* **gehwæðer,** *each of two*
>
> **nāhwæðer,** *neither*
>
> **nāt** (*I do not know*) + **hwā, hwelc: nāthwā, nāthwelc,** *anyone whatever*
>
> **hwæt(h)wugu,** *something;* **hwelc(h)wugu,** *anyone, someone*

(4) Other compounds are:

āwiht (āwuht, āuht, āht, ōwiht, ōwuht, ōht), *anything*

nāwiht (nāwuht, nāuht, nāht, nōwiht, nōwuht, nōht), *nothing.*

ADJECTIVES

DECLENSION

156. There are two declensions of adjectives in Old English, the strong and the weak, the use of which is determined by the position of the adjective in the sentence. Most adjectives may be declined in both ways.

The strong declension is used when the adjective is a predicate adjective, when it is unmodified by the definite article or a possessive pronoun, and when it does not fall into any of the categories belonging to the weak declension. The strong declension is in many ways similar to the a- (ja-, wa-) and o- (jo-, wo-) declensions of nouns. Certain case endings, however, which are italicized in the paradigm given below, resemble those of the pronouns rather than of the nouns. The instrumental case, corresponding to the Latin ablative, is also given in the paradigm because in the masculine and neuter singular it has a different ending from the dative which it elsewhere resembles.

A. STRONG DECLENSION

I. Monosyllables

(a) Short Stems

157.   Paradigm: **tam,** *tame.*

Singular

Masculine		*Feminine*	*Neuter*
Nom.	tam	tamu	tam
Gen.	tames	tam*re*	tames

	Masculine	*Feminine*	*Neuter*
Dat.	tam*um*	tam*re*	tam*um*
Acc.	tam*ne*	tame	tam
Ins.	tame	tam*re*	tame

Plural

	Masculine	*Feminine*	*Neuter*
Nom. Acc.	tam*e*	tama, -e	tamu, -o, -e
Gen.	tam*ra*	tam*ra*	tam*ra*
Dat.	tamum	tamum	tamum

158. Like **tam** are declined **cwic**, *alive*, **gram**, *hostile*, **sum**, *some*, til, *good*, and a few others.

159. Adjectives whose root vowel is æ normally change the æ to a in cases where the inflectional ending begins with one of the vowels, a, o, u (see Paragraph **12**). The presence of æ, however, is in some words confined only to the forms having a closed syllable, forms like **smales** and **smale** in the paradigm below being used by analogy with the others in -a or -u.

Paradigm: smæl, *small*.

Singular

	Masculine	*Feminine*	*Neuter*
Nom.	smæl	smalu	smæl
Gen.	smæles, smales	smælre	smæles, smales
Dat.	smalum	smælre	smalum
Acc.	smælne	smæle, smale	smæl
Ins.	smæle, smale	smælre	smæle, smale

Plural

	Masculine	*Feminine*	*Neuter*
Nom. Acc.	smæle, smale	smala, smæle, smale	smalu, smæle, smale
Gen.	smælra	smælra	smælra
Dat.	smalum	smalum	smalum

160. Like smæl are declined blæc, *black*, glæd, *glad*, hræd, *quick*, sæd, *sad*.

(b) Long Stems

161. The long-stemmed monosyllables are declined like the short-stemmed with the exception of two cases, the nominative singular feminine and the nominative-accusative plural neuter, where the regular ending, -u, is dropped. This loss of u is identical with that in strong nouns. Compare gūð, nominative singular feminine, and sweord, nominative plural neuter.

Paradigm: sōð, *true*.

Singular

	Masculine	Feminine	Neuter
Nom.	sōð	sōð	sōð
Gen.	sōðes	sōðre	sōðes
Dat.	sōðum	sōðre	sōðum
Acc.	sōðne	sōðe	sōð
Ins.	sōðe	sōðre	sōðe

Plural

Nom. Acc.	sōðe	sōða, -e	sōð
Gen.	sōðra	sōðra	sōðra
Dat.	sōðum	sōðum	sōðum

162. Like sōð are declined beorht, *bright*, brād, *broad*, ceald, *cold*, cūð, *known*, dēad, *dead*, eald, *old*, earm, *poor*, fersc, *fresh*, frōd, *wise*, fūl, *foul*, gēap, *spacious*, geong, *young*, grimm, *grim*, hār, *hoary*, hlūd, *loud*, hwīt, *white*, lāð, *loathsome*, sār, *sore*, sweart, *swarthy*, wōd, *mad*, and many others.

163. Adjectives ending in -h lost it before inflectional ending˅

beginning with a vowel, in accordance with the law regarding the loss of intervocalic h. (See Paragraph 20.) Many of the forms, therefore, show contraction.

Paradigm: **hēah,** *high.*

Singular

	Masculine	*Feminine*	*Neuter*
Nom.	hēah	hēah	hēah
Gen.	hēas	hēahre, hēarre	hēas
Dat.	hēaum, hēam	hēahre, hēarre	hēaum, hēam
Acc.	hēahne, hēanne	hēa	hēah
Ins.	hēa	hēahre, hēarre	hēa

Plural

Nom. Acc.	hēa	hēa	hēa
Gen.	hēahra, hēar(r)a	hēahra, hēar(r)a	hēahra, hēar(r)a
Dat.	hēaum, hēam	hēaum, hēam	hēaum, hēam

164. Like hēah are declined fāh, *hostile,* hrēoh, *rough,* nēah, *near,* rūh, *rough.*

II. Dissyllables

165. Dissyllabic adjectives in Old English may end in a consonant, in **e,** or in **u (o).** Those ending in a consonant (-ig, -el, -en, -er, -ol, -or) generally lose the final u of the feminine singular nominative and of the neuter plural nominative and accusative, and do not syncopate the vowel of the second syllable, if they have a short radical syllable. When, however, the radical syllable is long they usually retain the u and have syncopation before an inflectional ending beginning with a vowel.

166. Paradigms: **bysig,** *busy;* **mōdig,** *brave.*

Singular

	Masculine	*Feminine*	*Neuter*
Nom.	bysig	bysig	bysig
Gen.	bysiges	bysigre	bysiges
Dat.	bysigum	bysigre	bysigum
Acc.	bysigne	bysige	bysig
Ins.	bysige	bysigre	bysige

Plural

Nom. Acc.	bysige	bysiga, -e	bysig
Gen.	bysigra	bysigra	bysigra
Dat.	bysigum	bysigum	bysigum

Singular

	Masculine	*Feminine*	*Neuter*
Nom.	mōdig	mōdigu	mōdig
Gen.	mōdges	mōdigre	mōdges
Dat.	mōdgum	mōdigre	mōdgum
Acc.	mōdigne	mōdge	mōdig
Ins.	mōdge	mōdigre	mōdge

Plural

Nom. Acc.	mōdge	mōdga, -e	mōdigu
Gen.	mōdigra	mōdigra	mōdigra
Dat.	mōdgum	mōdgum	mōdgum

167. Like **bysig** are declined **dysig,** *foolish,* **micel,** *much,* **yfel,** *evil,* **fægen,** *fain,* **biter,** *bitter,* **fæger,** *fair,* **sweotol,** *clear,* **wacol,** *awake,* **snotor,** *wise.*

168. Like **mōdig** are declined **blōdig**, *bloody*, **clūdig**, *cloudy*, **grǣdig**, *greedy*, **sārig**, *sorry*, **wērig**, *weary*, **īdel**, *idle*, **lȳtel**, *little*, **middel**, *middle*, **āgen**, *own*, **crīsten**, *Christian*, **hǣðen**, *heathen*, **dīegol**, *secret*, **gēomor**, *sad*, **hlūtor**, *pure*.

Dissyllables in -e

169. Dissyllables ending in -e (ja-, jo-, i- stems) are declined like **tam**.

Paradigm: **dēore**, *dear*.

Singular

Masculine		Feminine	Neuter
Nom.	dēore	dēoru, -o	dēore
Gen.	dēores	dēor(r)e	dēores
Dat.	dēorum	dēor(r)e	dēorum
Acc.	dēorne	dēore	dēore
Ins.	dēore	dēor(r)e	dēore

Plural

Nom. Acc.	dēore	dēora, -e	dēoru, -o
Gen.	dēor(r)a	dēor(r)a	dēor(r)a
Dat.	dēorum	dēorum	dēorum

170. Like **dēore** are declined **brēme**, *famous*, **clǣne**, *clean*, **ēce**, *eternal*, **ēste**, *gracious*, **mǣre**, *famous*, **rīce**, *rich*, **stille**, *still*, **swēte**, *sweet*.

Dissyllables in -u

171. Dissyllables ending in -u, -o (wa-, wo-stems) are also declined like **tam**. Before an inflectional ending which begins with a consonant the **w** of the stem is vocalized to **o**; before an inflectional ending which begins with a vowel. **w** is retained.

Paradigm: **fealu,** *fallow.*

Singular

Masculine		*Feminine*	*Neuter*
Nom.	fealu, -o	fealu, -o	fealu, -o
Gen.	fealwes	fealore	fealwes
Dat.	fealwum	fealore	fealwum
Acc.	fealone	fealwe	fealu, -o
Ins.	fealwe	fealore	fealwe

Plural

Nom. Acc.	fealwe	fealwa, -e	fealu, -o
Gen.	fealora	fealora	fealora
Dat.	fealwum	fealwum	fealwum

172. Like **fealu** are declined **gearu,** *ready,* **geolu,** *yellow,* **hasu,** *gray,* **nearu,** *narrow,* **salu,** *sallow.*

173. If the root vowel of these **wa-, wo-**stems is long, there is no vocalization of **w,** the adjective, except when it has a prefix, remaining a monosyllable. The declension is like that of **sōð.** **Glēaw,** *wise,* **slāw,** *slow,* **unslāw,** *not slow,* are examples.

COMPOUND ADJECTIVES

174. Polysyllabic adjectives which are compounds, those, for example, ending in **-feald, -fæst, -full, -lēas, -sum, -weard,** etc., are declined according to the last part of the compound. If this is a long syllable, they are declined like **sōð;** if a short syllable, like **tam.**

B. WEAK DECLENSION

175. The weak declension of the adjective is used in the following circumstances:

(1) After the definite article **sē** or the demonstrative **þēs;**

(2) After a possessive pronoun:

(3) In modifying a noun in the vocative case;

(4) In the comparative degree and frequently in the super-lative;

(5) In the inflection of the ordinals, with the exception of fyrmest, fyr(e)st, ǣrest, *first*, which may be either weak or strong, and ōþer, *second*, which is always strong;

(6) Ordinarily when the adjective appears as a noun;

(7) Often in poetry where in prose the strong form would be found.

176. The weak declension is like that of nouns, with the exception of the genitive plural, where the strong form is more common than the weak.

Paradigm: **cealda,** *cold.*

Singular

Masculine	*Feminine*	*Neuter*
Nom. cealda	cealde	cealde
Gen. cealdan	cealdan	cealdan
Dat. cealdan	cealdan	cealdan
Acc. cealdan	cealdan	cealde

Plural — All Genders

Nom. Acc. cealdan

Gen. cealdra, cealdena

Dat. cealdum

COMPARISON OF ADJECTIVES

177. Adjectives in Old English regularly form the comparative by adding -ra (originally -ora), and the superlative, by adding -ost, to the positive form.

Positive	Comparative	Superlative
dēop, *deep*	dēopra	dēopost
sæd, *sad*	sædra	sadost
cēne, *keen*	cēnra	cēnost
nearu, *narrow*	nearora	nearwost
wērig, *weary*	wērigra	wērigost

In like manner are compared the majority of Old English ad‹ jectives.

178. A small group of adjectives has mutation in the compara‹ tive and superlative, and the ending -est instead of -ost in the latter. This mutation was caused by the presence of an **i** in the original endings, which were -ira and -ist. The **i** of the com‹ parative was lost and of the superlative changed to **e**.

eald, *old*	ieldra	ieldest
ēaðe, *easy*	ieðra	ieðest
feorr, *far*	fierra	fierrest
geong, *young*	giengra	giengest
grēat, *great*	grīetra	grīetest
hēah, *high*	hīehra, hīerra, hēahra	hīehst
lang, *long*	lengra	lengest
nēah, *near*	nēahra, nēarra (not mutated)	nīehst
sceort, *short*	sciertra	sciertest
strang, *strong*	strengra	strengest

IRREGULAR COMPARISON

179. A few adjectives are compared irregularly. Some of these have different roots.

gōd, *good*   { bet(e)ra   { betst
             { sēlra, sēlla   { sēlest, sēlost

yfel, *evil*	wiersa	wierrest, wierst
lȳtel, *little*	lǣssa	lǣst
micel, *great*	māra	mǣst

180. Others are based on adverbs or prepositions and have no positive degree existing as an adjective. Most of these have a longer form of the comparative ending, -erra, and of the superlative, -mest. This latter is really a double superlative for it represents a combination of the old superlative suffix -uma with the form -ist. A survival of the old simple form is seen in the superlatives **forma,** *first,* **hindema,** *last,* **meduma,** *midmost,* listed below.

(ǣr, *before*)	ǣrra	ǣrest
(fore, *before*)	furðra	fyrest, forma, fyrmest
(hindan, *behind*)		hindema
(æfter, *after*)	æfterra	æftemest
(inne, *within*)	innerra	innemest
(ūte, *without*)	ūterra, ȳterra	ūtemest, ȳtemest
(ufan, *above*)	uferra, yferra	ufemest, yfemest
(midd, *mid*)		meduma, mid(e)mest
(niðan, *below*)	niðerra	niðemest
(læt, *late*)	lætra	lætemest, lætest
(sīð, *late*)	sīðra	sīðemest, sīðest
(norð, *north*)	norðerra	norðmest
(sūð, *south*)	sūðerra, sȳðerra	sūðmest
(ēast, *east*)	ēasterra	ēastmest
(west, *west*)	westerra	westmest

DECLENSION

181. The comparative is always declined weak; the superlative may be either weak or strong.

NUMERALS

182.   *Cardinals*   *Ordinals*

1 ān	forma, formesta, **fyrm**est(a), fyr(e)st(a), ǣrest(a)
2 twēgen, twā, tū	ōðer, æfterra
3 þrīe, þrīo, þrēo	þridda
4 fēower, fīower	fēo(we)rða
5 fīf	fīfta
6 siex, six	si(e)xta
7 seofon, siofon	seofoða, seofeða
8 eahta	eahtoða
9 nigon	nigoða
10 tīen, tȳn	tēoða
11 endle(o)fan, endlufon	endle(o)fta, ellefta, endlyfta
12 twelf	twelfta
13 þrēotīene, -tȳne, -tēne	þrēotēoða
14 fēowertīene	fēowertēoða
15 fīftīene	fīftēoða
16 siextīene	siextēoða
17 seofontīene	seofontēoða
18 eahtatīene	eahtatēoða
19 nigontīene	nigontēoða
20 twēntig	twēntigoða, -tigða, -tiga
21 ān and twēntig	**ān and twēntig**oða
30 þrītig	þrītigoða
40 fēowertig	fēowertigoða
50 fīftig	fīftigoða
60 siextig	siextigoða
70 (hund)seofontig	(hund)seofontigoða
80 (hund)eahtatig	(hund)eahtatigoða
90 (hund)nigontig	(hund)nigontigoða

Cardinals		Ordinals
100	hundtēontig, hund, hundred	hundtēontigoða
110	hundendle(o)fantig	hundendle(o)f(an)tigoða
120	hundtwelftig	hundtwelftigoða
200	twā or tū hund, hundred	
300	þrēo hund, hundred	
1000	þūsend	

DECLENSION OF NUMERALS

183. The cardinal **ān**, which may also be used as the indefinite article, *a, an*, is declined as a strong adjective. It has two forms in the masculine accusative singular, **ānne** and **ǣnne**, and two forms in the masculine and neuter instrumental singular, **ǣne** and **āne**. The plural forms are used with the meaning *only*, e.g., þā ān, *those only*, and idiomatically in the expression, ānra gehwilc, *each*, literally *each of ones*. When **ān** has the meaning *alone* it is usually declined weak.

184. **Twēgen** is declined as follows:

	Masculine	Feminine	Neuter
Nom. Acc.	twēgen	twā	tū, twā
Gen.	twēg(e)a, twēgra	twēg(e)a, twēgra	twēg(e)a, **twēgra**
Dat.	twǣm, twām	twǣm, twām	twǣm, twām

185. **Bēgen**, *both*, is declined like **twēgen**: feminine, **bā**, neuter, **bū**.

186. þrīe is declined as follows:

	Masculine	Feminine	Neuter
Nom. Acc.	þrīe, þrī	þrēo, þrīo	þrēo, þrīo
Gen.	þrēora, þrīora	þrēora, þrīora	þrēora, þrīora
Dat.	þrim	þrim	þrim

187. The other cardinals are generally not inflected when they are used with nouns. They may be followed either by the nominative-accusative case of the noun, e.g., seofon menn, *seven men*, or by the partitive genitive, e.g., fīftig manna, *fifty men*. When used alone they are declined, those from **4** to **19** inclusive having the endings nominative-accusative, -e, genitive, -a, dative, -um; those in -tig having genitive, -a, -ra, dative, -um, and occasionally a genitive singular, -es.

188. The ordinals are declined weak with the exception of fyrmest, fyr(e)st, ǣrest, which may be either weak or strong, and ōþer, which is always strong.

ADVERBS

FORMATION

189. Most adverbs in Old English, with the exception of those indicating place, are either formed from adjectives or are oblique cases of nouns and adjectives.

(1) Adverbs are commonly formed by adding -e to adjectives. Examples: beorht, *bright*, beorhte, *brightly;* eornoste, *earnestly*, fægere, *fairly*, fæste, *fast*, sweotole, *clearly*, swīðe, *very, exceedingly*. When the adjective itself ends in -e there is no difference between it and the adverb. Examples: æþele, *nobly*, from the adjective æþele, *noble;* clǣne, *cleanly*, from the adjective clǣne, *clean*.

(2) The addition of -e to adjectives with the suffix -līc, e.g., glædlīc, *glad*, glædlīce, *gladly*, resulted in the entire ending -līce acquiring an adverbial sense. It was then added to other adjectives to form adverbs and in time became the commonest of all adverbial endings. Līce exists today in its shortened form as our adverbial suffix, *ly*. Examples: bealdlīce, *boldly*

cǣflīce, *boldly,* eornostlīce, *earnestly,* grǣdiglīce, *greedily,* ofestlīce, *hastily.*

(3) Adverbs are also formed by adding the suffixes -a, -unga, -inga to adjectives or other parts of speech. Examples: sōna, *soon,* tela, *well,* eallunga, *entirely,* somnunga, *suddenly,* fǣringa, *suddenly.*

(4) The following oblique cases of nouns and adjectives are used in an adverbial sense:

(a) Genitive singular: dæges, *by day,* nihtes, *by night,*[1] ealles, *altogether,* elles, *else,* nealles, *not at all,* self-willes, *voluntarily,* singāles, *continually,* þæs, *to that degree, so.*

(b) Genitive plural: gēara, *long since, of yore,* ungēara, *recently.*

(c) Dative-Instrumental singular: hwēne, *somewhat,* micle, *much,* sāre, *sorely,* þearle, *severely,* weorce, *painfully.*

(d) Dative-Instrumental plural: furðum, *just,* fyrenum, *wickedly,* hwīlum, *sometimes,* lȳtlum, *little,* miclum, *very,* ofestum, *hastily,* stund-mǣlum, *now and then,* wundrum, *wonderfully.*

(e) Accusative singular: ealneg, *always,* fyrn, *formerly,* full, *fully,* genōg, *enough,* hwōn, *somewhat,* lȳtel, lȳt, *little,* ungemet, *immoderately,* ūpweard, *upward,* norþweard, *northward,* sūþweard, *southward,* ēastweard, *eastward,* westweard, *westward.*

190. The chief adverbs of time not included in the above lists are ǣfre, *ever,* nǣfre, *never,* ǣr, *before,* hwanne, *when,* þonne, *then,* oft, *often.*

---

[1] Niht is a feminine noun. It acquired the -es ending by analogy with dæges.

191. The chief adverbs of place are as follows:

Place where	Place to which	Place from which
hēr, *here*	hider, *hither*	heonon, *hence*
þǣr, *there*	þider, *thither*	þonan, *thence*
hwǣr, *where*	hwider, *whither*	hwonan, *whence*
inne, innan, *within*	inn	innan, *from within*
ūte, ūtan, *without*	ūt	ūtan
uppe, ūp, *up, above*	ūp(p)	uppan
ufan, *above*		ufan
neoþan, *beneath*	niþer	neoþan
foran, *before, in front*	forð	foran
hindan, *behind*	hinder	hindan
feorran, *far*	feor(r)	feorran
nēah, *near*	nēar	nēan
	ēast, *east*	ēastan
	west, *west*	westan
	norþ, *north*	norþan
	sūþ, *south*	sūþan

COMPARISON

192. As a rule only adverbs in -e are compared. The comparative is regularly formed by adding -or, the superlative, by adding -ost to the stem of the positive.

hǣdre, *clearly*	hǣdror	hǣdrost
luflīce, *lovely*	luflīcor	luflīcost

193. A few adverbs have mutation in the comparative and superlative, e.g., lange, *long*, leng, lengest; a few in the comparative only, e.g., sōfte, *softly*, sēft, sōftost.

194. A small group of adverbs form their comparative and superlative from a different stem.

wel, *well*	{ bet { sēl	{ betst { sēlost
yfele, *badly*	wiers	wierrest, wierst
micle, *much*	mā	mǣst
lȳt, lȳtle, *little*	lǣs	lǣst

VERBS

195. Old English verbs, like those of other Germanic languages, are divided into two main groups, strong and weak. Strong verbs are characterized by a change in the root vowel of the principal parts, known as gradation or ablaut. Weak verbs have no such change but form their preterit and past participle by adding -de (-te), -ede, or -ode and -d (-t), -ed, or -od respectively to the root. There is also a small group known as Preterit-Present or Strong-Weak verbs, and a still smaller group of Anomalous verbs.

196. Old English verbs have but one voice, the active. One remnant of the old medial-passive voice exists in the form hātte, *is* or *was called* or *named*, from the verb hātan. The passive of other verbs was formed as in modern English by combining some part of the auxiliary verbs bēon, wesan, *to be*, or weorðan, *to become*, with the past participle.

197. There are three moods in Old English, the indicative, the subjunctive, and the imperative.

198. There are only two tenses, the present and the preterit. The future is expressed either by the present or by the use of the auxiliary verbs sculan, *shall*, willan, *will*, with the infinitive; occasionally the verb bēon or wesan is used with the present participle. The preterit tense may express any past time, hut the use of habban, *have*, with the past participle of transitive verbs, and **bēon**, *be*, with the past participle of intransitive verbs to express the perfect and pluperfect became fairly common. The preterit used with the adverb **ǣr**, *formerly*, appears usually to have had the meaning of the pluperfect tense. Example: **Reced weardode unrīm eorla, swā hīe oft ǣr dydon**, *A great number of earls guarded the hall, as they had often done.*

199. There are two numbers, singular and plural (no dual form of the verb exists), and three persons. The latter all have the same form in the plural.

STRONG VERBS

200. Strong verbs are divided into seven classes, the first six following a regular gradation or ablaut series, the seventh being a survival of an old Indo-European group known as Reduplicating verbs. The gradation series may be seen in the four principal parts, which consist of the Infinitive (the radical vowel of which is also that of the present tense), the Preterit Singular for the first and third persons, the Preterit Plural, and the Past Participle. The endings of these are **-an,** ———, **-on, -en.**

CLASS I

201. Gradation series: **ī; ā; i; i** (Primitive Germanic, **ī; ai; i; i**) The most important of the verbs of this group are given below

Infinitive	(3d Sg. Pres.) [1]	Pret. Sg.	Pret. Pl.	Past Part.
bīdan, *bide*	(bītt)	**bād**	**bidon**	**biden**
bītan, *bite*	(bītt)	**bāt**	**biton**	**biten**

[1] The 3d person singular present indicative, although not one of the principal parts, is given here for the convenience of students.

Infinitive	(3d Sg. Pres.)	Pret. Sg.	Pret. Pl.	Past Part.
blīcan, *shine*	(blīcþ)	blāc	blicon	blicen
clīfan, *cling to*	(clīfþ)	clāf	clifon	clifen
drīfan, *drive*	(drīfþ)	drāf	drifon	drifen
flītan, *contend*	(flītt)	flāt	fliton	fliten
glīdan, *glide*	(glītt)	glād	glidon	gliden
grīpan, *grip*	(grīpþ)	grāp	gripon	gripen
hnītan, *clash*	(hnītt)	hnāt	hniton	hniten
hrīnan, *touch*	(hrīnþ)	hrān	hrinon	hrinen
nīpan, *grow dark*	(nīpþ)	nāp	nipon	nipen
rīdan, *ride*	(rītt)	rād	ridon	riden
rīsan, *rise*	(rīst)	rās	rison	risen
scīnan, *shine*	(scīnþ)	scān	scinon	scinen
scrīfan, *shrive*	(scrīfþ)	scrāf	scrifon	scrifen
slīdan, *slide*	(slītt)	slād	slidon	sliden
slītan, *slit*	(slītt)	slāt	sliton	sliten
stīgan, *ascend*	(stīgþ)	stāg	stigon	stigen
strīcan, *stroke*	(strīcþ)	strāc	stricon	stricen
strīdan, *stride*	(strītt)	strād	stridon	striden
swīcan, *fail*	(swīcþ)	swāc	swicon	swicen
(ge)wītan, *go*	(-wītt)	-wāt	-witon	-witen
wlītan, *behold*	(wlītt)	wlāt	wliton	wliten
wrītan, *write*	(wrītt)	wrāt	writon	writen
wrīþan, *writhe*	(wrīþ)	wrāþ	wriþon	wriþen

202. A few verbs of this class have a consonantal change of þ to d in the preterit plural and past participle:

līþan, *traverse*	(līþ)	lāþ	lidon	liden
scrīþan, *glide*	(scrīþ)	scrāþ	scridon	scriden
snīþan, *cut*	(snīþ)	snāþ	snidon	sniden

This change, together with that of **h** to **g**, and **s** to **r**, is known as Grammatical Change according to Verner's Law and was due originally in Primitive Germanic to a shift of accent in the last two principal parts.[1]   Grammatical Change, it should be noted, did not always occur.   See, e.g., **rīsan** and **wrīþan** in the above list.

203. A small group of verbs in this class have contracted infinitives, the result of the loss of an original **h**.   (See Paragraph 20.) These verbs also have Grammatical Change, **h** to **g**:

lēon, *lend*	(līhþ)	lāh	ligon	ligen
sēon, *strain*	(sīhþ)	sāh	sigon	sigen
tēon, *censure*	(tīhþ)	tāh	tigon	tigen
þēon, *thrive*	(þīhþ)	þāh	þigon	þigen
wrēon, *cover*	(wrīhþ)	wrāh	wrigon	wrigen

204. The infinitive **lēon** was originally *līhan; breaking of the i resulted in *līohan; the loss of the **h** and the absorption of the unaccented vowel by the accented gave **līon**, which in its later form was written **lēon**.   A similar change may be traced in the other infinitives of this group with the exception of **þēon**, the original form of which was *þinhan before it became *þīhan.[2]   These verbs in their contracted forms look like those of Class II and for that reason they frequently may be found with forms of that class.

Class II

205. Gradation series: **ēo, ū; ēa; u; o** (Primitive Germanic, **eu; au; u; u**)

[1] Verner stated that this change of consonants took place when the preceding vowel in the original word was unaccented.   The last two principal parts in the Indo-European system were accented on the last syllable.

[2] þinhan was originally a Class III verb, the past participle of which, geþungen, *excellent*, exists as an adjective.

The most important verbs of this group follow:

Infinitive	(3d Sg. Pres.)	Pret. Sg.	Pret. Pl.	Past Part.
bēodan, *command*	(bīett)	bēad	budon	boden
brēotan, *break*	(brīett)	brēat	bruton	broten
brēowan, *brew*	(brīewþ)	brēaw	bruwon	browen
cēowan, *chew*	(cīewþ)	cēaw	cuwon	cowen
clēofan, *cleave*	(clīefþ)	clēaf	clufon	clofen
crēopan, *creep*	(crīepþ)	crēap	crupon	cropen
drēogan, *endure* (Scottish, *dree*)	(drīehþ)	drēag	drugon	drogen
drēopan, *drip*	(drīepþ)	drēap	drupon	dropen
flēogan, *fly*	(flīehþ)	flēag	flugon	flogen
flēotan, *float*	(flīett)	flēat	fluton	floten
gēotan, *pour*	(gīett)	gēat	guton	goten
grēotan, *weep* (Scottish, *greet*)	(grīett)	grēat	gruton	groten
hrēodan, *adorn*	(hrīett)	hrēad	hrudon	hroden
hrēowan, *rue*	(hrīewþ)	hrēaw	hruwon	hrowen
lēogan, *lie, deceive*	(līehþ)	lēag	lugon	logen
nēotan, *use*	(nīett)	nēat	nuton	noten
rēocan, *reek*	(rīecþ)	rēac	rucon	rocen
rēodan, *redden*	(rīett)	rēad	rudon	roden
rēotan, *weep*	(rīett)	rēat	ruton	roten
scēotan, *shoot*	(scīett)	scēat	scuton	scoten
þrēotan, *weary*	(þrīett)	þrēat	þruton	þroten

206. A few verbs in this group show Grammatical Change, in most cases the change being from **s** to **r**:

cēosan, *choose*	(cīest)	cēas	curon	coren
drēosan, *fall*	(drīest)	drēas	druron	droren

Infinitive	(3d Sg. Pres.)	Pret. Sg.	Pret. Pl.	Past Part.
frēosan, *freeze*	(frīest)	frēas	fruron	froren
hrēosan, *fall*	(hrīest)	hrēas	hruron	hroren
lēosan, *lose*	(līest)	lēas	luron	loren
sēoðan, *seethe*	(sīeþ)	sēað	sudon	soden

207. Two verbs have contracted infinitives as well as Grammatical Change:

flēon, *flee* (orig. flēohan)	(flīehþ)	flēah	flugon	flogen
tēon, *draw* (orig. tēohan)	(tīehþ)	tēah	tugon	togen

208. A small group of verbs in this class have ū for the vowel of the infinitive. The most important of these are the following:

brūcan, *enjoy, use*	(brȳcþ)	brēac	brucon	brocen
būgan, *bow*	(bȳgþ)	bēag	bugon	bogen
crūdan, *crowd* (more commonly, crēodan)	(crȳtt)	crēad	crudon	croden
dūfan, *dive*	(dȳfþ)	dēaf	dufon	dofen
lūcan, *lock*	(lȳcþ)	lēac	lucon	locen
lūtan, *bend*	(lȳtt)	lēat	luton	loten
scūfan, *shove*	(scȳfþ)	scēaf	scufon	scofen
sprūtan, *sprout*	(sprȳtt)	sprēat	spruton	sproten
sūcan, *suck*	(sȳcþ)	sēac	sucon	socen
sūpan, *sup*	(sȳpþ)	sēap	supon	sopen

Class III

209. Verbs of this group are characterized by having a short root **vowel** followed by two consonants, the first of which is usually a nasal (**n** or **m**) or a liquid (**l** or **r**). The verbs may be subdivided into four groups, the most important verbs in each group being given below:

(1) Verbs with root syllable ending in a nasal plus a consonant.

Gradation series: **i; a**(o); **u; u**   (Primitive Germanic **e; a; u; u**) The change of **e** to **i** before a nasal was an early Primitive Germanic change.   In the preterit **a** before a nasal was often written **o** in Old English.   A list of such verbs follows:

Infinitive	(3d Sg. Pres.)	Pret. Sg.	Pret. Pl.	Past Part.
bindan, *bind*	(bint)	band	bundon	bunden
climban, *climb*	(climbþ)	clamb	clumbon	clumben
clingan, *cling*	(clingþ)	clang	clungon	clungen
cringan, *fall in battle*	(cringþ)	crang	crungon	crungen
drincan, *drink*	(drincþ)	dranc	druncon	druncen
findan, *find*	(fint)	fand [1]	fundon	funden
(on)ginnan, *begin*	(-ginþ)	-gann	-gunnon	-gunnen
grindan, *grind*	(grint)	grand	grundon	grunden
(ge)limpan, *happen*	(-limpþ)	-lamp	-lumpon	-lumpen
scrincan, *shrink*	(scrincþ)	scranc	scruncon	scruncen
sincan, *sink*	(sincþ)	sanc	suncon	suncen
singan, *sing*	(singþ)	sang	sungon	sungen
slincan, *slink*	(slincþ)	slanc	sluncon	sluncen
spinnan, *spin*	(spinþ)	spann	spunnon	spunnen
springan, *spring*	(springþ)	sprang	sprungon	sprungen
stincan, *smell*	(stincþ)	stanc	stuncon	stuncen
stingan, *sting*	(stingþ)	stang	stungon	stungen
swimman, *swim*	(swimþ)	swamm	swummon	swummen
swincan, *labor*	(swincþ)	swanc	swuncon	swuncen

[1] Findan has also a weak preterit, funde.

	(3d Sg.			
Infinitive	Pres.)	*Pret. Sg.*	*Pret. Pl.*	*Past. Part.*
swingan, *swing*	(swingþ)	swang	swungon	swungen
þringan, *throng*	(þringþ)	þrang	þrungon	þrungen
windan, *wind*	(wint)	wand	wundon	wunden
winnan, *struggle*	(winþ)	wann	wunnon	wunnen
irnan, *run*	(irnþ)	arn	urnon	urnen

This last verb was in Germanic **rinnan, rann, runnon, runnen,** the Old English forms being the result of metathesis.

(2) Verbs with root syllable ending in l plus a consonant.

Gradation series: **e** (ie); **ea; u; o**

The **ie** in the infinitive occurs only after an initial palatal. (See Paragraph **14.**) The vowel of the preterit singular in Primitive Germanic was **a,** which became **æ** in Old English in a closed syllable except before a nasal where, as has been shown above, it remained **a**; **æ** when followed by l plus a consonant broke to **ea.** (See Paragraph **13.**) There are practically no examples of breaking in the infinitive of this group because e broke before l plus a consonant only when the consonant was **c** or **h** (see Paragraph **13**), and that combination is very rare in these verbs. **Meolcan,** *to milk,* is one of the few cases extant. The following verbs belong to this group:

	(3d Sg.			Past
Infinitive	Pres.)	*Pret. Sg.*	*Pret. Pl.*	Part.
belgan, *be angry*	(bilgþ)	bealg	bulgon	bolgen
delfan, *delve*	(dilfþ)	dealf	dulfon	dolfen
helpan, *help*	(hilpþ)	healp	hulpon	holpen
meltan, *melt*	(milt)	mealt	multon	molten
swelgan, *swallow*	(swilgþ)	swealg	swulgon	swolgen
swellan, *swell*	(swilþ)	sweall	swullon	swollen
sweltan, *die*	(swilt)	swealt	swulton	swolten

With an initial palatal:

gieldan, *yield*	(gielt)	geald	guldon	golden
giellan, *yell*	(gielþ)	geall	gullon	gollen
gielpan, *boast*	(gielpþ)	gealp	gulpon	golpen

One verb in this group has a contracted infinitive and Grammatical Change: fēolan, *to penetrate*, originally *feolhan. Its principal parts are fēolan; (fielhþ); fealh; fulgon; folgen or fōlen. The eo in *feolhan was the result of breaking before l plus h.

(3) Verbs with root syllable ending in r or h plus a consonant.

Gradation series: eo; ea; u; o

The vowel of the infinitive as well as that of the preterit singulai has broken here. (See Paragraph 13.) Examples:

beorgan, *protect*	(bierhþ)	bearg	burgon	borgen
beornan, *burn*	(biernþ)	{ bearn / barn	burnon	bornen
ceorfan, *carve*	(cierfþ)	cearf	curfon	corfen
feohtan, *fight*	(fieht)	feaht	fuhton	fohten
hweorfan, *turn*	(hwierfþ)	hwearf	hwurfon	hworfen
steorfan, *die*	(stierfþ)	stearf	sturfon	storfen
sweorcan, *become dark*	(swiercþ)	swearc	swurcon	sworcen
weorpan, *throw*	(wierpþ)	wearp	wurpon	worpen
weorðan, *become*	(wierþ)	wearð	wurdon	worden

This last verb has Grammatical Change.

(4) Irregular verbs:

berstan, *burst*	(birst)	bærst	burston	borsten
þerscan, *thresh*	(þirscþ)	þærsc	þurscon	þorscen
bregdan, *brandish*	(britt)	brægd	brugdon	brogden

or, with loss of **g** and lengthening of preceding vowel,

| brēdan | (britt) | bræd | brūdon | brōden |
| stregdan, *strew* | (stritt, strēt) | strægd | strugdon | strogden |

or, as above,

| strēdan | (stritt, strēt) | strǣd | strūdon | strōden |

Of these four verbs the first two, berstan and þerscan, are irregular in that there is no breaking of the root vowels in the infinitive and preterit singular. These verbs were originally *brestan and *þrescan and did not become metathesized to their present forms until after the period of breaking. The modern form of þerscan, *to thresh*, shows a second metathesis, which brings the verb back to its original form. The other two verbs, bregdan and stregdan, are irregular in that none of their consonants is a liquid, a nasal, or an **h**.

Three other irregular verbs are the following:

| frignan, *ask* | (frigneþ) | frægn | frugnon | frugnen |

or, with loss of **g** and consequent lengthening of preceding vowel,

frīnan	(frīnþ)	frān	frūnon	frūnen
murnan, *mourn*	(myrnþ)	mearn	murnon	
spurnan ⎰ *spurn*	(spyrnþ)	spearn	spurnon	spornen
spornan ⎱				

CLASS IV

210. Verbs in this group have a short root vowel followed by one consonant, usually a liquid or a nasal. This is the smallest class of strong verbs, numbering only about a dozen.

Gradation series: **e; æ; ǣ; ɔ** (Primitive Germanic, **e; a; ǣ; u**)

The principal verbs in this group follow:

Infinitive	(3d Sg. Pres.)	Pret. Sg.	Pret. Pl.	Past Part.
beran, *bear*	(birþ)	bær	bǣron	boren
cwelan, *die*	(cwilþ)	cwæl	cwǣlon	cwolen
helan, *conceal*	(hilþ)	hæl	hǣlon	holen
stelan, *steal*	(stilþ)	stæl	stǣlon	stolen
teran, *tear*	(tirþ)	tær	tǣron	toren
þweran, *stir*	(þwirþ)	þwær	þwǣron	þworen

211. One verb in the group shows diphthongization in the first three parts because of the initial palatal (see Paragraph **14**):

scieran, *shear*	(scierþ)	scear	scēaron	scoren

212. One verb should belong in Class V because of its consonant. It has, however, the vowel series of Class **IV**:

brecan, *break*	(bricþ)	bræc	brǣcon	brocen

213. The two verbs of the group which contain a nasal are also irregular:

niman, *take*	(nimþ)	nōm / nam	nōmon / nāmon	numen
cuman, *come*	(cymþ)	cōm / cwōm	cōmon / cwōmon	cumen

The **i** in **niman** represents the change from Primitive Germanic **e** to **i** before a nasal. The **ō** in **nōmon** and **cōmon** is the result of the change of Germanic **ǣ** to **ā** (Old English **ō**) before a nasal. The **ō** in the preterit singular is by analogy with the plural; **nam** is more regular. The Germanic form of **cuman** had the **w**, which was lost after a consonant and preceding **u** or **o**.

Class V

214. Verbs belonging to this class have a short vowel in the root syllable followed by one consonant which is neither a liquid nor a nasal.

Gradation series: **e; æ; ǣ; e** (Primitive Germanic, **e; a; ǣ; e**)

This vowel series, it will be noted, is the same as that of the fourth class with the exception of the past participle.

(1) The chief verbs in this class are as follows:

Infinitive	(3d Sg. Pres.)	Pret. Sg.	Pret. Pl.	Past Part.
cnedan, *knead*	(cnitt)	cnæd	cnǣdon	cneden
drepan, *strike*	(dripþ)	dræp	drǣpon	drepen
lesan, *collect*	(list)	læs	lǣson	lesen
metan, *measure*	(mitt)	mæt	mǣton	meten
(ge)nesan, *recover*	(-nist)	-næs	-nǣson	-nesen
repan, *reap*	(ripþ)	ræp	rǣpon	repen
screpan, *scrape*	(scripþ)	scræp	scrǣpon	screpen
specan sprecan *speak*	(spicþ) (spricþ)	sp(r)æc	sp(r)ǣcon	sp(r)ecen
swefan, *sleep*	(swifþ)	swæf	swǣfon	swefen
tredan, *tread*	(tritt)	træd	trǣdon	treden
wefan, *weave*	(wifþ)	wæf	wǣfon	wefen
wegan, *carry*	(wigþ)	wæg	wǣgon	wegen
wrecan, *wreak*	(wricþ)	wræc	wrǣcon	wrecen

(2) Two verbs of this group have long instead of short **æ** in the preterit singular, probably by analogy with the preterit plural:

etan, *eat*	(itt)	ǣt	ǣton	eten
fretan, *devour*	(fritt)	frǣt	frǣton	freten

(3) Two verbs have Grammatical Change:

| cweðan, *speak* | (cwiþ) | cwæð | cwǣdon | cweden |
| wesan, *be* | | wæs | wǣron | |

(4) Two verbs have their vowels diphthongized by the initial palatal:

| giefan, *give* | (giefþ) | geaf | gēafon | giefen |
| gietan, *get* | (giett) | geat | gēaton | gieten |

(5) Three verbs in this group have contracted infinitives resulting from the loss of an original medial **h**; they also have breaking in the preterit singular before the final **h**, and Grammatical Change:

gefēon, *rejoice* (orig. *gefehan)	(gefiehþ)	gefeah	gefǣgon	gefegen gefægen (adj.)
plēon, *risk* (orig. *plehan)	(pliehþ)	pleah		
sēon, *see* (orig. *sehwan)	(siehþ)	seah	sāwon sǣgon	sewen segen

This last verb sometimes lost its **h** and sometimes its **w**, with the resultant double forms in the last two principal parts. The **w** forms are found more often.

(6) Four important verbs in this class are known as -jan presents because originally their infinitives ended in -jan, the **j** causing mutation of the root vowel and gemination of the final consonant, the gemination of **g** being **cg**; the other principal parts are regular:

| biddan, *ask, bid*
(orig. *bedjan) | (bitt) | bæd | bǣdon | beden |
| licgan, *lie*
(orig. *legjan) | (ligþ, liþ) | læg | lǣgon | legen |

Infinitive	(3d Sg. Pres.)	Pret. Sg.	Pret. Pl.	Past Part.
sittan, *sit* (orig. *setjan)	(sitt)	sæt	sǣton	seten
þicgan, *receive* (orig. *þegjan)	(þigeþ)	{ þeah / þah	þǣgon	þegen

Class VI

215. Gradation series: a; ō; ō; a (Primitive Germanic, a; ō; ō; a)

(1) The following are the most important verbs in this class:

alan, *nourish*	(ælþ)	ōl	ōlon	alen
bacan, *bake*	(bæcþ)	bōc	bōcon	bacen
dragan, *draw*	(drægþ)	drōg	drōgon	dragen
faran, *go, fare*	(færþ)	fōr	fōron	faren
galan, *sing*	(gælþ)	gōl	gōlon	galen
gnagan, *gnaw*	(gnægþ)	gnōg	gnōgon	gnagen
grafan, *dig*	(græfþ)	grōf	grōfon	grafen
hladan, *load*	(hlætt)	hlōd	hlōdon	hladen
sacan, *contend*	(sæcþ)	sōc	sōcon	sacen
scacan, *shake*	(scæcþ)	scōc	scōcon	scacen
scafan, *shave*	(scæfþ)	scōf	scōfon	scafen
spanan, *seduce*	(spænþ)	spōn	spōnon	spanen
standan, *stand*	(stent)	stōd	stōdon	standen
tacan, *take*	(tæcþ)	tōc	tōcon	tacen
wacan, *wake*	(wæcþ)	wōc	wōcon	wacen
wadan, *go, wade*	(wætt)	wōd	wōdon	waden
wascan, *wash*	(wæscþ)	wōsc	wōscon	wascen

The verbs **scacan** and **scafan** given above sometimes appear in a diphthongized form which is the result of the initial palatal:

sceacan, scēoc, scēocon, sceacen; sceafan, scēof, scēofon, sceafen.
(See Paragraph **14**, note.) The verb spanan has also a preterit
spēon, spēonon like that of Class VII.

(2) Four verbs in this group have contracted infinitives resulting
from the loss of a medial **h**; they also show Grammatical Change:

flēan, *flay* (orig. *flahan)	(fliehþ)	flōh, flōg	flōgon	flagen
lēan, *blame* (orig. *lahan)	(liehþ)	lōh, lōg	lōgon	lagen lægen, legen
slēan, *slay* (orig. *slahan)	(sliehþ)	slōh, slōg	slōgon	slagen slægen
þwēan, *wash* (orig. *þwahan)	(þwiehþ)	þwōh, þwōg	þwōgon	þwægen

The changes taking place in these infinitives may be exemplified
by slēan. The original *slahan became *slæhan, Germanic a be-
coming æ before **h**; this in turn broke to *sleahan and then was
contracted to slēan, the vowel being lengthened when the **h** was
lost.

(3) Six verbs in this class, like the similar group in Class V, are
known as -jan presents. They have a mutated root vowel and
gemination in the infinitive. It is to be remembered that the gemi-
nation of **f** is bb and that the letter **r** never geminates, the **j** in
words containing an **r** remaining as an **i**. The list follows:

hebban, *raise, heave* (orig. *hæfjan, Gothic hafjan)	(hefþ)	hōf	hōfon	hafen
bliehhan, *laugh* (orig. *hlæhjan, Gothic hlahjan)	(hliehþ)	hlōh	hlōgon	

sceðð̄an, *injure* (orig. *scǽðjan, Gothic scaðjan)	(sceþeþ)	scōd scēod	scōdon scēodon	
scieppan, *shape, create* (orig. *scǽpjan, Gothic scapjan)	(scieþþ)	scōp scēop	scōpon scēopon	scapen sceapen scepen
steppan, *step* (orig. *stǽpjan, Gothic stapjan)	(stepþ)	stōp	stōpon	stapen
swerian, *swear* (orig. *swǽrjan, Gothic swarjan)	(swereþ)	swōr	swōron	swaren sworen

In the above list **hliehhan** and **sceðð̄an** have Grammatical Change, **the d** in **scōd** being by analogy with the plural form. In **scieppan** the original a was mutated to e which in turn was diphthongized to ie by the initial palatal. This change should also have occurred in **sceðð̄an.** The ēo in the preterit of **sceðð̄an** and **scieppan** was caused by the initial palatal. The Gothic forms are given above because they show the original Germanic a in the stem. This a was changed to æ in Old English because it occurred in a closed syllable. The æ mutated to e.

CLASS VII

216. The last class of strong verbs differs from the other six in having no regular gradation series. These verbs are often called reduplicating verbs because it is supposed that originally they formed their preterits by prefixing to the root syllable a syllable composed of the initial consonant of the verb plus e, as, for example, the preterit of **hātan,** *he-hāt which became hēht and then hēt.

This process of reduplication exists in Gothic, but it has almost completely disappeared in other Germanic languages. Only a few verbs in Old English show any evidences of it by still preserving two preterits, the first of which as given below is the reduplicating form:

> hātan: hēht, hēt (Goth. háitan, haíháit)
> lācan: leolc, lēc (Goth. láikan, laíláik)
> lǣtan: leort, lēt (Goth. lētan, laílōt)
> rǣdan: reord, rēd (Goth. ga-rēdan, ga-raírōþ)

Since the evidence of reduplication in Old English is meagre, it seems preferable to designate these verbs merely as Class VII.

217. The infinitive of these verbs may have various vowels. These are ā, ēa, a followed by a nasal, ea, ǣ, ō, ē, many of which it will be noticed are the vowels of the preterits of the first six classes. The singular and plural of the preterit have the same vowel, either ē or ēo but more commonly the latter, and on the basis of this preterit vowel the verbs are divided into two main classes. The vowel of the past participle is that of the infinitive.

(a) *Preterits in ē*

(1)

Infinitive	(3d Sg. Pres.)	Pret. Sg.	Pret. Pl.	Past Part.
hātan, *be called*	(hǣtt)	hēht, hēt	hēton	hāten
lācan, *leap*	(lǣcþ)	leolc, lēc	lēcon	lācen
scādan sceādan *separate*	(scǣtt)	scēd sceād	scēdon scēadon	scāden sceāden

(2)

blandan, *blend*	(blent)	blēnd	blēndon	blanden

(3)

Infinitive	(3d Sg. Pres.)	Pret. Sg.	Pret. Pl.	Past Part.
(on)drǣdan, *dread*	(-drǣtt)	-dreord, -drēd	-drēdon	-drǣden
lǣtan, *let*	(lǣtt)	leort, lēt	lēton	lǣten
rǣdan, *counsel*	(rǣtt)	reord, rēd	rēdon	rǣden
slǣpan, *sleep*	(slǣpþ)	slēp	slēpon	slǣpen

The verbs ondrǣdan and slǣpan sometimes have the weak preterits ondrǣdde and slēpte, and rǣdan is usually weak, rǣdde.

(4)

Two contract verbs belong to this group:

fōn, *seize*	(fēhþ)	fēng	fēngon	fangen
(orig. *fōhan, *fanhan)				
hōn, *hang*	(hēhþ)	hēng	hēngon	hangen
(orig. *hōhan, *hanhan)				

(b) Preterits in *ēo*

(1)

blāwan, *blow*	(blǣwþ)	blēow	blēowon	blāwen
cnāwan, *know*	(cnǣwþ)	cnēow	cnēowon	cnāwen
crāwan, *crow*	(crǣwþ)	crēow	crēowon	crāwen
māwan, *mow*	(mǣwþ)	mēow	mēowon	māwen
sāwan, *sow*	(sǣwþ)	sēow	sēowon	sāwen
swāpan, *sweep*	(swǣpþ)	swēop	swēopon	swāpen

(2)

bēatan, *beat*	(bīett)	bēot	bēoton	bēaten
hēawan, *hew*	(hīewþ)	hēow	hēowon	hēawen

| hlēapan, *leap* | (hlīepþ) | hlēop | hlēopon | hlēapen |
| (a)hnēapan, *pluck* | (-hnīepþ) | -hnēop | -hnēopon | -hnēapen |

(3)

fealdan, *fold*	(fielt)	fēold	fēoldon	fealden
feallan, *fall*	(fielþ)	fēoll	fēollon	feallen
healdan, *hold*	(hielt)	hēold	hēoldon	healden
wealcan, *roll*	(wielcþ)	wēolc	wēolcon	wealcen
wealdan, *wield*	(wielt)	wēold	wēoldon	wealden
weallan, *well*	(wielþ)	wēoll	wēollon	weallen
weaxan, *grow, wax*	(wiest)	wēox	wēoxon	weaxen

The verb **weaxan** was originally **waxan** and belonged to Class VI; the preterits **wōx** and **wōxon** also exist.

(4)

bannan, *summon*	(banð, benð)	bēonn	bēonnon	bannen
gangan, *go*	(gangeð, gongeð)	gēong	gēongon	gangen
spannan, *attach*	(spanð)	spēonn	spēonnon	spannen

These three verbs also have their preterits in **ē**.

(5)

blōtan, *sacrifice*	(blēt)	blēot	blēoton	blōten
blōwan, *bloom*	(blēwþ)	blēow	blēowon	blōwen
flōwan, *flow*	(flēwþ)	flēow	flēowon	flōwen
grōwan, *grow*	(grēwþ)	grēow	grēowon	grōwen
hrōpan, *shout*	(hrēpþ)	hrēop	hrēopon	hrōpen
hwōpan, *threaten*	(hwēpþ)	hwēop	hwēopon	hwōpen
rōwan, *row*	(rēwþ)	rēow	rēowon	rōwen
spōwan, *succeed*	(spēwþ)	spēow	spēowon	spōwen

(6)

Two verbs are -jan presents:

hwēsan, *wheeze*	(hwēst)	hwēos	hwēoson	hwōsen
(orig. *hwōsjan)				
wēpan, *weep*	(wēpþ)	wēop	wēopon	wōpen
(orig. *wōpjan)				

CONJUGATION OF STRONG VERBS

218. The conjugation of the seven classes of strong verbs may be seen from the following paradigms: I, **bītan,** *to bite;* II, **frēosan,** *to freeze,* **lūcan,** *to lock;* III, **windan,** *to wind,* **weorðan,** *to become;* **IV, teran,** *to tear;* V, **cweþan,** *to speak;* VI, **sacan,** *to contend;* VII, **wealdan,** *to wield.* These are followed by the paradigms of two contract verbs, **flēon,** *to flee* (II) and **fōn,** *to seize* (VII), and of the -jan present verbs, **licgan,** *to lie* (V) and **swerian,** *to swear* (VI).

INDICATIVE
Present

Sing. 1.	bīte	frēose	lūce	winde	weorþe
2.	bītest, bītst	frīest	lȳcst	windest, wintst	wierst
3.	bīteþ, bītt	frīest	lȳcþ	windeþ, wint	wierþ
Pl. 1–3.	bītaþ	frēosaþ	lūcaþ	windaþ	weorþaþ

Preterit

Sing. 1.	bāt	frēas	lēac	wand	wearþ
2.	bite	frure	luce	wunde	wurde
3.	bāt	frēas	lēac	wand	wearþ
Pl. 1–3.	biton	fruron	lucon	wundon	wurdon

SUBJUNCTIVE
Present

| *Sing.* 1–3. | bīte | frēose | lūce | winde | weorþe |
| *Pl.* 1–3. | bīten | frēosen | lūcen | winden | weorþen |

Preterit

| Sing. 1-3. | bite | frure | luce | wunde | wurde |
| Pl. 1-3. | biten | fruren | lucen | wunden | wurden |

IMPERATIVE

| Sing. 2. | bīt | frēos | lūc | wind | weorþ |
| Pl. 2. | bītaþ | frēosaþ | lūcaþ | windaþ | weorþaþ |

INFINITIVE

| bītan | frēosan | lūcan | windan | weorþan |

GERUND

| tō bītenne | tō frēosenne | tō lūcenne | tō windenne | tō weorþenne |
| (-anne) | (-anne) | (-anne) | (-anne) | (-anne) |

PRESENT PARTICIPLE

| bītende | frēosende | lūcende | windende | weorþende |

PAST PARTICIPLE

| (ge)biten | (ge)froren | (ge)locen | (ge)wunden | (ge)worden |

INDICATIVE

Present

Sing. 1.	tere	cweþe	sace	wealde
2.	tirst	cwist	sæcst	wieltst
3.	tirþ	cwiþþ	sæcþ	wielt
Pl. 1-3.	teraþ	cweþaþ	sacaþ	wealdaþ

Preterit

Sing. 1.	tær	cwæþ	sōc	wēold
2.	tǣre	cwǣde	sōce	wēolde
3.	tær	cwæþ	sōc	wēold
Pl. 1-3.	tǣron	cwǣdon	sōcon	wēoldon

Present

| *Sing.* 1–3. | tere | cweþe | sace | wealde |
| *Pl.* 1–3. | teren | cweþen | sacen | wealden |

Preterit

| *Sing.* 1–3. | tǣre | cwǣde | sōce | wēolde |
| *Pl.* 1–3. | tǣren | cwǣden | sōcen | wēolden |

Imperative

| *Sing.* 2. | ter | cweþ | sac | weald |
| *Pl.* 2. | teraþ | cweþaþ | sacaþ | wealdaþ |

Infinitive

| | teran | cweþan | sacan | wealdan |

Gerund

| | tō terenne | tō cweþenne | tō sacenne | tō wealdenne |
| | (-anne) | (-anne) | (-anne) | (-anne) |

Present Participle

| | terende | cweþende | sacende | wealdende |

Past Participle

| | (ge)toren | (ge)cweden | (ge)sacen | (ge)wealden |

Contract and -jan Present Verbs

Indicative

Present

Sing. 1.	flēo	tō	licge	swerie
	2.	flīehst	fēhst	lig(e)st	swerest
	3.	flīehþ	fēhþ	lig(e)þ, līþ	swereþ
Pl. 1–3.	flēoþ	fōþ	licgaþ	sweriaþ

Preterit

Sing. 1.	flēah	fēng	læg	swōr
2.	fluge	fēnge	lǣge	swōre
3.	flēah	fēng	læg	swōr
Pl. 1–3.	flugon	fēngon	lǣgon	swōron

SUBJUNCTIVE
Present

Sing. 1–3.	flēo	fō	licge	swerie
Pl 1–3.	flēon	fōn	licgen	swerien

Preterit

Sing. 1–3.	fluge	fēnge	lǣge	swōre
Pl. 1–3.	flugen	fēngen	lǣgen	swōren

IMPERATIVE

Sing. 2.	flēoh	fōh	lige	swere
Pl. 2.	flēoþ	fōþ	licgaþ	sweriaþ

INFINITIVE

flēon	fōn	licgan	swerian

GERUND

tō flēonne	tō fōnne	tō licgenne (-anne)	tō swerienne (-ianne)

PRESENT PARTICIPLE

flēonde	fōnde	licgende	sweriende

PAST PARTICIPLE

(ge)flogen	(ge)fangen	(ge)legen	(ge)sworen (-swaren)

NOTES ON THE CONJUGATIONS

219. (1) The root vowel, if a vowel affected by mutation, is mutated in the 2d and 3d persons singular of the present indicative. This mutation was caused by i of the original endings, ist and iþ. A brief table of these mutations follows:

		Root Vowel	*Mutation*
Class	I	ĭ	——
	II	ēo, ū	īe, ȳ
	III	i	——
		e	i
		ie	——
		eo	ie
	IV	e	i
	V	e	i
	VI	a	æ,[1] e
		ēa	ie
	VII	ā	ǣ
		ǣ	ǣ
		ō	ē
		ēa	īe
		ea	ie
		a	e
		ē	——

(2) The regular endings of the 2d and 3d persons of the present indicative are -est and -eþ, but the e of these endings is often syncopated, and in such cases, when the root of the verb ends in d, t, þ, s, or g, this final consonant is assimilated. The following is a list of these syncopations and assimilations:

---

[1] æ is not a mutation here but the change of a to æ described in Par. 12.

dest by syncopation becomes **dst,** by assimilation, **tst**

 Example: þū rīdest > þū rīdst > þū rītst

deþ by syncopation becomes **dþ,** by assimilation, **t or tt**

 Example: hē rīdeþ > hē rīdþ > hē rīt(t)

test by syncopation becomes **tst**

 Example: þū lǣtest > þū lǣtst

teþ by syncopation becomes **tþ,** by assimilation, **t or tt**

 Example: hē lǣteþ > hē lǣtþ > hē lǣt(t)

þest > þst > tst or st

 Examples: þū snīþest > þū snīþst > þū snītst; þū wierþest >
    þū wierþst > þū wierst

þeþ > þþ > þ

 Example: hē snīþeþ > hē snīþþ > hē snīþ

sest > sst > st

 Example: þū rīsest > þū rīsst > þū rīst

seþ > sþ > st

 Example: hē rīseþ > hē rīsþ > hē rīst

gest > gst > hst (sometimes)

 Example: þū flīegest > þū flīegst > þū flīehst

geþ > gþ > hþ (sometimes)

 Example: hē flīegeþ > hē flīegþ > hē flīehþ

The unsyncopated forms usually occur without mutation and **the** syncopated forms with it, as, for example, hē bereþ and hē birþ, but this rule is not always followed. Mutation preceded syncopation and the unmutated, unsyncopated forms appeared later by analogy with the unmutated plural.

(3) In the -jan presents there is no gemination of the root consonant in the 2d and 3d person singular present indicative, as, for example, **biddan,** *to ask,* **þū bidest, hē bideþ.** Gemination is

also lacking in the singular imperative, which has the ending **e,** as, for example, bide.

(4) When the plural pronouns **wē, gē,** used as subjects, follow rather than precede the verb, the verbal ending usually is **-e.** This probably originated in the present subjunctive where the final **n** of the plural was sometimes lost, but by analogy the practice was also extended to the present and preterit indicative and the imperative. We find therefore the two forms, **wē standaŏ** and **stande wē,** *we stand;* **gē fēollon** and **fēolle gē,** *you fell;* **rīsaŏ** and **rīse gē,** *rise.*

(5) The vowel of the preterit plural indicative is also the vowel of the 2d person singular preterit indicative, which was probably originally a subjunctive, and of the entire preterit subjunctive.

(6) The gerund was originally the dative case of the infinitive declined as a verbal noun. **Tō,** which in modern English we connect with the infinitive, is the preposition governing the dative, and the ending is **-enne** or by analogy with the infinitive, **-anne.**

(7) The present participle may be declined as a strong or weak adjective, like **dēore (ja-, jo-** stem). Its declension as a strong adjective follows.

Paradigm: brecende, *breaking.*

Singular

	Masculine	*Feminine*	*Neuter*
Nom.	brecende	brecendu, -o	brecende
Gen.	brecendes	brecendre	brecendes
Dat.	brecendum	brecendre	brecendum
Acc.	brecendne	brecende	brecende
Ins.	brecende	brecendre	brecende

Plural

	Masculine	*Feminine*	*Neuter*
Nom. Acc.	brecende	brecenda, -e	brecendu, -o
Gen.	brecendra	brecendra	brecendra
Dat.	brecendum	brecendum	brecendum

When used as a predicate the present participle is usually not declined. When used as a noun it is declined like the -nd stems. (See Paragraph 134.)

(8) The past participle is found either with or without ge as a prefix. It may be declined as a strong or weak adjective belonging to the a-o-declension. As a predicate it is usually not declined, but may be declined to indicate a difference in meaning. For example, the clause, þā hīe hæfdon Samson gefangen (*when they had seized Samson*), emphasizes the act of seizing, while þā hīe Samson gefangenne hæfdon (*when they had Samson seized*), emphasizes the condition of the person mentioned.

WEAK VERBS

220. Weak verbs constitute the largest class of Old English verbs. They form their preterit tense and past participle not by a change of root vowel but by the addition of a suffix containing d or t to the root, a formation peculiar to the Germanic languages. The majority of them are derivatives, having nouns, adjectives, or strong verbs as roots, to which a suffix was added. The nature of this suffix differentiated the weak verbs into three classes.

Class I

221. Verbs of this group were formed by adding the suffix -jan to a noun, adjective, or strong verb. The j caused mutation of the root vowel and, when this vowel was short, gemination of the final radical consonant if single, with subsequent loss of the **j**. If the consonant was **r** there was no gemination and the **j** remained as an **i**. When the root vowel was long there was mutation but no gemination.[1] A list of some of the verbs in this group in which the derivation may be seen, follows:

(1) *Derivation from Nouns*

bōt (*remedy*) + jan, by mutation and loss of **j** = **bētan,** *to provide a*
  remedy, i.e., *to amend*

cuss (*kiss*) + jan = **cyssan,** *to kiss*

dǣl (*part*) + jan = **dǣlan,** *to deal out*

dōm (*judgment*) + jan = **dēman,** *to judge*

drēam (*joy*) + jan = **drȳman (drīeman),** *to rejoice*

fær (*journey*) + jan = **ferian,** *to carry*

flēam (*flight*) + jan = **(ge)flīeman,** *to put to flight*

fōda (*food*) + jan = **fēdan,** *to feed*

frōfor (*comfort*) + jan = **frēfran,** *to comfort*

gelēafa (*belief*) + jan = **gelīefan,** *to believe*

heorte (*heart*) + jan = **hyrtan (hiertan),** *to hearten*

lāf (*leaving*) + jan = **lǣfan,** *to leave*

lār (*lore*) + jan = **lǣran,** *to teach*

lēoht (*light*) + jan = **līhtan (līehtan),** *to shine*

lust (*pleasure*) + jan = **lystan,** *to list, desire*

nama (*name*) + jan = **nemnan,** *to name*

rǣd (*advice*) + jan = **rǣdan,** *to advise*

sāl (*rope*) + jan = **sǣlan,** *to fasten*

scrūd (*clothing*) + jan = **scrȳdan,** *to clothe*

searu (*skill*) + jan = **syrwan (sierwan),** *to plot*

spēd (*success*) + jan = **spēdan,** *to succeed*

[1] The infinitives of the 1st class weak verbs resemble those of the small group of -jan present verbs in the 6th class of the strong conjugation.

storm (*storm*) + jan = styrman (stierman), *to storm*
swēg (*sound*) + jan = swēgan, *to sound*
þurst (*thirst*) + jan = þyrstan, *to thirst after*
weorc (*work*) + jan = wyrcan, *to work*

(2) Derivation from Adjectives

beald (*bold*) + jan = byldan (bieldan), *to embolden*
blǣc (*pale*) + jan = blǣcan, *to bleach*
brǎd (*broad*) + jan = brǣdan, *to spread*
cūþ (*known*) + jan = cȳþan, *to make known*
eald (*old*) + jan = ieldan, *to delay*
feorr (*far*) + jan = (a)fyrran (fierran), *to remove*
full (*full*) + jan = fyllan, *to fill*
fūs (*ready*) + jan = fȳsan, *to prepare*
georn (*eager*) + jan = giernan, *to be eager, yearn*
hwæt (*bold*) + jan = hwettan, *to whet, incite*
mǣre (*famous*) + jan = mǣran, *to make famous*
rūm (*roomy*) + jan = rȳman, *to make room*
scearp (*sharp*) + jan = scierpan, *to sharpen*
trum (*strong*) + jan = trymman, *to strengthen*
wōd (*mad*) + jan = wēdan, *to be mad*

(3) Derivation from Strong Verbs

In this group the weak verbs are usually transitive or causative forms of the intransitive strong verbs. The root of the weak verb has the same vowel as the preterit singular of the strong verb.

bāt (pret. of bītan, *to bite*) + jan = bǣtan, *to bit, bridle*
bēah (pret. of būgan, *to bend*) + jan = bīegan, *to cause to bend*
cwæl (pret. of cwelan, *to die*) + jan = cwellan, *to kill*
dranc (pret. of drincan, *to drink*) + jan = drencan, *to drench*
fēoll (pret. of feallan, *to fall*) + jan = fyllan (fiellan), *to fell*

fōr (pret. of faran, *to go*) + jan = fēran, *to go, lead*

hwearf (pret. of hweorfan, *to turn*) + jan = hwierfan, *to move about*

læg (pret. of licgan, *to lie*) + jan = lecgan, *to lay*

rās (pret. of rīsan, *to rise*) + jan = rǣran, *to rear, raise* (Verner's Law)

sæt (pret. of sittan, *to sit*) + jan = settan, *to set*

sprang (pret. of springan, *to spring*) + jan = sprengan, *to break*

swæf (pret. of swefan, *to sleep*) + jan = swebban, *to put to sleep, kill*

swanc (pret. of swincan, *to labor*) + jan = swencan, *to press hard*

wand (pret. of windan, *to wind*) + jan = wendan, *to turn around, wend*

wearp (pret. of weorpan, *to throw*) + jan = (ge)wyrpan (wierpan), *to recover*

222. The infinitive of verbs of Class I, as seen from the above lists, ends in -an or, if the final root consonant is r, in -ian. The preterit singular is formed by adding -ede, -de, or -te, and the past participle, by adding, -ed, -d, -t, to the root. These three constitute the principal parts of the verb.

223. There are two main divisions of the regular verbs of this class: (1) those with an originally short radical syllable and (2) those with an originally long radical syllable. Verbs with a short vowel or diphthong followed by a geminated consonant or r belong to the first group, as, for example, trymman, *to strengthen*, werian, *to defend;* those with a long vowel or diphthong, or with a short vowel or diphthong followed by two consonants or by a double consonant not caused by gemination belong to the second, as, for example, lǣran, *to teach,* þyrstan, *to thirst,* fyllan, *to fill.* In most cases a double consonant is the result of gemination. In fyllan, which comes from the adjective full, or cyssan, from the noun cuss, the double consonant appears in the root and is therefore not caused by gemination.

224. Verbs with an originally short radical syllable form their preterit singular and past participle by adding -ede and -ed respectively to the root. The e of this suffix was originally i, which caused mutation of the root vowel but no gemination in the preterit and past participle. Examples:

Infinitive	3d Sg. Pres.	Pret. Sing.	Past Part.
trymman, *strengthen*	(trymeþ)	trymede	trymed
werian, *defend*	(wereþ)	werede	wered

225. Like trymman are cnyssan, *to beat*, dynnan, *to resound*, fremman, *to perform*, hreddan, *to save*, settan, *to set*, treddan, *to tread*, etc. Lecgan, *to lay*, is an exception, because although its root syllable is short it forms its preterit and past participle without the e of the suffix; for example, lecgan, legde, legd.

226. Like werian are derian, *to injure*, erian, *to plow*, herian, *to praise*, nerian, *to save*, styrian, *to stir*. This is a very small group.

227. Verbs with an originally long radical syllable form their preterit singular and past participle by adding -de and -ed, respectively, to the root, syncopation of the middle vowel having taken place in the preterit. As in the case of the verbs with a short radical syllable, this original middle vowel i, before it was syncopated, caused mutation but not gemination. Example:

Infinitive	3d Sg. Pres.	Pret. Sing.	Past Part.
lǣran, *teach*	(lǣrþ)	lǣrde	lǣred

Like lǣran are ǣlan, *to kindle*, cȳþan, *to make known*, dǣlan, *to deal out*, dēman, *to judge*, fēran, *to go*, geflīeman, *to put to flight,* hīeran, *to hear,* lǣfan, *to leave,* rǣran, *to rear,* wēnan, *to expect,* etc.

228. Verbs with a long radical syllable ending in two consonants, the second of which is **l, n,** or **r,** usually keep the middle vowel in the preterit. Examples:

Infinitive	*3d Sg. Pres.*	*Pret. Sing.*	*Past Part.*
dīeglan, *conceal*	(dīegleþ)	dīeglede	(ge)dīegled
efnan, *perform*	(efneþ)	efnede	(ge)efned
frēfran, *comfort*	(frēfreþ)	frēfrede	(ge)frēfred

CONJUGATION

229. Paradigms: **trymman,** *to strengthen;* **werian,** *to defend,* **lǣran,** *to teach.*

INDICATIVE

Present

Sing. 1.	trymme	werie	lǣre
2.	trymest	werest	lǣr(e)st
3.	trymeð	wereð	lǣr(e)ð
Pl. 1–3.	trymmað	weriað	lǣrað

Preterit

Sing. 1.	trymede	werede	lǣrde
2.	trymedest	weredest	lǣrdest
3.	trymede	werede	lǣrde
Pl. 1–3.	trymedon	weredon	lǣrdon

SUBJUNCTIVE

Present

Sing. 1–3.	trymme	werie	lǣre
Pl. 1–3.	trymmen	werien	lǣren

Preterit

| Sing. 1–3. | trymede | werede | lǽrde |
| Pl. 1–3. | trymeden | wereden | lǽrden |

IMPERATIVE

| Sing. 2. | tryme | were | lǽr |
| Pl. 2. | trymmað | weriað | lǽrað |

INFINITIVE

| trymman | werian | lǽran |

GERUND

| tō trymmenne | tō werienne | tō lǽrenne |
| (-anne) | (-anne) | (-anne) |

PRESENT PARTICIPLE

| trymmende | weriende | lǽrende |

PAST PARTICIPLE

| (ge)trymed | (ge)wered | (ge)lǽred |

230. It will be noted that there is no gemination in the 2d and 3d persons singular present indicative, in the entire preterit indicative and subjunctive, in the singular imperative, and in the past participle of the verbs with an originally short radical syllable like **trymman**. This is due to the fact that originally there was i but not j in the suffix of all these forms, the i causing mutation but not gemination.

231. Syncopation of **e** in the endings of the 2d and 3d persons singular present indicative of verbs with an originally long radical syllable often occurs, as, for example, lǽrst, lǽrð, but the unsyncopated forms may also be found, as, for example, lǽrest, lǽreð

The same assimilation of consonants found in these two forms in strong verbs also occurs in weak verbs of the first class. (See Paragraph **219**, (2).)

232. Various contractions occur in the preterit and past participle:

(1) Verbs with an originally short radical syllable ending in **d** or **t** syncopate the middle vowel (**t** + **d** becomes **tt**), as, for example, **treddan**, *to tread*, **tredde** instead of **tredede**, (ge)tred(d) instead of (ge)treded; **settan**, *to set*, **sette**, **sett**. Verbs with an originally long radical syllable ending in **d** or **t** often syncopate the middle vowel in the past participle, as, for example, **lǣdan**, *to lead*, **lǣdde**, lǣd(d); **grētan**, *to greet*, **grētte**, grēt(t).

(2) Verbs with a radical syllable ending in a consonant plus **d** or **t** simplify their preterits and past participles; for example, **sendan**, *to send*, **sende**, **send**; **þyrstan**, *to thirst*, **þyrste**, **þyrst**.

(3) Verbs with a double consonant in the root simplify the consonant in the preterit; for example, **fyllan**, *to fill*, **fylde**, but (ge)fylled with double l.

(4) Verbs with a root syllable ending in a voiceless consonant change the **d** of the preterit and sometimes that of the past participle to **t**; for example, **clyppan**, *to embrace*, **clypte**, (ge)clypt; **swencan**, *to press hard*, **swencte**, (ge)swenced or (ge)swenct; **cyssan**, *to kiss*, **cyste**, (ge)cyssed or (ge)cyst.

(5) Verbs with a root syllable ending in **þ** may change it to **d** before the preterit ending; for example, **cȳðan**, *to make known*, **cȳðde** or **cȳdde**, (ge)cȳðed or (ge)cȳdd.

(6) Verbs in **rw** and **lw** often lose **w** before **e** of the preterit and past participle; for example, **sierwan**, *to plot*, **sierede**, (ge)sierwed. **(ge)siered**. The **w** is also lost in the 2d and 3d persons singular present indicative and in the singular imperative.

VERBS WITHOUT THE MIDDLE VOWEL

233. A small but important group of first class weak verbs differs from the others in having no mutation in the preterit or past participle. The infinitives of these verbs had the original suffix -jan which caused mutation in the present stem, but the middle vowel -i, which caused mutation in the preterit stem of other Class I verbs, was lacking, with the consequent loss of mutation. Many of these verbs have c or g for the final radical consonant, which, plus d of the preterit suffix, became ht. Many of the preterits also have the consonant combination which produces breaking. The formation of these verbs may be seen from the following example:

cwæl (preterit of cwelan, *to die*) + jan = cwæljan, which by mutation and gemination = cwellan, *to kill;* cwæl + de, without the original middle vowel i and therefore without mutation = cwælde, which, since æ breaks to ea before l + a consonant = cwealde.

234. A list of these verbs follows:

Infinitive	*3d Sg. Pres.*	*Pret. Sing*	*Past Part.*
cwellan, *kill*	(cwelþ)	cwealde	(ge)cweald
dwellan, *dwell*	(dwelþ)	dwealde	(ge)dweald
sellan, *give*	(selþ)	sealde	(ge)seald
stellan, *place*	(stelþ)	stealde	(ge)steald
tellan, *count*	(telþ)	tealde	(ge)teald
cweccan, *shake*	(cwecþ)	cweahte	(ge)cweaht
dreccan, *vex*	(drecþ)	dreahte	(ge)dreaht
leccan, *moisten*	(lecþ)	leahte	(ge)leaht
reccan, *narrate*	(recþ)	reahte	(ge)reaht
streccan, *stretch*	(strecþ)	streahte	(ge)streaht
þeccan, *cover*	(þecþ)	þeahte	(ge)þeaht
weccan, *wake*	(wecþ)	weahte	(ge)weaht

Infinitive	*3d Sg. Pres.*	*Pret. Sing.*	*Past Part.*
bepǣcan, *deceive*	(bepǣcþ)	bepǣhte	bepǣht
lǣccan, *seize*	(lǣcþ)	lǣhte	(ge)lǣht
rǣcan, *reach*	(rǣcþ)	rǣhte, rāhte	(ge)rǣht, -rāht
tǣcan, *teach*	(tǣcþ)	tǣhte, tāhte	(ge)tǣht, -tāht
rēcan, *reck, care*	(rēcþ)	rōhte	(ge)rōht
sēcan, *seek*	(sēcþ)	sōhte	(ge)sōht
bringan, *bring*	(bringþ)	brōhte	(ge)brōht
þencan, *think*	(þencþ)	þōhte	(ge)þōht
þyncan, *seem*	(þyncþ)	þūhte	(ge)þūht
wyrcan, *work*	(wyrcþ)	worhte	(ge)worht
bycgan, *buy*	(bygþ)	bohte	(ge)boht

235. In Late West Saxon the **ea** before **ht** was simplified to **e, as,** for example, **cwehte** from **cweahte**. (See Paragraph **22.**) Of the two forms, **tǣhte** and **tāhte**, **rǣhte** and **rāhte**, the second without the mutation is the older and more nearly correct; the mutated form is, however, the more common.

CLASS II

236. This is the largest of the three classes of weak verbs and contains an unusual number of verbs derived from nouns. It is easily distinguished by the endings of the principal parts, the infinitive in -**ian**, the preterit singular in -**ode** (-**ude**, -**ade**) and the past participle in -**od** (-**ud**, -**ad**), and by the fact that there is no mutation of the radical vowel. The original suffix of the infinitive was -**ojan**, this **o** preventing any mutation which might have been caused by the **j**. When mutation is occasionally found in the root of the verb it is either due to the presence of a mutated vowel in the word from which the verb was derived, as in **egsian**, *to frighten*, from **egesa**, *terror*, or to the attraction of a first class verb into

the second class, as, for example, timbran, *to build*, preterit **tim-
brede** (I) or **timbrode** (II). Example:

Infinitive	*3d Sg. Pres.*	*Pret. Sing.*	*Past Part.*
baðian, *bathe*	(baðað)	baðode	baðod

237. Like **baðian** are **ācsian**, *to ask*, **andswarian**, *to answer*,
bodian, *to proclaim*, **clipian**, *to call*, **cunnian**, *to prove*, **eardian**, *to
dwell*, **egsian**, *to frighten*, **endian**, *to end*, **fandian**, *to test*, **fetian**, *to
fetter*, **folgian**, *to follow*, **gædrian**, *to gather*, **hālgian**, *to hallow*, **hatian**,
to hate, **hearpian**, *to harp*, **hongian**, *to hang*, **hordian**, *to hoard*,
leornian, *to learn*, **līcian**, *to like*, **lōcian**, *to look*, **losian**, *to be lost*,
lufian, *to love*, **manian**, *to exhort*, **offrian**, *to offer*, **rīcsian**, *to rule*,
sīðian, *to journey*, **sorgian**, *to sorrow*, **starian**, *to stare*, **þancian**, *to
thank*, **þolian**, *to suffer*, **þrōwian**, *to suffer*, **wacian**, *to keep watch*,
weorþian, *to honor*, **wundrian**, *to wonder*, **wunian**, *to dwell*, and many
others.

CONJUGATION

238. Paradigm: **þancian,** *to thank*.

INDICATIVE

	Present	*Preterit*
Sing. 1.	þancie	þancode
2.	þancast	þancodest
3.	þancaþ	þancode
Pl. 1–3.	þanciaþ	þancodon

SUBJUNCTIVE

	Present	*Preterit*
Sing. 1–3.	þancie	þancode
Pl. 1–3.	þancien	þancoden

IMPERATIVE

Sing. 2. þanca
Pl. 2. þanciaþ

INFINITIVE   GERUND
þancian   tō þancienne (-anne)

PRESENT PARTICIPLE   PAST PARTICIPLE
þanciende   (ge)þancod

239. In the present tense **i** before **e** is often written -ig, as in þancige, þancigen. This g is known as a graphic g. The ending -aþ in the 3d present singular indicative is a distinguishing mark of this conjugation. In the preterit the forms -ede, -ude, and -ade for -ode and in the past participle -ed, -ud, and -ad for -od occur, the forms in -a being non-West Saxon.

CLASS III

240. This class of weak verbs, which originally had -ai as a suffix, has almost disappeared in Old English, the verbs formerly belonging to it having been attracted into the first, or, more commonly, into the second class. Only four verbs remain and these show traces of the other two conjugations. These four verbs are **habban,** *to have;* **libban,** *to live;* **secgan,** *to say;* and **hycgan,** *to think.* Their conjugation follows:

INDICATIVE

Present

Sing. 1. hæbbe	libbe, lifge	secge	hycge
2. hæfst, hafast	liofast, lifast	sægst, sagast	hygest, hogasᵗ
3. hæfþ, hafaþ	liofaþ, lifaþ	sægþ, sagaþ	hygeþ, hogaþ
Pl. 1–3. habbaþ, hæbbaþ	libbaþ, lifgaþ	secgaþ	hycgaþ

Preterit

Sing. 1.	hæfde	lifde, liofode	sægde, sæde	hogde
2.	hæfdest	lifdest, liofodest	sægdest, sædest	hogdest
3.	hæfde	lifde, liofode	sægde, sæde	hogde
Pl. 1-3.	hæfdon	lifdon, liofodon	sægdon, sædon	hogdon

SUBJUNCTIVE

Present

Sing. 1-3.	hæbbe	libbe, lifge	secge	hycge
Pl. 1-3.	hæbben	libben, lifgen	secgen	hycgen

Preterit

Sing 1-3.	hæfde	lifde, liofode	sægde, sæde	hogde
Pl. 1-3.	hæfden	lifden, liofoden	sægden, sæden	hogden

IMPERATIVE

Sing 2.	hafa	liofa	saga, sæge	hoga, hyge
Pl. 2.	habbaþ	libbaþ, lifgaþ	secgaþ	hycgaþ

INFINITIVE

habban	libban, lifgan	secgan	hycgan

GERUND

tō habbanne	{ tō libbanne	tō secganne	tō hycganne
(-enne)	tō lifgerne	(-enne)	(-enne)

PRESENT PARTICIPLE

hæbbende	libbende, lifgende	secgende	hycgende

PAST PARTICIPLE

(ge)hæfd	(ge)lifd, (ge)liofod	(ge)sægd, -sæd	(ge)hogod

241. When there are two forms given above, the first is the normal West Saxon; the second is Anglian. Both forms, however, may be found in West Saxon documents. The second form in the preterit of secgan, sæde, is formed by dropping the medial g and lengthening the preceding vowel. Habban has a negative form nabban, *to lack, have not.* A later form of hycgan is hogian, preterit, hogode, which belongs completely to the second class. Fylgan, *to follow*, preterit, fylgde, has some traces of the third class, but like hycgan it has another form, folgian, preterit, folgode, which is a regular Class II verb.

PRETERIT-PRESENT VERBS

242. The Preterit-Present or Strong-Weak verbs, a small but important group, some of which have become auxiliary verbs in modern English, are so called because their present tense was originally an old strong preterit which had acquired a present meaning. A new weak preterit based on the plural present indicative stem was then formed. The present indicative is conjugated like that of the preterit of regular strong verbs with the exception of the second person singular which, instead of having the vowel of the plural, with the ending -e, keeps the vowel of the singular and has an old preterit ending in -t or -st. The present subjunctive has the regular endings but occasionally has a mutated stem vowel. The preterit is conjugated like all weak preterits. The imperative, infinitive, gerund, and present participle are based on the stem of the present indicative plural. The past participle has the strong ending, -en.

243. Since the present tense of these verbs was originally a strong preterit, remains of the original gradation series may be seen in the vowels of the singular and plural present. On the basis of this imperfect gradation the twelve preterit-present verbs are listed below according to the original class of strong verbs to which they belonged:

Class   I āgan, *to own;* witan, *to know.*
Class II dugan, *to avail.*

Class III cunnan, *to know;* unnan, *to grant;* durran, *to dare;* þurfan, *to need.*

Class IV munan, *to remember;* sculan, sceolan, *to have to, shall.*

Class V magan, *to be able, can;* genugan, benugan, *to suffice.*

Class VI mōtan, *to be permitted, may.*

CONJUGATION

244. Many of these verbs are imperfect; a blank means that the form is missing.

INFINITIVE

witan, wiotan	āgan	dugan	cunnan

INDICATIVE

Present

Sing. 1.	wāt	āh, āg	dēah, dēag	can(n), con(n)
2.	wāst	āhst	duge	canst, const
3.	wāt	āh, āg	dēah, dēag	can(n), con(n)
Pl. 1–3.	witon / wioton, wuton	āgon	dugon	cunnon

Preterit

Sing. 1.	wiste, wisse	āhte	dohte	cūþe
2.	wistest / wissest	āhtest	dohtest	cūþest
3.	wiste, wisse	āhte	dohte	cūþe
Pl. 1–3.	wiston, wisson	āhton	dohton	cūþon

SUBJUNCTIVE

Present

Sing. 1–3.	wite	āge	duge, dyge	cunne
Pl. 1–3.	witen	āgen	dugen	cunnen

Preterit

Sing. 1–3.	wiste, wisse	āhte	dohte	cūþe
Pl. 1–3.	{ wisten wissen	āhten	dohten	cūþen

IMPERATIVE

Sing. 2.	wite	āge
Pl. 2.	witaþ	

GERUND

{ tō witanne (-enne) tō wiotonne	tō āganne	tō cunnenne

PRESENT PARTICIPLE

{ witende wiotende	āgende	dugende	cunnende

PAST PARTICIPLE

(ge)witen	āgen (adj. *own*)	(ge)cunnen cūþ (adj. *known*)

INFINITIVE

unnan	durran	þurfan	munan

INDICATIVE

Present

Sing. 1.	an(n), on(n)	dearr	þearf	man, mon
2.		dearst	þearft	manst, monst
3.	an(n), on(n)	dearr	þearf	man, mon
Pl. 1–3.	unnon	durron	þurfon	munon, munaþ

Preterit

Sing. 1.	üðe	dorste	þorfte	munde
2.	üðest		þorftest	mundest
3.	üðe		þorfte	munde
Pl. 1–3.	üðon	dorston	þorfton	mundon

SUBJUNCTIVE

Present

Sing. 1–3.	unne	durre, dyrre	þurfe, þyrfe	mune, myne
Pl. 1–3.	unnen	durren	þyrfen	munen

Preterit

Sing. 1–3.	dorste	þorfte	munde
Pl. 1–3.	dorsten	þorften	munden

IMPERATIVE

Sing. 2.	unne	mun(e), myn(e)
Pl. 2.		munaþ

PRESENT PARTICIPLE

unnende

$$\left\{ \begin{array}{l} \text{þearfende} \\ \text{þurfende} \\ \text{þyrfende} \end{array} \right.$$ munende

PAST PARTICIPLE

(ge)unnen   (ge)munen

INFINITIVE

| sculan, sceolan | magan | (ge)nugan | mōtan |

INDICATIVE
Present

Sing. 1.	sceal	mæg		mōt
2.	scealt	meaht, miht		mōst
3.	sceal	mæg	-neah (impersonal)	mōt
Pl. 1-3.	sculon, sceolon	magon	-nugon	mōton

Preterit

Sing. 1.	scolde, sceolde	meahte, mihte		mōste
2.	scoldest, sceoldest	meahtest, mihtest		mōstest
3.	scolde, sceolde	meahte, mihte	-nohte	mōste
Pl. 1-3.	scoldon, sceoldon	meahton, mihton		mōston

SUBJUNCTIVE
Present

Sing. 1-3.	scule, scyle sceole	mæge, muge	-nuge	mōte
Pl. 1-3.	sculen, scylen sceolen	mægen, mugen		mōten

Preterit

Sing. 1-3.	scolde, sceolde	meahte, mihte		mōste
Pl. 1-3.	scolden, sceolden	meahten, mihten		mōsten

PRESENT PARTICIPLE

magende

PAST PARTICIPLE

meaht (adj. *mighty*)

ANOMALOUS VERBS

245. Four common verbs remain which cannot be classified with any of the preceding groups. These are **bēon, wesan,** *to be;* **willan,** *to will;* **dōn,** *to do;* **gān,** *to go.*

(1)

The first of these is based on three different roots, two of which appear in the present and one in the preterit.

INDICATIVE

	Present	Preterit
Sing. 1.	eom; bēo	wæs
2.	eart; bist	wǣre
3.	is; biþ	wæs
Pl. 1–3.	sind, sindon, sint; bēoþ	wǣron

SUBJUNCTIVE

	Present	Preterit
Sing. 1–3.	sīe, sȳ; bēo	wǣre
Pl. 1–3.	sīen, sȳn; bēon	wǣren

IMPERATIVE

Sing. 2. bēo; wes, wæs
Pl. 2. bēoþ; wesaþ

INFINITIVE	GERUND
bēon; wesan	tō bēonne

PRESENT PARTICIPLE	PAST PARTICIPLE
bēonde; wesende	

Negative forms are **neom** (ne + eom), **nis** (ne + is), **næs** (ne + wæs), **nǣron** (ne + wǣron), **nǣre, nǣren** (ne + wǣre, ne + wǣren).

(2)

INDICATIVE

Present		*Preterit*
Sing. 1.	wille	wolde
2.	wilt	woldest
3.	wille	wolde
Pl. 1–3.	willaꝺ	woldon

SUBJUNCTIVE

Present		*Preterit*
Sing. 1–3.	wille	wolde
Pl. 1–3.	willen	wolden

IMPERATIVE

Sing. 2.

Pl. 2. only with negative, **nyllaꝺ, nellaꝺ**

INFINITIVE	GERUND
willan	

PRESENT PARTICIPLE	PAST PARTICIPLE
willende	

Negative forms are common: **nyllan** or **nellan, nolde,** etc.

(3)

INDICATIVE

Present		*Preterit*
Sing. 1.	dō	dyde
2.	dēst	dydest
3.	dēþ	dyde
Pl. 1–3.	dōþ	dydon

SUBJUNCTIVE

Present	Preterit
Sing. 1–3. dō	dyde
Pl. 1–3. dōn	dyden

IMPERATIVE

Sing. 2. dō
Pl. 2. dōþ

INFINITIVE	GERUND
dōn	tō dōnne

PRESENT PARTICIPLE	PAST PARTICIPLE
dōnde	(ge)dōn

(4)

INDICATIVE

Present	Preterit
Sing. 1. gā	ēode
2. gǣst	ēodest
3. gǣþ	ēode
Pl. 1–3. gāþ	ēodon

SUBJUNCTIVE

Present	Preterit
Sing. 1–3. gā	ēode
Pl. 1–3. gān	ēoden

IMPERATIVE

Sing. 2. gā
Pl. 2. gāþ

GRAMMAR

Infinitive	Gerund
gān	tō gānne

Present Participle	Past Participle
gānde	(ge)gān

SYNTAX

246. The student of Latin and of Old English will observe many similarities in the syntax of the two languages, at the same time that he recognizes the close relation between that of Old English and modern English. Without attempting to enter into a full discussion of the subject, the following paragraphs may prove suggestively helpful.

NOUNS AND PRONOUNS

247. The nominative is regularly the case of the subject and predicate. Examples: (1) Subject: **Sum man hæfde twēgen suna,** *A certain man had two sons;* (2) Predicate: **Hē wæs swīþe spēdig man,** *He was a very wealthy man.*

The vocative, the case of direct address, is like the nominative. When there is an adjective modifier, the adjective is weak. Examples: **Mīne brōþor, mīne þā lēofan, ic eom swīðe blīþemōd tō ēow,** *My brothers, my dear ones, I am very well-disposed toward you.*

The genitive may be subjective or objective. Examples: (1) Subjective: **Hlēop on þæs cyninges stēdan,** *He leaped on the king's steed;* (2) Objective: **in þæs Scyppendes lof,** *in praise of the Creator;* **Hwylc þearf is ðē hūsles?** *What need of the eucharist have you?*

The genitive plural is sometimes used where the singular might be expected. Example: **heofona rīce,** *the kingdom of heaven.*

The partitive genitive is very common after numerals used as nouns and after words expressing quantity. Examples: **hund missēra,** *a hundred half-years;* **landes tō fela,** *too much land;* **ic lȳt hafo hēafod-māga,** *I have few near relatives.*

The genitive may be used with certain verbs among which are

the following: **bidan,** *to await,* **biddan,** *to ask,* **brūcan,** *to use, enjoy,* **cunnian,** *to test,* **fandian,** *to try,* **gȳman,** *to care,* **behōfian,** *to have need of,* **lettan,** *to hinder,* **myndgian,** *to remind,* **nēos(i)an,** *to visit, attack,* **genyttian,** *to use,* **oftēon,** *to deprive,* **tīðian,** *to grant,* **trūwian,** *to trust,* **getwǣfan,** *to hinder,* **getwǣman,** *to separate,* **wealdan,** *to control, rule,* **wēnan,** *to expect, think,* **weorpan,** *to throw,* **wyrcan,** *to acquire, gain.* Examples: **Gif þū Grendles dearst ... bidan,** *If you dare await Grendel;* **nū hē þīn cunnode,** *now he has tested you;* **þæt hē þǣr brūcan mōt ... līfes and lissa,** *that he may there enjoy life and pleasures.*

The genitive is also used adverbially. Examples: **dæges,** *by day,* **singāles,** *continually,* **gēara,** *long since.* For other examples see Adverbs, Paragraph 189.

The dative is used most commonly as the indirect object. Example: **his larēowe and biscope Paulīni biscopseðl forgeaf,** *he gave an episcopal residence to his teacher and bishop, Paulinus.*

The dative of possession, sometimes called the dative of reference or the ethical dative, is also frequently found. Examples: **him on bearme læg,** *it lay in his lap;* **sette his þā swīþran hond him on þæt hēafod,** *he placed his right hand on his head;* **him wæs gēomor sefa,** *they had a sad spirit.*

A few adjectives are followed by the dative. Examples: **þēah hē him lēof wǣre,** *although he was dear to them;* **gif þū forð his willan hēarsum bēon wilt,** *if you will henceforth be obedient to his will;* **Heofona rīce is gelīc gehȳddum goldhorde on þām æcere,** *The kingdom of heaven is like a treasure hidden in the field.*

The dative is used after many prepositions, among them **æfter,** *after,* **æt,** *at,* **be, bī, big,** *by,* **būtan,** *except,* **for,** *for,* **fore,** *before,* **from, from,** *in, in,* **mid,** *with,* **of,** *from,* **ofer,** *over,* **on,** *on,* **tō,** *to,* **under, under,** **wið,** *against.* Of these **for, in, mid, ofer, on, under, wið** also govern the accusative, especially, although not necessarily, when the idea of motion is involved. The preposition sometimes follows its object with the force of an adverb. Examples: Him big stōdan bunan and orcas, *Beside him stood cups and pitchers;* ne wæs him Fitela mid, *nor was Fitela with him;* þā hē him of dyde īsernbyrnan, *then he took off his iron coat of mail.*

Certain verbs usually govern the dative, among them the following: beorgan, *to protect,* fōn, *to seize,* hȳran, *to obey,* līcian, *to please,* gelȳfan, *to believe in,* benēotan, *to deprive of,* berēafian, *to bereave,* forscrīfan, *to condemn,* oftēon, *to deprive,* trēowan, *to trust,* þēowian, *to serve,* wealdan, *io rule.* Examples: Ne mæg nān man twām hlāfordum þēowian, *No man can serve two masters;* þām wīfe þā word wel līcodon, *the words pleased the woman well.*

The dative is also used with impersonal verbs. Examples: mē þæt riht ne þinceð, *that does not seem to me right;* hū him æt æte spēow, *how he succeeded (fared) at the meal.*

The dative is used sometimes as an adverb. Examples: hwīlum, *sometimes,* miclum, *very,* wundrum, *wonderfully.* For other examples see Adverbs, Paragraph 189.

With two exceptions (the masculine and neuter singular of adjectives, demonstratives, and interrogative pronouns) the forms of the dative coincide with those of the instrumental case. It is therefore often difficult to distinguish between them. This dative-instrumental is used to denote means or instrument; it corresponds to the Latin ablative. In a few instances the instrumental alone is used: in expressions of time, þȳ ylcan mōnðe ond dæge, *in the same month and day;* with comparatives, se eorl wæs þē blīþra, *the earl was the happier;* with nouns in the sense of the Latin ablative absolute, ūp sprungenre sunnan, *the sun being sprung up.*

The accusative is the case of the direct object. Some verbs have two objects, the person and the thing, both in the accusative.

the latter often in such instances being a cognate **accusative**. Example: Ic þæs Hrōðgar mæg... ræd gelæran, *I can give (teach) advice to Hrothgar.*

The accusative is also used as the subject of the infinitive. Example: Hī lēton þā of folman fēolhearde speru, gegrundene gāras flēogan, *They let the file-hard spears, the ground spears fly from the hand.*

The accusative is used adverbially, often to denote extent of time. Examples: ealneg, *always;* ealne dæg, *all day.* For other similar uses see Adverbs, Paragraph 189.

In addition to the prepositions mentioned above which may be followed by either the dative or the accusative, there are some which always take the accusative, among them geond, *throughout,* oþ, *until,* þurh, *through,* ymb, *around.*

VERBS

248. The subjunctive is used, as in Latin, (1) in a clause of purpose or result, (2) in a conditional clause, (3) in indirect discourse, (4) in a command. Examples: (1) Āra ðīnum fæder and ðīnre mēder... þæt þū sīe þȳ leng libbende on eorþan, *Honor thy father and thy mother that thou mayst be the longer living on earth;* (2) Hæfde þā forsīðod sunu Ecgþēowes under gynne grund... nemne him heaðobyrne helpe gefremede, *Then the son of Ecgþeow would have journeyed under the spacious ground, unless the battle-byrnie had helped him;* (3) Wulfstān sæde þæt hē gefōre of Hæþum, *Wulfstan said that he departed from Haddeby.* That the subjunctive is often replaced by the indicative, however, may be seen from the conclusion of this same sentence, þæt þæt scip wæs ealne weg yrnende under segle, *[said] that the ship was all the way running under sail:* (4) Bēon gegaderode þā wæteru þe sind under þære heofenan, *Let the waters be gathered that are under the heavens.*

A command may be expressed not only by the imperative and the subjunctive, but also by the word **wuton** or uton with the infinitive. Example: **Wutun āgifan ðæm esne his wīf,** *Let us give the man his wife.*

The infinitive is often used with verbs of motion where in modern English we should expect the present participle. Example: **Gewāt him þā se æðeling... wadan ofer wealdas,** *Then the prince departed, traveling over the weald.*

For other peculiarities of verbal syntax the student is referred to Notes on Strong Verbs.

WORD ORDER

249. Word order in Old English is on the whole that of modern English. The inversion of the subject and verb, however, as in modern German is fairly common, occurring usually when the sentence begins with an adverb. Examples: **Ðā hēt se cyning swā dōn,** *Then the king ordered it so to be done;* **ðā ārās hē from þǣm slǣpe,** *then he arose from sleep.* The placing of the object before the verb in a subordinate clause, as in modern German, is also common. Example: **þā se cyning þā þās word gehȳrde, þā andswarode hē him,** *when the king heard these words, then he answered him.*

READER

I

THE WEST SAXON GOSPELS

THE West Saxon translation of the Gospels, the oldest version in the English tongue, antedating Wyclif's Bible by nearly four hundred years, was made in the latter part of the Old English period, presumably about the year 1000. It is the work of an unknown author or authors writing about a hundred years after King Alfred's death in a literary period in which prose was the chief vehicle of expression and Ælfric the dominant figure. The translation was made, not from the Greek original, but from the Latin translation known as the Vulgate, generally used by the ninth century throughout Western Europe. The Vulgate was the work of Jerome who, in the fourth century, revised the old Latin version of the New Testament and the Psalter and translated the rest of the Old Testament.

There are four important manuscripts of the West Saxon Gospels. The one closest in time and in text to the original is MS. 140 (Corp.), in the Library of Corpus Christi College, Cambridge, one of that famous collection of manuscripts left by Matthew Parker, Archbishop of Canterbury during Queen Elizabeth's reign. This manuscript dates either from the last decade of the tenth century or the first decade of the eleventh century, probably the latter, and, from a note in Latin made by the scribe at the end of the Gospel of St. Matthew, was evidently written in or near Bath. The second manuscript (B), Bodley 441, is in the Bodleian Library, Oxford, and probably also once belonged to Archbishop Parker. It is closely related to the Corpus manuscript, the dates of the two being approximately the same. The third manuscript (C), Cotton Otho C I, in the Cotton collection of the British Museum, also belongs to this same period; it bears, however, a closer relation to B than to Corp. Part of it, including all of Matthew and a portion of Mark, was destroyed in the disastrous Cotton Library fire of 1731. The fourth manuscript (A), I, i, 2, 11, of the Cambridge University Library, is nearly half a century later than the other three, *ca.* 1050, and was written at Exeter. Its spelling is consistently late West Saxon.

Three other manuscripts may be mentioned: the Lakelands Fragment of the Gospel of St. John in the Bodleian Library; the Royal 1 A XIV in the British Museum; and Hatton 38 in the Bodleian. The Lakelands Fragment dates from the first half of the eleventh century and is related to A. The Royal is a twelfth-century version of MS. B and the Hatton a still later twelfth-century revision of the Royal. Both the latter may be classed in the period of early Middle English.

The best modern edition of the West Saxon Gospels is that of James W. Bright in the *Belles Lettres Series*, Heath, 1904–06. An older well-known edition is that of W. W. Skeat, Cambridge University Press, 1871–87.

The following selections, the parables of the Prodigal Son and of the Pharisee and Publican, from the Gospel according to St. Luke, are taken from the Corpus MS., collated with MSS. B, C, and A. Bright's edition also has been consulted in the preparation of the text.

I. THE PRODIGAL SON

St. Luke, XV, 11–32

11. Hē cwæð, Sōðlīce sum man hæfde twēgen suna.

12. Þā cwæð sē gingra [1] tō his fæder, "Fæder, syle mē minne dæl mīnre æhte þe mē tō gebyreþ." Þā dælde hē him his æhte.

---

[1] *All MSS. have* yldra *for* gingra; *C has* gingra *above line in later hand.*

13. Ðā æfter fēawum [1] dagum ealle his þing gegaderude sē gingra sunu, and fērde wræclīce on feorlen rīce, and forspilde þār his æhta, lybbende on his gælsan.

14. Ðā hē hig hæfde ealle āmyrrede, þā wearð mycel hunger on þām rīce, and hē wearð wædla.

15. þā fērde hē and folgude ānum burhsittendan men þæs rīces; ðā sende hē hine tō his tūne þæt hē hēolde his swȳn.

16. Ðā gewilnode hē his wambe gefyllan of þām bēancoddum [2] þe ðā swȳn æton; and him man ne sealde.

17. þā beþōhte hē hine, and cwæð, "Ēalā, hū fela hȳrlinga [3] on mīnes fæder hūse hlāf genōhne habbað; and ic hēr on hungre forwurðe!

18. Ic ārīse, and ic fare tō mīnum fæder, and ic secge him, 'Ēalā, fæder, ic syngode on heofenas and beforan þē;

19. Nū ic neom wyrðe þæt ic bēo þīn sunu nemned; dō mē swā ānne of þīnum hȳrlingum.'" [4]

20. And hē ārās þā and cōm tō his fæder.   And þā gȳt þā hē wæs feorr his fæder, hē hyne geseah, and wearð mid mildheortnesse āstyrod, and agēn hine arn and hine beclypte and cyste hine.

21. Ðā cwæð his sunu, "Fæder, ic syngude on heofon and beforan ðē; nū ic ne eom wyrþe þæt ic þīn sunu bēo genemned."

22. Ðā cwæþ sē fæder tō his þēowum, "Bringað raðe þone [5] sēlestan gegyrelan and scrȳdað hyne, and syllað him hring on his hand and gescȳ tō his fōtum;

23. And bringað ān fætt styric and ofslēað, and utun etan and gewistfullian;

24. For þām þes mīn sunu wæs dēad, and hē geedcucude; hē forwearð, and hē is gemēt."   Ðā ongunnon hig gewistlǣcan.

---

[1] *All MSS.* feawa.

[2] *Corp., B,* biencoddun; *C,* biencoddan; *A,* beancoddum.

[3] *Corp., B, C,* yrðlinga; *A,* hyrlinga.

[4] *Corp., B, C,* yrðlingum: *A.* hyrlingum.   [5] *Corp.. B. C.* þæne; *A* þone.

25. Sōðlīce hys yldra sunu wæs on æcere; and hē cōm, and þá hē þām hūse genēalæhte, hē gehȳrde þone [1] swēg and þæt weryd.

26. Þā clypode hē ānne þēow and āxode hine hwæt þæt wære.

27. Ðā cwæð hē, "Þīn brōðor cōm; and þīn fæder ofslōh ān fæt celf, for þām þe hē hyne hālne onfēng."

28. Ðā bealh hē hine and nolde in gān. Þā ēode his fæder ūt and ongan hine biddan.

29. Ðā cwæþ hē his fæder andswarigende, "Efne swā fela gēara ic þē þēowude, and ic næfre þīn bebod ne forgȳmde; and ne sealdest þū mē næfre ān ticcen þæt ic mid mīnum frēondum gewistfullude;

30. Ac syððan þēs þīn sunu cōm þe hys spēde mid myltystrum āmyrde, þū ofslōge him fætt celf."

31. Ðā cwæþ hē, "Sunu, þū eart symle mid mē, and ealle mīne þing synt þīne;

32. Þē gebyrede gewistfullian and geblissian, for þām þēs þīn brōðor wæs dēad, and hē geedcucede; hē forwearð, and hē is gemēt."

II. THE PHARISEE AND THE PUBLICAN

St. Luke, XVIII, 10-17

10. Twēgen men fērdun tō sumum temple þæt hig hig gebædun; ān sundorhālga, and ōðer mānfull.

11. Ðā stōd sē Fariseus and hine þus gebæd, "God, þē ic þancas dō for þām þe ic neom swylce ōðre men, rēaferas, unrihtwīse, un-rihthæmeras, oððe ēac swylce þēs mānfulla.

12. Ic fæste tūwa on wucan; [2] ic sylle tēoþunga ealles þæs þe ic hæbbe."

13. Ðā stōd sē mānfulla feorran, and nolde furðun his ēagan āhebban ūp tō þām heofone, ac hē bēot his brēost and cwæþ, "God, bēo þū milde mē synfullum."

[1] *Corp.*, *B*, *C*, þæne; *A*, bone.   [2] *Corp.*, *B*, *C*, ucan; *A*, wucan.

14. Sōþlīce ic ēow secge þæt þēs fērde gerihtwīsud tō his hūse; for þām þe ælc þe hine upp āhefð bið genyðerud, and sē þe hine nyðerað byð upp āhafen.

15. Ðā brōhton hig cild tō him þæt hē hig æthrine.   þā his leornungcnihtas hig gesāwon, hig cīddon him.

16. Ðā clypode sē Hǣlend hig tō him, and cwæð, "Lǣtað þā lȳtlingas tō mē cuman, and ne forbēode gē hig; swylcera ys Godes rīce.

17. Sōðlīce ic ēow secge, Swā hwylc swā ne onfēhð Godes rīce swā swā cild, ne gǣð hē on Godes rīce."

II

THE OLD ENGLISH TRANSLATION OF
THE HEPTATEUCH

As is true of the West Saxon Gospels, the Old English version of the Heptateuch was a translation, not from the original Hebrew, but from the Vulgate. The greater part of the Heptateuch and also the books of Judges, Esther, Job, and Judith were translated by Ælfric [1] in the last years of the tenth century. Genesis (Chapter 25 to the end), Exodus, and Leviticus, however, were not the work of Ælfric but of some unknown translator. Of the following selections, therefore, the first is by Ælfric and the second by an unknown hand.

The Heptateuch exists in two manuscripts, Laud Misc. 509, formerly Laud E 19, and Laud E 33, both in the Bodleian Library. It has been edited by Edward Thwaites in his *Heptateuchus, Liber Job et Evangelium Nicodemi; Anglo-Saxonice*, Oxford, 1698, and by Grein in the first volume of his *Bibliothek der Angelsächsischen Prosa*, Cassel, 1872. The following text is taken from Laud Misc. 509, the editions of Thwaites and Grein also having been consulted.

I. THE CREATION

Genesis, I

1. On anginne gescēop God heofenan and eorðan.

2. Sēo eorðe sōþlīce wæs ȳdel and ǣmtig and þēostru wǣron ofer þǣre nīwelnisse brādnisse and Godes gāst wæs geferod ofer wæteru.

3. God cwæþ þā, Geweorðe lēoht: and lēoht wearþ geworht.

[1] For a brief account of Ælfric see *infra*, p. 202.

4. God geseah þā þæt hit gōd wæs and hē tōdælde þæt lēoht fram þām þēostrum:

5. And hēt þæt lēoht dæg and þā þēostra niht. Ðā wæs geworden æfen and morgen ān dæg.

6. God cwæð þā eft, Gewurðe nū fæstnis tōmiddes þām wæterum and tōtwǣme þā wæteru from þām wæterum.

7. And God geworhte þā fæstnisse and tōtwǣmde þā wæteru þe wǣron under þǣre fæstnisse fram þām þe wǣron bufan þǣre fæstnisse: hit wæs þā swā gedōn.

8. And God hēt þā fæstnisse heofenan. And wæs þā geworden æfen and morgen ōþer dæg.

9. God þā sōþlīce cwæð, Bēon gegaderode þā wæteru þe sind under þēare heofenan and ætēowige drignis: hit wæs þā swā gedōn.

10. And God gecīgde þā drignisse eorðan, and þǣra wætera gegaderunga hē hēt sǣs: God geseah þā þæt hit gōd wæs.

11. And cwæþ, Spritte sēo eorðe grōwende gærs and sǣd wircende, and æppelbǣre trēow wæstm wircende æfter his cinne, þæs sǣd sig on him silfum ofer eorðan: hit wæs ðā swā gedōn.

12. And sēo eorðe forþ ātēah grōwende wirte and sǣd berende be hire cinne, and trēow westm wircende and gehwilc sǣd hæbbende æfter his hīwe: God geseah þā þæt hit gōd wæs.

13. And wæs geworden æfen and mergen sē þridda dæg.

14. God cwæþ þā sōþlīce, Bēo nū lēoht on þǣre heofenan fæstnysse and tōdǣlon dæg and nihte; and bēon tō tācnum and tō tīdum and tō dagum and tō gēarum:

15. And hig scīnon on þǣre heofenan fæstnysse and ālihton þā eorðan: hit wæs þā swā geworden.

16. And God geworhte twā micele lēoht; þæt mǣre lēoht tō þæs dæges lihtinge, and þæt lǣsse lēoht tō þǣre nihte lihtinge, and steorran hē geworhte.

17. And gesette hig on þǣre heofenan, þæt hig scinon ofer eorðan,

18. And gīmdon þæs dæges and ðǣre nihte, and tōdǣldon lēoht and þēostra: God geseah þā þæt hit gōd wæs.

19. And wæs geworden ǣfen and mergen sē fēorþa dæg.

20. God cwæð ēac swilce, Tēon nū þā wæteru forð swimmende cynn cucu on līfe, and flēogende cinn ofer eorðan under ðǣre heofenan fæstnisse.

21. And God gescēop þā þā micelan hwalas, and eall libbende fisc-cinn and stirigendlīce, þe þā wæteru tugon forð on heora hīwum, and eall flēogende cinn æfter heora cinne: God geseah þā þæt hit gōd wæs.

22. And blētsode hig þus cweþende, Weaxaþ and bēoð gemenigfilde, and gefillaþ þǣre sǣ wæteru, and þā fugelas bēon gemenigfilde ofer eorðan.

23. And þā wæs geworden ǣfen and mergen sē fīfta dæg.

24. God cwæþ ēac swilce, Lǣde sēo eorþe forð cuce nītena on heora cinne, and crēopende cinn and dēor æfter heora hīwum: hit wæs þā swā geworden.

25. And God geworhte þǣre eorþan dēor æfter hira hīwum, and þā nītenu and eall crēopende cynn on heora cynne: God geseah þā þæt hit gōd wæs.

26. And cwæþ, Uton wircean man tō andlīcnisse, and tō ūre gelīcnisse: and hē sig ofer þā fixas, and ofer þā fugelas, and ofer þā dēor, and ofer ealle gesceafta, and ofer ealle þā crēopende þe stirað on eorþan.

27. God gescēop þā man tō his andlīcnisse, tō Godes andlīcnisse hē gescēop hine; werhādes and wīfhādes hē gescēop hig.

28. And God hig blētsode and cwæð, Wexað and bēoþ gemenigfilde, and gefillaþ þā eorðan, and gewildaþ hig, and habbaþ on ēowrum gewealde þǣre sǣ fixas and ðǣre lyfte fugelas and ealle nȳtenu þe stiriaþ ofer eorðan.

29. God cwæþ þā, Efne, ic forgeaf ēow eall gærs and wyrta sǣd

berende ofer eorðan, and ealle trēowa þā þe habbaþ sǣd on him
silfon heora āgenes cynnes, þæt hig bēon ēow tō mete:

30. And eallum nȳtenum and eallum fugel-cynne and eallum
þām þe stiriað on eorþan, on þām þe ys libbende līf, þæt hig habbon
him tō gereordienne. Hit wæs þā swā gedōn:

31. And God geseah ealle þā þing þe hē geworhte, and hig wǣron
swīþe gōde. Wæs þā geworden æfen and mergen sē sixta dæg.

II. MOSES AND THE BURNING BUSH
Exodus, III, 1-14

1. Sōþlīce Moises hēold his mǣges scēap þæs sācerdes on Mad-
ian, þæs naman wæs Iethrō, and þā hē drāf his heorde tō inne-
weardum þām wēstene, hē cōm tō Godes dūne, þe man Oreb nemþ.

2. And Drihten him ætēowde on fīres līge on-middan ānre brē-
melþyrnan, and hē geseah þæt sēo þyrne barn and næs forburnen.

3. Þā cwæþ Moises, Ic gā and gesēo þās miclan gesihþe, hwī
þēos þyrne ne sī forbærned:

4. Sōþlīce þā Drihten geseah þæt hē fērde tō gesēonne, hē
clypode hine of midre þǣre brēmelþyrnan and cwæþ, Moises,
Moises, and hē andswarode and cwæþ, Hēr ic eom.

5. And hē cwæþ, Ne genēalǣce þū hider; dō þīn gescȳ of þīnum
fōtum; sōþlīce sēo stōw þe þū onstynst ys hālig eorþe.

6. And hē cwæþ, Ic eom þīnes fæder Abrahāmes God, Isaāces
God, and Iācōbes God. Moises hȳdde his nebb; hē ne dorste
besēon ongēn God.

7. Ðā cwæþ God tō him, Ic geseah mīnes folces geswencednysse
on Egipta lande, and ic gehīrde hira clypunge for þǣre heardnysse
þe þā weorc bewiton;

8. And ic wiste hira sār, and ic āstāh nyþer þæt ic hig ālȳsde of
Egipta handum, and þæt ic hig ūt ālǣdde of þām lande tō gōdum

lande and wīdgillum, on þæt land þe[1] flēwð meolece and hunie, tō þām stōwe þǣr Chananēus ys and Ethēus, Amorēus and Phere- zēus, Enēus and Gebusēus.

9. Witodlīce Israēla bearna clypung cōm tō mē, and ic geseah hira geswencednysse þe hig fram Egipton þolodon.

10. Ac cum, ic sende þē tō Pharaōne, þæt þū ūt ālǣde mīn folc Israēla bearn of Egipta lande.

11 And þā cwæþ Moises tō Gode, Hwæt eom ic þæt ic gā tō Pharaōne, and ūt ālǣde[2] Israēla bearn of Egipta lande.

12. Þā cwæþ hē tō him, Ic bēo mid þē; þæt þū hæfst tō tācne þæt ic þē sende: þonne þū ūt ālǣtst mīn folc of Egipta lande, þū offrast Gode uppan þisse dūne.

13. Þā cwæþ Moises tō him, Nū ic gā tō Israēla bearnum and secge him, Ēower fædera God mē sende tō ēow. Gif hig cweþaþ tō mē, Hwæt ys hys nama, hwæt secge ic him?

14. Þā cwæþ God tō Moise, Ic eom sē þe eom, cwæþ hē. Sege þus Israēla bearnum, Sē þe ys mē sende tō ēow.

---

[1] *MS.* þe þe.   [2] *MS.* alædynde.

III

THE COLLOQUY OF ÆLFRIC

THIS *Colloquy* was written in Latin by Ælfric [1] for the use of boys learning that language. As readily may be seen, it is a conversation between a master and his pupils, the latter taking the parts of various laborers and explaining their occupations. In the selection here offered from the beginning of the *Colloquy*, are mentioned the monk, the farmer, the shepherd, the oxherd, the hunter, and the fisherman. The Old English text is an interlinear gloss of the Latin. It was made for the aid not of the student but of the teacher, whose knowledge of Latin was often very limited. (See Wright, *Volume of Vocabularies*, p. ix.)

The present text is from MS. Cotton Tiberius A III (C). Three other extant manuscripts contain the Latin, but only one other gives the Old English gloss and then only occasionally. This is 154, St. John's College, Oxford (J). C is used here as basis, with references to J. Thorpe printed the contents of the Cotton script in *Analectica Anglo-Saxonica;* also Thomas Wright, in *A Volume of Vocabularies illustrating the condition and manners of our forefathers, as well as the history of the former elementary education and of the languages spoken in this island from the tenth century to the fifteenth* ... 1857. The late W. H. Stevenson, in *Anecdota Oxoniensa,* 1929, collated thoroughly the Latin of the four scripts and the Old English of the two mentioned, C and J. Wright and Stevenson both have been consulted in the preparation of the following text.

Wē cildra biddaþ þē, ēalā lārēow, þæt þū tǣce ūs sprecan, forþām ungelǣrede wē syndon and gewæmmodlīce wē sprecaþ.

[1] For a brief account of Ælfric see *infra*, p. 202.

Hwæt wille gē sprecan?

Hwæt rēce wē hwæt wē sprecan būton hit riht spræc sȳ and be-hefe,[1] næs īdel oþþe fracod!

Wille gē bēon [2] beswungen on leornunge?

Lēofre ys ūs bēon beswungen [3] for lāre þænne hit ne cunnan. Ac wē witan þē bilewitne wesan and nellan onbelǣden swincgla ūs, būton þū bī tōgenȳdd fram ūs.

Ic āxie þē hwæt sprycst þū? Hwæt hæfst þū weorkes?   1C

Ic eom geanwyrde monuc, and ic singe ælce dæg seofon tīda mid gebrōþrum, and ic eom bysgod on rǣdinga [4] and on sange, ac þēah hwæþere ic wolde betwēnan leornian sprecan on lēden gereorde.

Hwæt cunnon þās þīne gefēran?

Sume synt yrþlincgas, sume scēphyrdas, sume oxanhyrdas, sume ēac swylce huntan, sume fisceras, sume fugeleras, sume cȳpmenn, sume scēo[5]-wyrhtan, sealteras, bæceras.

Hwæt sægest þū, yrþlingc? Hū begǣst þū weorc þīn?

Ēalā, lēof hlāford! þearle ic deorfe.   Ic gā ūt on dægrǣd, þȳwende oxon tō felda, and jugie hig tō syl; nys hit swā   2C stearc winter þæt ic durre lūtian æt hām for ege hlāfordes mīnes, ac geiukodan oxan and gefæstnodon sceare and cultre mit þǣre syl ælce dæg ic sceal erian fulne æcer [6] oþþe māre.

Hæfst þū ænigne gefēran?

Ic hæbbe sumne cnapan þȳwende oxen mid gādīsene, þe ēac swilce nū hās ys for cylde and hrēame.

Hwæt māre dēst þū on dæg?

---

[1] *MS.* behese; *corrected by Stevenson.*

[2] ge beon *supplied by Wright.*

[3] *MS.* beswugen; *corrected by Wright; so Stevenson.*

[4] on rædinga *supplied by Wright from the Latin; Stevenson omits.*

[5] *MS.* sce; *Wright, Stevenson,* sceo.

[6] *MS.* æþer, "*no doubt an error for* æcer," *says Wright.   Stevenson also notes and corrects.*

Gewyslīce þænne māre ic dō.   Ic sceal fyllan binnan oxan mid
hīg and wæterian [1] hig and scearn [2] heora beran ūt.

Hīg! hīg! micel gedeorf ys hyt.   30

Gē lēof; micel gedeorf hit ys, forþām ic neom frēoh.

Scēaphyrde, hæfst þū ǣnig gedeorf?

Gēa, lēof, ic hæbbe.   On forewerdne morgen ic drīfe scēap mīne
tō heora lǣse, and stande ofer hig on hǣte and on cyle mid hundum,
þē lǣs wulfas forswelgen hig, and ic agēnlǣde hig tō [3] heora loca,
and melke hig twēowa on dæg, and heora loca ic hæbbe on þǣrtō
and cȳse and buteran ic dō, and ic eom getrȳwe hlāforde mīnon.

Ēalā, oxanhyrde! Hwæt wyrcst [4] þū?

Ēalā, hlāford mīn, micel ic gedeorfe.   þænne sē yrþlingc un-
scenþ þā oxan, ic lǣde hig tō lǣse, and ealle niht ic stande   40
ofer hig waciende for þēofan, and eft on ǣrne mergen ic betǣce hig
hām yrþlincge wel gefylde and gewæterode.

Ys þæs of þīnum gefērum?

Gēa, hē ys.

Canst þū ǣnig þing?

Ǣnne cræft ic cann.

Hwylcne ys?

Hunta ic eom.

Hwæs?

Cincges.   5(

Hū begǣst þū cræft þīnne?

Ic brēde mē max and sette hig on stōwe gehæppre, and getihte
hundas mīne þæt wildēor hig ēhton oþ þæt hig þe cuman tō þām
nettan unforscēawodlīce and þæt hig swā bēon begrynodo, and ic
ofslēa hig on þām maxum.

---

[1] *MS.* wæte-terian; *also noted by Stevenson.*
[2] *MS.* sceasn; *corrected by Stevenson.*
[3] *MS.* and (7), *which Stevenson keeps with* " (sic) " *after it.*
[4] *MS.* wyrst; *em. by Stevenson.*

Ne canst þū huntian būton mid nettum?

Gēa, būton nettum huntian ic mæg.

Hū?

Mid swiftum hundum ic betæce [1] wildēor.

Hwylce wildēor swȳþost gefēhst [2] þū? 60

Ic gefēo heortas and bāras and rānn and rǣgan and hwīlon haran.

Wǣre þū tōdæg on huntnolde?

Ic næs, forþām sunnan-dæg ys; ac gyrstan-dæg ic wæs on huntunge.

Hwæt gelæhtest þū?

Twēgen heortas and ǣnne bār.

Hū gefēncge þū hig?

Heortas ic gefēnge on nettum and bār ic ofslōh.

Hū wǣre þū dyrstig ofstikian bār?

Hundas bedrifon hyne tō mē, and ic þǣr tōgēanes standende 70 fǣrlīce ofstikode hyne.

Swȳþe þrȳste þū wǣre þā.

Ne sceal hunta forhtfull wesan forþām mislīce wildēor wuniað on wudum.

Hwæt dēst þū be þīnre huntunge?

Ic sylle cyncge [3] swā hwæt swā ic gefō, forþām ic eom hunta hys.

Hwæt sylþ hē þē?

Hē scrȳt mē wel and fētt and hwīlon sylþ mē hors oþþe bēah, þæt þē lustlīcor cræft mīnne ic begancge.

Hwylcne cræft canst þū? 80

Ic eom fiscere.

Hwæt begytst [4] þū of þīnum cræfte?

Bigleofan and scrūd and feoh.

---

[1] *MS.* betæcc; *so Stevenson, with implicit comment in* "(sic)."

[2] *MS.* gefeht; *em. by Stevenson.*   [3] *MS.* cync; *corrected by Stevenson*

[4] *MS.* begyst; *corrected by Stevenson.*

Hū gefēhst þū fixas?

Ic āstīgie mīn scyp, and wyrpe max mīne on ēa and ancgil oþþe
æs ic wyrpe, and spyrtan [1] and swā hwæt swā hig gehæftað ic
genime.

Hwæt gif hit unclæne bēoþ fixas?

Ic ūt-wyrpe þā unclænan [2] ūt and genime mē clæne tō mete.

Hwær cȳpst þū fixas þīne?   90

On ceastre.

Hwā bigþ hī?

Ceasterwara.   Ic ne mæg swā fela geniman [3] swā fela swā ic
mæg gesyllan.

Hwilc fixas gefēhst þū?

Ǣlas and hacodas, mynas and ælepūtan, scēotan and lampredan,
and swā wylce swā on wætere swymmaþ.   Sprote.

Forhwī ne fixast þū on sæ?

Hwīlon ic dō ac seldon, forþām micel rēwyt mē ys tō sæ.

Hwæt fēhst þū on sæ?   100

Hærincgas and leaxas, mere-swȳn and stirian, ōstran and crab-
ban, muslan, winewinclan, sæ-coccas, fage and flōc, and lopystran
and fela swylces.

Wilt þū fōn sumne hwæl?

Nic.

Forhwī?

Forhwær plyhtlīc [4] þingc [5] hit ys gefōn hwæl.   Gebeorhtlīcre
ys [6] mē faran tō ēa mid scype mȳnan þænne faran mid manegum
scypum on huntunge hranes.

---

[1] *MS.* swyrtan; *so Stevenson, followed by* sic.

[2] *MS.* utclænan; *corrected by Wright.*

[3] *Supplied.   Wright suggests* geofon.

[4] *MS.* pbyhtlic *or possibly* wbyhtlic; *em. by Stevenson.*

[5] *MS.* g *erased; Stevenson,* þinc.   [6] *Not in MS.; supplied from Latin.*

Forhwī swā?

Forþām lēofre ys mē gefōn fisc þæne ic mæg ofslēan þe nā þæt ān [1] mē ac ēac swylce mīne gefēran mid ānum slege hē mæg be sencean oþþe gecwylman.

And þēah mænige gefōþ hwælas and ætberstaþ frēcnysse and micelne sceat þanon begytaþ.

Sōþ þū segst, ac ic ne geþrīstge for mōdes mīnes nytenyssæ.

[1] *MS.* þe nat an; t *of* nat *is larger and may stand for* þæt.

IV

THE ANGLO–SAXON CHRONICLE

THE Anglo-Saxon Chronicle is one of the most important historical records of the English race. To most readers it is closely associated with the name of Alfred, for not only does the Chronicle probably owe its inception to that great king but some of its most graphic pages deal with his victories over the Danes.

The Chronicle goes back to the coming of Julius Cæsar to Britain and extends, in one of the manuscripts, to the year 1154. The records of the early years it is thought were filled in by chroniclers of Alfred's time from tradition, from brief records kept by the monasteries, and from Bede's *Historia Ecclesiastica* or the chronological epitome of it which Bede gave as an appendix to his *History*. These early accounts are usually less complete and of less historical importance than the later contemporary entries. The question of the formation of the Chronicle as a whole is extremely complicated, and for a discussion of it the student is referred to Earle and Plummer, *Two of the Saxon Chronicles Parallel.*[1] Suffice it to say here that in 891 Alfred probably had the early material put into shape with an account of his own wars added thereto. This Chronicle was continued officially year by year until 924, after which it is composed of fragments from various sources, one large section from 983 to 1018 being probably the work of one writer. Because of this variety of authorship the Chronicle is uneven in character, ranging from entries which contain only bare statements of fact to those of some literary pretension.

The original version of the Chronicle, that which was probably inspired by King Alfred, is not extant. We have, however, seven

[1] Vol. II, pp. cxiv ff.

manuscripts containing the Chronicle and two very brief fragments. These seven manuscripts represent four distinct Chronicles. The manuscript nearest to the original is the one usually known as the Parker Chronicle, because it belongs to the Parker collection of manuscripts in the library of Corpus Christi College, Cambridge (MS. 173); it is also, though less frequently, referred to as the Winchester Chronicle because a large number of its entries were made by the monks at Winchester. It ends with the year 1070. The other manuscripts are Cotton Otho B XI, badly burned, a copy of the Parker; Cotton Tiberius B I, often called the Abingdon Chronicle because it was kept by the monks of Abingdon; Cotton Tiberius A VI, which as far as it goes is identical with the Abingdon; Cotton Tiberius B IV, known as the Worcester Chronicle; Laud Misc. 636 (Bodleian Library), also called the Peterborough Chronicle, which continues to the year 1154; and Cotton Domitian A VIII, a Canterbury Chronicle, an epitome of the Peterborough.

Of these seven manuscripts, the Parker and the Peterborough are the most important. The edition of them made by Earle and revised by Plummer, entitled *Two of the Saxon Chronicles Parallel* (Oxford, Vol. I, 1892, Vol. II, 1899), is still the authoritative one. This work also contains many supplementary extracts from the other Chronicles. A six-text edition of the Chronicle with translation was made in 1861 by Thorpe.

The following selections are divided into two groups, those dealing with the early invasions of the Danes and the reign of Alfred, covering the period from 787 to 901; and those narrating the later invasions of the Danes and the Norman Conquest of England, from 991 to 1066. The text of the first group is based on the Parker Chronicle, of the second on the Peterborough Chronicle. Earle and Plummer's edition also has been consulted.

EARLY INVASIONS OF THE DANES

787. Hēr nōm Beorhtrīc cyning Offan dohtor Ēadburge; and on his dagum cuōmon ǣrest iii scipu, and þā sē gerēfa þǣrtō rād, and hīe wolde drīfan tō þæs cyninges tūne þȳ hē nyste hwæt hīe wǣron; and hiene mon ofslōg. Þæt wǣron þā ǣrestan scipu Deniscra monna þe Angelcynnes lond gesōhton.

833. Hēr gefeaht Ecgbryht cyning wiþ xxxv sciphlæsta æt Carrum; and þǣr wearþ micel wæl geslægen, and þā Denescan āhton wælstōwe gewald; and Hereferþ and Wīgþēn, tuēgen biscepas, forþfērdon, and Dudda and Ōsmōd, tuēgen aldormen, forþfērdon.

10

837. Hēr Wulfheard aldorman gefeaht æt Hāmtūne wiþ xxxiii sciphlæsta, and þǣr micel wæl geslōg, and sige nōm; and þȳ gēare forþfērde Wulfheard; and þȳ ilcan gēare gefeaht Æþelhelm dux wiþ Deniscne here on Port mid Dornsǣtum, and gōde hwīle þone here geflīemde, and þā Deniscan āhton wælstōwe gewald, and þone aldormon ofslōgon.

840. Hēr Æþelwulf cyning gefeaht æt Carrum wiþ xxxv sciphlæsta, and þā Deniscan āhton wælstōwe gewald.

851. Hēr Ceorl aldormon gefeaht wiþ hæþene men mid Defenascīre æt Wicganbeorge, and þǣr micel wæl geslōgon, and sige nāmon; and þȳ ilcan gēare Æþelstān cyning, and Ealchere dux micelne here ofslōgon æt Sondwīc on Cent, and ix scipu gefēngun, and þā ōþre geflīemdon; and hæþne men ǣrest ofer winter sǣton; and þȳ ilcan gēare cuōm fēorðe healf hund scipa on Temese mūþan, and brǣcon Contwaraburg, and Lundenburg, and geflīemdon Beorhtwulf Miercna cyning mid his fierde, and fōron þā sūþ ofer Temese on Sūþrīge; and him gefeaht wiþ Æþelwulf cyning and Æþelbald his sunu æt Āclēa mid West Seaxna fierde, and þǣr þæt mǣste wæl geslōgon on hæþnum herige þe wē secgan hīerdon oþ þisne andweardan dæg, and þǣr sige nāmon.

20

30

866. Hēr fēng Æþerēd Æþelbryhtes brōþur tō Wesseaxna rīce; and þȳ ilcan gēare cuōm micel here on Angelcynnes lond, and wintersetl nāmon on Ēast Englum, and þǣr gehorsude wurdon, and hīe him friþ wib [1] nāmon.

867. Hēr fōr sē here of Ēast Englum ofer Humbre mūþan tō Eoforwīcceastre on Norþhymbre, and þǣr wæs micel ungeþuǣrnes þǣre þēode betweox him selfum, and hīe hæfdun hiera cyning āworpenne Ōsbryht, and ungecyndne cyning underfēngon Ællan; and hīe late on gēare tō þām gecirdon þæt hīe wiþ þone here win-nende wǣrun, and hīe þēah micle fierd gegadrodon, and þone   40 here sōhton æt Eoforwīcceastre, and on þā ceastre brǣcon, and hīe sume inne wurdon, and þǣr was ungemetlīc wæl geslægen Norþanhymbra, sume binnan, sume būtan; and þā cyningas bēgen ofslægene, and sīo lāf wiþ þone here friþ nam; and þȳ ilcan gēare gefōr Ealchstān biscep, and hē hæfde þæt bisceprīce l wintra æt Scīreburnan, and his līc liþ þǣr on tūne.

871. Hēr cuōm sē here tō Rēadingum on West Seaxe, and þæs ymb iii niht ridon ii eorlas ūp; þā gemētte hīe Æþelwulf aldorman on Englafelda, and him þǣr wiþ gefeaht and sige nam.   þæs ymb iiii niht Æþerēd cyning and Ælfrēd his brōþur þǣr micle   50 fierd tō Rēadingum gelǣddon, and wiþ þone here gefuhton, and þǣr wæs micel wæl geslægen on gehwæþre hond, and Æþelwulf aldormon wearþ ofslægen, and þā Deniscan āhton wælstōwe ge-wald; and þæs ymb iiii niht gefeaht Æþerēd cyning and Ælfrēd his brōþur wiþ alne þone here on Æscesdūne, and hīe wǣrun on twǣm gefylcum, on ōþrum wæs Bāchsecg and Halfdene þā hǣþnan cyningas, and on ōþrum wǣron þā eorlas; and þā gefeaht sē cyning Æþerēd wiþ þāra cyninga getruman, and þǣr wearþ sē cyning Bāgsecg ofslægen; and Ælfrēd his brōþur wiþ þāra eorla getruman, and þǣr wearþ Sidroc eorl ofslægen sē alda, and Sidroc eorl   60

[1] *MS., wanting; supplied by Earle.*

sē gioncga, and Ōsbearn eorl, and Frǣna eorl, and Hareld eorl, and þā hergas bēgen geflīemde, and fela þūsenda ofslægenra, and onfeohtende wǣron oþ niht. And þæs ymb xiiii niht gefeaht Æþerēd cyning and Ælfrēd his brōður wiþ þone here æt Basengum, and þǣr þā Deniscan sige nāmon; and þæs ymb ii mōnaþ gefeaht Æþerēd cyning and Ælfrēd his brōþur wiþ þone here æt Meretūne, and hīe wǣrun on tuǣm gefylcium and hīe būtū geflīemdon, and longe on dæg sige āhton, and þǣr wearþ micel wælsliht on gehwæþere hond, and þā Deniscan āhton wælstōwe gewald; and þǣr wearþ Hēahmund biscep ofslǣgen, and fela gōdra monna; 70 and æfter þissum gefeohte cuōm micel sumorlida; and þæs ofer Ēastron gefōr Æþerēd cyning, and hē rīcsode v gēar, and his līc līþ æt Winburnan.

Þā fēng Ælfrēd Æþelwulfing his brōþur tō Wesseaxna rīce; and þæs ymb ānne mōnaþ gefeaht Ælfrēd cyning wiþ alne þone here lȳtle werede æt Wiltūne, and hine longe on dæg geflīemde, and þā Deniscan āhton wælstōwe gewald; and þæs gēares wurdon viiii folc-gefeoht gefohten wiþ þone here on þȳ cynerīce be sūþan Temese, būtan [1] þām þe him Ælfrēd þæs cyninges brōþur, and ānlīpig aldormon, and cyninges þegnas oft rāde onridon þe 80 mon nā ne rīmde, and þæs gēares wǣrun ofslǣgene viiii eorlas and ān cyning; and þȳ gēare nāmon West Seaxe friþ wiþ þone here.

878. Hēr hiene bestæl sē here on midne winter ofer tuelftan [2] niht tō Cippanhāmme, and geridon Wesseaxna lond and gesǣton micel þæs folces and ofer sǣ ādrǣfdon, and þæs ōþres þone mǣstan dæl hīe geridon, and him tō gecirdon būton þām cyninge Ælfrēde. And hē lȳtle werede unīeþelīce æfter wudum fōr, and on mōrfæstenum; and þæs ilcan wintra wæs Inwæres brōþur and Healfdenes on West Seaxum on Defenascīre mid xxiii scipum, and hiene mon þǣr ofslōg, and dccc monna mid him, and xl monna his heres; 90

[1] *MS.* and *before* butan. [2] *MS.* tueltan.

and þæs on Ēastron worhte Ælfrēd cyning lȳtle werede geweorc
æt Æþelingaēigge, and of þām geweorce was winnende wiþ þone
here, and Sumursætna sē dæl sē þær nīehst wæs; þā on þǣre
seofoðan wiecan ofer Ēastron hē gerād tō Ecgbryhtesstāne be
ēastan Sealwyda, and him tō cōmon þǣr ongēn Sumorsǣte alle,
and Wilsǣtan, and Hāmtūnscīr sē dæl sē hiere behinon sǣ was,
and his gefægene wǣrun; and hē fōr ymb āne niht of þām wīcum
tō Īglēa, and þæs ymb āne tō Eþandūne, and þær gefeaht wiþ alne
þone here, and hiene geflīemde and him æfter rād oþ þæt geweorc,
and þǣr sæt xiiii niht; and þā salde sē here him foregīslas and   100
micle āþas, þæt hīe of his rīce uuoldon, and him ēac gehēton þæt
hiera kyning fulwihte onfōn wolde, and hīe þæt gelǣston swā; and
þæs ymb iii wiecan cōm sē cyning tō him Godrum þrītiga sum þāra
monna þe in þām here weorþuste wǣron æt Alre, and þæt is wiþ
Æþelinggaēige; and his sē cyning þǣr onfēng æt fulwihte, and his
crismlīsing was æt Weþmōr, and hē was xii niht mid þām cyninge,
and hē hine miclum and his gefēran mid fēo weorðude.

882. Hēr fōr sē here ūp onlong Mǣse feor on Fronclond, and
þǣr sæt ān gēar. And þȳ ilcan gēare fōr Ælfrēd cyning mid scipum
ūt on sǣ, and gefeaht wiþ fēower sciphlǣstas Deniscra monna,   110
and þāra scipa tū genam, and þā men ofslægene wǣron þe ðǣr on
wǣron, and tuēgen sciphlǣstas [1] him on hond ēodon, and þā wǣron
miclum forslægene and forwundode ǣr hīe on hond ēodon.

886. Hēr fōr sē here eft west þe ǣr ēast gelende, and þā ūp on
Sigene, and þǣr wintersetl nāmon.   Þȳ ilcan gēare gesette Ælfrēd
cyning Lundenburg, and him all Angelcyn tō cirde, þæt būton
Deniscra monna hæftnīede was, and hīe þā befæste þā burg
Æþerēde aldormen tō haldonne.

891. Hēr fōr sē here ēast and Earnulf cyning gefeaht wið ðǣm
rǣdehere ǣr þā scipu cuōmon, mid Ēast-Francum, and Sea-   120

---

[1] *MS.* scipheras; *corrected from other MSS. by Earle.*

xum, and Bægerum, and hine geflīemde; and þrīe Scottas cōmon tō Ælfrēde cyninge, on ānum bāte būtan ælcum gerēþrum of Hibernia, þonon hī hī bestǣlon forþon þe hī woldon for Godes lufan on elþīodignesse bēon, hī ne rōhton hwǣr. Sē bāt wæs geworht of þriddan healfre hȳde þe hī on fōron, and hī nāmon mid him þæt hī hæfdun tō seofon nihtum mete; and þā cōmon hīe ymb vii niht tō londe on Cornwalum, and fōron þā sōna tō Ælfrēde cyninge; þus hīe wǣron genemnde, Dubslane and Maccbethu and Mælinmun; and Swifneh, sē betsta lārēow þe on Scottum wæs, gefōr.

892. And þȳ ilcan gēare ofer Ēastron, ymbe gangdagas 130 oþþe ǣr, ætēowde sē steorra þe mon on bōclǣden hǣt cometa, same men cweþaþ on Englisc þæt hit sīe feaxede steorra, forþǣm þǣr stent lang lēoma of, hwīlum on āne healfe, hwīlum on ælce healfe.

893. Hēr on þysum gēare fōr sē micla here, þe wē gefyrn ymbe sprǣcon, eft of þǣm ēastrīce westweard tō Bunnan, and þǣr wurdon gescipode, swā þæt hīe āsettan him on ānne sīþ ofer mid horsum mid ealle, and þā cōmon ūp on Limene mūþan, mid ccl hunde scipa. Sē mūþa is on ēasteweardre Cent æt þæs miclan [1] wuda ēastende þe wē Andred hātaÐ; sē wudu is ēastlang and 140 westlang hundtwelftiges mīla lang oþþe lengra, and þrītiges mīla brād; sēo ēa þe wē ǣr ymbe sprǣcon līÐ ūt of þǣm wealda; on þā ēa hī tugon ūp hiora scipu oþ þone weald iiii mīla fram þǣm mūþan ūteweardum, and þǣr ābrǣcon ān geweorc; inne on þǣm fæstenne [2] sǣton fēawa cirlisce men on, and wæs sāmworht.

þā sōna æfter þǣm cōm Hæsten mid lxxx scipa ūp on Temese mūÐan, and worhte him geweorc æt Middeltūne, and sē ōþer here æt Apuldre.

895. Ond þā sōna æfter þǣm on Ðȳs gēre fōr sē here of Wīrhēale

---

[1] MS. miclam.
[2] MS. fenne; em. by Earle from evidence of other MSS. and of Latin historians.

in on Norð Wealas, for þǣm hīe ðǣr sittan ne mehton; þæt 150
wæs forðȳ þe hīe wǣron benumene ǣgðer ge þæs cēapes, ge þæs
cornes, ðe hīe gehergod hæfdon.   þā hīe ðā eft ūt of Norð Wealum
wendon mid þǣre herehȳðe þe hīe ðǣr genumen hæfdon, þā fōron
hīe ofer Norðhymbra lond and Ēast Engla, swā swā sēo fird hīe
gerǣcan ne mehte, oþþæt hīe cōmon on Ēast Seaxna lond ēaste-
weard, on ān īgland þæt is ūte on þǣre sǣ, þæt is Meresīg hāten.
And þā sē here eft hāmweard wende, þe Exanceaster beseten
hæfde, þā hergodon hīe ūp on Sūð Seaxum nēah Cisseceastre,
and þā burgware hīe geflīemdon, and hira monig hund ofslōgon,
and hira scipu sumu genāmon.   160

Ðā þȳ ilcan gēre onforan winter þā Deniscan þe on Meresīge
sǣton tugon hira scipu ūp on Temese, and þā ūp on Lȳgan.   þæt
wæs ymb twā gēr þæs þe hīe hider ofer sǣ cōmon.

896. On þȳ ylcan gēre worhte sē foresprecena here geweorc be
Lȳgan xx mīla bufan Lundenbyrig.   þā þæs on sumera fōron micel
dǣl þāra burgwara, and ēac swā ōþres folces, þæt hīe gedydon æt
þāra Deniscana geweorce, and þǣr wurdon geflīemde, and sume
fēower cyninges þegnas ofslægene.   þā þæs on hærfeste þā wīcode
sē cyng on nēaweste þāre byrig, þā hwīle þe hīe hira corn gerypon,
þæt þā Deniscan him ne mehton þæs rīpes forwiernan.   þā 170
sume dæge rād sē cyng ūp bī þǣre ēæ, and gehāwade hwǣr mon
mehte þā ēa forwyrcan, þæt hīe ne mehton þā scipu ūtbrengan.
Ond hīe ðā swā dydon; worhton ðā tū geweorc on twā healfe þǣre
ēas.   þā hīe ðā þæt geweorc furþum ongunnen hæfdon, and þǣr
tō gewīcod hæfdon, þā onget sē here þæt hīe ne mehton þā scypu
ūtbrengan.   þā forlēton hīe hīe, and ēodon ofer land þæt hīe
gedydon æt Cwātbrycge be Sæfern, and þǣr gewerc worhton.
þā rād sēo fird west æfter þǣm herige, and þā men of Lundenbyrig
gefetedon þā scipu, and þā ealle þe hīe ālǣdan ne mehton tōbrǣcon,
and þā þe þǣr stælwyrðe wǣron binnan Lundenbyrig ge- 180

brōhton; and þā Deniscan hæfdon hira wīf befæst innan Ēast
Engle ǣr hīe ūt of þǣm geweorce fōron.   Þā sǣton hīe þone winter
æt Cwātbrycge.   Þæt wæs ymb þrēo gēr þæs þe hīe on Limene
mūðan cōmon hider ofer sǣ.

901. Hēr gefōr Ælfrēd Aþulfing, syx nihtum ǣr ealra hāligra
mæssan. Sē wæs cyning ofer eall Ongelcyn būtan ðæm dæle þe
under Dena onwalde wæs, and hē hēold þæt rīce ōþrum healfum
lǣs þe xxx wintra.   And þā fēng Ēadweard his sunu tō rīce.

Þā gerād Æðelwald his fædran sunu þone hām æt Winburnan,
and æt Twēoxneam būtan ðæs cyninges lēafe and his witena. 190
Þā rād sē cyning mid firde þæt hē [1] gewīcode æt Baddanbyrig wið
Winburnan, and Æðelwald sæt binnan þǣm hām mid þǣm mon-
num þe him tō gebugon, and hæfde ealle þā geatu forworht in
tō him, and sǣde þæt hē wolde ōðer oððe þǣr libban oððe þǣr
licgan.   Þā under þǣm þā bestæl hē hine on niht on weg, and
gesōhte þone here on Norðhymbrum, and sē cyng hēt rīdan æfter,
and þā ne mehte hine mon ofrīdan.   Þā berād mon þæt wīf þæt
hē hæfde ǣr genumen būtan cynges lēafe and ofer þāra biscopa
gebod, forðon ðe hēo wæs ǣr tō nunnan gehālgod.   And on þȳs
ilcan gēre forðfērde Æþerēd, wæs on Defenum ealdormon, 200
fēower wucum ǣr Ælfrēd cyning.

SECOND DANISH INVASIONS

THE CONQUEST OF ENGLAND

991.[2] Hēr wæs Gypeswīc [3] gehergod and æfter þām swīðe raðe
wæs Brihtnōð ealdorman ofslægen æt Mældūne; and on þām gēare
man gerǣdde þæt man geald ǣrest gafol Deniscan mannum for

---

[1] *MS. ð he written over erasure; em. by Earle from MS. B.*
[2] *From this date on the text follows the Peterborough Chronicle.*
[3] *Between G and wic there is a blank in the MS.; ypes is supplied by Earle from MSS. C and D.*

þām mycclan brōgan þe hī worhtan be þām sǣriman. Þæt wæs
ǣrest x þūsend punda. Þæne rǣd gerǣdde Siric arcebiscep.

994. Hēr on þisum gēare cōm Anlāf and Swegen tō Lundenbyrig
on Nativitas Sancte Marīe mid iiii and hundnigontigum scipum,
and hī ðā on ðā burh festlīce feohtende wǣron, and ēac hī mid
fȳre ontendan woldon, ac hī þār gefēordon māran hearm and 210
yfel þonne hī ǣfre wēndon þæt heom ǣnig burhwaru gedōn sceolde.
Ac sē hālige Godes mōdor on ðām hire mildheortnisse þǣre burh-
ware gecȳðde and hī āhredde wið heora fēondum; and hī þanon
fērdon and wrohton þæt mǣste yfel þe ǣfre ǣnig here dōn mihte on
bǣrnette and hergunge and on manslihtum ǣgðer be ðām sǣriman
on Ēast Seaxum, and on Centlande, and on Sūð Seaxum, and on
Hāmtūnscīre; and æt nȳxtan nāman heom hors and ridon swā wīde
swā hī woldon, and unāsecgendlīce yfel wircende wǣron. Þā ge-
rǣdde sē cyng and his witan þæt him man tō sende, and him gafol
behēte and metsunge wið þon þe hī þǣre hergunge geswicon; 220
and hī þā þet underfēngon. And cōm þā eall sē here tō Hāmtūne,
and þǣr wintersetle nāmon, and hī man þǣr fǣdde geond eall West
Seaxna rīce, and him man geald xvi þūsend punda. Þā sende sē
cyng [1] æfter Anlāfe cyninge Ælfeach biscep and Æðelward ealdor-
man, and man gīslade þā hwīle intō þām scipum; and hī þā lǣddan
Anlāf mid mycclum wurðscipe tō þām cynge tō Andeferan, and sē
cyng Æðelrēd his anfēng æt biscepes handa, and him cynelīce
gifode. And him þā Anlāf behēt swā hē hit ēac gelǣste þæt hē
nǣfre eft tō Angelcynne mid unfriðe cumon nolde. Hic Ricardus
uetus obiit, et Ricardus filius eius suscepit regnum et reg- 230
nauit xxxi annos.

1011. Hēr on þissum gēare sende sē cyng and his witan tō ðām
here and georndon friðes, and him gafol and metsunga behētan
wið þām þe hī heora hergunga geswicon.

---

[1] *MS.* cyn, *with space for one more letter.*

Hī heafdon þā ofergān Ēast Engla i, and Ēast Seaxe ii, and Middel Seaxe iii, and Oxenafordscīre iiii, and Grantabrycgescīre v, and Heortfordscīre vi, and Bucingahāmscīre vii, and Bedanford-scīre viii, and healfe Huntadūnscīre x, and be sūðan Temese ealle Centingas, and Sūð Seaxe, and Hæstingas, and Sūðrīg, and Bear-rucscīre, and Hāmtūnscīre, and micel on Wiltūnscīre.   240

Ealle þās ungesælða ūs gelumpon þurh unrædes, þæt mann nolde him tō tīman gafol bēdan, ac þonne hī mæst tō yfele gedōn hæfdon, þonne nam man grið and frið wið hī; and nāðelæs for eallum þisum griðe and friðe and gafole hī fērdon æghwider folc-mælum, and hergodon and ūre earme folc ræpton and slōgon.   And on þissum gēare betwyx Natiuit' Sancte Marīe and Sancte Mi-chaeles mæssan hī ymbe sætan Cantwaraburh; and hī þǣrin tō cōmon þurh syrewrenceas; forþon Ælmǣr hī becyrde Cantwara-burh, þe sē arcebiscep Ælfēah ǣr generede his līfe.   And hī þǣr þā genāman þone arcebiscep Ælfēah, and Ælfword þæs cynges   250 gerēfan, and Lēofwine abbod, and Godwine biscep; and Ælmǣr abbod hī lǣtan āweg.   And hī þǣr genāman inne ealle þā gehādode menn and weras and wīf; þæt wæs unāsecgendlīc ǣnigum menn hū mycel þæs folces wæs; and on þǣre byrig siððon wǣron swā lange swā hī woldon.   And þā hī hæfdon þā burh ealle āsmēade, wendon him þā tō scipon and lǣddon þone arcebiscep mid him.

Wæs ða rǣpling,[1] sē þe ǣr wæs
Angelcynnes hēafod, and Crīstendōmes;
þǣr man mihte þā gesēon earmðe
þǣr man ǣr geseah blisse,   260
on þǣre ǣrman byrig, þanon ūs cōm ǣrest
Crīstendōm, and blisse for Gode, and for worulde.

And hī heafdon þone arcebiscep mid him swā lange oð þone tīman þe hī hine gemartyredon.

1013. On þām æftran gēare þe sē arcebiscep wæs gemartyrod

MS. rǣwling; em. by Earle.

sē cyng gesætte Līfing biscep tō Cantwarabyrig tō ðām arcestōle.
And on þām ilcan gēare tōforan þām mōnðe Augustus cōm Swegen
cyning mid his flotan tō Sandwīc and wende swȳðe raðe ābūtan
Ēast Englum, intō Humbran mūðan, and swā uppweard andlang
Trentan þet hē cōm tō Gegnesburh. And þā sōna ābēah 270
Uhtrēd eorl and eall Norðhymbra tō him and eall þæt folc on
Lindesīge and syððan þet folc of Fīfburhingan, and raðe þæs eall
here be norðan Wætlinga strǣte, and him man sealde gīslas of
ǣlcere scīre. Syððan hē undergeat þet eall folc him tō gebogen
wæs, þā bēad hē þæt man sceolde his here metian and horsian; and
hē þā gewende syððan sūðweard mid fulre fyrde, and betǣhte his
scipa and þā gīslas Cnūte his sunu. And syððan hē cōm ofer
Wæclingastrǣte, hī wrohton þæt mǣste yfel þe ǣnig here dōn
mihte. Wende þā tō Oxnaforda and sēo burhwaru sōna ābēah and
gīslode; and þanon tō Winceastre and þæt ilce dydon. Wen- 280
don þā þanon ēastward tō Lundene; and mycel his folces ādranc
on Temese, forðām hī nānre brycge ne cēpton. Ðā hē tō þǣre
byrig cōm, þā nolde sēo burhwaru ābūgan ac hēoldan mid fullan
wīge ongēan, forðan þǣr wæs inne sē cyning Æþelrēd, and Þūrkil
mid him. Þā wende Swegen cyning þanon tō Wealingaforda, and
swā ofer Temese westweard tō Baðon and sæt þǣr mid his fyrde.
And cōm Æþelmer ealdorman þider, and þā weasternan þægnas
mid him, and bugon ealle tō Swegene and gīslodon. Þä hē eall
þus gefaren heafde, wende þā norðweard tō his scipon; and eall
þēodscipe hine heafde for fullne cyning; and sēo burhwaru 290
æfter þām on Lundene bēah and gīslode, forþām hī ondrēddon þæt
hē hī fordōn wolde. Bēad þā Swegen full gild and metsunga tō
his here þone winter; and Þūrcyl bēad þæt ilce tō þām here þe
læg on Grēnawīc; and būton þām hī hergodan swā oft swā hī
woldon. Ðā ne duhte nāðor þisse þēoda ne sūðan [1] ne norðan;
þā wæs sē cyng sume hwīle mid þām flotan þe on Temese wǣron....

---

[1] *MS.* sudan.

1014. Hēr on þissum gēare Swegen geendode his dagas tō Candelmæssan iii No. Februarius, and sē flota eall gecuron Cnūt tō cyninge. Đā gerǣddan þā witan ealle, ge hādode ge lǣwede, þæt man æfter þām cyninge Æðelrēde sende, and cwǣdon þæt 300 him nān lēofre hlāford nǣre þonne heora gecynde hlāford, gif hē hī rihtlīcor healdan wolde þonne hē ǣr dyde. Đā sende sē cyng his sunu Ēadward mid his ǣrendracan hider, and hēt grētan ealne his lēodscipe, and cwæð þæt hē heom hold hlāford bēon wolde, and ǣlc þǣra þinga bētan þe hī ealle āscunedon, and ǣlc þǣra þinga forgifan bēon sceolde þe him [1] gedōn oððe gecweðen wǣre, wið þām þe hī ealle ānrǣdlīce būton swīcdōme tō him gecyrdon. And man þā fullne frēondscipe gefæstnode mid worde and mid wædde on ǣgðere healfe, and ǣfre ǣlcne Deniscne [2] cyning ūtlagede of Englalande gecwǣdon. Þā cōm Æðelrēd cyning innan þām 310 lenctene hām tō his āgenre ðēode, and hē glædlīce fram heom eallum onfangen wæs. And þā syððon Swegen dēad wæs, sætt Cnūt mid his here on Gegnesburh oð ðā Ēastron; and gewearð him and þām folce on Lindesīge ānes, þæt hī hine horsian sceoldan, and syððan ealle ætgædere faran and hergian. Đā cōm se cyning Æðelrēd mid fulre fyrde þider ǣr hī gearwe wǣron tō Lindesīge, and mann þā hergode and bærnde and slōh eall þet mancynn þæt man ārǣcan mihte. Sē Cnūt gewende him ūt mid his flotan and wearð þet earme folc þus beswican þurh hine, and wænde þā sūðweard oð þæt hē cōm tō Sandwīc, and lēt þǣr ūp þā gīslas þe his fæder 320 gesealde wǣron, and cearf of heora handa and heora nosa. And būton eallum þisum yfelum sē cyning hēt gyldan þām here þe on Grēnewīc læg xxi þūsend punda. And on þissum gēare on Sancte Michāeles mæsse-ǣfan cōm þet mycele sǣflōd geond wīde þisne eard, and ærn swā feor ūp swā nǣfre ǣr ne dyde, and ādrencte feala tūna and manncynnes unārīmædlīce geteall.

[1] *MS*. hi.   [2] *MS*. Denisce.

1017. Hēr on þisum gēare fēng Cnūt cyning tō eall Angelcynnes rīce, and hit tōdǣld on fōwer: him sylfum West Seaxan, and Þūrcylle Ēast Englan, and Ēadrīce Myrcean, and Yrīce Norðhymbran. And on þisum gēare wæs Ēadrīc ealdormann 330 ofslagen, and Norðman Lēofwines sunu ealdormannes, and Æðelword Æðelmǣres sunu þæs grǣtan, and Brihtrīc Ælfgetes sunu on Dæfenanscīre. And Cnūt cyng āflȳmde ūt Ædwīg æðeling, and Ēadwīg ceorla cyng; and þā tōforan KL. Augustus hēt sē cyng feccan him Æðelrēdes lāfe þes ōðres cynges him tō cwēne Ricardes dohtor.

1036. Hēr forðfērde Cnūt cyng æt Sceaftesbyrig, and hē is bebyrged on Winceastre on Ealdan mynstre; and hē wæs cyng ofer eall Englaland swȳðe nēh xx wintra. And sōna æfter his forsīðe wæs ealra witena gemōt on Oxnaforda, and Lēofrīc 340 eorl and mǣst ealle þā þegenas benorðan Temese and þā liðsmen on Lunden gecuron Harold tō healdes ealles Englalandes him and his brōðer Hardacnūte þe wæs on Denemearcon. And Godwine eorl and ealle þā yldestan menn on West Seaxon lāgon ongēan swā hī lengost mihton, ac hī ne mihton nān þing ongēan wealcan. And man gerǣdde þā þæt Ælfgifu, Hardacnūtes mōdor, sǣte on Winceastre mid þæs cynges hūscarlum hyra suna, and hēoldan ealle West Seaxan him tō handa, and Godwine eorl wæs heora healdest mann. Sume men sǣdon be Harolde þæt hē wǣre Cnūtes sunu cynges and Ælfgiue, Ælfelmes dohtor ealdormannes, ac 350 hit þūhte swīðe ungelēaflīc manegum mannum. And hē wæs þæh full cyng ofer eall Englaland.

1039. Hēr forðfērde Harold cyng on Oxnaforda on xvi KL. Aprēlis and hē wæs bebyrged æt Westmynstre; and hē wēolde Englalandes iiii gēar and xvi wucan. And on his dagum man geald xvi scipan, æt ǣlcere hamulan viii marc, eall swā man ǣr dyde on Cnūtes cynges dagum. And on þīs ilcan gēare cōm

Hardacnūt cyng tō Sandwīc vii nihtum ǣr middan-sumera; and hē wæs sōna underfangen ge fram Anglum ge fram Denum, þēah þe his rǣdes-menn hit syððon strange forguldon, ðā hī ge- 360 rǣdden þet man geald lxii scipon, æt ǣlcere hamelan viii marc. And on þis ilcan gēare ēode sē sæster hwǣtes tō lv penega and ēac furðor.

1041. Hēr forðfērde Hardacnūt cyng æt Lambhȳðe on vi ID. Junius, and hē wæs cyng ofer eall Englaland twā gēar būton x nihtum; and hē is bebyrged on Ealdan mynstre on Winceastre mid Cnūte cynge his fæder. And ēar þan þe hē bebyrged wǣre, eall folc gecēas Ēadward tō cynge on Lundene, healde þā hwīle þe him God unne. And eall þæt gēar wæs swīðe hefig tīme on manegum þingum, and mislīcum ge on unwǣderum ge on eorðwæstmum, 370 and swā mycel orfes wæs þæs gēares forfaren swā nān man ǣr ne gemunde, ǣgðer ge þurh mistlīce coða ge þurh ungewyderu....

1066. On þissum gēare man hālgode þet mynster æt Westmyn-stre on Cildamæssedæg. And sē cyng Ēadward forðfērde on twelfta mæsse-ǣfen; and hine mann bebyrgede on twelftan mæsse-dæg innan þǣre nīwan hālgodre circean on Westmynstre. And Harold eorl fēng tō Englalandes cynerīce swā swā sē cyng hit him geūðe and ēac men hine þǣr tō gecuron; and wæs geblētsod tō cynge on twelftan mæsse-dæg. And þȳ ilcan gēare þe hē cyng wæs hē fōr ūt mid sciphere tōgēanes Willelme; and þā hwīle cōm 380 Tostig eorl intō Humbran mid lx scipum. Ēadwine eorl cōm mid [1] landfyrde and drāf hine ūt; and þā butse-carlas hine forsōcan and hē fōr tō Scotlande mid xii snaccum, and hine gemētte Harold sē Norrena cyng mid ccc scipum, and Tostig him tōbēah. And hī bǣgen fōran intō Humbran oð þet hī cōman tō Eoferwīc, and heom wið feaht Morkere eorl and Ēadwine eorl, and sē Norrena cyng āhte siges geweald. And man cȳdde Harolde [2] cyng hū hit wæs

---

[1] *MS.* mid *wanting; supplied by Earle.*   [2] *MS.* Harode.

þǣr gedōn and geworden, and hē cōm mid mycclum here Engliscra manna and gemētte hine æt Stængfordesbrycge and hine ofslōh, and þone eorl Tostig, and eallne þone here āhtlīce ofercōm. 39ᴄ And þā hwīle cōm Willelm eorl upp æt Hestingan on Sancte Michæles mæsse-dæg; and Harold cōm norðan and him wið feaht ēar þan þe his here cōme eall; and þǣr hē fēoll, and his twǣgen gebrōðra Gyrð and Lēofwine; and Willelm þis land geēode, and cōm tō Westmynstre, and Ealdrēd arcebiscep hine tō cynge gehālgode, and menn guldon him gyld and gīslas sealdon, and syððan heora land bohtan....

V

THE OLD ENGLISH TRANSLATION OF BEDE

In the seventh and eighth centuries Northumbria was the center of learning and culture in England, a culture which ultimately produced the famous school of York, known throughout Europe, and which culminated in the great scholar, Alcuin, who bore the learning of York to the court of Charlemagne. Among the many scholars who helped to establish this culture the greatest was Bede, a monk in the monastery of Jarrow near Whitby. Bede was born about 673 and he spent his entire life, from the age of seven until his death in 735, in the monastery. He was a prolific writer, composing treatises on grammar, rhetoric, and science in addition to his many religious works. Of all his books the most important is his *Historia Ecclesiastica Gentis Anglorum*, which covers the period from the coming of Julius Caesar to the year 731, the date when the work was completed. This is more than a history of the Church in England. The Church formed such an integral part of the life of the times, that Bede's work is really a history of the nation in the early years of its existence, and as such is invaluable to any student of the period.

As may be inferred from the title, the book is in Latin, the language used by all the Northumbrian scholars. About a hundred and fifty years after Bede's death, King Alfred had the *Historia* translated into Old English, in accordance with his plan to familiarize his people with books he thought valuable. The original manuscript of this translation is lost. There are, however, five extant manuscripts: MS. 279, Corpus Christi College, Oxford (C), dating from the tenth or early eleventh century, with a few pages lost at the beginning and the end; Tanner MS. 10 at the Bodleian

Library (T), dating from the tenth century, and also with parts missing; MS. K. k. 3. 18 of the Cambridge University Library (Ca), a copy of Oxford 279; MS. 41, Corpus Christi College, Cambridge; Cotton Otho B XI, which is badly burned, in the British Museum. The two authoritative editions of Bede are by T. Miller (Early English Text Society, Old Series, 95, 96, 1890–91), and by J. Schipper in his *Bibliothek der Angelsächsischen Prosa*, Vol. 4, Leipzig, 1899.

Of the following selections, the first is Bede's introductory account of the island of Britain. The next two relate the coming of the Angles, Saxons, and Jutes to the island, and the early victories of the British over the Saxons, notably at the Battle of Mt. Badon, in which, according to other sources, King Arthur was the victor. The story of Gregory and the slave boys in the fourth selection, which shows alike Gregory's love of punning and his zeal for Christianity, is too familiar to need comment. The fifth selection, the account of King Edwin's conversion to Christianity, gives an interesting picture of the meeting of an Anglo-Saxon council of wise men, and is also famous for the passage in which man's life on earth is compared to a sparrow's flight through a lighted hall, a passage used by Wordsworth in his sixteenth *Ecclesiastical Sonnet*. The final selection, the story of Cædmon, is the well-known narrative of the divine inspiration of this Old English poet. The monastery with which Cædmon was associated was at Whitby, not far from Jarrow, and Bede must have been well acquainted with the history of Whitby and its inmates. Cædmon presumably was still living at the time of Bede's birth.

Three manuscripts, Corpus Christi, Oxford, 279 (C), Tanner 10 (T), and Cambridge University, K. k. 3. 18 (Ca), have been used in preparing the following text. The first three selections are taken from Ca. The Tanner MS. begins with *Sume* on page 173, line 51.

From that point on, it has been collated with Ca. MS. C does not contain any of these first chapters. The other three selections are based on C, collated with T wherever extant, and with Ca. Miller's and Schipper's editions have been consulted.

I. DESCRIPTION OF BRITAIN AND IRELAND

Book I, Chapter 1

Breoton ist gārsecges ēalond, ðæt wæs iū gēara Albion hāten: is geseted betwyh norðdæle and westdæle, Germānie ond Gallie ond Hispānie þām mæstum dælum Eurōpe myccle fæce ongēgen. þæt is norð ehta hund mīla lang, ond tū hund mīla brād. Hit hafað fram sūðdæle þā mægþe ongēan, þe mon hāteþ Gallia Bellica. Hit is welig þis ēalond on wæstmum ond on trēowum misenlīcra cynna; ond hit is gescræpe [1] on læswe scēapa ond nēata; ond on sumum stōwum wīngeardas grōwaþ. Swylce ēac þēos eorðe is berende missenlīcra fugela ond sæwihta, ond fiscwyllum wæterum ond wyllgespryngum, ond hēr bēoð oft fangene sēolas ond hronas 10 and mereswȳn; ond hēr bēoð oft numene missenlīcra cynna weolc-scylle ond muscule, ond on þām bēoð oft gemētte þā betstan meregrōtan ælces hīwes. Ond hēr bēoð swȳþe genihtsume weolocas of þām bið geworht sē weolocrēada tælgh,[2] þone ne mæg sunne blǣcan ne ne regn [3] wyrdan; ac swā hē bið yldra, swā hē fægerra bið.

Hit hafað ēac þis land sealtsēaðas; ond hit hafaþ hāt wæter, ond hāt baðo ælcere yldo ond hāde þurh tōdælede stōwe gescræpe. Swylce hit is ēac berende on wecga ōrum āres ond īsernes, lēades ond seolfres. Hēr bið ēac gemēted gagātes: sē stān bið blæc 20 gym; gif mon hine on fȳr dēð, þonne flēoð þær neddran onweg.

---

[1] *Ca*, gescræwe; *Miller reads* gescræpe. [2] *Ca*, tælhg.
[3] *Ca omits* regn; *supplied from Miller's reading of MS. Cotton Otho B XI.*

Wæs þis ēalond ēac gēo gewurðad mid þām æðelestum ceastrum, ānes wana þrittigum, ðā þe wǣron mid weallum ond torrum ond geatum ond þām trumestum locum getimbrade, būtan ōðrum lǣssan unrīm ceastra. Ond forðan þe ðis ēalond under þām sylfum norðdǣle middangeardes nȳhst ligeð, ond lēohte nihte on sumera hafað, — swā þæt oft on middre nihte geflit cymeð þām behealdendum, hwaðer hit sī þe æfenglōmmung ðe on morgen deagung — is on ðon sweotol, ðæt þis ēalond hafað mycele lengran dagas on sumera, ond swā ēac nihta on wintra, þonne þā sūð-   30 dǣlas middangeardes.

Ðis ēalond nū on andweardnysse æfter rīme fīf Moyses bōca, ðām sēo godcunde ǣ āwriten is, fīf ðēoda gereordum ǣnne wīsdōm þǣre hēan sōþfæstnysse ond þǣre sōðan hēanesse smēað ond andetteað; þæt is on Angolcynnes gereorde ond Brytta ond Scotta ond Peohta ond Lēdenwara: þæt ān is, þæt Lēden, on smēaunge gewrita eallum þām ōðrum gemǣne.

On fruman ǣrest wǣron þysses ēalondes bīgengan Bryttas āne, fram þām hit naman onfēng. Is þæt sǣd, ðæt hī cōmon fram Armoricano þǣre mǣgeðe on Breotone, ond þā sūðdǣlas   40 þyses ēalondes him gesǣton ond geāhnodon.

Þā gelamp æfter þon þætte Peahte ðēod cōm of Scyððia lande on scipum ond ðā ymbǣrndon eall Breotone gemǣro, þæt hī cōmon on Scotland upp, ond þǣr gemētton Sceotta þēode, ond him bǣdon setles ond eardungstōwe on heora lande betwyh him. Andswearedon Scottas, þæt heora land ne wǣre tō þæs mycel, þæt hī mihton twā þēode gehabban. Ac cwǣdon: "Wē magon ēow sellan hālwende geþeahte, hwæt gē dōn magon. Wē witan heonan nōht feor ōðer ēalond ēastrihte, þæt wē magon oft lēohtum dagum gesēon. Gif gē þæt sēcan wyllaþ, þonne magon gē þǣr   50 eardungstōwe habban: oððe gif hwylc ēow wiðstondeð, þonne gefultumiað wē ēow." Ðā fērdon Peohtas in Breotone, ond on gunnon eardigan þā norðdælas þyses ēalondes; ond Bryttas, swā wē ǣr cwǣdon, þā sūðdælas. Mid þӯ Peohtas wīf næfdon, bǣdon him fram Scottum. Ðā geþafedon hī ðǣre ārēdnesse, ond him wīf sealdon, þæt ðǣr sēo wīse on twēon cyme, þæt hī ðonne mā of þām wīfcynne him cyning curan þonne of þām wǣpnedcynne: þæt gēt tō dæg is mid Peohtum healden.

Ðā, forþgongenre tīde, æfter Bryttum ond Peohtum, þridde cynn Scotta Breotone onfēng on Pehta dæle, þā wǣron cumene   60 of Hibernia, Scotta ēalonde, mid heora heretogan, Rēada hātte: oðða mid frēondscipe oðða [1] mid gefeohte him sylfum betwih hī seðel ond eardungstōwe geāhnodon, þā hī nū gēt habbað. Þæt cynn nū geond tō dæg Dālrēadingas wǣron hātene.

Hibernia, Scotta ēalond, ge [2] on brǣdo his stealles ge on hālwendnesse ge on smyltnysse lyfta is betere mycle þonne Breotone land, swā þæt ðǣr seldon snāu leng ligeð þonne ðrӯ dagas.   Ond þǣr nǣnig mann for wintres cyle on sumera hēg ne māweþ, ne scypene his nēatum ne timbreþ.   Ne þǣr monn ǣnigne snīcendne wyrm ne ætterne gesihð; ne þǣr ǣnig nǣdre lifian ne mæg;   70 forþon of Breotone nǣdran on scipum lǣdde wǣron, sōna swā hī ðæs landes lyft gestuncan, swā swulton hī.   Ēac nēah þan ealle þā ðing þe ðanon cumað wið ǣlcum āttre magon.   Þæt tō tācne is, þæt sume menn gesāwon, þā ðe wǣron fram nǣdran geslegene, þæt man scōf þāra bōca lēaf, þe of Hibernia cōman, ond þā sceafðan dyde on wæter, ond sealde drincan þām mannum; ond sōna wæs þæt ātter ofernumen, ond hī wǣron gehǣlde.   Is þæt ēalond welig on meolcum ond on hunige; ond wīngeardas weaxað on sumum stōwum, ond hit is fiscwylle ond fugolwylle, ond mǣre on huntunge heorta ond rāna. Þis is āgendlīce Scotta ēðel; heonon cōman   80 sēo þridde ðēod Scotta, swā wē ǣr cwǣdon, ēac be Bryttum ond Peohtum on Breotone.

_____
[1] _Ca,_ ond þa.   [2] _Ca,_ is _instead of_ ge.

II. THE COMING OF THE ANGLES, SAXONS, AND JUTES

Book I, Chapter 15

Ðā wæs ymb fēower hund wintra ond nigon ond fēowertig fram ūres Drihtnes menniscnysse, þæt Martiānus cāsere rīce onfēng ond VII gēar hæfde. Sē wæs syxta ēac fēowertigum fram Agusto þām cāsere. Ðā Angelþēod ond Seaxna wæs gelaðod fram þām fore-sprecenan cyninge, ond on Breotone cōm on þrīm myclum scypum; ond on ēastdǣle þyses ēalondes eardungstōwe onfēng þurh ðæs ylcan cyninges bebod, þe hī hider gelaðode, þæt [1] hī sceoldan for heora ēðle compian ond feohtan.   Ond hī sōna compedon wið heora gewinnan, þe hī oft ǣr norðan onhergedon; ond Seaxan þā sige geslōgan.   Þā sendan hī hām ǣrenddracan ond hēton   10 secgan þysses landes wæstmbǣrnysse, ond Brytta yrgþo.   Ond hī þā sōna hider sendon māran sciphere strengran wihgena; ond wæs unoferswīðendlīc weorud, þā hī tōgædere geþēodde wǣron. Ond him Bryttas sealdan ond gēafan eardungstōwe betwih him þæt hī [2] for sibbe ond for hǣlo heora ēðles campodon ond wunnon wið heora fēondum, ond hī him andlyfne ond āre forgēafen for heora gewinne.   Cōmon hī of þrīm folcum ðām strangestan Germānie, þæt of Seaxum ond of Angle ond of Gēatum.   Of Gēata fruman syndon Cantware, ond Wihtsǣtan; þæt is sēo ðēod þe Wiht þæt ēalond oneardað.   Of Seaxum, þæt is of ðām lande þe mon   20 hāteð Ealdseaxan, cōman Ēastseaxan ond Sūðseaxan ond West-seaxan.   And of Engle cōman Ēastengle ond Middelengle ond Myrce ond eall Norðhembra cynn; is þæt land ðe Angulus is nemned, betwyh Gēatum ond Seaxum; is sǣd of þǣre tīde þe hī ðanon gewiton oð tō dæge, þæt hit wēste wunige.   Wǣron ðā ǣrest heora lāttēowas ond heretogan twēgen gebrōðra, Hengest

---

[1] *Ca, symbol for* þæt *written above symbol for* and.   [2] *Ca,* he.

ond Horsa. Hī wǣron Wihtgylses suna, þæs fæder wæs Wihta hāten ond þæs Wihta fæder wæs Wōden nemned, of ðæs strȳnde monigra mǣgða cyningcynn fruman lǣdde. Ne wæs ðā ylding tō þon þæt hī hēapmǣlum cōman māran weorod of þām ðēodum, 30 þe wē ǣr gemynegodon. Ond þæt folc ðe hider cōm ongan weaxan ond myclian tō þan swīðe, þæt hī wǣron on myclum ege þām sylfan landbīgengan ðe hī ǣr hider laðedon ond cȳgdon.

Æfter þissum hī ðā geweredon tō sumre tīde wið Pehtum, þā hī ǣr ðurh gefeoht feor ādrifan. Ond þā wǣron Seaxan sēcende intingan ond tōwyrde heora gedāles wið Bryttas. Cȳðdon him openlīce ond sǣdon, nemne hī him māran andlyfne sealdon, þæt hī woldan him sylfe niman ond hergian, þǣr hī hit findan mihton. Ond sōna ðā bēotunge dǣdum gefyldon: bærndon ond hergedon ond slōgan fram ēastsǣ oð westsǣ; ond him nǣnig wiðstōd. 40 Ne wæs ungelīc wræcc þām ðe iū Chaldeas bærndon Hierusaleme weallas ond ðā cynelīcan getimbro mid fȳre fornāman for ðæs Godes folces synnum. Swā þonne hēr fram þǣre ārlēasan ðēode, hwæðere rihte Godes dōme, nēh ceastra gehwylce ond land forheregeode wǣron.[1] Hrūsan āfēollan cynelīco getimbro ond ānlīpie; ond gehwǣr sācerdas ond mæsseprēostas betwih wībedum wǣron slǣgene ond cwylmde; biscopas mid folcum būton ǣnigre āre scēawunge ætgædere mid īserne ond līge fornumene wǣron. Ond ne wæs ǣnig sē ðe bebyrignysse sealde þām ðe swā hrēowlīce ācwealde wǣron. Ond monige ðǣre earman lāfe on wēstenum 50 fanggene wǣron ond hēapmǣlum sticode. Sume for hungre heora fēondum on hand ēodon ond ēcne þēowdōm gehēton, wiððon þe him mon andlyfne forgeaf; sume ofer sǣ sorgiende gewiton; sume forhtiende in ēðle gebidan, ond þearfendum līfe on wuda, wēstene ond on hēan clifum sorgiende mōde symle wunedon.

[1] *Ca*, land wæs forhergiende.

III. VICTORIES OF THE BRITISH OVER THE SAXONS

Book I, Chapter 16

And þā æfter ðon þe sē here wæs hām hweorfende ond hī hæfdon
ūt āmǣrde ond tōstencte þā bīgengan þysses ēalondes, ðā ongunnon
hī sticcemǣlum [1] mōd ond mægen niman; ond forðēodan of þām
dīglum stōwum þe hī ǣr on behȳdde wǣron, ond ealre ānmōdre
geðafunge heofonrīces fultumes him wǣron biddende, þæt hī oð
forwyrd ǣghwǣr fordiligade ne wǣron.   Wæs on ðā tīd heora
heretoga ond lāttēow Ambrōsius hāten, ōðre naman Aureliānus.
Sē wæs gōd man ond gemetfæst, Rōmānisces cynnes man.   On
þyses mannes tīd mōd ond mægen Bryttas onfēngon; ond hē hī tō
gefeohte forðgecȳgde ond him sige gehēt; ond hī ēac on þām   10
gefeohte þurh Godes fultum sige onfēngon.   Ond þā of ðǣre tīde
hwīlum Bryttas, hwīlum eft Seaxan [2] sige geslōgan oð ðæt gēr
ymbsetes þǣre Beadonescan dūne, þā hī mycel wæll on Angelcynne
geslōgan, ymb fēower ond fēowertig wintra Angelcynnes cyme on
Breotone.

IV. POPE GREGORY AND THE ENGLISH SLAVE BOYS

Book II, Chapter 1

Nis ūs ðonne sē hlīsa tō forswīgienne, þe be ðām ēadigan Grē-
gōrie ðurh yldra manna segene tō ūs becōm, for hwilcum intingan
hē monad wǣre, þæt hē swā geornfulle gȳmenne dyde ymb þā hǣlo
ūre þēode.   Secgeað hī, þæt sume dæge þider nīwan cōme cȳpemen
of Brytene ond monig cēpeþing on cēapstōwe brōhte, ond ēac
monige cōman tō bicgeanne þā þing.   Þā gelamp hit þæt Grē-
gōrius betwyh ōþre ēac þyðer cōm, ond þā geseah betwih ōþer þing
cēpecnihtas þǣr gesette wǣron hwītes līchaman ond fægeres and·

---

[1] Ca, saccemælum; T, sticcemælum.   [2] Ca, Seaxena; T, Seaxan.

wlitan men ond æþelīce gefeaxe. Þā hē þā hī geseah ond behēold,
þā frægn [1] hē, of hwilcum lande oððe of hwilcre þēode hī 10
brōhte wǣron. Sǣde him mon, þæt hī of Breotone ēalande brōhte
wǣron, ond þæs ēalandes bīgengan swylcre ansȳne men wǣron.
Eft hē frægn, hwæþer þā ylcan landlēode crīstene wǣron, þe hī
þā gēn on hǣþennesse gedwolum lifdan. Cwæþ him mon tō ond
sǣde, þæt hī hǣþene wǣron; ond hē þā of inneweardre heortan
swīðe swōrette ond þus cwæð: "Wālā wā! þæt is sārlīc, þæt swā
fæger feorh ond swā lēohtes andwlitan men scyle [2] āgan ond be-
sittan þȳstra ealdor."

Eft hē frægn hwæt sēo þēod nemned wǣre þe hī of cōman. Þā
ondswarode him mon þæt hīe Engle nemde wǣron. Cwæð hē: 20
"Wel þæt swā mæg, forþon hī engelīce [3] ansȳne habbað, ond ēac
swylce gedafenað þæt hī engla efenyrfeweardas on heofonum sīe."
Þā gȳt hē furþur frægn ond cwæþ: "Hwæt hātte sēo mægð þe þas
cnihtas hider of gelǣdde wǣron?" Þā ondswarode him mon ond
cwæð þæt hī Dēre nemde wǣron. Cwæð hē: "Wel þæt is cweden
Dēre, de ira eruti; hī sculan bēon of Godes yrre ābrōdene ond tō
Crīstes mildheortnesse gecȳgde." Þā gēn hē ācsade hwæt hiora
cyning hāten wǣre; ond him mon ondswarade ond cwæð þæt hē
Alle hāten wǣre. Ond þā plegode hē mid his wordum tō þām
naman ond cwæð: "Allēlūia, þæt gedafonað þætte Godes lof 30
ūres Scyppendes on þām dǣlum sungen sī."

Ond hē þā sōna ēode tō þām bisceope ond tō þām pāpan þæs
apostolīcan setles, forþan hē sylfa þā gȳt ne wæs bisceop geworden;
bæd hine þæt hē Angelþēode on Breotone onsende hwylcehugu
lārēowas, þæt þurh ðā hī tō Crīste gecyrde wǣron, ond cwæð þæt
hē sylfa gearo wǣre mid Godes fultume þæt weorc tō gefremmanne,
gif þām apostolīcan pāpan þæt līcade, ond þæt his willa ond his

[1] *C*, frængn; *T*, *Ca*, frægn.   [2] *C*, *Ca*, sceolan; *T*, scyle.
[3] *C*, engcelice; *T*, ænlice; *Ca*, englelice.

ǽfnes wǽre. Þā ne wolde sē pāpa þæt þafigean, ne þā burhware
þon mā, þæt swā æþele wer ond swā geþungen ond swā gelǣred,.
swā feor fram him gewite. Ac hē sōna hraþe, þæs þe hē 40
bisceop geworden wæs, þæt hē gefremede þæt weorc þæt hē lange
wilnade, ond þā hālgan lārēowas hider onsende, þe wē ǣr beforan
sǣdon. Ond hē, Scs. Grēgōrius, mid his trymenessum ond mid his
gebedum wæs gefultumiende, þæt hiora lār wǣre wæstmberende
tō Godes willan ond tō rǣde Angelcynne.

V. THE CONVERSION OF EDWIN
Book II, Chapters 12–13

Mid þȳ hē þā Paulīnus sē bisceop Godes word bodade ond
lǣrde, ond sē cyning ylde þā gȳt tō gelȳfanne, ond þurh sume tīde,
swā swā wē ǣr cwǣdon, gelimplīcum āna sæt, ond geornlīce mid
hine sylfne smēade ond þōhte hwæt him sēlost tō dōnne wǣre ond
hwylc æfæstnes him tō healdanne wǣre, þā wæs sume dæge sē
Godes wer ingangende tō him þǣr hē āna sæt, ond sette his þā
swīðran hand him on þæt hēafod, ond hine ācsode hwæðer hē þæt
tācon ongytan mihte. Þā oncnēow hē hit sōna sweotole, ond wæs
swīðe forht geworden ond him tō fōtum fēoll; ond hine sē Godes
man ūp āhōf ond him cūðlīce tō spræc, ond þus cwæð: 10
"Hwæt, þū nū hafast þurh Godes gyfe þīnra fēonda hand be-
swicene, þā ðū ðē ondrēde, ond þū þurh his sylene ond gyfe þām
rīce onfēnge þe [1] ðū wilnadest. Ac gemyne nū þæt þū þæt þridde
gelǣste þæt þū gehēte, þæt þū onfō his gelēafan ond his beboda
healde, sē ðe þec fram hwīlendlīcum earfeðum generede ond ēac
on āre hwīlendlīces rīces āhōf. Ond gif ðū forð his willan hȳrsum
bēon wilt, þone hē þurh mē þē bodað ond lǣreð, hē þonne þē ēac
from tintregum genereð ēcra [2] yfela, ond þē dǣlnimende gedēð
mid hine þæs ēcan rīces in heofonum."

[1] C, þa; Ca, T, þæ.   [2] C, ælcra; Ca, ælcera: T, ecra.

Þā sē cyning þā þās word gehȳrde, þā ondswarode hē him   20
ond cwæð, þæt hē æghwæþer ge wolde ge sceolde þǣm gelēafan
onfōn þe hē lǣrde. Cwæð hwæþere, þæt hē wolde mid [1] his
frēondum ond mid his wytum gesprec ond geþeaht habban, þæt
gif hī mid hine þæt geþafian woldan, þæt hī ealle ætsomne on līfes
willan Crīste gehālgade wǣran. Þā dyde sē cyning swā swā hē
cwæð, ond sē bisceop þæt geþafade. Ðā hæfde hē gesprec ond
geþeaht mid his witum, ond syndriglīce wæs fram him eallum
frignende, hwylc him þūhte ond gesawen wǣre þēos nīwe lār ond
þǣre godcundnesse bīgong þe þǣr lǣred wæs.

Him þā ondswarode his ealdorbisceop, Cēfi wæs hāten: 30
"Geseoh þū, cyning, hwelc þēos lār sīe, þe ūs nū bodad is. Ic þē
sōðlīce andette, þæt ic cūðlīce geleornad hæbbe, þæt eallinga
nāwiht mægenes ne nyttnesse hafað sīo æfæstnes þe wē oð ðis
hæfdon ond beēodon. Forðon nænig þīnra þegna nēodlīcor ne
gelustfullīcor hine underþēodde tō ūra goda bīgange þonne ic;
ond nōht þon lǣs monige syndon þā þe māran gefe ond fremsum-
nesse æt þē onfēngon þonne ic, ond on eallum þingum māran
gesynto hæfdon. Hwæt ic wāt, gif ūre godo ǣnige mihte hæfdon,
þonne woldan hīe mē mā fultumian, forþon ic him geornlīcor
þēodde ond hȳrde. Forþon mē þynceð wīslīc, gif þū gesēo   40
þā þing beteran ond strangran, ðe ūs nīwan bodad syndon, þæt
wē þām onfōn."

Þæs wordum ōþer cyninges wita ond ealdormann geþafunge
sealde, ond tō þǣre sprǣce fēng ond þus cwæð: "Þyslīc mē is
gesewen, þū cyning, ðis andwearde līf manna on eorðan tō wið-
metenesse þǣre tīde þe ūs uncūð is, swā [2] līc swā ðū æt swǣsendum
sitte mid þīnum ealdormannum ond þegnum on wintertīde, ond
sīe fȳr onǣlæd ond þīn heall gewyrmed, ond hit rīne ond snīwe

---

[1] *C omits* mid; *supplied from* Ca.
[2] *C omits last letter of* swa; *Ca,* swa gelic.

ond styrme ūte; cume ān spearwa and hrædlīce þæt hūs ðurhflēo,
cume þurh ōþre duru in, þurh ōþre ūt gewīte. Hwæt hē on   50
þā tīd þe hē inne bið, ne bið hrinen [1] mid þȳ storme ðæs wintres;
ac þæt bið ān ēagan bryhtm ond þæt læsste fæc, ac hē sōna of
wintra on þone winter eft cymeð. Swā þonne þis monna līf tō
medmiclum fæce ætȳweð; hwæt þær foregange, oððe hwæt þær
eftfylge, wē ne cunnun. Forþon gif þēos nīwe lār ōwiht cūðlīcre
ond gerisenlīcre brenge, þæs weorþe is þæt wē þære fylgen."
Ðeossum wordum gelīcum ōðre aldormen ond ðæs cyninges
geþeahteras sprǣcan.

þā gēn tōætȳhte Cǣfi, ond cwæþ, þæt hē wolde Paulīnus ðone
bisceop geornlīcor gehȳran be þām Gode sprecende þām þe   60
hē bodade. þā hēt sē cyning swā dōn. þā hē þā his word ge-
hȳrde, þā clypode hē ond þus cwæð: "Geare ic þet ongeat þæt ðæt
nōwiht wæs þæt wē beēodan; forþon swā micle swā ic geornlīcor on
þām bīgange þæt sylfe sōð sōhte, swā ic hit læs mētte. Nū þonne
ic openlīce ondette, þæt on þysse lāre þæt sylfe sōð scīneð þæt ūs
mæg þā gyfe syllan ēcre ēadignesse ond ēces līfes hǣlo. Forþon
ic þonne nū lǣre, cyning, þæt þæt templ ond þā wīgbede, þā þe wē
būtan wæstmum ǣnigre nyttnesse hālgedon, þæt wē þā hraþe
forlēosen ond fȳre forbærnen." Ono hwæt, hē ðā, sē cyning,
openlīce andette þām bysceope ond him eallum, þæt hē wolde   70
fæstlīce þām dēofulgyldum wiðsacan ond Crīstes gelēafan onfōn.

Mid ðȳ þe hē þā, sē cyning, fram þǣm foresprecenan bisceope
sōhte ond ācsade hiora hālignesse þe hī ǣr beēodan, hwā þā wīgbed
ond þā heargas þāra dēofolgylda mid hiora hegum þe hī ymbsette
wǣron, hī ǣrest āīdlian ond tōweorpan sceolde, þā ondswarade
hē: "Efne ic. Hwā mæg þā nū ðe [2] ic lange mid dysinesse beēode,
tō bȳsene ōþra manna gerisenlīcor tōweorpan, þonne ic sylfa þurh

---

[1] *C,* hrined, *with* h *above line; Ca,* rined.
[2] *C,* ea *before* ðe *blurred, as if partly erased.*

þā snyttro þe ic fram þām sōþan Gode onfēng?'' Ond hē þā sōna
fram him āwearp þā īdlan dysinesse, þe hē ǣr beēode, ond þone
cyning bæd þæt hē him wǣpen sealde ond stōdhors, þæt hē 85
mihte on cuman ond þæt dēofolgyld tōweorpan. Forþon þām
bisceope hiora hālignesse ne wæs ālȳfed þæt hē mōste wǣpen wegan
ne ǣlcor būtan on mȳran rīdan. Þā sealde sē cyning him sweord,
þæt hē hine mid begyrde, ond nam him spere on hand ond hlēop
on þæs cyninges stēdan, ond tō þām dēofolgyldum fērde. Þā þæt
folc hine þā geseah swā gescyrpedne þā wēndon hī þæt hē tela ne
wiste, ac þæt hē wēdde. Sōna þæs þe hē gelyhte tō þām hearge,
þā scēat hē mid his spere þæt hit sticade fæste on þām hearge, ond
wæs swīþe gefēonde þǣre ongytenesse þæs sōþan Godes bīganges.
Ond hē þā hēt his gefēran tōweorpan [1] ealne þone hearh ond 90
þā getimbro, ond forbærnan. Is sēo stōw gȳt ætȳwed gīu ðāra
dēofolgylda nōht feor ēast fram Eoferwīcceastre begeondan Deor-
wentan þǣre ēa, ond gēn tō dæge is nemned Godmundingahām,
þǣr sē bisceop þurh þæs sōþan Godes onbryrdnesse tōwearp ond
fordyde þā wīgbed þe hē sylf ǣr gehālgode.

Ðā onfēng Ēadwine cyning mid eallum þām æðelingum his
þēode ond mid micle folce Crīstes gelēafan ond fulwihte bæðe
þȳ endlyftan gēare his rīces. Wæs hē gefullad fram Paulīne þām
bisceope his lārēowe on Eoforwīcceastre þȳ hālgestan Ēasterdæge
on Sce. Pētres cyrican þæs apostoles, þā hē þǣr hræde 100
geweorce of trēowe cyricean getimbrede. Syððan hē gecrīstnad
wæs, swylce hē ēac on þǣre cestre his lārēwe and his biscope Paulīne
bisceopsetl forgeaf. Ond sōna þæs þe hē gefulwad wæs, hē ongan
mid þæs bisceopes lāre māran cyricean ond hȳrran stǣnene timbran
ond wyrcean ymb þā cyricean ūtan þe hē ǣr worhte. Ac ǣr þon
þe sēo hēannes þæs wealles gefylled and geendad wǣre, þæt hē sē
cyning mid ārlēasre cwale ofslegen wæs, ond þæt ilce geweorc his

---

[1] *C*, toworpan; *T*, toweorpan; *Ca*, toworpon.

æfterfylgende Ōswalde forlēt tō geendianne.   Of þǣre tīde Paulīnus
sē bisceop syx gēar full, þæt is oð ende þæs cyninges rīces, þæt
hē mid his fultume on þǣre mǣgðe Godes word bodade ond   110
lǣrde; ond men gelȳfdon ond gefulwade wǣron, swā monige swā
foretēode wǣron tō ēcum līfe.

VI. STORY OF CÆDMON

Book IV, Chapter 24

On þysse abbudissan mynstre wæs sum brōðor synderlīce mid
godcundre gyfe gemǣred ond geweorðad, forþon hē gewunade
gerisenlīce lēoð wyrcean, þā þe tō ǣfestnesse ond tō ārfæstnesse
belumpon; swā ðætte swā hwæt swā hē of godcundum stafum
þurh bōceras geleornade, þæt hē æfter medmiclum fæce in scop-
gereorde mid þā mǣstan swētnesse ond inbrydnesse geglencde,
ond in Engliscgereorde wel geworht [1] forð brōhte.   Ond for his
lēoðsongum monigra monna mōd oft tō worolde forhohnesse ond
tō geþēodnesse þæs heofonlīcan līfes onbærnde wǣron.   Ond ēac
swylce monige ōðre æfter him on Ongelþēode ongunnon æfæste   10
lēoð wyrcan, ac nǣnig hwæþere him þæt gelīce dōn meahte.   For-
þon hē nalæs from monnum ne þurh mon gelǣred wæs þæt hē þone
lēoðcræft geleornade, ac hē wæs godcundlīce gefultumod, ond
þurh Godes gyfe þone songcræft onfēng.   Ond hē forþon nǣfre
nōht lēasunge, ne īdles lēoþes wyrcan meahte ac efne þā ān þā þe
tō ǣfæstnesse belumpon, ond his þā ǣfestan tungan gedafenode
singan.

Wæs hē, sē mon, in weoruldhāde geseted oð ðā tīde þe hē wæs
gelȳfedre yldo, ond hē nǣfre ǣnig lēoð geleornade.   Ond hē forþon
oft in gebēorscipe, þonne þǣr wæs blisse intinga gedēmed,   20
þæt hī ealle sceolden þurh endebyrdnesse be hearpan singan, ðonne

---

[1] C, Ca, gehwær; T, geworht.

hē geseah þā hearpan him nēalǣcan, þonne ārās hē for scome from þǣm symble, ond hām ēode tō his hūse. Þā hē þæt þā sumre tīde dyde, þæt hē forlēt þæt [1] hūs þæs gebēorscipes, ond ūt wæs gongende tō nēata scypene, þāra heord him wæs þǣre nihte be-boden; ðā hē þā þǣr in gelimplīce tīde his limo on reste gesette ond onslǣpte, þā stōd him sum mon æt þurh swefn, ond hine hālette ond grētte, ond hine be his naman nemde: "Cedmon, sing mē hwæthwugu." [2] Ðā ondswarode hē, ond cwæð: "Ne con ic nōht singan, ond ic forþon of þyssum gebēorscipe ūt ēode 30 ond hider gewāt, forþon ic nōht cūðe." Eft hē cwæð, sē ðe mið him sprecende wæs: "Hwæðere þū meaht mē singan." Cwæð hē "Hwæt sceal ic singan?" Cwæð hē: "Sing mē frumsceaft." Þā hē þā þās andsware onfēng, ðā ongan hē sōna singan, in herenesse Godes Scyppendes, þā fers ond þā word þe hē nǣfre ne gehȳrde, þāra endebyrdnes ðis is:

Nū wē sculan herian   heofonrīces Weard,

Metodes mihte   ond his mōdgeþonc,

weorc [3] Wuldorfæder,   swā hē wundra gehwæs,

ēce Drihten   ord [4] onstealde.   40

Hē ǣrest gescēop   eorðan bearnum

heofon tō hrōfe,   hālig Scyppend;

ðā middongeard   moncynnes Weard,

ēce Dryhten,   æfter tēode

fīrum foldan,   Frēa ælmihtig.

Ðā ārās hē from þǣm slǣpe, ond eall þā þe hē slǣpende song, fæste in gemynde hæfde; ond þǣm wordum sōna monig word in þæt ylce gemet Gode wyrþes songes tōgeþēodde. Þā cōm hē on morgenne [5] tō þām tūngerēfan, sē þe his ealdormon wæs, sǣde him

---

[1] *C, Ca*, þa; *T*, þæt.   [2] *C, Ca*, æthwegu; *T*, hwæthwugu.

[3] *C, Ca*, wera; *T*, weorc.   [4] *C*, oord; *Ca*, ord; *T*, or.

[5] *C*, marne; *Ca*, margene; *T*, morgenne.

hwylce gyfe hē onfēng, ond hē hine sōna tō þǣre abbudyssan   5ɕ
gelǣdde, ond hire þæt cȳðde ond sægde.   Ðā hēt hēo gesomnian
ealle þā gelǣrdestan men ond þā leorneras, ond him ondweardum,
hēt secgan þæt swefn ond þæt lēoð singan, þætte ealra heora dōme
gecoren wǣre, hwæt oððe hwonon þæt cumen wǣre.   Ðā wæs him
eallum gesegen, swā swā hit wæs, þæt him wǣre from Dryhtne
sylfum heofonlīc gyfo forgyfen.   Ðā rehton hīe him ond sægdon
sum hālig spel ond godcundre lāre word; bebudon him þā, gif hē
mihte, þæt hē him sum sunge and in [1] swīnsunge [1] lēoðsonges þæt
gehwyrfde.   Ðā hē þā hæfde þā wīsan onfangene, þā ēode hē hām
tō his hūse, ond cōm eft on morgen, ond þȳ betstan lēoðe   60
geglenged, him āsong ond āgeaf þæt him beboden wæs.

Ðā ongan sēo abbudysse clyppan ond lufian þā Godes gyfe in
þǣm men, ond hēo hine þā monode ond lǣrde þæt hē weoroldhād
forlēte ond munuchāde onfēnge.   Ond hē þæt wel þafode.   Ond
hēo hine in þæt mynster onfēng mid his gōdum, ond hine geþēodde
tō gesomnunga þāra Godes þēowa, ond hēt hine lǣran þæt getæl
þæs hālgan stǣres ond spelles.   Ond hē eall þā hē in gehērnesse
geleornian mihte, mid hine gemyngade, ond swā swā clǣne nēten
eodorcende, in þæt swēteste lēoð gehwyrfde.   Ond his song ond
his lēoð wǣron swā wynsum tō gehȳrenne, ðæt ðā sylfan his   70
lārēowas æt his mūðe writon ond leornodon.

Song hē ǣrest be middangeardes gesceape, ond be fruman mon-
cynnes, ond eal þæt stǣr Genesis, þæt is sēo ǣreste Moises bōc;
ond eft be ūtgonge Israēla folces of Egypta londe, ond be ingonge
þæs gehātlondes, ond be ōðrum monigum spellum þæs hālgan
gewrites canones [2] bōca; ond be Crīstes menniscnesse, ond be his
ðrōwunge, ond be his ūpāstīgnesse [3] in heofonas; ond bī þæs Hālgan

---

[1] *C, Ca omit these words; they are in* T, *which, however, omits* him sum sunge
and, *the words immediately preceding.*

[2] *C omits second* n *but leaves space for it; Ca,* canoses; *T,* canones.

[3] *C,* upasagnesse: *Ca.* uppastignesse; *T,* upastignesse.

Gāstes cyme, ond þāra apostola lāre; ond eft bī þām ege þæs
tōweardan dōmes, ond be fyrhto þæs tintreglīcan wītes, ond be
swētnesse þæs heofonlīcan rīces, hē monig lēoþ geweorhte; 80
ond swylce ēac ōþer monig be þām godcundum fremsumnessum
ond dōmum hē geworhte. On eallum þām hē geornlīce gȳmde
þæt hē men ātuge fram synna lufan ond māndǣda, ond tō lufan
ond tō geornfullnesse āwehte gōdra dǣda. Forþon hē wæs, sē mon,
swīðe ǣfæst ond regollīcum þēodscypum ēaðmōdlīce underþēoded;
ond wið ðām þā ðe on ōþre wīsan dōn woldon, hē wæs mid wylme
micelre ellenwōdnesse onberned. Ond hē forþon fægere ende his
līf betȳnde ond geendade.

Forþon þā þǣre tīde nēalēcte his gewitenesse ond forðfōre, þā
wæs hē fēowertȳne dagum ǣr, þæt hē wæs līcumlīcre untrym- 90
nesse þrycced ond hefigad, hwæþere tō ðon gemetlīce þæt hē ealle
þā tīd mihte ge sprecan ge gangan. Wæs þǣr on nēaweste un-
trumra manna hūs, on þām hyra þēaw wæs þæt hī þā untruman
ond þā þe æt forþfōre wǣron, in lǣdan sceoldan, ond him þǣr
ætsomne þēnian. Þā bæd hē his þēn on ǣfenne þǣre nihte þe hē
of worulde gangende wæs, þæt hē on þām hūse him stōwe gegear-
wade, þæt hē restan mihte. Þā wundrade sē þeng for hwon hē þæs
bǣde, forþon him þūhte þæt his forðfōre swā nēh ne wǣre; dyde
hwæþere swā swā hē cwæð ond bebēad. Ond mid þȳ hē þā þǣr
on reste ēode, ond hē gefēonde mōde sumu þing ætgædere 100
mid him sprecende ond glēowiende wæs þe þǣr ǣr inne wǣron,
þā wæs ofer middeniht þæt hē frægn, hwæþer hī ǣnig hūsl þǣr inne
hæfdon. Þā ondswarodon hīe ond cwǣdon: "Hwilc þearf is þē
hūsles? Ne þīnre forðfōre swā nēh is, nū þū þus rōtlīce ond þus
glædlīce tō ūs sprecende eart." Cwæð hē eft: "Berað mē hwæþere
hūsl tō." Þā hē hit þā on handa hæfde, þā frǣng hē, hwæþer hī
ealle smylte mōd ond būtan eallum incan blīðe tō him hæfdon.
Þā ondswarodon hī ealle ond cwǣdon þæt hī nǣnigne incan tō him

wistan, ac hī ealle him swīðe blīðemōde wǣron; ond hī wrīxendlīce hine bǣdon þæt hē him eallum blīðe wǣre. þā ondswarode 110 hē ond cwæð: "Mīne brōðro, þā lēofan, ic eom swīðe blīðmōd tō ēow ond tō eallum Godes monnum." Ond hē swā wæs hine getrymmende mid þȳ heofonlīcan wegneste, ond him ōþres līfes ingang gegearwade. Ðā gȳt hē frægn, hū nēh þǣre tīde wǣre þætte þā brōðor ārīsan sceoldon ond Godes lof rǣran,[1] ond heora ūhtsang singan. Ondswearodon hī: "Nis hit feor tō þon." Cwæð hē: "Tela, utan wē wel þǣre tīde bīdan"; ond þā him gebǣd, ond hine gesēnade mid Crīstes rōdetācne, ond his hēafod onhylde tō þām bolstre, ond medmycel fæc onslǣpte, ond swā mid stilnesse his līf geendade. 120

Ond swā wæs geworden þætte swā swā hē hlūtre mōde ond byle-wite ond smyltre willsumnesse Dryhtne þēowde, þæt hē ēac swylce swā smylte dēaðe middangeard wæs forlǣtende, ond tō his gesyhðe becōm. Ond sēo tunge þe swā monig hālwende word on þæs Scyppendes lof gesette, hē þā swylce ēac þā ȳtemestan word on his herenesse, hine sylfne sēniende ond his gāst in [2] his honda bebēo-dende, betȳnde. Ēac swylce þæt is gesegen [3] þæt hē wǣre gewis his sylfes forðfōre of þām þe wē nū secgan hȳrdon.

[1] C, Ca, folc lǣran; T, lof rǣran.
[2] C, Ca, ond; T, in.   [3] C, Ca, gesægd; T, gesegen.

KING ALFRED'S VERSION OF THE
DE CONSOLATIONE PHILOSOPHIAE
OF BOETHIUS

BOETHIUS has been called "the last of the Romans"; he was considered by his contemporaries the most learned man of his time. Born about A.D. 480 of a very distinguished and wealthy old Roman family, he made for himself a career of great importance as a statesman in the Roman Empire under Theodoric, the Ostrogoth, a career which culminated in his elevation to the Headship of the Senate, the highest position a Roman citizen could hold. In his efforts to check corruption in the government Boethius necessarily made many enemies, who were, however, unable to injure him as long as he held the favor of the Emperor. When this favor finally was lost, Boethius was accused of conspiracy against Theodoric, and in spite of his eloquent defense of himself, was condemned by the Senate to imprisonment at Ticinum, an imprisonment which, prolonged, ended in his torture and death in 524. While in prison he wrote his *De Consolatione Philosophiae,* a treatise based principally on the philosophy of Aristotle and the Neo-Platonists. There is nothing definitely Christian in the *De Consolatione,* and many modern scholars think Boethius was not a Christian and was not the author of the theological treatises ascribed to him, but the mediæval Church believed that he had suffered martyrdom for the cause of orthodoxy — Theodoric, his persecutor, having been an adherent of the Arian heresy — and canonized him as St. Severinus.

The Consolation of Philosophy had a tremendous influence on the thought of the Middle Ages. Its popularity is evidenced by hundreds of extant manuscripts and by numerous translations in the various vernaculars. Of these the first in point of time was made by King Alfred, whose two most famous successors among English translators of the work were Chaucer and Queen Elizabeth.

The form of the *De Consolatione* is that of a dialogue between the author and Philosophy, who comes to comfort him in prison. It is mainly in prose, but throughout the work occur passages in verse known as *carmina* or *metra*. King Alfred translated both prose and verse into Anglo-Saxon prose, omitting what he thought would be difficult for his people to understand and adding many comments by way of explanation. A later version exists in which the *metra* are rendered into Anglo-Saxon alliterative verse. Despite the statement in Alfred's *Preface* that he made both translations, his authorship of the later version has been questioned.

Two manuscripts of the Anglo-Saxon version of *De Consolatione Philosophiae* are extant. The older of the two, Cotton Otho A VI in the British Museum, dating from the tenth century, containing the metrical version of the *carmina*, was injured in the fire which destroyed so many of the Cotton manuscripts in 1731. The other manuscript, belonging to the twelfth century, is in the Bodleian Library (No. 180), and is in perfect condition. Though a later manuscript, it represents the earlier all-prose version. A small fragment of a third manuscript also exists, which was discovered, 1886, in the Bodleian Library, by Professor A. S. Napier. The Dutch scholar, Francis Du Jon (1589–1677) better known as Francis Junius, made a transcript of the Bodleian MS. 180 and in its margins wrote many of the readings from tne Cotton MS. This transcript and a copy which Junius also made of the Cotton *metra* are in the Bodleian Library.

The following selections from Boethius, The Parable of the Sun and the Clouds, The Golden Age, and The Equality of Mankind, are Alfred's original prose versions of three of the Latin *metra*

They are taken from the Bodleian MS. 180, the only manuscript in which they appear. W. J. Sedgefield's text, *King Alfred's Old English Version of Boethius De Consolatione Philosophiae*, Oxford, 1899, has been consulted.

I. PARABLE OF THE SUN AND THE CLOUDS

Chapter 6

Lōca nū be þǣre sunnan ond ēac be ōðrum tunglum; þonne sweartan wolcnu him beforan gāð ne mahon hī þonne heora lēoht sellan. Swā ēac sē sūðerna wind hwīlum mid miclum storme gedrēfeð þā sǣ þe ǣr wæs smylte wedere glæshlutru on tō sēonne. Þonne hēo þonne swā gemenged wyrð mid ðān ȳþum, þonne wyrð hēo swīðe hraðe ungladu, þēah hēo ǣr gladu wǣre on tō lōcienne. Hwæt, ēac sē brōc, þēah hē swīfe [1] of his rihtryne, ðonne þǣr micel stān wealwiende of þām hēohan munte oninnan fealð ond hine tōdǣlð ond him his rihtrynes wiðstent. Swā dōð nū ðā þēostro þīnre gedrēfednesse wiðstandan mīnum lēohtum lārum. Ac gif 10 ðū wilnige on rihtum gelēafan þæt sōðe lēoht oncnāwan, āfyr fram þē ðā yfelan sǣlþa ond þā unnettan, ond ēac ðā unnettan ungesǣlþa ond þone yflan ege þisse worulde, þæt is þæt þū þē ne anhebbe on ofermētto on þīnre gesundfulnesse ond on ðīnre orsorgnesse, ne eft þē ne geortrȳwe nānes gōdes on nānre wiðerweardnesse. Forðām þæt mōd siemle bið gebunden mid gedrēfednesse, þǣr þissa twēga yfela āuðer [2] rīcsað.

II. THE GOLDEN AGE

Chapter 15

Þā sēo Gescēadwīsnes þā þis spell āsǣd hæfde, þā ongan hēo singan ond þus cwæð: Ēalā, hū gesǣlig sēo forme eld was þises

---

[1] *MS.* swiþe; *em. by Sedgefield.*   [2] *MS.* auðes; *em. by Sedgefield.*

midangeardes, ðā ǣlcum men þūhte genōg on þǣre eorþan wǣst-
mum. Nǣron þā welige hāmas, ne mistlīce swōtmettas, ne drincas,
ne dīorwyrðra hrægla hī ne girndan, forþām hī þā gīt nǣran, ne hīo
nānwuht ne gesāwon, ne ne gehērdon. Ne gēmdon hīe nānes
fyrenlustes, būton swīðe gemetlīce þā gecynd beēodan; ealne weg
hī ǣton ǣne on dæg, ond þæt was tō ǣfennes. Trēowa wǣstmas hī
ǣton ond wyrta, nalles scīr wīn hī ne druncan, ne nānne wǣtan hī
ne cūþon wið hunige mengan; ne seolocenra hrægla mid   10
mistlīcum blēowum hī ne gīmdon. Ealne weg hī slēpon ūte on
trīowa sceadum; hlūterra wella wæter hī druncon. Ne geseah nān
ɔēpa ēaland ne weroð, ne gehērde non mon þā gēt nānne sciphere,
ne furþon ymbe nān gefeoht sprecan. Ne sēo eorðe þā gēt besmiten
mid ofslægenes monnes blōde, ne mon furðum gewundod; ne monn
ne geseah þā gīt yfelwillende men; nǣnne weorðscipe næfdon, ne hī
non mon ne lufude. Ēalā þæt ūre tīda nū ne mihtan weorþan
swilce. Ac nū manna gītsung is swā byrnende swā þæt fȳr on
þǣre helle, sēo is on þām munte þe Ǣtne hātte, on þām īeglande
þe Sicilia hātte; sē munt bið simle swefle birnende, ond ealla   20
þā nēahstōwa þǣrymbūtan forbærnð. Ǣalā, hwæt sē forma
gītsere wǣre, þe ǣrest þā eorþan ongan delfan æfter golde, ond
æfter gimmum, ond þā frēcnan dēorwyrðnesse [1] funde þe ǣr behȳd
wæs ond behelod mid ðǣre eorþan.

III. THE EQUALITY OF MANKIND

Chapter 30, Part 2

Þā sē Wīsdōm þā ðis spell āreht hæfde, þā ongan hē singan ymbe
þæt ilce [2] ond cwæð: Hwæt, ealle men hæfdon gelīcne fruman,
forþām hī ealle cōman of ānum fæder ond of ānre mēder, ond ealle
hī bēoð gīt gelīce ācennede. Nis þæt nān wundor, forþām þe ān

---

[1] MS. deorwyrðnessa; em. by Sedgefield.
[2] MS. illce above the line; em. by Sedgefield.

God is fæder eallra gesceafta forþām hē hī ealle gescēop ond ealra welt. Sē selð þǣre sunnan lēoht, ond þām mōnan, ond ealle tungla geset. Hē gescēop men on eorþan; gegaderode þā sāula ond þone līchoman mid his þām anwealde, ond ealle menn gescēop emnæþele on þǣre fruman gecynde. Hwī ofermōdige gē þonne ofer ōðre men for ēowrum gebyrdum būton anweorce, nū gē 10 nānne ne magon mētan unæþelne? Ac ealle sint emnæþele, gif gē willað þone fruman sceaft geþencan, ond þone scippend, ond siððan ēowres ǣlces ācennednesse. Ac þā ryhtæþelo bið on þām mōde, næs on þām flǣsce, swā swā wē ǣr sǣdon. Ac ǣlc mon þe allunga underþēoded bið unþēawum forlǣt his sceppend ond his frumansceaft ond his æðelo, ond þonan wyrð anæþelad oð ðæt hē wyrð unæþele.

WESTSÆ

NORÐWEG

HÆLGOLAND

FINNAS

TERFINNAS R. Ponoi

R. Warenga

R. Mezen

R. Dwina

CWENALAND

BEORMAS

SWEOLAND

Sciringesheal

MÆORE

GOTLAND

GOTLAND

EOWLAND

BLECINGA

EG

SCONEG

BURGENDALAND

LANGALAND

SILLENDE

HÆÐUM

FALSTER

GOTLAND

ESTLAND

WITLAND

Truso

R. Wisle

R. Ilfing

WEONODLAND

—————— Ohthere's First Voyage
- - - - - - Ohthere's Second Voyage
— · — · — Wulfstan's Voyage

VII

KING ALFRED'S OROSIUS

ONE of the most important books translated by King Alfred into Old English was Orosius's *Historiarum libri vii adversus paganos*. Orosius, a native of Spain, wrote this work (*ca.* 418) at the suggestion of St. Augustine, to defend Christianity against the pagan contention that it was responsible for the decline of the Roman Empire. As history the book was inaccurate but its popularity in the Middle Ages was widespread.

King Alfred's translation, free and not always correct, has some omissions and some interpolations. Among the latter, in the first chapter of Book I, is an account of the Scandinavian Peninsula and of what is now the coast of northern Germany given to the king orally by Ohthere and Wulfstan. Ohthere, a Scandinavian, who said that he lived "northernmost of all Northmen," told Alfred about his own country and about two voyages, one of which took him around the North Cape and then east and south to the White Sea, the other of which followed a southerly route along the coast of Norway and Sweden to Denmark. Wulfstan, who may have been a Scandinavian, a Dane, or possibly an Englishman, told of his voyage from Denmark along the southern shore of the Baltic Sea. This passage is interesting not only for its content but as an example of Alfred's use of original material.

There are only two extant manuscripts of the Old English translation of Orosius's *History*: the Lauderdale MS. of the ninth century, now in the library of Helmingham Hall, Suffolk; and the Cotton MS. Tiberius B I of the eleventh century, in the British Museum. The former of these is defective, among the missing parts being the chief portion of the "Voyages." The present text is therefore from the Cotton MS. Henry Sweet edited Alfred's entire translation of Orosius in 1883 for the Early English Text Society, giving the Old English and the Latin texts and basing his edition on both manuscripts. In the preparation of the following text, Sweet's edition has been consulted.

VOYAGES OF OHTHERE AND WULFSTAN

Ōhthere sǣde his hlāforde, Ælfrēde kyningce, þæt hē ealra Norðmanna norðmest būde. Hē cwæð þæt hē būde on þǣm lande norðeweardum wiþ þā Westsǣ. Hē sǣde þēah þæt þæt land sȳ swȳðe lang norþ þanon; ac hit is eal wēste, būton on fēawum stōwum stīccemǣlum wīciað Finnas, on huntaðe on wintra, and on sumera on fiscnoðe be þǣre sǣ. Hē sǣde þæt hē æt sumum cyrre wolde fandian hū lange þæt land norþryhte lǣge, oþþe hwæðer ǣnig man be norðan þǣm wēstene būde. Þā fōr hē norðrihte be þǣm lande; lēt him ealne weg þæt wēste land on ðæt stēorbord, and þā wīdsǣ on bæcbord þrȳ dagas. Þā wæs hē swā feor norþ swā þā   10 hwælhuntan fyrrest faraþ. Þā fōr hē þā gȳt norþryhte swā feor [1] swā hē mihte on þǣm ōþrum þrīm dagum geseglian. Þā bēah þæt land þǣr ēastryhte, oþþe sīo sǣ in on ðæt lond, hē nyste hwæþer, būton hē wiste ðæt hē þǣr ābād westanwindes oþþe hwōn norþan, and seglede þanon ēast be lande swā swā hē mihte on fēower dagum geseglian. Þā sceolde hē ābīdan ryhte norðanwindes, forðan þæt land þǣr bēah sūðrihte, oþþe sēo sǣ in on ðæt land, hē nyste hwæþer. Þā seglde hē þanon sūðrihte be lande swā swā hē mihte on fīf dagum geseglian. Þā læg þǣr ān mycel ēa ūp in on þæt land. Þā cyrdon hȳ ūp in on ðā ēa, for þǣm hȳ ne dorston forþ be   20 þǣre ēa seglian for unfriþe; forðǣm þæt land wæs eall gebūn on ōþre healfe þǣre ēa. Ne mētte hē ǣr nān gebūn land, syððan hē

[1] MS. omits swa feor; supplied from Sweet's reading of the Lauderdale MS.

fram his āgnum hāme fōr; ac him wæs ealne weg wēste land on þæt
stēorbord, būtan fisceran and fugeleran and huntan, and þæt wæran
ealle Finnas; and him wæs ā wīdsæ on þæt bæcbord. Ðā Beormas
hæfdon swīþe wel gebūn hyra land; ac hī ne dorston þær on cuman.
Ac ðāra Terfinna land wæs eal wēste, būtan þær huntan gewīcodon,
oððe fisceras, oþþe fugeleras.

Fela spella him sædon þā Beormas ægþer ge of hiera āgenum
lande ge of þæm landum þe ymb hȳ ūtan wæran; ac hē nyste 30
hwæt þæs sōþes wæs, for þæm hē hit sylf ne geseah. Þā Finnas,
him þūhte, and þā Beormas sprǣcon nēah ān geþēode. Swīþost
hē fōr ðyder, tōēacan þæs landes scēawunge, for þæm horshwælum,
for ðæm hȳ habbað swȳðe æþele bān on hyra tōþum — þā tēð hȳ
brōhton sume þæm cynincge — and hyra hȳd bið swīðe gōd tō
sciprāpum. Sē hwæl bið micle læssa þonne ōðre hwalas; ne bið
hē lengra ðonne syfan elna lang. Ac on his āgnum lande is sē betsta
hwælhuntað; þā bēoð eahta and fēowertiges elna lange, and þā
mæstan, fīftiges elna lange. Þāra hē sæde þæt hē syxa sum ofslōge
syxtig on twām dagum. 40

Hē wæs swȳðe spēdig man on þæm æhtum þe heora spēda on
bēoð, þæt is, on wildēorum. Hē hæfde þā gȳt, ðā hē þone cyningc
sōhte, tamra dēora unbebohtra syx hund. Þā dēor hī hātað
"hrānas"; þāra wæron syx stælhrānas; ðā bēoð swȳðe dȳre mid
Finnum, for ðæm hȳ fōð þā wildan hrānas mid. Hē wæs mid þæm
fyrstum mannum on þæm lande. Næfde hē þēah mā ðonne twēntig
hrȳðera, and twēntig scēapa, and twēntig swȳna; and þæt lȳtle
þæt hē erede, hē erede mid horsan. Ac hyra ār is mæst on þæm
gafole þe ðā Finnas him gyldað. Þæt gafol bið on dēora fellum,
and on fugela feðerum, and hwales bāne, and on þæm sciprā- 50
pum, þe bēoð of hwæles hȳde geworht, and of sēoles. Æghwilc
gylt be hys gebyrdum. Sē byrdesta sceall gyldan fīftȳne mearðes
fell, and fīf hrānes, and ān beran fel, and tȳn ambra feðra, and

berenne kyrtel oððe yterenne, and twēgen sciprāpas; ǣgþer sȳ
syxtig elna lang, ōþer sȳ of hwæles hȳde geworht, ōþer of sīoles.

Hē sǣde ðæt Norðmanna land wǣre swȳþe lang and swȳðe
smæl. Eal þæt his man āðer oððe ettan oððe erian mæg, þæt līð
wið ðā sǣ; and þæt is þēah on sumum stōwum swȳðe clūdig; and
licgað wilde mōras wið ēastan and wið upp on emnlange þǣm
bȳnum lande.   On þǣm mōrum eardiað Finnas.   And þæt   60
bȳne land is ēasteweard brādost, and symle swā norðor swā
smælre.   Ēastewerd hit mæg bīon syxtig mīla brād, oþþe hwēne
brǣdre; and middeweard þrītig oððe brādre; and norðeweard hē
cwæð, þǣr hit smalost wǣre, þæt hit mihte bēon þrēora mīla brād
tō þǣm mōre; and sē mōr syðþan, on sumum stōwum, swā brād
swā man mæg on twām wucum oferfēran; and on sumum stōwum
swā brād swā man mæg on syx dagum oferfēran.

Ðonne is tōemnes þǣm lande sūðeweardum, on ōðre healfe þæs
mōres, Swēoland, oþ þæt land norðeweard; and tōemnes þǣm
lande norðeweardum, Cwēna land.   Þā Cwēnas hergiað   70
hwīlum on ðā Norðmen ofer ðone mōr, hwīlum þā Norðmen on
hȳ.   And þǣr sint swīðe micle meras fersce geond þā mōras; and
berað þā Cwēnas hyra scypu ofer land on ðā meras, and þanon
hergiað on ðā Norðmen; hȳ habbað swȳðe lȳtle scypa and swȳðe
leohte.

Ōhthere sǣde þæt sīo scīr hātte Hālgoland, þe hē on būde. Hē
cwæð þæt nān man ne būde be norðan him.   Þonne is ān port on
sūðeweardum þǣm lande, þone [1] man hǣt Scīringeshēal.   Þyder
hē cwæð þæt man ne mihte geseglian on ānum mōnðe, gyf man on
niht wīcode, and ǣlce dæge hæfde ambyrne wind, and ealle   80
ðā hwīle hē sceal seglian be lande.   And on þæt stēorbord him bið
ǣrest Īraland, and þonne ðā īgland þe synd betux Īralande and
þissum lande.   Þonne is þis land, oð hē cymð tō Scīrincgeshēale

----
[1] *MS.* þonne; *em. by Sweet.*

and ealne weg on þæt bæcbord Norðweg. Wið sūðan [1] þone Scīringeshēal fylð swýðe mycel sǽ ūp in on ðæt land; sēo is brādre þonne ǽnig man ofer sēon mǽge. And is Gotland on ōðre healfe ongēan, and siððan [2] Sillende. Sēo sǽ lið mænig hund mīla ūp in on þæt land.

And of Scīringeshēale hē cwæð ðæt hē seglode on fīf dagan tō þǽm porte þe mon hǽt æt Hǽþum; sē stent betuh Winedum, 90 and Seaxum, and Angle, and hýrð in on Dene. Ðā hē þiderweard seglode fram Scīringeshēale, þā wæs him on þæt bæcbord Dena-mearc and on þæt stēorbord wīdsǽ þrý dagas; and þā, twēgen dagas ǽr hē tō Hǽþum cōme, him wæs on þæt stēorbord Gotland, and Sillende, and īglanda fela. On þǽm landum eardodon Engle, ǽr hī hider on land cōman. And hym wæs ðā twēgen dagas on ðæt bæcbord þā īgland þe in tō Denemearce hýrað.

Wulfstān sǽde þæt hē gefōre of Hǽðum, þæt hē wǽre on Trūsō on syfan dagum and nihtum, þæt þæt scip wæs ealne weg yrnende under segle. Weonodland him wæs on stēorbord, and on 100 bæcbord him wæs Langaland, and Lǽland, and Falster, and Scōnēg; and þās land eall hýrað tō Denemearcan. And þonne Burgenda land wæs ūs on bæcbord, and þā habbað him sylfe [3] cyning. Þonne æfter Burgenda lande wǽron ūs þās land, þā synd hātene ǽrest Blēcinga-ēg, and Mēore, and Ēowland, and Gotland on bæcbord; and þās land hýrað tō Swēon. And Weonodland wæs ūs ealne weg on stēorbord oð Wīslemūðan. Sēo Wīsle is swýðe mycel ēa, and hīo tōlīð Wītland and Weonodland; and þæt Wītland belimpeð tō Estum; and sēo Wīsle lið ūt of Weonodlande, and lið in Estmere; and sē Estmere is hūru fīftēne mīla brād. Þonne 110

---

[1] *MS.* Norðwege bi (*above line*) wið suðan. *Final* e *of* Norðwege *and* bi *added by later hand.*

[2] *MS.* siðða; *em. by Sweet.*   [3] *MS.* sylf; *em. by Sweet.*

cymeð Ilfing ēastan in Estmere of ðǣm mere, ðe Trūsō standeð
in staðe; and cumað ūt samod in Estmere, Ilfing ēastan of East-
lande, and Wīsle sūðan of Winodlande.　And þonne benimð
Wīsle Ilfing hire naman, and ligeð of þǣm mere west and norð on
sǣ; for ðȳ hit man hǣt Wīslemūða.

þæt Eastland is swȳðe mycel, and þǣr bið swȳðe manig burh,
and on ælcere byrig bið cyningc.　And þǣr bið swȳðe mycel hunig,
and fiscnað; and sē cyning and þā rīcostan men drincað mȳran
meolc, and þā unspēdigan and þā þēowan drincað medo.　þǣr bið
swȳðe mycel gewinn betwēonan him.　And ne bið ðǣr nǣnig　120
ealo gebrowen mid Estum, ac þǣr bið medo genoh.　And þǣr is
mid Estum ðēaw, þonne þǣr bið man dēad, þæt hē līð inne unfor-
bærned mid his māgum and frēondum mōnað, ge hwīlum twēgen;
and þā kyningas, and þā ōðre hēahðungene men, swā micle lencg
swā hī māran spēda habbað, hwīlum healf gēar, þæt hī bēoð un-
forbærned and licgað bufan eorðan on hyra hūsum.　And ealle þā
hwīle þe þæt līc bið inne, þǣr sceal bēon gedrync and plega, oð
ðone dæg þe hī hine forbærnað.　Þonne þȳ ylcan dæge þe [1] hī hine
tō þǣm āde beran wyllað, þonne tōdǣlað hī his feoh, þæt þǣr tō
lāfe bið æfter þǣm gedrynce and þǣm plegan, on fīf oððe　130
syx, hwȳlum on mā, swā swā þæs fēos andefn bið.　Ālecgað hit
ðonne forhwǣga on ānre mīle þone mǣstan dǣl fram þǣm tūne,
þonne ōðerne, ðonne þǣne þriddan, oþ þe hyt eall ālēd bið on þǣre
ānre mīle; and sceall bēon sē lǣsta dǣl nȳhst þǣm tūne ðe sē dēada
man on līð.　Ðonne sceolon bēon gesamnode ealle ðā menn ðe
swyftoste hors habbað on þǣm lande, forhwǣga on fīf mīlum oððe
on syx mīlum fram þǣm fēo.　Þonne ærnað hȳ ealle tōweard þǣm
fēo.　Ðonne cymeð sē man sē þæt swiftoste [2] hors hafað tō þǣm
ǣrestan dǣle and tō þǣm mǣstan, and swā ælc æfter ōðrum, oþ
hit bið eall genumen; and sē nimð þone lǣstan dǣl sē nȳhst　140

---

[1] *MS.* þe *omitted, supplied by Sweet.*　　　　[2] *MS.* swifte; *em. by Sweet.*

þæm tūne þæt feoh geærneð. And þonne rīdeð ælc hys weges mid
ðān fēo, and hyt mōtan habban eall; and for ðȳ þær bēoð þā swiftan
hors ungefohge dȳre. And þonne his gestrēon bēoð þus eall
āspended, þonne byrð man hine ūt, and forbærneð mid his wæpnum
and hrægle; and swīðost ealle hys spēda hȳ forspendað mid þan
langan legere þæs dēadan mannes inne, and þæs þe hȳ be þæm
wegum ālecgað, þe ðā fremdan tō ærnað, and nimað. And þæt is
mid Estum þēaw þæt þær sceal ælces geðēodes man bēon for-
bærned; and gyf þār man ān bān findeð unforbærned, hī hit sceolan
miclum gebētan. And þær is mid Eastum ān mægð þæt hī 150
magon cyle gewyrcan; and þȳ þær licgað þā dēadan men swā lange,
and ne fūliað, þæt hȳ wyrcað þone cyle him [1] on. And þēah man
āsette twēgen fætels full ealað oððe wæteres, hȳ gedōð þæt ægþer [1]
bið oferfroren, sam hit sȳ sumor sam winter.

[1] *MS.* hine; *em. by Sweet.*   [1] *MS.* oþer; *em. by Sweet.*

VIII

KING ALFRED'S PREFACE TO
POPE GREGORY'S *PASTORAL CARE*

WHAT is generally conceded to be the first book translated by King Alfred, in his desire to improve the minds of his people, was the work of that great friend of the English, Pope Gregory, whose story as narrated by Bede has already been given. Gregory's book, known variously as *Liber Regulae Pastoralis, De Cura Pastorali,* or *Cura Pastoralis,* dealt with the duties of bishops, and was highly esteemed throughout the Middle Ages. Alfred's translation of it was prefaced by some original remarks on the disastrous state into which learning had fallen in England when he came to the throne, as contrasted with its flourishing condition in previous times, and on his own desire to improve this condition. A copy of the translation of the *Pastoral Care* and of Alfred's preface was to be sent to each of his bishops. The manuscript from which the following text is taken was the copy sent to Wærferð, bishop of Worcester. His name appears in the first line of the manuscript, and on the first page is written, "Ðeos boc sceal to Wiogora Ceastre."

There are two manuscripts of the Old English text, both contemporary with Alfred, Hatton MS. 20, Bodleian Library, and Cotton Tiberius B XI, British Museum, the latter in a badly mutilated condition. Sweet used both manuscripts in his edition made for the Early English Text Society (Vols. 45, 50). The following text of the *Preface* is that of the Hatton manuscript. Sweet's text has been consulted.

Ælfrēd kyning hāteð grētan Wærferð biscep his wordum luflíce ond frēondlíce; ond ðē cyðan hāte ðæt mē cōm swīðe oft on gemynd, hwelce wiotan íu wǣron giond Angelcynn, ægðer ge godcundra hāda

ge woruldcundra; ond hū gesǣliglīca tīda ðā wǣron giond Angel-
cynn; ond hū ðā kyningas ðe ðone onwald hæfdon ðæs folces on
ðām dagum Gode ond his ǣrendwrecum hȳrsumedon; ond hīe
ǣgðer ge hiora sibbe ge hiora siodo ge hiora onweald innanbordes
gehīoldon, ond ēac ūt hiora ēðel gerȳmdon; ond hū him ðā spēow
ǣgðer ge mid wīge ge mid wīsdōme; ond ēac ðā godcundan hādas
hū giorne hīe wǣron ǣgðer ge ymb lāre ge ymb liornunga, ge   10
ymb ealle ðā ðīowotdōmas ðe hīe Gode dōn scoldon; ond hū man
ūtanbordes wīsdōm ond lāre hieder on lond sōhte, ond hū wē hȳ nū
sceoldon ūte begietan, gif wē hīe habban sceoldon. Swā clǣne hīo
wæs oðfeallenu on Angelcynne ðæt swīðe fēawa wǣron behionan
Humbre ðe hiora ðēninga cūðen understondan on Englisc oððe
furðum ān ǣrendgewrit of Lǣdene on Englisc āreccean; ond ic wēne
ðæt nōht monige begiondan Humbre nǣren. Swā fēawa hiora
wǣron ðæt ic furðum ānne ānlēpne ne mæg geðencean be sūðan
Temese, ðā ðā ic tō rīce fēng. Gode ælmihtegum sīe ðonc ðæt wē
nū ǣnigne onstāl habbað lārēowa. Ond for ðon ic ðē bebīode   20
ðæt ðū dō swā ic gelīefe ðæt ðū wille, ðæt ðū ðē ðissa woruldðinga
tō ðǣm geǣmetige, swǣ ðū oftost mæge, ðæt ðū ðone wīsdōm ðe
ðē God sealde ðǣr ðǣr ðū hiene befæstan mæge, befæste. Geðenc
hwelc [1] wītu ūs ðā becōmon for ðisse worulde, ðā ðā wē hit nō-
hwæðer ne selfe ne lufodon ne ēac ōðrum monnum ne lēfdon; ðone
naman ǣnne wē lufodon ðæt wē crīstne wǣren, ond swīðe fēawa
ðā ðēawas.

    Ðā ic ðā ðis eall gemunde, ðā gemunde ic ēac hū ic geseah, ǣr
ðǣm ðe hit eall forhergod wǣre ond forbærned, hū ðā ciricean giond
eall Angelcynn stōdon māðma ond bōca gefylde, ond ēac   30
micel menigeo Godes ðīowa; ond ðā swīðe lȳtle fiorme ðāra bōca
wiston, for ðǣm ðe hīe hiora nānwuht ongiotan ne meahton, for
ðǣm ðe hȳ nǣron on hiora āgen geðīode āwritene. Swelce hīe

1 *MS.* hwelce

cwǣdon: "Ūre yldran, ðā ðe ðās stōwa ǣr hīoldon, hīe lufodon wīsdōm, ond ðurh ðone hīe begēaton welan, ond ūs lǣfdon. Hēr mon mæg gīet gesīon hiora swæð, ac wē him ne cunnon æfter spyrigean, ond for ðǣm wē habbað nū ǣgðer forlǣten ge ðone welan ge ðone wīsdōm, for ðǣm ðe wē noldon tō ðǣm spore mid ūre mōde onlūtan."

Ðā ic ðā ðis eall gemunde, ðā wundrade ic swīðe swīðe ðāra 40 gōdena wiotona ðe gīu wǣron giond Angelcynn, ond ðā bēc ealla be fullan geliornod hæfdon, ðæt hīe hiora ðā nǣnne dǣl noldon on hiora āgen geðīode wendan. Ac ic ðā sōna eft mē selfum andwyrde, ond cwæð: "Hīe ne wēndon ðætt ǣfre menn sceolden swā recelēase weorðan, ond sīo lār swā swȳðe oðfeallan; for ðǣre wilnunga hȳ hit forlēton, ond woldon ðæt hēr ðȳ māra wīsdōm on londe wǣre ðȳ wē mā geðēoda cūðon."

Ðā gemunde ic hū sīo ǣ wæs ǣrest on Ebrēisc-geðīode funden, ond eft, ðā hīe Greccas geliornodon, ðā wendon hīe hīe on hiora āgen[1] geðīode ealle, ond ēac mænige ōðre bēc. Ond eft 50 Lǣdenware swā same, siððan hīe hīe geliornodon, hīe hīe wendon ealla ðurh wīse wealhstōdas on hiora āgen geðīode. Ond ēac ealla ōðre crīstne ðīoda sumne dǣl hiora on hiora āgen geðīode wendon. For ðȳ mē ðyncð betre, gif īow swā ðyncð, ðæt wē ēac sume bēc, ðā ðe nīedbeðearfosta sīen eallum monnum tō wiotonne, ðæt wē ðā on ðæt geðīode wenden ðe wē ealle gecnāwan mægen, ond gedōn, swā wē swīðe ēaðe magon mid Godes fultume, gif wē ðā stilnesse habbað, ðæt eall sīo gioguð ðe nū is on Angelcynne frīora monna, ðāra ðe ðā spēda hæbben ðæt hīe ðǣm befēolan mægen, sīen tō liornunga oðfæste, ðā hwīle ðe hīe tō nānre ōðerre note 60 ne mægen, oð ðone first ðe hīe wel cunnen Englisc gewrit ārǣdan; lǣre mon siððan furður on Lǣdengeðīode ðā ðe mon furðor lǣran wille, ond tō hīeran hāde dōn wille.

[1] *MS.* agene, e *added by later hand.*

Ðā ic ðā gemunde hū sīo lār Lǣdengeðīodes ǣr ðissum āfeallen
wæs giond Angelcynn, ond ðēah monige cūðon Englisc gewrit
ārǣdan, ðā ongan ic ongemang ōðrum mislīcum ond manigfealdum
bisgum ðisses kynerīces ðā bōc wendan on Englisc ðe is genemned
on Lǣden *Pastoralis*, ond on Englisc *Hierdebōc*, hwīlum word be
worde, hwīlum andgit of andgiete, swā swā ic hīe geliornode æt
Plegmunde mīnum ærcebiscepe, ond æt Assere mīnum biscepe,   70
ond æt Grimbolde mīnum mæsseprīoste, ond æt Iohanne mīnum
mæsseprēoste.   Siððan ic hīe ðā geliornod hæfde, swā swā ic hīe
betst understandon cūðe, ond swā ic hīe andgitfullīcost āreccean
meahte, ic hīe on Englisc āwende; ond tō ælcum biscepstōle on
mīnum rīce wille āne onsendan; ond on ælcre bið ān æstel, sē bið
on fīftegum mancessa.[1]   Ond ic bebīode on Godes naman ðæt nān
mon ðone æstel from ðǣre bēc ne dō, ne ðā bōc from ðǣm mynstre;
uncūð hū longe ðǣr swā gelǣrede biscepas sīen, swā swā nū, Gode
ðonc, wel[2] hwǣr siendon.   For ðȳ ic wolde ðæt hīe ealneg æt
ðǣre stōwe wǣren, būton sē biscep hīe mid him habban wille,   80
oððe hīo hwǣr tō lǣne sīe, oððe hwā ōðre bī wrīte.

---

[1] *MS.* mancessan, n *added in later ink.*
[2] *MS.* ge *added by later hand above line before* wel.

IX

ÆLFRIC'S HOMILIES

ÆLFRIC, who flourished about a century after Alfred, is the chief representative of the later period of Old English prose. Born 955(?) he spent the greater part of his life in a Benedictine monastery at Winchester. In 1005 he was made abbot of another Benedictine monastery at Ensham, or Eynsham, where he lived until his death, presumably about 1020.

Ælfric was a good scholar and a prolific writer in both Latin and English. Among his most important works are two series of *Homilies*, forty in each series, to be used by the clergy on the various feast days of the church calendar; a series of *Saints' Lives;* an Anglo-Saxon-Latin *Grammar;* a Latin *Colloquium*, for which an interlinear Old English translation was later made by some unknown person; and a translation of part of the *Heptateuch*.[1]

The first of the two *Homilies* given below is part of the *Homily* for January first on the "Octaves and Circumcision of Our Lord," and deals with some of the mediæval beliefs about the beginning of the New Year. The second *Homily*, written for May third, tells the story of the Emperor Constantine, his mother Elena, and the Holy Cross.

There are many manuscripts of the *Homilies*, the best of which is in the Cambridge University Library, Gg. 3.28. This manuscript is the basis of the following text; with it were collated the Bodleian MS. 340, and, for the first *Homily*, Royal MS. 7 C XII, British Museum. The *Homily on the Cross* is not contained in the Royal MS. The only complete edition of the *Homilies* is that of Benjamin Thorpe, *The Homilies of the Anglo-Saxon Church, The First*

---

[1] Parts of the *Colloquium* and of the *Heptateuch* are given above, pp. 145 ff., 140 ff.

Part, containing the Sermones Catholici, or Homilies of Ælfric, Vol. I, London, 1844, Vol. II, London, 1846, from the Cambridge manuscript. In preparing the text Thorpe's edition has been consulted.

I. ÆLFRIC'S HOMILY ON NEW YEAR'S DAY

From the Homily on the Octaves and Circumcision of Our Lord

(*January first*)

Wē habbað oft gehȳred þæt men hātað þysne dæg gēares dæg, swylce þēs dæg fyrmest sȳ on gēares ymbryne; ac wē ne gemētað nāne geswutelunge on crīstenum bōcum, hwī þēs dæg tō gēares anginne geteald sȳ. Þā ealdan Rōmāni, on hǣðenum dagum, ongunnon þæs gēares ymbryne on ðysum dæge; and ðā Ebrēiscan lēoda on lenctenlīcere ¹ emnihte; ðā Grēciscan on sumerlīcum sunstede; and þā Egyptiscan ðēoda ongunnon heora gēares getel on hærfeste. Nū onginð ūre gerīm, æfter Rōmāniscre gesetnysse, on ðysum dæge, for nānum godcundlīcum gescēade, ac for ðām ealdan gewunan. Sume ūre ðēning-bēc onginnað on Aduentum 10 Domini; nis ðēah þǣr forðȳ ðæs gēares ord, ne ēac on ðisum dæge nis mid nānum gescēade; þēah ðe ūre gerīm-bēc on þissere stōwe geedlǣcan. Rihtlīcost bið geðūht þæt þæs gēares anginn on ðām dæge sȳ gehæfd, þe sē ælmihtiga Scyppend sunnan, and mōnan, and steorran, and ealra tīda anginn gesette; þæt is on þām dæge þe þæt Ebrēisce folc heora gēares getel onginnað; swā swā sē heretoga Moyses on ðām ælīcum bōcum āwrāt. Witodlīce God cwæð tō Moysen be ðām mōnðe, "þēs mōnað is mōnða anginn, and hē bið fyrmest on gēares mōnðum." Nū hēold þæt Ebrēisce folc ðone forman gēares dæg on lenctenlīcere emnihte, forðan 20 ðe on ðām dæge wurdon gēarlīce tīda gesette.

¹ *C*, g *above line between* n *and* c.

Sē eahtetēoða dæg þæs mōnðes þe wē hātað Martius, ðone gē hātað Hlȳda, wæs sē forma dæg ðyssere worulde. On ðām dæge worhte God lēoht, and merigen, and æfen. Ðā ēodon þrȳ dagas forð būton tīda gemetum; forðan þe tungla [1] næron gesceapene, ǣr on þām fēorðan dæge. On ðām fēorðan dæge gesette sē Ælmihtiga ealle tungla and gēarlīce tīda, and hēt þæt hī wǣron tō tācne dagum and gēarum. Nū ongynnað þā Ebrēiscan heora gēares anginn on þām dæge þe ealle tīda gesette wǣron, þæt is on ðām fēorðan dæge woruldlīcere gesceapenysse; and sē lārēow Bēda 30 telð mid micclum gescēade þæt sē dæg is XII.KL. Aprilis, ðone dæg wē frēolsiað þām hālgan [2] were Benedicte [3] tō wurðmynte, for his micclum geðincðum. Hwæt ēac sēo eorðe cȳð mid hire cīðum, þe ðonne geedcuciað, þæt sē tīma is þæt rihtlīcoste gēares anginn, ðe hī on gesceapene wǣron.

Nū wīgliað stunte men menigfealde wīgelunga on ðisum dæge, mid micclum gedwylde, æfter hǣðenum gewunan, ongēan heora crīstendōm, swylce hī magon heora līf gelengan, oþþe heora gesundfulnysse, mid þām ðe hī gremiað þone ælmihtigan Scyppend. Sind ēac manega mid swā micclum gedwylde befangene, þæt hī 40 cēpað be ðām mōnan heora fær, and heora dǣda be dagum, and nellað heora ðing wanian on mōnan-dæg, for anginne ðǣre wucan; ac sē mōnan-dæg nis nā fyrmest daga on þǣre wucan, ac is sē ōðer. Sē sunnan-dæg is fyrmest on gesceapenysse and on endebyrdnysse, and on wurðmynte. Secgað ēac sume gedwǣsmenn þæt sum orfcyn sȳ þe man blētsigan ne sceole, and cweðað þæt hī þurh blētsunge misfarað, and ðurh wyrigunge geðēoð, and brūcað þonne Godes gife him on tēonan, būton blētsunge, mid dēofles āwyrigednysse. Ælc blētsung is of Gode, and wyrigung of dēofle. God gescēop ealle gesceafta, and dēofol nāne gesceafta scyppan 50

[1] C, R, tunglan; B, tungla.   [2] C, B, halgum; R, halgan.
C, Benedick; B, R, Benedicte.

ne mæg ac hē is yfel tihtend, and lēas wyrcend, synna ordfruma, and sāwla bepæcend.

þā gesceafta ðe sind þwyrlīce geðūhte, hī sind tō wrace gesceapene yfel-dædum. Oft hālige men wunodon on wēstene betwux rēðum wulfum and lēonum, betwux eallum dēorcynne and wyrmcynne,[1] and him nān ðing derian ne mihte; ac hī tōtæron þā hyrnedan næddran mid heora nacedum handum, and þā micclan dracan ēaðelīce ācwealdon, būton ælcere dare, þurh Godes mihte.

Wā ðām men þe bricð Godes gesceafta, būton his blētsunge, mid dēofellīcum wīglungum, þonne sē ðēoda lārēow cwæð, 60 Paulus, "Swā hwæt swā gē dōð on worde, oððe on weorce, dōð symle on Drihtnes naman, þancigende þām ælmihtigan Fæder þurh his Bearn." Nis þæs mannes crīstendōm nāht, þe mid dēoflīcum wīglungum his līf ādrīhð; hē is gehīwod tō crīstenum men, and is earm hæðengylda; swā swā sē ylca apostol be swylcum cwæð, "Ic wēne þæt ic swunce on ȳdel, ðāðā ic ēow tō Gode gebīgde: nū gē cēpað dagas and mōnðas mid ȳdelum wīglungum."

Is hwæðere æfter gecynde on gesceapennysse ælc līchamlīc gesceaft ðe eorðe ācenð fulre and mægenfæstre on fullum mōnan þonne on gewanedum. Swā ēac trēowa, gif hī bēoð on fullum 70 mōnan gehēawene, hī bēoð heardran and langfærran tō getimbrunge, and swīðost, gif hī bēoð unsæpige geworhte. Nis ðis nān wīglung, ac is gecyndelīc þing[2] þurh gesceapenysse. Hwæt ēac sēo sæ wunderlīce geþwærlæcð þæs mōnan ymbrene; symle hī bēoð gefēran on wæstme and on wanunge. And swā swā sē mōna dæghwomlīce fēower pricon lator ārīst, swā ēac sēo sæ symle fēower pricon[3] lator flēowð.

Uton besettan ūrne hiht and ūre gesælða on þæs ælmihtigan Scyppendes foresceāwunge, sē ðe ealle gesceafta on ðrīm ðingum

---

[1] *C*, wurmcynne; *B, R*, wyrmcynne.　　　　[2] *C*, þincg; *B, R*, þing.
[3] *C, R*, pricum; *B*, pricon.

gesette, þæt is on gemete, and on getele, and on hefe. Sȳ him 80
wuldor and lof ā on ēcnysse. Amen.

II. ÆLFRIC'S HOMILY ON THE INVENTION OF THE HOLY CROSS

(*May third*)

Men ðā lēofostan, nū tō-dæg wē wurðiað þǣre Hālgan Rōde gemynd, ðe ūre Drihten on ðrōwode; forðan ðe hēo wæs geswutelod on ðisum dæge mannum.

Hieronimus, sē wīsa mæsseprēost, āwrāt on ðǣre bēc ðe wē hātað "Ecclesiastica Historia," þæt sum Rōmānisc cāsere wæs Constantīnus gehāten, sē wæs ēawfæst on ðēawum and ārfæst on dǣdum, crīstenra manna fultumigend, and næs ðēah gȳt gefullod. þā wann him ongēan sum wælhrēow heretoga, Maxentius gehāten, mid micclum ðrymme, wolde him benǣman his līfes and his rīces. þā fērde sē cāsere swīðe carful mid fyrde, and gelōme behēold 10 wið heofonas weard, biddende georne godcundne fultum. Ðā geseah hē on swefne, on ðām scīnendan ēastdǣle, Drihtnes rōde-tācn dēorwurðlīce scīnan; and him cwǣdon [1] ðā tō gesewenlīce englas, "þū cāsere Constantīne, mid ðisum tācne oferswīð ðīne wiðerwinnan." And hē āwōc ðā blīðe for ðǣre gesihðe and for ðan behātenan sige, and mearcode him on hēafde hālig rōdetācn, and on his gūðfanan, Gode tō wurðmynte. Hē hēt ēac smiðian of smǣtum golde āne lȳtle rōde, ðā hē lǣdde on his swīðran, bid-dende georne þone ælmihtigan Wealdend þæt sēo swīðre ne wurde ǣfre gewemmed ðurh rēadum blōde Rōmāniscre lēode, ðām ðe 20 hē geūðe ælcere dugeðe, gif Maxentius āna him wolde ābūgan, ðe ðā burh gehēold mid hetelum geðance. þā hēt Maxentius mid

---

[1] *C, only* on *is legible*; comon *in margin in another hand*; B, cwǣdon; *Thorpe,* sǣdon.

micclum swīcdōme oferbricgian ðā ēa, eal mid scipum, and syððan ðylian swā swā ōðre bricge, þæt sē cāsere sceolde ðǣron becuman; ac him sylfum getīmode swā swā hē ðām ōðrum gemynte. Sē ārlēasa gewende āna of ðǣre byrig, and hēt ðone here him æfter rīdan; hē ne gemunde ðā, for ðām micclan [1] graman, ðǣre lēasan bricge, þe hē ālecgan hēt, ac rād him āna tō ormǣte cāflīce. þā scipu tōscuton, and hē ðone grund gesōhte mid horse mid ealle, and sē here ætstōd āhred fram frēcednysse for his ānes dēaðe. 30 Swā wearð gefylled þæs cāseres bēn, þæt his hand næs besmiten, þe ðā rōde hēold, mid āgotenum blōde his āgenre burhware. Ðā wearð eal þæt folc micclum gegladod, þæt hī mōston gesunde cyrran tō ðǣre byrig; and underfēngon ðone cāsere, swā swā him gecynde wæs; and hē mid sige gesæt siððan his cynestōl, gefullod on Crīste, þe his folc gehēold.

His mōdor wæs crīsten, Elena gehāten, swīðe gelȳfed mann, and ðearle ēawfæst. þā fērde hēo tō Hierusalem, mid fullum gelēafan, wolde ðā rōde findan ðe Crīst on ðrōwade. Hēo becōm tō þǣre stōwe, swā hire geswutelode God, þurh heofenlīcere gebīc- 4c nunge, and āfunde ðrēo rōda, ān wæs ðæs Hælendes, and ðā ōðre ðǣra ðēofa. Ðā nyste hēo gewiss hwilc wǣre Crīstes rōd, ærðan ðe hē mid tācnum hī geswutelode. þā wearð sēo cwēn micclum gegladod þæt hēo mōste ðone māðm on moldan findan, and siððan ðurh tācnum swutelunge oncnāwan. Ārǣrde ðā cyrcan on ðǣre cwealm-stōwe, þǣr sēo rōd on læg, þām lēofan Drihtne, and bewand ænne dǣl ðǣre hālgan rōde mid hwītum seolfre and hī ðǣr gesette, and ðone ōðerne dǣl lǣdde tō hire suna, and ðā īsenan næglas þe wǣron ādrifene þurh Crīstes folman, ðāðā hē gefæstnod wæs.

Ðus wrāt Hieronimus, sē wīsa trahtnere, be ðǣre hālgan 5c rōde, hū hēo wearð gefunden. Gif hwā elles secge, wē scēotað tō him. Crīstene men sceolon sōðlīce ābūgan tō gehālgodre rōde on

[1] *C.* micclum; *B*, micclan.

ðæs Hǣlendes naman, forðan ðe wē nabbað ðā ðe hē on ðrōwade, ac hire anlīcnys bið hālig swā-ðēah, tō ðǣre wē ābūgað on gebedum symle tō ðām mihtigan Drihtne, þe for mannum ðrōwade; and sēo rōd is gemynd his mǣran þrōwunge, hālig ðurh hine, ðēah ðe hēo on holte wēoxe. Wē hī wurðiað ā for wurðmynte Crīstes, sē ðe ūs ālȳsde mid lufe ðurh hī, þæs wē him ðanciað symle on līfe.

X

WULFSTAN'S *SERMON TO THE ENGLISH*

WULFSTAN, who also called himself by his Latin name Lupus,
Archbishop of York from 1002 to 1023, was — like Ælfric — one
of the group of men associated with the revival of learning in
England under Dunstan in the latter part of the tenth and early
part of the eleventh centuries. His writing is representative of the
same period of Old English as Ælfric's but lacks Ælfric's smooth-
ness of style. Although over fifty homilies have been ascribed to
him, many of these he probably did not write. Of those indubi-
tably his the best-known is the "Sermon to the English" delivered
in 1014, containing a fiery denunciation of the sins of the people in
the time of Æthelred the Unready, sins which according to Wulfstan
had called down God's wrath upon them in the form of the Danish
invasions.

The following text is taken from Hatton MS. 113 (H) in the
Bodleian Library (formerly Junius 99), which gives the sermon in
its most complete form. With this have been collated three other
manuscripts, Cotton Nero A I (N) in the British Museum and
Cambridge Corpus Christi MSS. 419, formerly S 14 (C I), and 201,
formerly S 18 (C II). All three of these, especially the last two,
have omitted passages contained in the Hatton MS., while on the
other hand C I and C II have a few interpolations not contained
in either H or N. C II is the shortest of the manuscripts, having
omitted the most denunciatory parts of the sermon. A fifth but
less important manuscript also exists, Bodleian NE. F. IV. 12.
The best edition is that of A. S. Napier, *Wulfstan's Homilies*, Ber-
lin, 1883, which, as well as Sweet's *Anglo-Saxon Reader* (9th ed.,
Oxford, 1922), has been consulted.

SERMO LUPI AD ANGLOS QUANDO DANI MAXIME PERSECUTI SUNT EOS, QUOD FUIT IN DIES ÆÞELREDI REGIS

Lēofan men, gecnāwað þæt sōð is: ðēos woruld is on ofste, and hit nēalǣcð þām ende; and ðȳ hit is on worulde ā swā leng swā wyrse, and swā hit sceal nȳde for folces synnan fram dæge tō dæge ǣr Antecrīstes tōcyme yfelian swȳðe; and hūru hit wyrð þænne egeslīc and grimlīc wīde on worulde.

Understandað ēac georne þæt dēofol þās þeode nū fela gēara dwelode tō swȳðe, and þæt lȳtle getrȳwða wǣron mid mannum, þēah hī wel spǣcan; and unrihta tō fela rīcsode on lande, and næs ā fela manna þe smēade ymbe þā bōte swā georne swā man scolde; ac dæghwamlīce man īhte yfel æfter ōðrum, and unriht rǣrde   1c and unlaga manege ealles tō wīde gynd ealle þās ðēode.   And wē ēac for ðām habbað fela byrsta and bysmara gebiden; and gyf wē ǣnige bōte gebīdan sculan, þonne mōte wē þæs tō Gode earnian bet þonne wē ǣr ðison dydon.   For ðām mid miclan earnungan wē geearnodon þā yrmða þe ūs on sittað, and mid swȳðe miclan ear-nungan wē þā bōte mōtan æt Gode gerǣcan, gyf hit sceal heonan forð gōdiende wurðan.   Lā hwæt wē witan ful georne þæt tō myclan bryce sceal mycel bōt nȳde, and tō miclum bryne wæter unlȳtel, gif man þæt fȳr sceal tō āhte ācwæncan.   And mycel is nȳdþearf ēac manna gehwylcum þæt hē Godes lage gȳme   20 heonan forð georne bet þonne hē ǣr dyde, and Godes gerihta mid rihte gelǣste.

On hǣðenum þēodum ne dear man forhealdan lȳtel ne mycel þæs þe gelagod is tō gedwolgoda weorðunge; and wē forhealdað ǣghwǣr Godes gerihta ealles tō gelōme.   And ne dear man ge-wanian on hǣðenum þēodum inne ne ūte ǣnig þæra þinga þe ꞅedwolgoꝺan brōht bið and tō lācum betǣht bið: and wē habbað

Godes hūs inne and ūte clǣne berȳpte. And ēac syndan Godes
þēowas mǣþe and munde gewelhwǣr bedǣlde; and sume men
secgaðþ þæt gedwolgoda [1] þēnan ne dear man misbēodan on 30
ǣnige wīsan mid hǣþenum lēodum, swā swā man Godes þēowum
nū dēðþ tō wīde, þǣr Crīstene scoldan Godes lage healdan and
Godes þēowas griðian.

Ac sōðþ is þæt ic secge, þearf is þǣre bōte, for þām Godes gerihta
wanedan tō lange innan þysan earde on ǣghwylcum ende, and
folclaga wyrsedan ealles tō swȳðe syððan Ēadgār geendode, and
hālignessa syndon tō griðlēase wīde, and Godes hūs syndon tō
clǣne berȳpte ealdra gerihta and innan bestrȳpte [2] ǣlcra gerisena; [3]
and wydewan syndon wīde fornȳdde on unriht tō ceorle, and tō
mǣnige foryrmde and gehȳnede swȳðe, and earme men syndan 40
sāre beswicene and hrēowlīce besyrwde, and ūt of ðisan earde wīde
gesealde swȳðe unforworhte fremdum tō gewealde, and cradolcild
geþēowode þurh wǣlhrēowe unlaga for lȳtelre þȳfðe wīde gynd
þās þēode; and frēoriht fornumene, and ðrǣlriht generwde, and
ǣlmesriht gewanode, and hrǣdest is tō cweþenne Godes laga lāðe
and lāra forsewene; and ðæs wē habbaðþ ealle þurh Godes yrre
bysmor gelōme, gecnāwe sē ðe cunne, and sē byrst wyrðþ gemǣne,
þēah man swā ne wēne, ealre þisse þēode, būtan God gebeorge.

For ðām hit is on ūs eallum swutol and gesȳne þæt wē ǣr þysan
oftor brǣcon þonne wē bēttan, and ðȳ is þisse þēode fela 50
onsǣge. Ne dohte hit nū lange [4] inne ne ūte, ac wǣs here and
hunger, bryne and blōdgyte on gewelhwylcon ende oft and gelōme;
and ūs stalu and cwalu, strīc and steorfa, orfcwealm and uncoðu,
hōl and hete and rȳpera rēaflāc derede swȳðe þearle, and ūs un-

---

[1] *H, C II*, gedwolgodan; *C I, N*, gedwolgoda.
[2] *H*, berypte; *C I, N*, bestrypte; *C II*, bestripte.
[3] *H*, rysena; *C II, N*, gerisena; *C I*, gerisna.
[4] *H*, lance; *C I, C II, N*, lange.

gylda swȳðe gedrehton, and ūs unwedera for oft wēoldan un-
wæstma.

For þām on þisan earde wæs, swā hit þincan [1] mæg, nū fela
gēara unrihta fela and tealte getrȳwða æghwær mid mannum. Ne
bearh nū for oft gesib gesibban þe mā þe fremdan, ne fæder his
bearne, ne hwīlum bearn his āgenum fæder, ne brōðor ōðrum. 60
Ne ūre nænig his līf ne fadode swā swā hē scolde, ne gehadode re-
gollīce ne læwede lahlīce; ac worhtan lust ūs tō lage ealles tō ge-
lōme, and nāðor ne hēoldan ne lāre ne lage Godes ne manna swā
swā wē scoldan. Ne ænig wið ōþerne getrȳwlīce þōhte swā rihte
swā hē scolde, ac mæst ælc swīcode and ōðrum derede wordes and
dæde; and hūru unrihtlīce mæst ælc ōþerne æftan hēaweð mid
scandlīcan onscytan and mid wrohtlācan: dō māre gyf hē mæge.

For þām hēr syn on lande ungetrȳwðe micle for Gode and for
worulde, and ēac hēr syn on earde on mistlīce wīsan hlāfordswican
manege. And ealra mæst hlāfordswice sē bið on worulde 70
þæt man his hlāfordes sāule beswīce and ful mycel hlāfordswice ēac
bið on worulde þæt man his hlāford of līfe forrǣde oððon of lande
lifiendne [2] drīfe; and ægðer is geworden innan þisan earde. Ēad-
werd man forrǣdde and syððan ācwealde, and æfter þām forbærnde.
And godsibbas and godbearn tō fela man forspilde wīde gynd þās
þēode, tōēacan ōðran ealles tō manegan þe man unscyldige forfōr
ealles tō wīde. And ealles tō manege hālige stōwa wīde forwurdan
þurh þæt þe man sume men ǣr þām gelōgode swā man nā ne scolde,
gif man on Godes griðe mǣðe witan wolde. And crīstenes folces
tō fela man gesealde ūt of þām earde nū ealle hwīle; and eal 80
þæt is Gode lāð, gelȳfe sē ðe wille....

Ēac wē witan georne hwǣr sēo yrmð gewearð þæt fæder gesealde
bearn wið weorðe, and bearn his mōdor, and brōðor sealde ōþerne

---

[1] H, þincon; C I, þyncan; C II, N, þincan.
[2] H, lifiendum; N, lifiendne; C I, lifigende; C II, lifigendne.

fremdum tō gewealde ūt of ðisse þēode; and eal þæt syndon micle and egeslīce dæda, understande sē ðe wille. And gȳt hit is māre and ēac mænigfealdre [1] þæt dereð þysse þēode. Mænige syndan forsworene and swȳðe forlogene, and wed synd tōbrocene oft and gelōme; and þæt is gesȳne on þisse þēode þæt ūs Godes yrre hetelīce on sit, gecnāwe sē ðe cunne.

And lā hū mæg māre scamu þurh Godes yrre mannum 90 gelimpan þonne ūs dēð gelōme for āgenum gewyrhtum? Ðēah þræla hwylc hlāforde æthlēape, and of crīstendōme tō wīcinge weorðe, and hit æfter þām eft geweorðe þæt wæpngewrixl weorðe gemæne þegene and þræle; gyf þræl þæne þegen fullīce āfylle, licge ægylde ealre his mægðe, and gyf sē þegen þæne þræl þe hē ær āhte fullīce āfylle, gylde þegengylde. Ful earmlīce laga and scandlīce nȳdgyld þurh Godes yrre ūs syn gemæne, understande sē ðe cunne, and fela ungelimpa gelimpð þysse þēode oft and gelōme. Ne dohte hit nū lange inne ne ūte, ac wæs here and hete on gewel-hwilcum ende oft and gelōme, and Engle nū lange eal sigelēase, 100 and tō swȳðe geyrgde [2] þurh Godes yrre, and flotmen swā strange þurh Godes geþafunge þæt oft on gefeohte ān fēseð tȳne, and hwīlum læs, hwīlum mā, eal for ūrum synnum.... And oft þræl þæne þegen þe ær wæs his hlāford cnyt swȳðe fæste, and wyrcð him tō þræle þurh Godes yrre.

Wālā ðære yrmðe and wālā þære woruldscame þe nū habbað Engle eal þurh Godes yrre! Oft twēgen sæmen oððe þrȳ hwīlum drīfað þā drāfe crīstenra manna fram sæ tō sæ ūt ðurh þās þēode gewylede tōgædere ūs eallum tō woruldscame, gyf wē on eornost ænige cūðan, oððon wē woldan ā riht understandan. Ac 110 ealne þæne bysmor þe wē oft þoliað wē gyldað mid weorðscype

---

[1] H, manige fleardre; C I, menigfealdre; C II, N, mænigfealdre.

[2] H, geyrwde; C II, geyrgde; N, geyrgde, *with* i *inserted after* r; C I *omits passage.*

þām þe ūs scendaÞ: wē him gyldaÞ singāllīce, and hȳ ūs hȳnaÞ
dæghwamlīce. Hȳ hergiaÞ and hȳ bernaÞ, rȳpaÞ and rēafiaÞ, and
tō scipe lædaÞ; and lā hwæt is ænig ōÞer on eallum þām gelimpum
būtan Godes yrre ofer þās þēode swytolgesȳne?

Nis ēac nān wundor, þēah ūs mislimpe, for Þām wē witan ful
georne þæt nū fela gēara men nā ne rōhton for oft hwæt hȳ worhtan
wordes oÞÞe dæde; ac wearÞ þēs þēodscype, swā hit þincan mæg,
swȳÞe forsyngod þurh mænigfealde synna and þurh fela misdæda,
þurh morÞdæda and Þurh māndæda, þurh gītsunga and Þurh   120
gīfernessa, þurh stala and þurh strūdunga, þurh mansylena and
Þurh hæþene [1] unsida, þurh swīcdōmas and Þurh searacræftas,
þurh lahbrycas and Þurh æswicas, þurh mægræsas and Þurh man-
slihtas, þurh hādbrycas and Þurh æwbrycas, þurh sibblegeru and
Þurh mistlīce forligru. And ēac syndan wīde, swā wē ær cwædan,
þurh āÞbrycas and Þurh wedbrycas and Þurh mistlīce lēasunga
forloren and forlogen mā þonne scolde, and frēolsbricas and fæsten-
bricas wīde geworhte oft and gelōme. And ēac hēr syn on earde
apostatan ābroÞene, and cyrichatan hetole, and lēodhatan grimme
ealles tō manege, and oferhogan wīde godcundra rihtlaga and   130
crīstenra þēawa, and hōcorwyrde dysige æghwær on þēode oftost
on Þā þing þe Godes bodan bēodaÞ, and swȳÞost on þā þing þe
geornost tō Godes lage gebyriaÞ mid rihte.

And þȳ is nū geworden wīde and wīde tō ful yfelan gewunan
þæt menn swȳÞor scamaÞ nū for gōddædan þonne for misdædan;
for Þām tō oft man mid hōcere gōddæda hyrweÞ and gōdfyrhte
lehtreÞ ealles tō swȳÞe, and swȳÞost man tæleÞ and mid olle
gegrēteÞ ealles tō gelōme þā Þe riht lufiaÞ and Godes ege habbaÞ
be ænigum dæle. And Þurh þæt þe man swā dēÞ þæt man eal
hyrweÞ þæt man scolde herian, and tō forÞ lāþaÞ [2] þæt man   140

---

[1] *H*, hæþena; *C I, C II, N*, hæþene.

[2] *H*, laþet; *C II, N*, laÞet; *C I*, laÞeÞ.

scolde lufian, þurh þæt man gebringeð ealles tō manege on yfelan
geðance and on undǣde, swā þæt hȳ ne scamað nā, þēah hȳ
syngian swȳðe, and wið God sylfne forwyrcan hī mid ealle; ac
for īdelan onscytan hȳ scamað þæt hȳ bētan heora misdǣda, swā
swā bēc tǣcan, gelīce þām dwǣsan þc for heora prȳtan lēwe nellað
beorgan ǣr hȳ nā ne magan, þēah hȳ eall willan.

Hēr syndan þurh synlēawa, swā hit þincan mæg, sāre gelēwede
ʒō manege on earde. Hēr syndan, swā wē ǣr sǣdon, mannslagan
and mǣgslagan and sācerdbanan and mynsterhatan and hlāford-
swican and ǣbere apostatan, and hēr syndan mānswaran and / 150
morðorwyrhtan, and hēr syndan hādbrecan and ǣwbrecan, and
ðurh siblegeru and ðurh mistlīce forligeru forsyngode swȳðe, and
hēr syndan myltestran and bearnmyrðran and fūle forlegene hō-
ringas manege, and hēr syndan wiccan and wælcerian, and hēr
syndan rȳperas and rēaferas and woruldstrūderas and ðēofas and
þēodscaðan and wedlogan and wǣrlogan, and hrǣdest is tō cwe-
þenne māna and misdǣda ungerīm ealra.

And þæs ūs ne scamað nā, ac þæs ūs scamað swȳðe þæt wē bōte
āginnan, swā swā bēc tǣcan, and þæt is gesȳne on þisse earman
forsyngodon þēode. Ēalā mycel magan manege gȳt hēr- 160
tōēacan ēaþe beðencan þæs ðe ān man ne mihte on hrǣdinge ā-
smēagean hū earmlīce hit gefaren is nū ealle hwīle wīde gynd þās
ðēode. And smēage hūru georne gehwā hine sylfne, and ðæs nā
ne latige ealles tō lange; ac lā on Godes naman utan dōn swā ūs
nēod is, beorgan ūs sylfum swā wē geornost magan, þē læs wē
ætgædere ealle forweorðan.

Ān þēodwita wæs on Brytta tīdum, Gildas hātte, sē āwrāt be
heora misdǣdum, hū hī mid heora synnan swā oferlīce swȳðe God
gegrǣmedon þæt hē lēt æt nȳhstan Engla here heora eard gewinnan,
and Brytta dugeðe fordōn mid ealle. And þæt wæs geworden, 17c
þæs þe hē sǣde, þurh gelǣredra regolbryce and ðurh lǣwedra

lahbryce, þurh rīcra rēaflāc, and ðurh gītsunge wōhgestrēona, ðurh lēoda [1] unlaga, and ðurh wōhdōmas, ðurh bisceopa āsolcennesse and unsnotornesse, and ðurh lȳðre yrhðe Godes bydela, þe sōðes geswugedan ealles tō gelōme, and clūmedan mid ceaflum þǣr hȳ scoldan clypian, ðurh fūlne ēac folces gǣlsan, and ðurh oferfylla and mænigfealde synna heora eard hȳ forworhton, and sylfe hī forwurdan.

Ac utan dōn swā ūs þearf is, warnian ūs be swilcan; and sōð is þæt ic secge, wyrsan dǣda wē witan mid Englum sume ge- 180 wordene þonne wē mid Bryttan āhwār gehȳrdan; and ðȳ ūs is þearf micel þæt wē ūs beþencan, and wið God sylfne þingian georne. And utan dōn swā ūs þearf is, gebūgan tō rihte, and be suman dǣle unriht forlǣtan, and bētan swȳðe georne þæt wē ǣr brǣcan; and utan God lufian and Godes lagum fyligean, and gelǣstan swȳðe georne þæt þæt wē behētan þā wē fulluht underfēngan oððon þā ðe æt fulluhte ūre forespecan wǣron. And utan word and weorc rihtlīce fadian, and ūre ingeðanc clǣnsian georne, and āð and wedd wærlīce healdan, and sume getrȳwða habban ūs betwēonan būtan uncræftan, and utan gelōme understandan þone miclan dōm 190 þe wē ealle tō sculan, and beorgan [2] ūs georne wið þone weallendan bryne helle wītes, and geearnian ūs þā mǣrða and ðā myrhða þe God hæfð gegearwod þām ðe his willan on worulde gewyrcað God ūre helpe. Amen.

[1] *H, N*, leode; *C I, C II omit the passage.*
[2] *H*, beorhgan; *N, C I, C II*, beorgan.

XI

LAWS OF ALFRED

AMONG the many tasks which King Alfred set for himself was a recodification of the laws of his kingdom. Ine, one of his predecessors in Wessex, who lived in the late seventh and early eighth centuries, had enacted a code of laws which became known as Ine's Laws. These Alfred reënacted, putting them into the language of his own day and adding to them new material.

The following selections from the *Laws*, including some of Alfred's additions and some of the reënacted laws of Ine, are taken from MS. 173 in Corpus Christi College Library, Cambridge, the same manuscript which contains the Parker *Chronicle*. The standard edition of the *Laws* is that of F. Liebermann, *Die Gesetze der Angelsächsen*, Tom. III, Halle, 1903, which with Thorpe's *Ancient Laws and Institutes of England*, London, 1840, has been consulted.

VI

Be circena friðe

Ēac wē settað æghwelcere cirican ðe biscep gehālgode ðis frið, gif hīe fāh mon geierne oððe geœrne, þæt hine seofan nihtum nān mon ūt ne tēo; gif hit þonne hwā dō, ðonne sīe hē scyldig cyninges mundbyrde ond þǣre cirican friðes, māre gif hē ðǣr māre of gefō gif hē for hungre libban mæge, būton hē self ūt feohte.

Gif hīwan hiora cirican māran þearfe hæbben, healde hine mon on ōðrum ærne ond ðæt næbbe ðon mā dura þonne sīo cirice; gewīte ðǣre cirican ealdor þæt him mon on þām fierste mete ne selle.

VIII

Be ðon þe mon on cynges healle feohte   10

Gif hwā in cyninges healle gefeohte oððe his wǣpn gebrēde and hine mon gefō, sīe ðæt on cyninges dōme swā dēað swā līf, swā hē him forgifan wille.   Gif hē losige and hine mon eft gefō, forgielde hē hine self ā be his weregilde, and ðone gylt gebēte swā wer swā wīte, swā hē gewyrht āge.

XIIII

Be dumbera monna dǣdum

Gif mon sīe dumb oððe dēaf geboren þæt hē ne mǣge synna on-secggan ne geandettan, bēte sē fæder his misdǣda.

XXXVII

Be bōclondum

Sē mon sē ðe bōcland hæbbe ond him his mǣgas lǣfden,   20 þonne setton wē þæt hē hit ne mōste sellan of his mǣgburge, gif þǣr bið gewrit oððe gewitnes ðæt hit ðāra manna forbod wǣre þe hit on fruman gestrīndon ond þāra þe hit him sealdon, þæt hē swā ne mōte; ond þæt þonne on cyninges ond on biscopes gewitnesse gerecce beforan his mǣgum.

XL

Be hēafod-wunde

Hēafod-wunde tō bōte, gif ðā bān bēoð būtū ðyrel, xxx scillinga geselle him mon.

Gif ðæt ūterre bān bið þyrel, geselle xv scillinga tō bōte.

XLI

Be feax-wunde 30

Gif in feaxe bi�ð wund inces lang, geselle ānne scilling tō bōte.
Gif beforan feaxe bi�ð wund inces lang, twēgen scillinga tō bōte.

XLII

Be ēar-slege

Gif him mon āslēa ōþer ēare of, geselle xxx scillinga tō bōte.
Gif sē hlyst o�ð stande, þæt hē ne mæge gehīeran, geselle lx scillinga tō bōte.

XLVII

Be sunnan-dæges weorcum

Gif �ð ēowmon wyrce on sunnan-dæg be his hlāfordes hæse, sīe hē frīoh, ond sē hlāford geselle xxx scillinga tō wīte.

Gif þonne sē ☐ ēowa būtan his gewitnesse wyrce, þolie his 40 hȳde.

Gif ☐ onne sē frīgea ☐ȳ dæge wyrce būtan his hlāfordes hæse, ☐ olie his frēotes.

LI

Be stale

Gif hwā stalie, swā his wīf nyte ond his bearn, geselle lx scillinga tō wīte.

Gif hē ☐ onne stalie on gewitnesse ealles his hīredes, gongen hīe ealle on ☐ ēowot.

X wintre cniht mæg bīon ☐īef☐e gewita.

LVI

Be gefongenum ðēofum 56

Gif ðēof sīe gefongen, swelte hē dēaðe, oððe his līf be his were man ālīese.

LVII

Be ðām ðe hiora gewitnessa beforan biscepe ālēogað

Gif hwā beforan biscepe his gewitnesse ond his wed ālēoge, gebēte mid cxx scillinga.

Ðēofas wē hātað oð vii men; from vii hlōð oð xxxv; siððan bið here.

LX

Be ðēof-slege

Sē ðe ðēof ofslihð sē mōt gecȳðan mid āðe þæt hē hine synnigne ofslōge nalles ðā gegildan. 60

LXXV

Be ðon þe mon wīf bycgge ond þonne sīo gift tōstande

Gif mon wīf gebycgge, ond sīo gyft forð ne cume, āgife þæt feoh, ond forgielde, ond gebēte þām byrgean, swā his borgbryce sīe.

LXXVIII

Be mon-slihte

Sē ðe on ðǣre fōre wǣre þæt mon monnan ofslōge, getrīewe hine ðæs sleges ond ðā fōre gebēte be ðæs ofslegenan wergielde; gif his wergield sīe cc scillinga gebēte mid l scillinga ond ðȳ ilcan ryhte dō man be ðām dēorborenran.

LXXXII

Be þon ðe ryht-gesamhīwan bearn hæbben ond þonne
sē wer gewīte

Gif ceorl ond his wīf bearn hæbben gemǣne, ond fēre sē ceorl
forð, hæbbe sīo mōdor hire bearn ond fēde: āgife hire mon vi
scillinga tō fostre, cū on sumera, oxan on wintra; healden þā
mǣgas þone frumstōl, oð ðæt hit gewintred sīe.

CIII

Be cūus horne

Cūu horn bið twēgea pæninga, oxan tægl bið scilling weorð,
cūs bið fīfa, oxan ēage bið v pæninga [1] weorð, cūs bið scilling
weorþ; mon sceal simle tō beregafole āgifan æt ānum wyrhtan vi
wǣga.

CXIII

Be scēapes gonge mid his flīese   80

Scēap sceal gongan mid his flīese oð midne sumor; oððe gilde
þæt flīes mid twām pæningum.

CXVI

Be wergeldðēofes forefonge

Gif mon wergildðēof gefēhð ond hē losige ðȳ dæge þām monnum
ðe hine gefōð, þēah hine mon gefō ymb niht, nāh him mon māre æt
ðone fulwīte.

[1] *MS.* v. p.

XII

WILLS

THE two following wills of Alfred and Lufa are representative of this type of document in Old English. Both are written in the dialect of Kent or Surrey. The Alfred who made the first of these wills was evidently, from his title of *dux*, one of King Alfred's war leaders. This same Alfred, his wife Werburg, and his daughter Alhthryth, appear also as the donors of a beautiful Latin manuscript of the Gospels which, they state in the inscription, they purchased from the heathen and gave to the Church for the glory of God. The second will, which was made by a nun, Lufa, provides for the church at Mundlingham in the time of Archbishop Celnoth.

Alfred's Will, Stowe Charter 20 in the British Museum, is written on both sides of a single piece of parchment from which former writing has been erased. The script has two labels, one in Old English, *þis is Ælfredes ærfegewrit*, the other in Latin, *Testamentum Elfredi ducis*, below which is written *anglice*. Lufa's Will is also in the British Museum, in MS. Cotton Augustus II, 92. Both have been edited by Sweet in his *Oldest English Texts*, Early English Text Society, 1885. The following texts are from the manuscripts, Sweet's edition also having been consulted.

I. ALFRED'S WILL

Ic Ælfrēd dux hātu wrītan ond cȳðan an ðissum gewrite Ælfrēde regi ond allum his weotum ond geweotan, ond ēc swylce mīnum mēgum ond mīnum gefēorum, þā men þe ic mīnes ærfes ond mīnes bōclondes sēolest onn, ðæt is þonne Wērburg mīn wīf ond uncer gemēne bearn.[1] Þæt is þonne et erestan an Sondenstede ond on Selesdūne XXXII hīda, ond on Westarhām XX hīda, ond on Cloppahām XXX hīda, ond on Lᵉangafelda VI hīda, ond on

[1] *MS.* þ.

Horsalēge X hīda, ond on Netelāmstyde VI hīda. Ic Ælfrēd dux
sello Wērburge ond Alhðrȳðe [1] uncum gemēnum bearne æfter
mīnum dege þās lond mid cwice erfe ond mid earðe ond mid   10
allum ðingum ðe tō londum belimpað. Ond twā þūsendu swīna
ic heom sello mid þēm londum, gif hīo hīo gehaldeð mid þāre clǣn-
nisse þe uncer wordgecweodu seondan. Ond hīo gebrenge æt
Sancte Pētre mīn twā wergeld, gif ðet Godes willa sēo þæt hēo þæt
fǣreld āge. Ond æfter Wērburge dæge sēo Alhðrȳðe þā lond
unbefliten on Sondemstyde ond on Selesdūne ond Leangafelda.
Ond gif hēo bearn hæbbe, fēo ðæt bearn tō ðǣm londum æfter hire;
gif hēo bearn nǣbbe, fēo ðonne an hire rehtfæderen sīo nēste hond
tō þēm londe ond tō ðēm ærfe. Ond swā hwylc mīnra fædrenmēga
swā ðæt sīo þæt hine tō ðan gehagige þæt hē þā ōðoro lond   20
begeotan mæge ond wille, þonne gebygcge hē þā lond æt hire mid
halfe weorðe. Ond swē hwylc mon swā ðæt sīo þæt ðes londes
brūce ofer mīnne dæg on Cloppahām, þanne geselle hē CC peninga
æghwylce gēre tō Ceortes-ēge for Ælfrēdes sāwle tō feormfultume.
Ond ic sello Æðelwalde mīnum sunu III hīda bōclondes: II hīda on
Hwǣtedūne, ānes hīdes an Gātatūne, ond him sello þēr-tō C
swīna; ond gif sē cyning him geunnan wille þæs folclondes tō ðēm
bōclonde, þonne hæbbe hē ond brūce; gif hit þæt ne sīo, þonne
selle hīo him swā hwaðer swā hīo wille, swā ðæt lond an Horsalēge,
swē ðæt an Leangafelda. Ond ic sello Berhtsige mīnum mēge   30
ān hīde bōclondes on Læncanfelda, ond þēr-tō C swīna; ond geselle
hīo C swīna tō Crīstes-cirican for mē ond fer mīne sāwle, ond C tō
Ceortes-ēge; ond þone oferǣcan mon gedǣle gind mynsterhāmas tō
Godes ciricum in Sūþregum ond in Cǣnt, þā hwīle þe hīo lēstan
willæn. Ond ic sello Sigewulfe mīnum mēge ofer Wērburge dæg
þæt lond an Netelhǣmstyde; ond Sīgulf geselle of ðēm londe C
pǣninga tō Crīstes-cirican. Ond ēghwylc þāra ærfewearda þe
æfter him tō ðǣm londe fōe, þonne āgeofen hīo þā ilcan elmessan

[1] *MS.* Alhdryðe.

tō Crīstes-cīrican for Ælfrēdes sāwle, þā hwīle þe fulwiht sīo, ond hit man on ðǣm londe begeotan mǣge.   Ond ic sello   40 Ēadrēde mīnum mēge þet lond on Fearnlēge æfter Eðelrēdes dæge, gif hē hit tō him geearnian wile; ond hē geselle of ðēm londe XXX ombra cornes æghwelce gēre tō Hrōfescestre; ond sīo ðis lond gewriten ond unbefliten æfter Ēadrēdes dege in Ælfrēdes rehtmēodrencynn ðā hwīle þe fulwiht ¹ sīo on Angelcynnes ēalonde.   Ðēos foresprēc ond þās gewriotu þe hēr-beufan āwreotene stondað, ic Ælfrēd willio ond wille þæt hīo sīon sōðfæstlīce forðweard getrymed mē ond mīnum ærfeweardum.   Gif ðæt ðonne God ællmæhtig getēod habbe, ond mē þæt on lǣne gelīð þæt mē gesibbra ærfeweard forðcymeð wēpnedhādes ond ācænned weorðeð, ðanne ann   50 ic ðǣm ofer mīnne dæg alles mīnes ærfes tō brūcenne swā him lēofust sīo.   And swā hwylc mon swā ðās gōd ond þās geofe ond þās gewrioto ond þās word mid rehte haldan wille ond gelǣstan, gehalde hine heofones cyning in þissum līfe ondwardum, ond ēac swā in þǣm tōwardan līfe; ond swā hwylc mon swā hīo wonie ond breoce, gewonie him God almahtig his weorldāre ond ēac swā his sāwle āre.

Hēr sindon ðǣra manna naman āwritene ðe ðeosse wīsan geweoton sindon.

+ ic Æðerēd arcebiscop mid ðǣre hālgan Crīstes rōdetācne   60 ðās word and ðās wīsan fæstnie and wrīte.

+ Ælfrēd, dux	+ Beonhēah, prēost	+ Wealdhelm, dīacon
+ Beorhtuulf, dux	+ Bēagstān, prēost	+ Wine, sub dīacon
+ Beornhelm, abbod	+ Wulfhēah	+ Sǣfreð
+ Earduulf, abbod	+ Æðelwulf, prēost	+ Cēolmund, munuc
+ Wærburg	+ Earduulf, prēost	+ Ēadmund, munuc
+ Sigfreð, prēost	+ Beornoð, dīacon	+ Ēadwald, munuc
		+ Siguulf, munuc

¹ *MS.* fulwihte.

II. LUFA'S WILL

Ic, Lufa, mid Godes gefe *ancilla domini* wes sōecende ond smēacende ymb mīne sāulðearfe mid Cēolnoðes ærcebiscopes geðeahte, ond ðāra hīona et Crīstes cirican. Willa ic gesellan of ðēm ærfe ðe mē God forgef ond mīne frīond tō gefultemedan elce gēre LX ambra maltes ond CL hlāfa, L hwītehlāfa, CXX elmeshlāfes, ān hrīðer, ān suīn, IIII weðras, II wēga spices ond cēses ðēm hīgum tō Crīstes circcan for mīne sāule ond mīnra frīonda ond mēga ðe mē tō gōde gefultemedan, ond ðet sīe simle *to adsumsio* Sanctæ Marīe ymb XII mōnað. End suē ēihwelc mon swē ðis lond hebbe mīnra ærbenumena ðis āgefe ond mittan fulne huniges, X 10 gōes, XX henfuglas.

Ic, Cēolnoð, mid Godes gefe ercebiscop, mid Crīstes rōdetācne ðis festne ond wrīte. Bēagmund, prēost, geðafie ond mid wrīte.

+ Beornfrið, prēost, geðafie ond mid wrīte.

+ Wealhhere, prēost   + Swīðberht, dīacon

+ Ōsmund, prēost   + Beornhēah, dīacon

+ Dēimund, prēost   + Æðelmund, dīacon

+ Æðelwald, dīacon   + Wīghelm, dīacon

+ Werbald, dīacon   + Lubo

+ Sīfreð, dīacon   20

Ic, Luba, ēaðmōd Godes ðīwen, ðās forecwedenan gōd ond ðās elmessan gesette ond gefestnie ob mīnem erfelande et Mundlinghām ðēm hīium tō Crīstes cirican. Ond ic bidde ond an Godes libgendes naman bebīade ðæm men ðe ðis land ond ðis erbe hebbe et Mundlinghām ðet hē ðās gōd forðlēste oð wiorolde ende. Sē man sē ðis healdan wille ond lēstan ðet ic beboden hebbe an ðisem gewrite, sē him seald ond gehealden sīa hiabenlīce blēdsung. Sē his ferwerne oððe hit āgēle sē him seald ond gehealden helle wīte, būte hē tō fulre bōte gecerran wille Gode ond mannum. Uene Ualete

Lufe þincggewrit.   30

POETRY

OLD ENGLISH poetry with a few exceptions exists in four manuscripts:

(1) Cotton Vitellius A XV, one of the many manuscripts belonging early in the seventeenth century to Sir Robert Cotton and now in the British Museum, containing in addition to seven prose pieces, the poems *Beowulf* and *Judith*;

(2) Junius XI, bequeathed to the Bodleian Library at Oxford by Francis Du Jon or Junius, containing the so-called Cædmonian poems, *Genesis, Exodus, Daniel,* and a fourth poem of different character, *Christ and Satan*;

(3) the Exeter Book or Codex Exoniensis, left to Exeter Cathedral by Leofric, the first bishop of Exeter, in 1071 and still belonging to the Chapter of the Cathedral, containing *Christ, Guthlac, Azarias, The Phoenix, Juliana, The Wanderer, The Seafarer, Widsith, Gnomic Verses, The Panther, The Whale, The Partridge, Address of the Soul to the Body, Deor's Lament, Riddles, The Wife's Lament, The Husband's Message, The Ruin,* and a few minor poems;

(4) the Vercelli Book or Codex Vercellensis, which was discovered in 1822 by a German scholar, F. Blum, at Vercelli, near Milan, and is now in the library of the cathedral of that town, containing *Andreas, The Fates of the Apostles, Address of the Soul to the Body, Dream of the Rood, Elene,* and a fragment, *Falseness of Men.*

The entire body of Old English poetry is printed in Grein-Wülker, *Bibliothek der Angelsächsischen Poesie,* 3 vols., Cassel, 1883, Leipzig, 1894, 1898. An English edition of the poetry, begun by the late Professor George P. Krapp of Columbia University is in course of preparation.

VERSIFICATION [1]

Old English verse is unrhymed and alliterative, and, with very few exceptions, is not grouped into stanzaic form. Each line is divided into two parts, which may or may not be scanned alike but which are united by means of alliteration, that is by the repetition of the same initial consonant or vowel sounds. Alliteration in Old English verse always occurs in a stressed syllable. There are two of these stressed syllables in each half-line. The first one in the second half-line always contains the alliterative letter. With this may alliterate the first stress of the first half-line, the second stress of the first half-line, or very frequently both of these. The second stressed syllable of the second half-line does not alliterate unless by chance. Each consonant alliterates only with itself, the combinations *sc, sp, st* being considered as three individual sounds, *sc* alliterating only with *sc, sp* with *sp, st* with *st*; but any vowel or diphthong may alliterate with any other vowel or diphthong, *a* with *e*, *æ* with *eo*, and so forth.

The following examples will show the main stresses in a line and the alliteration:

wið láðra gehwǽne lánd éalgodon (*Brunanburh*, 9)
  (alliteration of first and third stressed syllables)

Éalá þū mǽra míddangéardes (*Christ*, 275)
  (alliteration of second and third stressed syllables)

fólc oþðe fréoburh, þǽr hē áféded wǽs (*Beowulf*, 693)
  (alliteration of first, second, and third stressed syllables)

[1] The system described in the following paragraphs is that given by the German scholar, Eduard Sievers, in Paul and Braune's *Beiträge zur Geschichte der deutschen Sprache und Literatur*, Vols. X (1885), XII (1887). It has been questioned by many modern scholars but since no one as yet has devised a better one, it is still generally taught.

stídum wórdum   spræc him stéfne tó   (*Genesis*, 2848)
                   (alliteration of *st* only with *st*, not with *sp*)

Óft ic sceolde ána   úhtna gehwýlce   (*Wanderer*, 8)
                   (alliteration of **vowels**)

The unit of scansion in Old English poetry is the half-line. Each half-line has two main stresses which divide it into two feet. A foot ordinarily consists of two main parts, one stressed and the other unstressed. There are, however, two other types of foot. One consists solely of a stressed syllable; the other, which usually follows the first, has three parts, one heavily stressed, one lightly stressed, and the third unstressed. Primary stress usually falls on a long root syllable. For this long syllable, however, may be substituted what is known as *resolved stress*, a short stressed syllable followed by an unstressed one, which together give the effect of a long syllable, as, for example, *beadu*. The stress may fall sometimes on a short syllable alone when it immediately follows a long syllable, especially in **Type C** below, and occasionally when one would normally expect a long syllable.

The secondary stress may fall on a root syllable, on the root syllable of the second part of a compound, noun or adjective, and on certain medial syllables, among them the first part of the present participial ending, or of the infinitive and preterite endings of Second Class Weak verbs. Inflectional endings, verbal prefixes, the prefixes *be-*, *ge-*, and *for-* in nouns, prepositions, and conjunctions are never stressed. As a rule the part of speech most often taking the main stress is the noun, after which come the adjective, the adverb, and least often the verb. A syllable receiving stress in one line must not necessarily receive it in another.

There are five types to which the scansion of the half-line usu-
ally conforms. Of these the first is by far the most common.
They are as follows:

        A (trochaic) ´ × | ´ ×

        ´ ×| ´ ×
        eorla drihten (*Brunanburh*, 1b)

        ´   × | ´ ×
        wundrum scȳne (*Panther*, 19b);

with resolved stress:

        ⌣× × | ´ ×
        hafelan hȳdan (*Beowulf*, 1372a)

        ´   × | ⌣× ×
        Ēadmund æðeling (*Brunanburh*, 3a);

with a varying number of unstressed syllables in the first foot:

        ´ × × | ´ ×
        wyrde wiðstondan (*Wanderer*, 15b)

        ´ × × ×| ´ ×
        fēores hī ne rōhton (*Maldon*, 260b)

        ⌣× × ×| ´ ×
        wadan ofer wealdas (*Genesis*, 2886a)

        ⌣× × × | ⌣× ×
        weoruld under heofonum (*Wanderer*, 107b);

occasionally with anacrusis:

        × ´ × ×| ´ ×
        hē bræc þone bordweall (*Maldon*, 277a);

        B (iambic) × ´ | × ´

        × ´ | × ´
        þurh dēaðes nȳd (*Beowulf*, 2454a);

with a varying number of syllables in either foot:

        × × ´ |× ´
        Is þām dōme nēah (*Christ*, 782b)

        × × ´ |× ⌣×
        ofer landa fela (*Beowulf*, 311b)

        × × ⌣× |× ´
        þæs sig Metode þanc (*Beowulf*, **1778b**)

ealra cyninga Cyning (*Christ*, 215a)

on þæm sē rīca bād (*Beowulf*, 310b)

mid þīnne Wuldorfæder (*Christ*, 217b)

ofer ealne foldan scēat (*Christ*, 72b)

gif hē ūs geunnan wile (*Beowulf*, 346b)

þæt hē dōgora gehwām (*Beowulf*, 88a)

þū tīda gehwane (*Christ*, 107b)

þæt hit on wealle ætstōd (*Beowulf*, 891b);

C (iambic-trochaic)   ₓ ⊥|⊥ₓ

on burh rīdan (*Maldon*, 291b)

on lides bōsme (*Brunanburh*, 27a);

with a varying number of unaccented syllables in the first foot

him wæs Frēan engla (*Genesis*, 2860b)

Ic eom frōd fēores (*Maldon*, 317a)

hyra winedrihten (*Maldon*, 263b)

wolde his sunu cwellan (*Genesis*, 2905b)

mid heora herelāfum (*Brunanburh*, 47a)

þæs þe æfre sundbūend (*Christ*, 73a);

with the second stress on a short syllable:

sē wæs wreccena (*Beowulf*, 898a)

þonne hē bēot spriceð   (*Wanderer*, 70b)

ac hē gefēng hraðe   (*Beowulf*, 740a);

with compound words, which are often found in this type:

in eorðscræfe   (*Wanderer*, 84a)

hæfde āglǣca   (*Beowulf*, 893a);

D (monosyllabic-trisyllabic), a type in which the secondary **stress** occurs

    (a) ⌟ | ⌞ ⸜ ×   (b) ⌟ | ⌞ × ⸜

(a) feoht earnoste   (*Maldon*, 281b)

gārmittinge   (*Brunanburh*, 50a)

mīn mōdsefa   (*Seafarer*, 59a)

sunu Healfdenes   (*Beowulf*, 2147a);

with a second syllable in the first foot:

lāre longsume   (*Christ*, 44a)

sōhte sele drēorig   (*Wanderer*, 25a)

Byrhtwold maþelode   (*Maldon*, 309a);

(b) hār hilderinc   (*Brunanburh*, 39a)

blōd ēdrum dranc   (*Beowulf*, 742b)

dyneð dēop gesceaft   (*Christ*, 930a)

eaforan ellorsīð   (*Beowulf*, 2451a);

E (trisyllabic-monosyllabic), the reverse of **D.** ⌐ ⟍ ⌐⌐

⌐ ⟍ × ǀ ⌐
sārigne sang   (*Beowulf*, 2447a)

⌐ ⟍ × ǀ ⌐
hrīmcealdne sǣ   (*Wanderer*, 4b)

⌐× ⟍ × ǀ ⌐
heofonengla þrēat   (*Christ*, 927b)

⌐× ⟍ × ǀ ⌐
fealohilte swurd   (*Maldon*, 166b)

⌐× ⟍ × ǀ ⌐×
stedefæste hæleð   (*Maldon*, 249b);

with an additional unstressed syllable:

⌐ ⟍ × ×ǀ⌐
sealtȳþā gelāc   (*Seafarer*, 35a)

⌐ ⟍ × × ǀ⌐
hlēorbolster onfēng   (*Beowulf*, 688b);

occasionally with an unstressed syllable **after the first main stress:**

⌐ × ⟍ ×ǀ⌐
ealdorlangne tīr   (*Brunanburh*, 3b).

Although the majority of lines may be scanned according to these rules, certain lines of unusual length, known as hypermetric lines, do not conform to any of the five types. They usually have three stresses to the half-line and may commonly be found in groups. Lines 391 ff. of *Genesis* and the last five lines of *The Wanderer* are examples.

In conclusion two common stylistic devices of Old English poetry may be described briefly. The first of these, which Old English had in common with Old Norse, is the *kenning*, a metaphorical figure of speech in which an object is mentioned not directly but by its attributes. Examples are numerous and add greatly to the distinctive beauty of the poetry. By way of illustration: the sea is described as "the whale-path" (*hron-rād*), "the sea-bird's bath"

(*ganotes bæð*); the ship is the "wave-floater" (*wēg-flota*); the harp
is the "glee-wood" (*glēo-bēam*); the body is the "bone-house" (*bān-hūs*); the devil is the "soul-slayer" (*gāst-bona*); swords are the
"leavings of hammers" (*hamora lāfe*); and ashes are the "leavings
of brands" (*bronda lāfe*).

The second is *litotes*, a figure of speech in which "an affirmative
is expressed by the negative of its opposite." Two examples from
Beowulf follow:

> Nalæs hī hine læssan   lācum tēodan,
> þēodgestrēonum,   þon þā dydon,
> þe hine æt frumsceafte   forð onsendon
> ænne ofer ȳðe   umborwesende.   (ll. 43–46)

"They did not provide him [Scyld] with lesser gifts, nation-treasure,
than those did who sent him forth at the beginning, alone over the
waves, etc.," meaning that the funeral-ship of Scyld was loaded
with greater treasures than was the ship in which he was set adrift
on the sea as a child;

> ne his līfdagas   lēoda ænigum
> nytte tealde,   (ll. 793–4a)

"nor did he [Beowulf] count his [Grendel's] life-days beneficial
to any of the people," the implication being that Grendel alive
was a menace to the Danes. An interesting study of litotes was
made by Miss Helaine Newstead in a Columbia University thesis
for the degree of A.M., *Litotes in Anglo-Saxon Poetry*, 1928.

XIII

GENESIS

THE Old English *Genesis* is the first of four poems contained in the unique eleventh-century manuscript in the Bodleian Library known as Junius XI, the most beautiful of all the Old English poetical manuscripts. Junius XI belonged in the seventeenth century to Archbishop Ussher, who gave it to the Dutch scholar, Francis Du Jon, who after having it printed presented it to the library at Oxford.

The first three poems [1] appear in the manuscript as one long poem divided into cantos. Cantos 1–41, comprising what is known as the poem *Genesis*, are a paraphrase of the first twenty-two chapters of the Old Testament; cantos 42–49, known as *Exodus*, give the story of the departure of the Israelites from Egypt and the crossing of the Red Sea, and are based chiefly on Chapters 13 and 14 of the book of Exodus; cantos 50–55, known as *Daniel*, paraphrase the first five chapters of the book of Daniel. All three poems were ascribed by Junius to Cædmon, chiefly because they contained material which Cædmon, according to Bede,[2] had turned into verse. This theory, held by all the early editors, no longer obtains. Just what Cædmon's share was in the composition of the poems, if indeed he had any part, has been the subject of much dispute. He may have inspired, if he did not actually write them, and if so, the term Cædmonian Poems, by which they are often known, would be appropriate and fairly accurate. The three poems, the authorship of which is uncertain, were probably placed in their present form by the scribe of the Manuscript, who was also the compiler.

---

[1] The fourth poem, *Christ and Satan*, is distinct from the other three, and is not Cædmonian in character.

[2] See *supra*, p. 182 ff.

Of the three poems *Exodus* is probably the oldest, followed by *Daniel* and *Genesis*. Editors, however, differ greatly on the relative dates. *Genesis* itself is the work of at least two different hands, for it has been shown that ll. 235–851, now known as *Genesis B*, are an Old English translation of an Old Saxon original. This theory, first advanced in 1875 by the German scholar, Sievers, was conclusively proved by the finding of portions of the Old Saxon poem. *Genesis B* probably dates from the ninth century; *Genesis A* is usually assigned to the beginning of the eighth. The following selection, *Satan's Address to his Followers*, sometimes called *The Fall of the Angels*, ll. 338–441 of the whole poem, is taken from *Genesis B*.

The complete text of the three poems, *Genesis*, *Exodus*, and *Daniel*, is found in Grein-Wülker, *Bibliothck der Angelsächsischen Poesie*, Vol. II, Leipzig, 1894. A photostatic reproduction of the Junius XI MS. was published by the Oxford University Press in 1927, *The Cædmon Manuscript of Anglo-Saxon Biblical Poetry, with an Introduction by Sir Israel Gollancz*. Professor Krapp published (Columbia University Press, 1931) the Junius MS. as the first volume of his edition of extant Anglo-Saxon poetry. A well-known edition of *Genesis A* is that of Holthausen, *Die ältere Genesis*, Heidelberg, 1914, and of *Genesis B* is that of Klaeber, *The Later Genesis*, Heidelberg, 1913.

The following text is taken from the manuscript. Grein-Wülker, Krapp, and Klaeber have been consulted.

SATAN'S ADDRESS TO HIS FOLLOWERS

Þā spræc sē ofermōda cyning, þe ǣr wæs engla scȳnost,
nwītost on heofne and his Hearran lēof,
Drihtne dȳre, oð hīe tō dole wurdon,   340

þæt him for gālscipe   God sylfa wearð
mihtig on mōde yrre,   wearp hine on þæt morðer innan,
niðer on þæt nīobedd,   and scēop him naman siððan,
cwæð sē hēhsta   hātan sceolde
Sātan siððan,   hēt hine þǣre sweartan helle
grundes gȳman,   nalles wið God winnan.[1]
Sātan maðelode,   sorgiende sprǣc —
sē ðe helle forð   healdan sceolde,
gīeman þæs grundes,   wæs ǣr Godes engel
hwīt on heofne,   oð hine his hyge forspēon   35ǫ
and his ofermētto   ealra swīðost,
þæt hē ne wolde   wereda Drihtnes
word wurðian.   Wēoll him on innan
hyge ymb his heortan,   hāt wæs him ūtan
wrāðlīc wīte;   hē þā worde cwæð:
"Is þēs ænga styde   ungelīc swīðe
þām ōðrum   þe wē ǣr cūðon,
hēan on heofonrīce,   þe mē mīn hearra onlāg,
þēah wē hine for þām Alwaldan   āgan ne mōston,
rōmigan ūres rīces.   Næfð hē þēah riht gedōn   36ǫ
þæt hē ūs hæfð befælled   fȳre tō botme,
helle þǣre hātan,   heofonrīce benumen,
hafað hit gemearcod   mid moncynne
tō gesettanne.   þæt mē is sorga mǣst,
þæt Ādām sceal,   þe wæs of eorðan geworht,
mīnne stronglīcan   stōl behealdan,
wesan him on wynne,   and wē þis wīte þolien,
hearm on þisse helle.   Wā lā āhte ic mīnra handa geweald,
and mōste āne tīd   ūte weorðan,
wesan āne winterstunde,   þonne ic mid þȳs werode...   37ǫ

[1] *MS*. widnan.

ac licgað mē ymbe   īrenbenda,
rīdeð racentan sāl.   Ic eom rīces lēas:
habbað mē swā hearde   helle clommas,
fæste befangen.   Hēr is fȳr micel
ufan and neoðone: (ic ā ne geseah
lāðran landscipe);   līg ne āswāmað
hāt ofer helle.   Mē habbað hringa gespong,
slīðhearda sāl   sīðes āmyrred,
āfyrred mē mīn fēðe;   fēt synt gebundene,
handa gehæfte;   synt þissa heldora   380
wegas forworhte;   swā ic mid wihte ne mæg
of þissum lioðobendum.   Licgað mē ymbe
heardes īrenes   hāte geslægene
grindlas grēate,   mid þȳ mē God hafað
gehæfted be þām healse.   Swā ic wāt hē mīnne hige cūðe
and þæt wiste ēac   weroda Drihten,
þæt sceolde unc Ādāme   yfele gewurðan
ymb þæt heofonrīce,   þǣr ic āhte mīnra handa geweald.
Ac ðoliaþ wē nū þrēa on helle,   þæt syndon þȳstro and hǣto,
grimme, grundlēase;   hafað ūs God sylfa   390
forswāpen on þās sweartan mistas.   Swā hē ūs ne mæg ǣnige
      synne gestǣlan,
þæt wē him on þām lande lāð gefremedon,   hē hæfð ūs þēah þæs
      lēohtes bescyrede,
beworpen on ealra wīta mǣste: ne magon wē þæs wrace gefrem-
      man,
gelēanian him mid lāðes wihte   þæt hē ūs hafað þæs lēohtes
      bescyrede.
Hē hæfð nū gemearcod ānne middangeard,   þǣr hē hæfð mon
      geworhtne
æfter his onlīcnesse,   mid þām hē wile eft gesettan

heofona rīce mid hlūttrum sāulum. Wē þæs sculon hycgan
    georne,
þæt wē on Ādāme,   gif wē æfre mægen,
and on his eafrum swā some   andan gebētan,
onwendan him þǣr willan sīnes,   gif wē hit mægen wihte āþen-
    can.   400
Ne gelȳfe ic mē nū þæs lēohtes furðor,   þæs þe hē him þenceð
    lange nīotan,
þæs ēades mid his engla cræfte;   ne magon wē þæt on aldre
    gewinnan,
þæt wē mihtiges Godes mōd onwǣcen.   Uton oðwendan hit nū
    monna bearnum,
þæt heofonrīce, nū wē hit habban ne mōton,   gedōn þæt hīe his
    hyldo forlǣten,
þæt hīe þæt onwendon þæt hē mid his worde bebēad.   Þonne
    weorð hē him wrāð on mōde,
āhwet hīe from his hyldo;   þonne sculon hīe þās helle sēcan
and þās grimman grundas;   þonne mōton wē hīe ūs tō giongrum
    habban,
fīra bearn on þissum fæstum clomme.   Onginnað nū ymb þā
    fyrde þencean.
Gif ic ǣnegum þegne   þēodenmādmas
gēara forgēafe,   þenden wē on þan gōdan rīce   410
gesǣlige sǣton,   and hæfdon ūre setla geweald,
þonne hē mē nā on lēofran tīd   lēanum ne meahte
mīne gife gyldan,   gif his gīen wolde
mīnra þegna hwilc   geþafa wurðan,
þæt hē ūp heonon   ūte mihte
cuman þurh þās clūstro,   and hæfde cræft mid him
þæt hē mid feðerhoman   flēogan meahte,
windan on wolcne,   þǣr geworht stondað

Ądām and Ēve on eorðrīce
mid welan bewunden, and wē synd āworpene hider   420
on þās dēopan dalo.   Nū hīe Drihtne synt
wurðran micle   and mōton him þone welan āgan,
þe wē on heofonrīce   habban sceoldon,
rīce mid rihte: is sē rǣd gescyred
monna cynne   þæt mē is on mīnum mōde swā sār,
on mīnum hyge hrēoweð,   þæt hīe heofonrīce
āgan tō aldre!   Gif hit ēower ǣnig mǣge
gewendan mid wihte,   þæt hīe word Godes,
lāre forlǣten,   sōna hīe him þē lāðran bēoð.
Gif hīe brecað his gebodscipe,   þonne hē him ābolgen wurðeþ; 430
siððan bið him sē wela onwended   and wyrð him wīte gegearwod,
sum heard hearmscearu.   Hycgað his ealle,
hū gē hī beswīcen;   siððan ic mē sēfte mæg
restan on þyssum racentum,   gif him þæt rīce losað.
Sē þe þæt gelǣsteð,   him bið lēan gearo
æfter tō aldre   þæs wē hērinne magon
on þyssum fȳre forð   fremena gewinnan:
sittan lǣte ic hine wið mē sylfne,   swā hwā swā þæt secgan cymeð
on þās hātan helle,   þæt hīe Heofoncyninges
unwurðlīce   wordum and dǣdum   440
lāre...."

XIV

EXODUS

Exodus forms Cantos 42–49 of the poem in the manuscript Juniu**s**
XI. For a brief discussion of the poem and the manuscript **see**
the prefatory note to the preceding selection. The following lines,
148–251, narrate the story of the marching of Pharaoh's host,
which is somewhat reminiscent of the Anglo-Saxon battle poems.
The *Exodus* has been edited by F. A. Blackburn, *Exodus and
Daniel*, Heath, 1907. The following text is taken from the manu‑
script. Blackburn's edition, with the Grein-Wülker *Bibliothek*,
Vol. II, and Krapp's edition of Junius XI have been consulted.

THE MARCHING OF PHARAOH'S HOST

Wǣron heaðowylmas   heortan getenge,
mihtmōd wera,   mānum trēowum.
Woldon hīe þæt feorhlēan   fācne gyldan,   150
þætte hē þæt dægweorc   drēore gebohte
Moyses lēode,   þǣr him mihtig **God**
on ðām spildsīðe   spēde forgēfe.
Þā him eorla mōd   ortrȳwe wearð
sīððan hīe gesāwon   of sūðwegum
fyrd Faraōnis   forð ongangan,
oferholt wegan,   ēored līxan
(gāras trymedon,   gūð hwearfode,
blicon bordhrēoðan,   bȳman sungon),
þūfas þunian,   þēod mearc tredan.   160
On hwæl hrēopon [1]   herefugolas
hilde grǣdige,   [hræfen gōl,]

---

[1] *MS.* hwreopan, *with* o *written over* a.

dēawigfeðere, ofer drihtnēum,
wonn wælcēasega. Wulfas sungon
atol æfenlēoð ætes on wēnan,
carlēasan dēor cwyldrōf bēodan
on lāðra lāst lēodmægnes ful:
hrēopon mearcweardas middum [1] nihtum,
flēah fæge gāst, folc wæs gehæged.
Hwīlum of þām werode wlance þegnas   17C
mæton mīlpaðas mēara bōgum.
Him þær segncyning wið þone segn foran,
manna þengel, mearcþrēate rād,
gūðweard gumena grīmhelm gespēon,
cyning cinberge (cumbol līxton),
wīges on wēnum, hwælhlencan scēoc;
hēt his hereciste healdan georne
fæst syrdgetrum. Frēond on sigon
lāðum ēagan landmanna cyme.
Ymb hine wægon wīgend unforhte,   18C
hāre heorawulfas hilde grētton,
þurstige þræcwīges þēodenholde.
Hæfde him ālesen lēoda dugeðe
tīrēadigra twā þūsendo,
þæt wæron cyningas and cnēowmāgas,
on þæt ēade riht, æðelum dēore.
For ðon ānra gehwilc ūt ālædde
wæpnedcynnes wigan æghwilcne
þāra þe hē on þām fyrste findan mihte.
Wæron inge men ealle ætgædere   19C
cyningas on corðre. Cūð oft gebād
horn on hēape tō hwæs hægstealdmen,

---

[1] MS midum, *with second* d *inserted above line.*

gūðþrēat gumena, gearwe bǣron.

Swā þǣr eorp werod ēcan lǣddon;

lāð æfter lāðum, lēodmægnes worn,

þūsendmǣlum þider wǣron fūse.

Hæfdon hīe gemynted tō þām mægenhēapum

tō þām ǣrdæge Israhēla cynn

billum ābrēotan on hyra brōðorgyld,

for þon wæs in wīcum wōp ūp āhafen,   200

atol ǣfenlēoð, egesan stōdon,

weredon wælnet. Þā sē wōma cwōm

flugon frēcne spel; fēond wæs ānmōd,

werud wæs wīgblāc, oð þæt wlance forscēaf

mihtig engel sē ðā menigeo behēold,

þæt þǣr gelāðe mid him leng ne mihton

gesēon tōsomne, sīð wæs gedǣled.

Hæfde nȳdfara nihtlangne fyrst

þēah ðe him on healfa gehwām hettend seomedon,

mægen oððe merestrēam. Nāhton māran hwyrft,   210

wǣron orwēnan ēðelrihtes,

sǣton æfter beorgum in blācum rēafum

wēan on wēnum, wæccende bād

eall sēo sibgedriht somod ætgædere

māran mægenes, oð Moyses bebēad

eorlas on ūhttīd ǣrnum bēnum

folc somnigean, frecan ārīsan,

habban heora hlencan, hycgan on ellen,

beran beorht searo, bēacnum cīgean

swēot sande nēar. Snelle gemundon   220

weardas wīglēoð, werod wæs gefȳsed.

Brūdon ofer burgum (bȳman gehȳrdon)

flotan feldhūsum, fyrd wæs on ofste.

Siððan hīe getealdon   wið þām tēonhete
on þām forðherge   fēðan twelfe
mōde rōfa,   mægen wæs onhrēred.

Wæs on ānra gehwām   æðelan cynnes
ālesen under lindum   lēoda duguðe
on folcgetæl   fīftig cista,
hæfde cista gehwilc   cūðes werodes   230
gārberendra,   gūðfremmendra
X hund geteled   tīrēadigra.
Þæt wæs wīglīc werod;   wāc ne grētton
in þæt rincgetæl   rǣswan herges,
þā þe for geoguðe   gȳt ne mihton
under bordhrēoðan   brēostnet wera
wið flāne fēond   folmum werigean,
ne him bealubenne   gebiden hæfdon
ofer linde lærig,   līcwunde swōr,
gylpplegan gāres.   Gamele ne mōston,   240
hāre heaðorincas,   hilde onþēon,
gif him mōdhēapum   mægen swiðrade,
ac hīe be wæstmum   wīg curon,
hū in lēodscipe   lǣstan wolde
mōd mid āran,   ēac þan mægnes cræft
gārbēames fēng
þā wæs handrōfra   here ætgædere,
fūs forðwegas.   Fana ūp rād,
bēama beorhtost;   buton ealle þā gēn
hwonne sīðboda   sǣstrēamum nēah   250
lēoht ofer lindum   lyftedoras bræc.

CYNEWULF'S *CHRIST*

THE *Christ* is the first and longest poem in the Exeter Book.[1] It
is one of the four poems authoritatively ascribed to Cynewulf on
the basis of the passages in each in which a sequence of runes forms
his name. The material of the *Christ* may be divided into three
main parts, the first dealing with the Advent of Christ, the second
with His Ascension, and the third with the Day of Judgment.
Scholars have differed greatly as to the precise length of each of
these divisions, as to whether they are three separate poems or
three parts of one poem, and as to just how much of the poem
Cynewulf wrote. The late Professor A. S. Cook, who made the
most elaborate study of the *Christ*, believed that the three form
part of one whole, of which the sole author is Cynewulf.

The passages given below are the dramatic dialogue between
Joseph and Mary before the birth of Christ (ll. 164–213) and the
Runic passage in which Cynewulf gives his name (ll. 797–814).
The text is taken from the unique manuscript of the poem. Gol-
lancz's edition of the first part of the Exeter Book for the Early
English Text Society, 1895 (No. 104), A. S. Cook's *The Christ of
Cynewulf*, Ginn, 1900, and the Grein-Wülker *Bibliothek*, Vol. III,
have been consulted. A photostatic copy of the Exeter Book with
introductory chapters by R. W. Chambers, Max Förster, and Robin
Flower, was published for the Dean and Chapter of Exeter Cathe-
dral by Percy Lund, Humphries and Company, London, in 1933.

I. DIALOGUE BETWEEN MARY AND JOSEPH

"Ēalā Iōsēph mīn,   Iācōbes bearn,
mǣg Dāuīdes   mǣran cyninges,

---

[1] For a brief description of the Exeter Book see *supra*, p. 226.

nū þū frēode scealt   fæste gedǣlan,
ālǣtan lufan mīne!"
            "Ic lungre eam
dēope gedrēfed,   dōme berēafod,
forðon ic worn for þē   worde hæbbe
sīdra sorga   and sārcwida   170
hearmes gehȳred,   and mē hosp sprecað,
tornworda fela.   Ic tēaras sceal
gēotan gēomormōd.   God ēaþe mæg
gehǣlan hygesorge   heortan mīnre,
āfrēfran fēasceaftne.   Ēalā fǣmnc geong,
mægð Marīa!"
            "Hwæt bemurnest ðū,
cleopast cearigende?   Ne ic culpan in þē,
incan ǣnigne   ǣfre onfunde,
womma geworhtra;   and þū þā word spricest
swā þū sylfa sīe   synna gehwylcre   180
firena gefylled."
            "Ic tō fela hæbbe
þæs byrdscypes   bealwa onfongen.
Hū mæg ic lādigan   lāþan sprǣce,
oþþe andsware   ǣnige findan
wrāþum tōwiþere?   Is þæt wīde cūð
þæt ic of þām torhtan   temple Dryhtnes
onfēng frēolīce   fǣmnan clǣne,
womma lēase,   and nū gehwyrfed is
þurh nāthwylces.   Mē nāwþer dēag,
secge ne swīge.   Gif ic sōð sprece,   190
þonne sceal Dāuīdes   dohtor sweltan,
stānum āstyrfed.   Gēn strengre is
þæt ic morþor hele: scyle mānswara

lāþ lēoda gehwām   lifgan siþþan,
fracoð in folcum."

          þā sēo fǣmne onwrāh
ryhtgerȳno,   and þus reordade: —
"Sōð ic secge   þurh Sunu Meotudes,
gǣsta Gēocend,   þæt ic gēn ne conn
þurh gemæcscipe   monnes ōwer
ǣnges on eorðan;   ac mē ēaden wearð   **200**
geongre in geardum,   þæt mē Gabrihēl,
heofones hēagengel,   hǣlo gebodade,
sægde sōðlīce   þæt mē swegles Gǣst
lēoman onlȳhte;   sceolde ic līfes þrym
geberan, beorhtne Sunu,   Bearn ēacen Godes,
torhtes Tīrfruman.[1]   Nū ic his tempel eam
gefremed būtan fācne;   in mē frōfre Gǣst
geeardode.   Nū þū ealle forlǣt
sāre sorgceare.   Saga ēcne þonc
mǣrum Meotodes Sunu   þæt ic his mōdor gewearð,   210
fǣmne forð sē-þēah,   and þū fæder cweden
woruldcund bi wēne;   sceolde wītedōm
in him sylfum bēon   sōðe gefylled."

II. RUNIC PASSAGE

    þonne ᚻ cwacað,   gehȳreð Cyning mæðlan,
rodera Ryhtend,   sprecan rēþe word
þām þe him ǣr in worulde   wāce hȳrdon,
þendan � and ᛉ ȳþast meahtan   **800**
frōfre findan.   þǣr sceal forht monig
on þām wongstede   wērig bīdan
hwæt him æfter dǣdum   dēman wille

---

[1] *MS*. tir-fruma; *em. by Thorpe*.

wrāþra wīta.   Biþ sē ᚹ scæcen
eorþan frætwa.   ᚻ wæs longe
ᚠ flōdum bilocen,   līfwynna dæl,
ᚠ on foldan.   Þonne frætwe sculon
byrnan on bæle;   blāc rāsetteð
recen rēada lēg,   rēþe scrīþeð
geond woruld wīde.   Wongas hrēosað,   818
burgstede berstað.   Brond bið on tyhte;
æleð ealdgestrēon   unmurnlīce
gæsta gīfrast,   þæt gēo guman hēoldan,
þenden him on eorþan   onmēdla wæs.

XVI

THE PANTHER

ANIMALS played an important part in the literature of the Middle Ages, making their appearance in fable, in beast epic, and in the Physiologus or Bestiary. In the last of these a description of the animal and its habits was given in accordance with the science or pseudo-science of the day, followed by an allegorical interpretation with a moral or religious significance. The earliest known Physiologus was written in Greek about 140 B.C., and was translated during the fifth century into Latin and other European languages. It became one of the most popular books of the Middle Ages.

The Old English version, which comes from the Latin, consists of only three poems, *The Panther*, *The Whale*, and *The Partridge*. Whether these three form in themselves a complete Physiologus or whether they are part of a much longer cycle of poems is a debated question. Professor A. S. Cook, who made a special study of the poems, leaned toward the former theory.

The Old English poems are found in only one manuscript, the Exeter Book. They were edited by Cook in his *Elene, Phoenix and Physiologus*, Yale University Press, 1919. The following text of *The Panther* is based on the manuscript, Cook's edition and Grein-Wülker's *Bibliothek*, Vol. III, also having been consulted.

> Monge sindon   geond middangeard
> unrīmu cynn,   þe wē æþelu ne magon
> ryhte āreccan   ne rīm witan;
> þæs wīde sind   geond world [1] innan
> fugla and dēora   foldhrērendra

[1] *MS.* worl; *em. by Greta.*

wornas wīdsceope, swā wæter bibūgeð
þisne beorhtan bōsm, brim grymetende,
sealtȳþa geswing.

      Wē bī sumum hȳrdon
wrǣtlīce gecynd wildra secgan,
fīrum frēamǣrne, feorlondum on,
eard weardian, ēðles nēotan,
æfter dūnscrafum. Is þæt dēor Pandher
bī noman hāten, þæs þe niþþa bearn [1]
wīsfæste weras, on gewritum cȳþað [2]
bī þām ānstapan.

      Sē is ǣghwām [3] frēond,
duguða ēstig, būtan dracan ānum;
þām hē in ealle tīd andwrāð leofaþ,
þurh yfla gehwylc þe hē geæfnan mæg.
Ðæt is wrǣtlīc dēor, wundrum scȳne,
hīwa gehwylces. Swā hæleð secgað,
gǣsthālge guman, þætte Iōsēphes
tunece wǣre telga gehwylces
blēom bregdende, þāra beorhtra gehwylc,
ǣghwæs ǣnlīcra, ōþrum līxte
dryhta bearnum, swā þæs dēores hīw,
blǣc, brigda gehwæs, beorhtra and scȳnra
wundrum līxeð, þætte wrǣtlīcra
ǣghwylc ōþrum, ǣnlīcra gīen
and fægerra, frætwum blīceð,
symle sellīcra.

      Hē hafað sundorgecynd,
milde, gemetfæst. Hē is monþwǣre,

10

20

30

---

[1] *MS.* beard; *em. by Grein.*

[2] *MS.* cyþan; *em. by Cook.*

[3] *MS.* æthwam; *em. by Cook.*

lufsum and lēoftǣl: nele lāþes wiht
ǣngum [1] geæfnan   būtan þām āttorsceaþan,
his fyrngeflitan,   þe ic ǣr fore sægde.

   Symle, fylle fægen,   þonne fōddor þigeð,
æfter þām gereordum   rǣste sēceð,
dȳgle stōwe   under dūnscrafum;
ðǣr sē þēodwiga [2]   þrēonihta fæc
swifeð on swefote,   slǣpe gebiesgad.[3]
þonne ellenrōf   ūp āstondeð,   40
þrymme gewelgad,[4]   on þone þriddan dæg,
snēome of slǣpe. Swēghlēoþor cymeð,
wōþa wynsumast,   þurh þæs wildres mūð;
æfter þǣre stefne   stenc ūt cymeð
of þām wongstede,   wynsumra stēam,
swēttra and swīþra   swæcca gehwylcum,
wyrta blōstmum   and wudublēdum,
eallum æþelīcra   eorþan frætwum.[5]
þonne of ceastrum   and cynestōlum
and of burgsalum   beornþrēat monig   50
farað foldwegum   folca þrȳþum;
ēoredcystum,   ofestum gefȳsde,
dareðlācende   — dēor efne swā some —
æfter þǣre stefne   on þone stenc farað.

   Swā is Dryhten God,   drēama Rǣdend,
eallum ēaðmēde [6]   ōþrum gesceaftum,
duguða gehwylcre,   būtan dracan ānum,
āttres ordfruman;   þæt is sē ealda fēond
þone hē gesǣlde   in sūsla grund,

---

[1] *MS.* ægnum; *em. by Thorpe.*   [2] *MS.* þeoð-; *em. by Grein.*
[3] *MS.* gebiesgað; *em. by Grein.*   [4] *MS.* gewelgað; *em by Grein.*
[5] *MS.* frætwa; *em. by Grein.*   [6] *MS.* eaðmedum *corrected to* eaðmeda

and gefetrade fȳrnum tēagum,   60
biþeahte þrēanȳdum; and þȳ þriddan dæge
of dīgle ārās, þæs þe hē dēað fore ūs
þrēo niht þolade, þēoden engla,
sigora Sellend. Þæt wæs swēte stenc,
wlitig and wynsum, geond woruld ealle.
Siþþan tō þām swicce sōðfæste men,
on healfa gehwone, hēapum þrungon
geond ealne ymbhwyrft eorþan scēata.[1]
Swā sē snottra gecwæð Sanctus Paulus:
"Monigfealde sind geond middangeard   70
gōd ungnȳðe þe ūs tō giefe dæleð
and tō feorhnere Fæder ælmihtig,
and sē ānga Hyht ealra gesceafta
uppe ge niþre." Þæt is æþele stenc.

[1] *MS.* sceatan; *em. by Greid.*

XVII

THE BATTLE OF BRUNANBURH

THE battle of Brunanburh (probably for Bruna's burg) was fought in the year 937 by Æthelstan, the grandson of King Alfred, against a coalition of Danes, Welsh, and Scots, who wished to check the growth of his power north of the Humber, and if possible to crush him and his kingdom of Wessex. The coalition was four-fold: it consisted of the Danes of Northumbria; the Danes of Dublin under the leadership of two cousins of the same name, Anlaf (Olaf) Cuaran and Anlaf the son of Guthfrith; the Scots under King Constantine; and the Strathclyde Britons under their king, Owen. Over this strong array of enemies Æthelstan won a complete victory, thus making Brunanburh one of the important battles in early English history. The exact location of Brunanburh is in doubt. Various theories have been advanced. Bromborough on the Mersey, Bramber south of Preston, near which a great hoard of coins, none later than 930, has been discovered, and Burnswark in Dumfriesshire are some of the possibilities. It was undoubtedly on the west coast of England at a spot where the various allies could easily assemble.

The poem relating the battle forms the entry for the year 937 in five of the seven manuscripts of the Chronicle, the Parker MS. in the Library of Corpus Christi College, Cambridge, Cotton Tiberius A VI, Cotton Tiberius B I, Cotton Tiberius B IV, and Cotton Otho B XI, the last one badly mutilated by fire. In the two later Chronicles the battle is disposed of very briefly in prose. The Peterborough Chronicle (Bodleian, Laud 636) reads: "937. Her Æðelstan cyning lædde fyrde to Brunanbyrig." The Cotton Domitian A VIII MS. reads: "937. Her Æðestan cing (and Eadmund his broðer) lædde fyrde to Brunanbyri and þar gefeht wið

Anelaf and Xpe fultumegende sige hæfde (and þar ofslogan v
cingas and viii eorlas)." The poem is a good example of heroic,
patriotic war-verse. It is known to readers of modern English
through Tennyson's stirring poem based on his son's prose transla-
tion of the original.

The following text is that of MS. Cotton Tiberius A VI (A),
collated with Cotton Tiberius B I (B), the Parker MS. (C), and
Cotton Tiberius B IV (D). Earle and Plummer's *Two of the
Saxon Chronicles Parallel*, Oxford, 1892–1899, and Grein-Wülker's
Bibliothek, Vol. I, have been consulted.

An. DCCCCXXXVII.

  Hēr Æþelstān [1] cing, eorla drihten,

  beorna bēaggifa, and his brōþor ēac,

  Ēadmund æþeling, ealdorlangne tīr

  geslōgan æt sake sweorda ecggum

  embe Brunnanburh; bordweall clufan,

  hēowan heaþolinda [2] hamora lāfum

  eaforan Ēadweardes; swā him geæþele wæs

  fram cnēomāgum þæt hīe æt campe oft

  wið lāðra gehwane land ealgodan,

  hord and hāmas. Hettend crungon,   16

  Scotta lēode and scipflotan

  fǣge fēollan; feld dennade

  secga swāte, siþþan sunne upp

  on morgentīd, mǣre tungol,

  glād ofer grundas, Godes candel beorht,

  ēces Drihtnes, oþ [3] þæt sēo æþele gesceaft

---

[1] *A*, Æþestan; *B, C, D*, Æþelstan.

[2] *A*, heaþolina; *B*, heaþolinda; *C*, heaþolinde; *D*, heaðolinga, *with* d *written
over* g.

[3] *A*, oþ *lacking; supplied from other MSS.*

sāh tō setle. þǣr læg secg manig
gārum forgrunden, guman norðerne,
ofer scyld sceoten, swylce Scyttisc ēac,
wērig wigges sæd. Westsexe forð   25
andlangne dæg ēoredcystum
on lāst legdon lāðum þēodum,
hēowan hereflȳman hindan þearle
mēcum mylenscearpum. Myrce ne wyrndon
heardes handplegan hæleþa nānum
þāra ðe mid Anlāfe ofer ēargebland
on lides bōsme land gesōhtan,
fǣge tō gefeohte. Fīfe lāgon
on ðǣm campstede ciningas geonge,
sweordum āswefede, swilce seofone ēac   30
eorlas Anlāfes, unrīm herges,
flotan and Scotta. þǣr geflȳmed wearð
Norðmanna brego, nēde gebǣded
tō lides stefne lȳtle weorode;
crēad cnear on flot, cing ūt gewāt,
on fealone flōd, feorh generede.

    Swylce þǣr ēac sē frōda mid flēame cōm
on his cȳþþe norð, Constantīnus,
hār hilderinc hrēman ne þorfte
mēcea gemānan: hē [1] wæs his māga sceard,   40
frēonda gefylled on folcstede,
forslegen æt sace, and his sunu forlēt
on wælstōwe wundum forgrunden
geongne æt gūþe. Gylpan ne þorfte
beorn blandenfex billgeslyhtes,
eald inwitta, ne Anlāf þē mā

[1] *A, B*, her; *C, D*, he

mid heora herelāfum; hlihhan ne þorftan
þæt hīe beadoweorca beteran wurdan
on campstede cumbolgehnāstes,
gārmittinge gumena gemōtes, 50
wǣpengewrixles, þæs hīe on wælfelda
wiþ Eadweardes eaforan plegodan.

    Gewitan him þā Norðmenn nægled-cnearrum,
drēorig daroða lāf on Dynges mere
ofer dēop wæter Dyflen sēcean,
eft Iraland æwiscmōde.
Swylce þā gebrōðor bēgen ætsomne,
cing and æþeling cȳþþe sōhtan,
Westseaxna land wigges hrēmige.
Lētan him behindan hrāw bryttigean 60
salowigpādan, þone sweartan hræfn,
hyrnednebban, and þone hasopādan
earn æftan hwīt, æses brūcan,
grǣdigne gūþhafoc and þæt grǣge dēor,
wulf on wealde. Ne wearð wæl māre
on þȳs ēglande æfre gȳta
folces āfylled beforan þyssum
sweordes ecgum, þæs þe ūs secggeaþ bēc,
ealde ūþwitan, syþþan ēastan hider
Engle and Sexan upp becōman, 70
ofer brāde brimu Brytene sōhtan,
wlance wīgsmiþas Wēalas ofercōman,
eorlas ārhwate eard begēaton.

XVIII

THE BATTLE OF MALDON

THE battle of Maldon, unlike that of Brunanburh, was an Anglo-Saxon defeat and a Danish victory. It was fought August 11, 991, in the reign of Æthelred, "the Unready," on the banks of the Blackwater or Panta stream near Maldon in Essex. The leader of the Danes was undoubtedly the famous Olaf Tryggvason; the Anglo-Saxons were under the command of Byrhtnoth, aldorman of Essex, who, with many of his thanes, was killed in the encounter.[1] The poem describing the battle was evidently written by an eye-witness on the English side, because he knows the English warriors by name and reputation but is noticeably silent as regards the Danes. It gives an admirable picture of the Anglo-Saxon *comitatus* or band of fighting-men in action, emphasizing their two greatest virtues, courage and loyalty. The brief description of the treacherous and cowardly sons of Odda only serves to accentuate the loyalty of the other warriors.

The poem is defective, with lines missing both at the beginning and at the end, probably, however, not many in either place. The manuscript containing it, Cotton Otho A XII, was burned in the fire of 1731. Fortunately a copy of it had been made by Thomas Hearne and published in 1726 in his *Chronicle of Glastonbury* (Johannis, Confratris et Monachi Glastoniensis, *Chronica sive Historia de Rebus Glastoniensibus*, Oxford, 1726, Vol. II, pp. 570–77). All succeeding texts have been based on Hearne. The poem has been separately edited by Sedgefield, *The Battle of Maldon and Short Poems from the Saxon Chronicle*, Boston and London, 1904. The

---

[1] The brief account of the battle given in the Peterborough Chronicle will be found in the selections from the Chronicle given above on p. 159.

following text is based on Hearne's transcript. Most of the corrections made by various editors are necessary because of Hearne's obvious misreading, in some places, of the original.

... brocen wurde;
hēt þa hyssa hwæne   hors forlǣtan,
feorr āfȳsan,   and forð gangan,
hicgan tō handum,   and tō hige [1] gōdum.
þā [2] þæt Offan mæg   ǣrest onfunde,
þæt sē eorl nolde   yrhðo geþolian:
hē lēt him þā of handon   lēofne [3] flēogan
hafoc wið þæs holtes,   and tō þǣre hilde stōp;
be þām man mihte oncnāwan   þæt sē cniht nolde
wācian æt þām wīge,[4]   þā hē tō wǣpnum fēng.   10
Ēac him wolde Ēadrīc   his ealdre gelǣstan,
frēan tō gefeohte;   ongan þā forð beran
gār tō gūþe: hē hæfde gōd geþanc,
þā hwīle þe hē mid handum   healdan mihte
bord and brād swurd;   bēot hē gelǣste,
þā hē ætforan his frēan   feohtan sceolde.
    Ðā þǣr Byrhtnōð ongan   beornas trymian,
rād and rǣdde,   rincum tǣhte
hū hī sceoldon standan,   and þone stede healdan,
and bæd þæt hyra randas [5]   rihte hēoldon   20
fæste mid folman,   and ne forhtedon nā.
þā hē hæfde þæt folc   fægere getrymmed,
hē līhte þā mid lēodon,   þǣr him lēofost wæs,
þǣr hē his heorðwerod   holdost wiste.
þā stōd on stæðe,   stīðlīce clypode

---

[1] *Hearne*, thige.   [2] *Hearne*, þ.   [3] *Hearne*, leofre.
[4] *Hearne*, w...ge.   [5] *Hearne*, randan.

wícinga ár,   wordum mælde,
sē on bēot ābēad   brimlīþendra
ǽrænde tō þām eorle,   þǽr hē on ōfre stōd:
"Mē sendon tō þē   sǽmen snelle;
hēton ðē secgan,   þæt þū mōst sendan raðe   36
bēagas wið gebeorge;   and ēow betere is
þæt gē þisne gārrǽs   mid gafole forgyldon,
þonne [1] wē swā hearde   hilde [2] dǽlon.
Ne þurfe wē ūs spillan,   gif gē spēdaþ tō þām:
wē willað wið þām golde   grið fæstnian.
Gyf þū þæt [3] gerǽdest,   þe hēr rīcost eart,
þæt þū þīne lēoda   lȳsan wille,
syllan sǽmannum   on hyra sylfra dōm
feoh wið frēode,   and niman frið æt ūs,
wē willaþ mid þām sceattum   ūs tō scype gangan,   40
on flot fēran,   and ēow friþes healdan."
  Byrhtnōð maþelode,   bord hafenode,
wand wācne æsc,   wordum mælde,
yrre and ānrǽd,   āgēaf him andsware:
"Gehȳrst þū, sǽlida,   hwæt þis folc segeð?
Hī willað ēow tō gafole   gāras syllan,
ǽttrynne ord   and ealde swurd,
þā heregeatu   þe ēow æt hilde ne dēah.
Brimmanna boda,   ābēod eft ongēan,
sege þīnum lēodum   miccle lāþre spell,   50
þæt hēr stynt unforcūð   eorl mid his werode,
þe wile geealgian [4]   ēþel þysne,
Æþelrēdes eard,   ealdres mīnes,
folc and foldan;   feallan sceolon

---

[1] *Hearne,* þon.   [2] *Hearne,* ... ulde.   [3] *Hearne,* þat.
[4] *Hearne,* gealgean.

hæþene æt hilde.   Tō hēanlīc mē þinceð
þæt gē mid ūrum sceattum   tō scype gangon
unbefohtene,   nū gē þus feor hider
on ūrne eard   in becōmon;
ne sceole gē swā sōfte   sinc gegangan:
ūs sceal ord and ecg   ǣr gesēman,   60
grimm gūðplega,   ǣr wē gafol [1] syllon."
   Hēt þā bord beran,   beornas gangan,
þæt hī on þām ēasteðe   ealle stōdon.
Ne mihte þǣr for wætere   werod tō þām ōðrum:
þǣr cōm flōwende   flōd æfter ebban,
lucon lagustrēamas;   tō lang hit him þūhte,
hwænne hī tōgædere   gāras bǣron.[2]
Hī þǣr Pantan strēam   mid prasse bestōdon,
Ēastseaxena ord   and sē æschere;
ne mihte hyra ǣnig   ōþrum derian,   70
būton hwā þurh flānes flyht   fyl genāme.
Sē flōd ūt gewāt;   þā flotan stōdon gearowe,
wīcinga fela,   wīges georne.
Hēt þā hæleða hlēo   healdan þā bricge
wigan wīgheardne,   sē wæs hāten Wulfstān,
cāfne mid his cynne,   þæt wæs Cēolan sunu,
þe ðone forman man   mid his francan ofscēat,
þe þǣr baldlīcost   on þā bricge stōp.
Þǣr stōdon mid Wulfstāne   wigan unforhte,
Ælfere and Maccus,   mōdige twēgen;   80
þā noldon æt þām forda   flēam gewyrcan,
ac hī fæstlīce   wið ðā fȳnd weredon,
þā hwīle þe hī wǣpna   wealdan mōston.
   Þā hī þæt ongēaton,   and georne gesāwon

----

[1] *Hearne*, þe gofol.   [2] *Hearne*, beron.

þæt hī þǣr bricgweardas　bitere fundon,
ongunnon lytegian þā　lāðe [1] gystas:
bǣdon þæt hī ūpgang [2]　āgan mōston,
ofer þone ford faran,　fēþan lǣdan.
Ðā sē eorl ongan　for his ofermōde
ālȳfan landes tō fela　lāþere ðēode;　　　　　9(
ongan ceallian þā　ofer cald wæter
Byrhtelmes bearn　(beornas gehlyston):
"Nū ēow is gerȳmed,　gāð ricene tō ūs,
guman tō gūþe;　God āna wāt
hwā þǣre wælstōwe　wealdan mōte."
Wōdon þā wælwulfas,　for wætere ne murnon,
wīcinga werod,　west [3] ofer Pantan,
ofer scīr wæter　scyldas wǣgon, [4]
lidmen tō lande　linde bǣron.
þǣr ongēan gramum　gearowe stōdon　　　　10(
Byrhtnōð mid beornum:　hē mid bordum hēt
wyrcan þone wīhagan,　and þæt werod healdan
fæste wið fēondum.　þā wæs feohte [5] nēh,
tīr æt getohte;　wæs sēo tīd cumen
þæt þǣr fǣge men　feallan sceoldon.
þǣr wearð hrēam āhafen;　hremmas wundon,
earn ǣses georn:　wæs on eorþan cyrm.
Hī lēton þā of folman　fēolhearde speru,
gegrundene　gāras flēogan;
bogan wǣron bysige,　bord ord onfēng,　　　　11(
biter wæs sē beadurǣs,　beornas fēollon
on gehwæðere hand,　hyssas lāgon.
Wund wearð [6] Wulfmǣr,　wælrǣste gecēas,

---

[1] *Hearne*, luðe.　　　[2] *Hearne*, upgangan.　　　[3] *Hearne*, pest.
[4] *Hearne*, wegon.　　　[5] *Hearne*, fohte.　　　[6] *Hearne*, weard.

Byrhtnōðes mæg;   hē mid billum wearð,
his swuster sunu,   swīðe forhēawen.
þær wearð [1] wīcingum   wiþerlēan āgyfen:
gehȳrde ic þæt Ēadweard   ānne slōge
swīðe mid his swurde,   swenges ne wyrnde,
þæt him æt fōtum fēoll   fǣge cempa;
þæs him his ðēoden   þanc gesǣde,   120
þām būrþēne,   þā hē byre hæfde.
Swā stemnetton   stīðhycgende [2]
hyssas [3] æt hilde;   hogodon georne
hwā þǣr mid orde   ǣrost mihte
on fǣgean men   feorh gewinnan,
wigan mid wǣpnum: wæl fēol on eorðan.
Stōdon stædefæste,   stihte hī Byrhtnōð,
bæd þæt hyssa gehwylc   hogode tō wīge,
þe on Denon wolde   dōm gefeohtan.
    Wōd þā wīges heard,   wǣpen ūp āhōf,   130
bord tō gebeorge,   and wið þæs beornes stōp;
ēode swā ānrǣd   eorl tō þām ceorle:
ǣgþer hyra ōðrum   yfeles hogode.
Sende ðā sē særinc   sūþerne gār,
þæt gewundod wearð   wigena hlāford;
hē scēaf þā mid ðām scylde,   þæt sē sceaft tōbærst,
and þæt spere sprengde,   þæt hit sprang ongēan.
Gegremod wearð sē gūðrinc;   hē mid gāre stang
wlancne wīcing,   þe him þā wunde forgeaf.
Frōd wæs sē fyrdrinc,   hē lēt his francan wadan   140
þurh ðæs hysses hals;   hand wīsode
þæt hē on þām fǣrsceaðan   feorh gerǣhte.
Đā hē ōþerne   ofstlīce scēat,

---

[1] *Hearne*, wærd.   [2] *Hearne*, stīðhugende.   [3] *Hearne*, hyssas.

þæt sēo byrne tōbærst;   hē wæs on brēostum **wund**
þurh ðā hringlocan,   him æt heortan stōd
ætterne ord.   Sē eorl wæs þē blīþra,
hlōh þā mōdi man,   sǣde Metode þanc
ðæs dægweorces   þe him Drihten forgeaf.
Forlēt þā drenga sum   daroð of handa,
flēogan of folman,   þæt sē tō forð gewāt   150
þurh ðone æþelan   Æþelrēdes þegen.
Him be healfe stōd   hyse unweaxen,
cniht on gecampe,   sē full cāflīce
brǣd of þām beorne   blōdigne gār,
Wulfstānes bearn,   Wulfmǣr sē **geonga**;
forlēt forheardne   **faran** eft ongēan:
ord in gewōd,   þæt sē on eorþan læg,
þe his þēoden ǣr   þearle gerǣhte.
Ēode þā gesyrwed   secg tō þām eorle;
hē wolde þæs beornes   bēagas gefecgan,   160
rēaf and hringas,   and gerēnod swurd.
Ðā Byrhtnōð brǣd   bill of scēaðe,[1]
brād and brūnecg,[2]   and on þā byrnan **slōh**:
tō raþe hine gelette   lidmanna sum,
þā hē þæs eorles   earm āmyrde;
fēoll þā tō foldan   fealohilte swurd,
ne mihte hē gehealdan   heardne mēce,
wǣpnes wealdan.   þā gȳt þæt word gecwæð
hār hilderinc,   hyssas bylde,
bæd gangan forð   gōde gefēran: 170
ne mihte þā on fōtum leng   fæste **gestandan**;[3]
hē tō heofenum wlāt ... [4]

---

[1] *Hearne*, sceðe.   [2] *Hearne*, bruneccg.   [3] *Hearne*, gestundan.
[4] *No gap in Hearne but lack of alliteration shows a missing half-line.*

"Geþancie [1] þē ðēoda Waldend,
ealra þæra wynna   þe ic on worulde gebād.
Nū ic āh, milde Metod,   mǣste þearfe,
þæt þū mīnum gāste   gōdes geunne,
þæt mīn sāwul tō ðē   sīðian mōte,
on þīn geweald,   þēoden engla,
mid friþe ferian;   ic eom frymdi tō þē,
þæt hī helscēaðan   hȳnan ne mōton."   180
Ðā hine hēowon   hǣðene scealcas,
and bēgen þā beornas   þe him big stōdon,
Ælfnōð and Wulmǣr   bēgen lāgon,
ðā onemn hyra frēan   feorh gesealdon.

Hī bugon þā fram beaduwe   þe þǣr bēon noldon:
þǣr wurdon Oddan bearn   ǣrest on flēame,
Godrīc fram gūþe,   and þone gōdan forlēt,
þe him mænigne oft   mēar gesealde;
hē gehlēop þone eoh,   þe āhte his hlāford,
on þām gerǣdum   þe hit riht ne wæs,   190
and his brōðru mid him,   bēgen ærndon,[2]
Godwine [3] and Godwīg,   gūþe ne gȳmdon,
ac wendon fram þām wīge,   and þone wudu sōhton,
flugon on þæt fæsten,   and hyra fēore burgon,
and manna mā   þonne hit ǣnig mǣð wǣre,
gyf hī þā geearnunga   ealle gemundon,
þe hē him tō duguþe   gedōn hæfde.
Swā him Offa on dæg   ǣr āsǣde,
on þām meþelstede,   þā hē gemōt hæfde,
þæt þǣr mōdiglīce [4]   manega sprǣcon,   200

---

[1] *Hearne,* geþance.   [2] *Hearne,* ærdon.
[3] *Hearne,* godrine; *em. by Sedgefield; most eds. write* **Godrine.**
[4] *Hearne,* modelice.

þe eft æt þearfe [1] þolian noldon.

Ðā wearð āfeallen þæs folces **ealdor,**

Æþelrēdes eorl; ealle gesāwon

heorðgenēatas þæt hyra hearra [2] læg.

þā ðǣr wendon forð wlance þegenas,

unearge men efston georne:

hī woldon þā ealle ōðer twēga,

līf forlǣtan [3] oððe lēofne gewrecan.

Swā hī bylde forð bearn Ælfrīces,

wiga wintrum geong, wordum mǣlde, 21(

Ælfwine þā cwæð, hē on ellen spræc:

"Gemunað [4] þā mǣla, þe wē oft æt meodo **sprǣcon,**

þonne wē on bence bēot āhōfon,

hæleð on healle, ymbe heard gewinn;

nū mæg cunnian hwā cēne sȳ.

Ic wylle mīne æþelo eallum gecȳþan,

þæt ic wæs on Myrcon miccles **cynnes;**

wæs mīn ealda fæder Ealhelm hāten,

wīs ealdorman, woruldgesǣlig.

Ne sceolon mē on þǣre þēode þegenas ætwītan, 22(

þæt ic of ðisse fyrde fēran wille,

eard gesēcan, nū mīn ealdor ligeð

forhēawen æt hilde; mē is þæt hearma mǣst:

hē wæs ǣgðer [5] mīn mǣg and mīn hlāford."

þā hē forð ēode, fǣhðe gemunde,

þæt hē mid orde ānne gerǣhte

flotan on þām folce, þæt sē on foldan læg

forwegen mid his wǣpne.

---

[1] *Hearne*, þære. [2] *Hearne*, heorra. [3] *Hearne*, forlætun.
[4] *Hearne*, gemunu. [5] *Hearne*, ægder.

Ongan þā winas manian,
frȳnd and gefēran, þæt hī forð ēodon.
Offa gemǣlde, æscholt āscēoc: 230
"Hwæt þū, Ælfwine, hafast ealle gemanode,
þegenas tō þearfe: nū ūre þēoden līð,
eorl on eorðan, ūs is eallum þearf
þæt ūre æghwylc ōþerne bylde
wigan tō wīge, þā hwīle þe hē wæpen mæge
habban and healdan, heardne mēce,
gār and gōd swurd. Ūs Godrīc hæfð,
earh Oddan bearn, ealle beswicene:
wēnde þæs for moni man, þā hē on mēare rād,
on wlancan þām wicge, þæt wære hit ūre hlāford: 240
for þan wearð hēr on felda folc tōtwæmed,
scyldburh tōbrocen: ābrēoðe his angin,
þæt hē hēr swā manigne man āflȳmde!"
Lēofsunu gemǣlde, and his linde āhōf,
bord tō gebeorge; hē þām beorne oncwæð:
"Ic þæt gehāte, þæt ic heonon nelle
flēon fōtes trym, ac wille furðor gān,
wrecan on gewinne mīnne winedrihten.
Ne þurfon mē embe Stūrmere stedefæste hæleð [1]
wordum ætwītan, nū mīn wine gecranc, 250
þæt ic hlāfordlēas hām sīðie,
wende fram wīge; ac mē sceal wæpen niman,
ord and īren." Hē ful yrre wōd,
feaht fæstlīce, flēam hē forhogode.
Dunnere þā cwæð, daroð ācwehte,
unorne ceorl, ofer eall clypode,
bæd þæt beorna gehwylc Byrhtnōð wræce:

_____
[1] _Hearne,_ hælæð.

"Ne mæg nā wandian   sē þe wrecan þenceð
frēan on folce,   ne for fēore murnan."

þā hī forð ēodon,   fēores hī ne rōhton;   260
ongunnon þā hīredmen   heardlīce feohtan,
grame gārberend,   and God bǣdon
þæt hī mōston gewrecan   hyra winedrihten,
and on hyra fēondum   fyl gewyrcan.
Him sē gȳsel ongan   geornlīce fylstan;
hē wæs on Norðhymbron   heardes cynnes,
Ecglāfes bearn,   him wæs Æscferð nama:
hē ne wandode nā   æt þām wīgplegan,
ac hē fȳsde forð   flān genehe;
hwīlon hē on bord scēat,   hwīlon beorn tǣsde;   270
ǣfre embe stunde   hē sealde sume wunde,
þā hwīle ðe hē wǣpna   wealdan mōste.
Ðā gȳt on orde stōd   Ēadweard sē langa,
gearo [1] and geornful;   gylpwordum spræc,
þæt hē nolde flēogan   fōtmǣl landes,
ofer bæc būgan,   þā his betera læg: [2]
hē bræc þone bordweall,   and wið ðā beornas feaht,
oð þæt hē his sincgyfan   on þām sǣmannum
wurðlīce wræc, [3]   ǣr hē on wæle lǣge.
Swā dyde Æþerīc,   æþele gefēra,   280
fūs and forðgeorn,   feaht eornoste,
Sībyrhtes brōðor   and swīðe mænig ōþer
clufon cellod bord,   cēne hī weredon:
bærst bordes lærig,   and sēo byrne sang
gryrelēoða sum.   þā æt gūðe slōh
Offa þone sǣlidan,   þæt hē on eorðan fēoll,
and ðǣr Gaddes mǣg   grund gesōhte:

[1] *Hearne*, gearc.   [2] *Hearne*, leg.   [3] *Hearne*, wrec.

raðe wearð æt hilde   Offa forhēawen;
hē hæfde ðēah geforþod   þæt hē his frēan gehēt,
swā hē bēotode ǣr   wið his bēahgifan,   290
þæt hī sceoldon bēgen   on burh rīdan,
hāle tō hāme,   oððe on here cringan,[1]
on wælstōwe   wundum sweltan;
hē læg ðegenlīce   ðēodne gehende.
Ðā wearð borda gebræc;   brimmen wōdon,
gūðe gegremode;   gār oft þurhwōd
fǣges feorhhūs.   Forð þā [2] ēode Wīstān,
Þurstānes sunu,[3]   wið þās secgas feaht;
hē wæs on geþrange [4]   hyra þrēora bana,
ǣr him Wīgelīnes bearn   on þām wæle lǣge.   300
Þǣr wæs stīð gemōt: stōdon fæste
wigan on gewinne,   wīgend cruncon,
wundum wērige;   wæl fēol on eorþan.
Ōswold and Ēadwold   ealle hwīle,
bēgen þā gebrōþru,   beornas trymedon,
hyra winemāgas   wordon bǣdon
þæt hī þǣr æt ðearfe   þolian sceoldon,
unwāclīce   wǣpna nēotan.
    Byrhtwold maþelode,   bord hafenode,
sē wæs eald genēat,   æsc ācwehte,   310
hē ful baldlīce   beornas lǣrde:
"Hige sceal þē heardra,   heorte þē cēnre,
mōd sceal þē māre,   þē ūre mægen lȳtlað.
Hēr līð ūre ealdor   eall forhēawen,
gōd on grēote;   ā mæg gnornian
sē ðe nū fram þīs wīgplegan   wendan þenceð.

---

[1] *Hearne*, crintgan.   [2] *Hearne*, forða.
[3] *Hearne*, suna.   [4] *Hearne*, geþrang.

Ic eom frōd fēores;   fram ic ne wille,
ac ic mē be healfe   mīnum hlāforde,
be swā lēofan men,   licgan þence."
   Swā hī Æþelgāres bearn   ealle bylde,   320
Godrīc tō gūþe;   oft hē gār forlēt,
wælspere windan   on þā wīcingas,
swā hē on þām folce   fyrmest ēode,
hēow and hȳnde,   oð [1] þæt hē on hilde gecranc.
Næs þæt nā sē Godrīc   þe ðā gūðe [2] forbēah

. . . .

Hearne, od.   [2] *Hearne*, gude.

XIX

THE WANDERER

THE *Wanderer* is one of the so-called elegiac poems. It is the lament of an old man without lord, friends, or home, for the olden days when he possessed all three. As the *Battle of Maldon* gave a picture of the *comitatus* in war time, so the *Wanderer* presents a retrospective picture of the *comitatus* in times of peace when the lord rewarded his loyal followers with gifts in the mead-hall. Notwithstanding a few Christian passages, notably at the beginning and at the end, the poem is pagan in sentiment. The inexorability of Fate is the underlying thought. The author and date are unknown but because of this fatalistic note the poem would seem to belong to a period before the distinctly Christian poems of Cynewulf. It may then have been written in the first half of the eighth century and it may have been written in Northumbria. Both of these conjectures, however, have had opponents among Anglo-Saxon scholars. The truth is unknown.

The *Wanderer*, one of the poems in the Exeter Book, is printed in the unfinished edition of that manuscript made by Gollancz for the Early English Text Society, 1895 (No. 104), and may also be found in many collections and text-books of Old English. The following text is taken from the manuscript, the Gollancz edition and the Grein-Wülker *Bibliothek*, Vol. I, also having been consulted.

> Oft him ānhaga   āre gebīdeð,
> Metudes miltse   þēah þe hē mōdcearig
> geond lagulāde   longe sceolde
> hrēran mid hondum   hrīmcealde sæ,
> wadan wræclāstas: wyrd bið ful ārǣd!
>   Swā cwæð eardstapa   earfeþa gemyndig,

wrāþra wælsleahta   winemǣga hryre:
"Oft ic sceolde āna   ūhtna gehwylce
mīne ceare cwīþan;   nis nū cwicra nān,
þe ic him mōdsefan   mīnne durre   10
sweotule āsecgan.   Ic tō sōðe wāt
þæt bið in eorle   indryhten þēaw,
þæt hē his ferðlocan   fæste binde,
healde [1] his hordcofan,   hycge swā hē wille.
Ne mæg wērigmōd   wyrde wiðstondan,
ne sē hrēo hyge   helpe gefremman;
forðon dōmgeorne   drēorigne oft
in hyra brēostcofan   bindað fæste.
Swā ic mōdsefan   mīnne sceolde
oft earmcearig   ēðle bidǣled,   20
frēomǣgum feor   feterum sǣlan,
siþþan gēara iū   goldwine mīnne [2]
hrūsan heolster [3] biwrāh,   and ic hēan þonan
wōd wintercearig   ofer waþema [4] gebind,
sōhte sele drēorig   sinces bryttan,
hwǣr ic feor oþþe nēah   findan meahte
þone þe in meoduhealle   minne [5] wisse
oþþe mec frēondlēasne [6]   frēfran wolde,
wenian mid wynnum.   Wāt sē þe cunnað
hū slīþen bið   sorg tō gefēran   30
þām þe him lȳt hafað   lēofra geholena;
warað hine wræclāst,   nales wunden gold,
ferðloca frēorig,   nalæs foldan blǣd;
gemon hē selesecgas   and sincþege,

---

[1] MS. healdne; em. by Thorpe.
[2] MS. mine; em. by Ettmüller.
[3] MS. heolstre; em. by Ettmüller.
[4] MS. waþena; em. by Thorpe.
[5] MS. mine; em. by Bright.
[6] MS. freondlease; em. by Thorpe.

hū hine on geoguðe   his goldwine
wenede tō wiste: wyn eal gedrēas!
Forþon wāt sē þe sceal   his winedryhtnes
lēofes lārcwidum   longe forþolian,
ðonne sorg and slǣp   somod ætgædre
earmne ānhogan   oft gebindað,   40
þinceð him on mōde   þæt hē his mondryhten
clyppe and cysse,   and on cnēo lecge
honda and hēafod   swā hē hwīlum ǣr
in gēardagum   giefstōles ¹ brēac.
Ðonne onwæcneð eft   winelēas guma,
gesihð him biforan   fealwe wēgas,
baþian brimfuglas,   brǣdan feþra,
hrēosan hrīm and snāw   hagle gemenged.
þonne bēoð þȳ hefigran   heortan benne
sāre æfter swǣsne,   sorg bið genīwad,   50
þonne māga gemynd   mōd geondhweorfeð;
grēteð glīwstafum,   georne geondscēawað
secga geseldan: swimmað eft ² onweg;
flēotendra ferð   nō þǣr fela bringeð
cūðra cwidegiedda;   cearo bið genīwad
þām þe sendan sceal   swīþe geneahhe
ofer waþema gebind   wērigne sefan.
Forþon ic geþencan ne mæg   geond þās woruld
for hwan mōdsefa   mīn ³ ne gesweorce,
þonne ic eorla līf   eal geondþence,   60
hū hī fǣrlīce   flet ofgēafon,
mōdge maguþegnas.   Swā þes middangeard
ealra dōgra gehwām   drēoseð and fealleþ;

---

¹ *MS.* giefstolas; *em. by Sweet.*   ² *MS.* oft; *em. by Thorpe.*
³ *MS.* modsefan minne; *em. by Grein.*

forþon ne mæg weorþan [1] wīs   wer ǣr hē āge
wintra dǣl in woruldrīce.   Wita sceal geþyldig;
ne sceal nō tō hātheort   ne tō hrædwyrde,
ne tō wāc wiga   ne tō wanhȳdig,
ne tō forht ne tō fǣgen   ne tō feohgīfre,
ne nǣfre gielpes tō georn   ǣr hē geare cunne.
Beorn sceal gebīdan,   þonne hē bēot spriceð,   70
oþ þæt collenferð   cunne gearwe
hwider hreþra gehygd   hweorfan wille.
Ongietan sceal glēaw hæle   hū gǣstlīc bið,
þonne eall [2] þisse worulde wela   wēste stondeð,
swā nū missenlīce   geond þisne middangeard
winde biwāune   weallas stondaþ,
hrīme bihrorene,   hrȳðge þā ederas.
Wōriað þā wīnsalo,   waldend licgað
drēame bidrorene;   duguð eal gecrong
wlonc bī wealle;   sume wīg fornōm,   80
ferede in forðwege;   sumne fugel oþbær
ofer hēanne holm;   sumne sē hāra wulf
dēaðe gedǣlde;   sumne drēorighlēor
in eorðscræfe   eorl gehȳdde;
ȳþde swā þisne eardgeard   ælda Scyppend,
oþ þæt burgwara   breahtma lēase
eald enta geweorc   īdlu stōdon.
Sē þonne þisne wealsteal   wīse geþōhte,
and þis deorce [3] līf   dēope geondþenceð,
frōd in ferðe,   feor oft gemon   90
wælsleahta worn   and þās word ācwið:

[1] *MS.* wearþan; *em. by Thorpe.*
[2] *MS.* ealle; *em. by Ettmüller.*
[3] *MS.* deornce; *em. by Thorpe.*

'Hwǣr cwōm mearg? hwǣr cwōm mago? hwǣr cwōm māþþum-
    gyfa?
hwǣr cwōm symbla gesetu? hwǣr sindon seledrēamas?
Ēalā beorht bune! ēalā byrnwiga!
ēalā þēodnes þrym! hū sēo þrāg gewāt,
genāp under nihthelm, swā hēo nō wǣre!
Stondeð nū on lāste lēofre duguþe
weal wundrum hēah, wyrmlīcum fāh;
eorlas fornōman asca þrȳþe,
wǣpen wælgīfru, wyrd sēo mǣre,   100
and þās stānhleoþu stormas cnyssað,
hrīð hrēosende hrūsan ¹ bindeð,
wintres wōma þonne won cymeð,
nīpeð nihtscūa norþan onsendeð
hrēo hæglfare hæleþum on andan.
Eall is earfoðlīc eorþan rīce,
onwendeð wyrda gesceaft weoruld under heofonum;
hēr bið feoh lǣne, hēr bið frēond lǣne,
hēr bið mon lǣne, hēr bið mǣg lǣne;
eal þis eorþan gesteal īdel weorþeð!'"   110
    Swā cwæð snottor on mōde, gesæt him sundor æt rūne.
Til biþ sē þe his trēowe gehealdeþ; ne sceal nǣfre his torn tō
    rycene
beorn of his brēostum ācȳþan, nemþe hē ǣr þā bōte cunne,
eorl mid elne gefremman. Wel bið þām þe him āre sēceð,
frōfre tō Fæder on heofonum, þǣr ūs eal sēo fæstnung stondeð.

¹ *MS.* hruse; *em. by Ettmüller.*

XX

THE SEAFARER

THE *Seafarer*, usually associated with the *Wanderer* because of its mournful tone and underlying "exile" motive, has often been called the finest of the Old English lyric poems. It has been the subject of much discussion among scholars, some of whom consider it the soliloquy of an ancient mariner, while others think it a dialogue between an old man weary of the sea and a young man just beginning his seafaring career. The poem is noteworthy as being one of the first in which the wilder aspects of nature are described with enthusiasm. As is true of the *Wanderer*, the date, author, and place of composition of the *Seafarer* are unknown.

The *Seafarer*, also included in the Exeter Book, has been often edited and translated. The present text is taken from the manuscript, compared with the text as published in Sweet's *Anglo-Saxon Reader*, 9th ed., Oxford, 1922, and Grein-Wülker's *Bibliothek*, Vol. I.

Mæg ic be mē sylfum   sōðgied wrecan,
sīþas secgan,   hū ic geswincdagum
earfoðhwīle   oft þrōwade,
bitre brēostceare   gebiden hæbbe,
gecunnad in cēole   cearselda fela,
atol ȳþa gewealc.   Þær mec oft bigeat
nearo nihtwaco   æt nacan stefnan,
þonne hē be clifum cnossað.   Calde geþrungen
wæron mīne fēt   forste gebunden,
caldum clommum;   þær þā ceare seofedun
hāt ymb heortan;   hungor innan slāt
merewērges mōd.   Þæt sē mon ne wāt,

þe him on foldan   fægrost limpeð,
hū ic earmcearig   īscealdne sǣ
winter wunade   wræccan lāstum
winemǣgum bidroren,
bihongen hrīmgicelum: hægl scūrum flēag.
þǣr ic ne gehȳrde   būtan hlimman sǣ,
īscaldne wǣg,   hwīlum ylfete song:
dyde ic mē tō gomene   ganetes hlēoþor   20
and huilpan swēg   fore hleahtor wera,
mǣw singende   fore medodrince.
Stormas þǣr stānclifu bēotan,   þǣr him stearn oncwæð
īsigfeþera;   ful oft þæt earn bigeal
ūrigfeþra.   Nǣnig hlēomǣga
fēasceaftig ferð   frēfran [1] meahte.
For þon him gelȳfeð lȳt   sē þe āh līfes wyn,
gebiden in burgum   bealosīþa hwōn,
wlonc and wīngāl,   hū ic wērig oft
in brimlāde   bīdan sceolde!   30
Nāp nihtscūa,   norþan snīwde,
hrīm hrūsan bond;   hægl fēol on eorþan,
corna caldast.   For þon cnyssað nū
heortan geþōhtas,   þæt ic hēan strēamas,
sealtȳþa gelāc   sylf cunnige;
monað mōdes lust   mǣla gehwylce
ferð tō fēran,   þæt ic feor heonan
elþēodigra   eard gesēce.
For þon nis þæs mōdwlonc   mon ofer eorþan,
ne his gifena þæs gōd,   ne in geoguþe tō þæs hwæt,   40
ne in his dǣdum tō þæs dēor,   ne him his Dryhten tō þæs hold,
þæt hē ā his sǣfōre   sorge næbbe.

[1] *MS.* feran; *em. by Grein.*

tō hwon hine Dryhten gedōn wille.
Ne biþ him tō hearpan hyge, ne tō hringþege,
ne tō wīfe wyn, ne tō worulde hyht,
ne ymbe ōwiht elles nefne ymb ȳða gewealc;
ac ā hafað longunge sē þe on lagu fundað.
Bearwas blōstmum nimað byrig fægriað,
wongas wlitigiað,[1] woruld ōnetteð:
ealle þā gemoniað mōdes fūsne   50
sefan tō sīðe, þām þe swā þenceð,
on flōdwegas feor gewītan.[2]
Swylce gēac monað gēomran reorde,
singeð sumeres weard, sorge bēodeð
bitter in brēosthord. Þæt sē beorn ne wāt,
ēstēadig [3] secg, hwæt þā sume drēogað
þe þā wræclāstas wīdost lecgað!
For þon nū mīn hyge hweorfeð ofer hreþerlocan,
mīn mōdsefa mid mereflōde
ofer hwæles ēþel, hweorfeð wīde   60
eorþan scēatas, cymeð eft tō mē
gīfre and grædig; gielleð ānfloga,
hweteð on hwælweg [4] hreþer unwearnum
ofer holma gelagu: for þon mē hātran sind
Dryhtnes drēamas þonne þis dēade līf
læne on londe: ic gelȳfe nō,
þæt him eorðwelan ēce stondað.[5]
Simle þrēora sum þinga gehwylce
ær his tīdege tō twēon weorþeð
ādl oþþe yldo oþþe ecghete   70

---

[1] *MS.* wlitigað; *em. by Grein.*
[2] *MS.* gewitað; *em. by Thorpe.*
[3] *MS.* eft eadig; *em. by Ettmüller.*
[4] *MS.* wæl weg; *em. by Thorpe.*
[5] *MS.* stondeð; *em. by Ettmüller.*

fǣgum fromweardum   feorh oðþringeð.

For þon þæt is [1] eorla gehwām   æftercweþendra
lof lifgendra,   lāstworda betst,
þæt hē gewyrce,   ǣr hē onweg scyle,
freme [2] on foldan   wið fēonda nīþ
dēorum dǣdum   dēofle tōgēanes,
þæt hine ælda bearn   æfter hergen
and his lof siþþan   lifge mid englum
āwa tō ealdre,   ēcan līfes blǣd [3]
drēam mid dugeþum!   Dagas sind gewitene,   80
ealle onmēdlan   eorþan rīces;
nearon [4] nū cyningas   ne cāseras
ne goldgiefan,   swylce iū wǣron,
þonne hī mǣst mid him   mǣrþa gefremedon
and on dryhtlīcestum   dōme lifdon:
gedroren is þēos duguð eal,   drēamas sind gewitene;
wuniað þā wācran   and þās woruld healdaþ,
brūcað þurh bisgo.   Blǣd is gehnǣged;
eorþan indryhto   ealdað and sēarað
swā nū monna gehwylc   geond middangeard: 90
yldo him on fareð   onsȳn blācað,
gomelfeax gnornað,   wāt his iūwine,
æþelinga bearn   eorþan forgiefene.
Ne mæg him þonne sē flǣschoma,   þonne him þæt feorg losað.
ne swēte forswelgan   ne sār gefēlan
ne hond onhrēran   ne mid hyge þencan.
Þēah þe græf wille   golde strēgan,
brōþor his geborenum   byrgan be dēadum
māþmum mislīcum,   þæt hī ne mid wille:

---

[1] is *supplied by Grein.*   [2] *MS.* fremman; *em. by Sweet.*
[3] *MS.* blæð: *em. by Thorpe.*   [4] *MS.* næron; *em. by Grein.*

ne mæg þǣre sāwle,   þe biþ synna ful,

gold tō gēoce   for Godes egsan,

þonne hē hit ǣr hȳdeð,   þenden hē hēr leofað.

Micel biþ sē Meotudes egsa,   for þon hī sēo molde oncyrreð,

sē gestaþelade   stīþe grundas,

eorþan scēatas   and ūprodor.

Dol biþ sē þe him his Dryhten ne ondrǣdeþ: cymeð him sē dēað
   unþinged.

Ēadig bið sē þe ēaþmōd leofað: cymeð him sēo ār of heofonum,

Meotod him þæt mōd gestaþelað,   for þon hē in his meahtw
   geïȳfeð.

XXI

RIDDLES

THE following Riddles are taken from the collection of nearly a hundred contained in the Exeter Book, which was formerly ascribed to Cynewulf largely on the ground that the first Riddle was a charade on Cynewulf's name. Modern scholarship has disproved the theory of Cynewulf's authorship, admitting the possibility of his having written three or four of the Riddles, Nos. 1, 2, 3, and 40, for example, but has substituted the name of no other person. The Exeter Riddles were probably written in the first part of the eighth century. The writing of such enigmatic poems appears to have been a popular pastime in the Middle Ages and several collections of Latin riddles written by Englishmen in the seventh and eighth centuries are extant. Notable among these are the Riddles of Aldhelm, Bede, and Alcuin. From a literary point of view many of the Exeter Riddles are charming short poems, describing various aspects of nature and of the everyday life of the people. From the point of view of enigmas they are not so satisfactory to modern readers. Some of them are so obvious as to be scarcely worthy of the name riddle; others are so obscure as to baffle all modern scholars; and still others are open to various interpretations

The Exeter Riddles were edited by F. Tupper in 1910, *The Riddles of the Exeter Book*, and by A. J. Wyatt in 1912, *Old English Riddles* (Heath, Belles Lettres Series). The following text is from the manuscript, compared with Tupper's and Wyatt's editions.

I. THE HORN

Ic wæs wæpenwiga; nū mec wlonc þeceð
geong hagostealdmon golde and sylfore,

wōum wīrbogum.   Hwīlum weras cyssað;
hwīlum ic tō hilde   hlēoþre bonne
wilgehlēþan;   hwīlum wycg byreþ
mec ofer mearce,   hwīlum merehengest
fereð ofer flōdas   frætwum beorhtne;
hwīlum mægða sum   mīnne gefylleð
bōsm bēaghroden;   hwīlum ic bordum sceal,
heard, hēafodlēas,   behlȳþed licgan;
hwīlum hongige   hyrstum frætwed,
wlitig, on wāge,   þǣr weras drincað;
frēolīc fyrdsceorp   hwīlum folcwigan
wicge wegað   (þonne ic winde sceal
sincfāg swelgan   of sumes bōsme);
hwīlum ic gereordum   rincas laðige
wlonce tō wīne;   hwīlum wrāþum [1] sceal
stefne mīnre   forstolen hreddan,
flȳman fēondsceaþan.   Frige hwæt ic hātte.

II. STORM ON LAND

Hwylc is hæleþa   þæs horsc and þæs hygecræftig
þæt þæt mæge āsecgan,   hwā mec on sīð wræce?
Þonne ic āstīge   strong, stundum rēþe,
þrymful þunie,   þrāgum wræce
fēre geond foldan,   folcsalo bærne,
ræced rēafige,   rēcas stīgað
haswe ofer hrōfum,   hlin bið on eorþan,
wælcwealm wera.   Þonne ic wudu hrēre,
bearwas blēdhwate,   bēamas fylle
holme gehrēfed,   hēahum [2] meahtum
wrecan on wāþe   wīde sended,

---

[1] *MS.* wraþþum.   [2] *MS.* heanum.

hæbbe mē on hrycge   þæt ǣr hādas wrēah
foldbūendra,   flǣsc and gǣstas
somod on sunde.   Saga hwā mec þecce,
oþþe hū ic hātte   þe þā hlǣst bere.

III. STORM AT SEA

Hwīlum ic gewīte,   swā ne wēnaþ men,
under ȳþa geþrǣc   eorþan sēcan,
gārsecges grund.   Gifen biþ gewrēged,
......................,   fām gewealcen;
hwælmere hlimmeð,   hlūde grimmeð;
strēamas staþu bēatað,   stundum weorpaþ
on stealc hleoþa   stāne and sonde,
wǣre and wǣge,   þonne ic winnende
holmmægne biþeaht   hrūsan styrge,
sīde sǣgrundas.   Sundhelme ne mæg
losian, ǣr mec lǣte,   sē þe mīn lāttēow bið
on sīþa gehwām.   Saga, þoncol mon,
hwā mec bregde   of brimes fæþmum
þonne strēamas eft   stille weorþað,
ȳþa geþwǣre,   þe mec ǣr wrugon.

IV. MEAD

Ic eom weorð werum,   wīde funden,
brungen of bearwum   and of burghleoþum,
of denum and of dūnum.   Dæges mec wǣgun
feþre on lifte,   feredon mid liste
under hrōfes hlēo.   Hæleð mec siþþan
baþedan in bydene.   Nū ic eom bindere
and swingere,   sōna weorpere;
efne tō eorþan   hwīlum ealdne ceorl.

Sōna þæt onfindeð,   sē þe mec fēhð ongēan
and wið mægenþisan   mīnre genæsteð,   10
þæt hē hrycge sceal   hrūsan sēcan,
gif hē unrædes   ǣr ne geswīceð;
strengo bistolen,   strong on sprǣce,
mægene binumen,   nāh his mōdes geweald,
fōta ne folma.   Frige hwæt ic hātte,
ðe on eorþan swā   esnas binde
dole æfter dyntum   be dæges lēohte.

V. THE FALCON

Ic eom æþelinges   eaxlgestealla,
fyrdrinces gefara,   frēan mīnum lēof,
cyninges geselda.   Cwēn mec hwīlum
hwītloccedu hond   on legeð,
eorles dohtor,   þēah hīo æþelu sȳ.
Hæbbe mē on bōsme   þæt on bearwe gewēox.
Hwīlum ic on wloncum   wicge rīde
herges on ende: heard is mīn tunge.
Oft ic wōðboran   wordlēana sum
āgyfe æfter giedde.   Good is mīn wīse,   14
and ic sylfa salo.   Saga hwæt ic hātte.

XXII

CHARMS

THE *Charms* are remnants of the old heathen poetry in England before Christianity had gained a strong foothold. Some of them have a Christian veneer but fundamentally they are pagan, with their references to Woden and Thor and in some cases to an even more primitive earth worship. Of the two following, the first, *Wið Ymbe*, a charm for the swarming of bees, is found on the margin of Corpus Christi MS. 41 in the Library of Corpus Christi College, Cambridge; the second, the *Nine Herbs Charm*, is in Harleian MS. 585, in the British Museum. The *Charms* may be found in Grein-Wülker, Vol. I; in Cockayne's *Leechdoms*, London, 1864–66, Rolls Series; and in *The Anglo-Saxon Charms*, by Felix Grendon, New York, 1909. This work, submitted as a doctoral dissertation at Columbia University, is a reprint from the *Journal of American Folk-lore*, where it first appeared, April–June, 1909.

The following texts are taken from the manuscripts, the editions of Grendon, Cockayne, and Grein-Wülker also having been consulted.

I. AGAINST A SWARM OF BEES

Wið Ymbe

Nim eorþan, oferweorp mid þīnre swīþran handa under þīnum swīþran fēt, and cweð: [1]

> Fō ic under fōt; funde ic hit.
> Hwæt, eorðe mæg wið ealra wihta gehwilce,
> and wið andan, and wið æminde,
> and wið þā micelan mannes tungan.

[1] *MS.* cwet.

Forweorp [1] ofer grēot, þonne hī swirman, and cweð:

> Sitte gē, sigewīf,   sīgað tō eorþan,
> næfre gē wilde   tō wuda flēogan!
> Bēo gē swā gemindige   mīnes gōdes
> swā bið manna gehwilc   metes and ēþeles!

10

II. NINE HERBS CHARM

Gemyne ðū, Mucgwyrt,   hwæt þū āmeldodest,
hwæt þū rēnadest   æt regenmelde.
Una þū hāttest,   yldost wyrta.
Ðū miht wið III   ond wið XXX,
þū miht wiþ āttre   ond wið onflyge,
þū miht wiþ þā lāþan,   ðe geond lond færð.
Ond þū, Wegbrāde,   wyrta mōdor,
ēastan openo,[2]   innan mihtigu;
ofer ðē [3] crætu [4] curran,   ofer ðē [3] cwēne reodan,
ofer ðē [3] brȳde bryodedon,   ofer þē [3] fearras fnærdon; 15
eallum þū þon wiðstōde   ond wiðstunedest:
swā ðū wiðstonde āttre   ond onflyge
ond þǣm lāðan,   þe geond lond fēreð.
Stīme [5] hætte þēos wyrt,   hēo on stāne gewēox;
stond hēo wið āttre,   stunað hēo wærce.
Stīðe hēo hātte,   wiðstunað hēo āttre,
wreceð hēo wrāðan,   weorpeð ūt āttor.
Þis is sēo wyrt,   sēo wiþ wyrm gefeaht,
þēos mæg wið āttre,   hēo mæg wið onflyge,

---

[1] *MS. and wið on forweorp; em. by Sweet.*
[2] *MS. opone; em. by Grein-Wülker.*
[3] *MS. ðy; em. by Grein-Wülker.*
[4] *MS. cræte; em. by Grein-Wülker.*
[5] *MS. stime or stune; Cockayne, Grendon, stime; Grein-Wülker, stune.*

hēo mæg wið ðā lāþan,   ðe geond lond fēreþ.   20
Flēoh þū nū, Āttorlāðe,   sēo læsse ðā māran,
sēo māre þā læssan,   oð ðæt him bēigra bōt sȳ.
Gemyne þū, Mægðe,   hwæt þū āmeldodest,
hwæt ðū geændadest   æt Alorforda:
þæt næfre for geflōge   feorh ne gesealde,
syþðan him mon mægðan   tō mete gegyrede.
þis is sēo wyrt,   ðe Wergulu hātte;
ðās onsænde seolh   ofer sæs hrygc
ondan āttres   ōþres tō bōte.
Ðās VIIII ongān   wið nygon āttrum.   36
Wyrm cōm snīcan   tōslāt hē man: [1]
ðā genam Wōden   VIIII wuldortānas,
slōh ðā þā næddran,   þæt hēo on VIIII tōflēah.
þær geændade   æppel ond āttor,
þæt hēo næfre   ne wolde on hūs būgan.
Fille ond Finule,   fela mihtigu twā,
þā wyrte gescēop   wītig Drihten,
hālig on heofonum;   þā hē hongode,
sette ond sænde   on VII worulde
earmum ond ēadigum   eallum tō bōte.   40
Stond hēo wið wærce,   stunað hēo wið āttre,
sēo mæg wið III   ond wið XXX,
wið fēondes hond   ond wið þæs fāgan [2] hond,
...............[3]   wið frēa bēgde,
wið malscrunge   mīnra wihta.

Nū magon þās VIIII wyrta wið nygon wuldorgeflogenum, wið
VIIII āttrum ond wið nygon onflygnum, wið ðȳ rēadan āttre, wið

---

[1] *MS.* nan; *em. by Grein-Wülker.*   [2] **fagan** *supplied by Grein-Wülker*
[3] *No space in MS. but something evidently omitted.*

ðȳ [1] runlan āttre, wið ðȳ hwītan āttre, wið ðȳ wēdenan āttre, wið
ðȳ geolwan āttre, wið ðȳ grēnan āttre, wið ðȳ wonnan āttre,[2] wið
ðȳ brūnan āttre, wið ðȳ basewan āttre; wið wyrmgeblǣd,   50
wið wætergeblǣd, wið þorngeblǣd, wið þysgeblǣd, wið ȳsgeblǣd,
wið āttorgeblǣd, gif ǣnig āttor cume ēastan flēogan oððe ǣnig
norðan cume oððe ǣnig westan ofer werðēode.   Crīst stōd ofer
ādle [3] ǣngan cundes.   Ic āna wāt ēa rinnende ond þā nygon nǣdran
behealdað; mōtan ealle wēoda nū wyrtum āspringan, sǣs tōslūpan,
eal sealt wæter, ðonne ic þis āttor of ðē geblāwe.

[1] *MS.* ða; *em. by Grein-Wülker.*
[2] *MS.* wið ðy wedenan attre *repeated here.*
[3] *MS.* alde; *em. by Cockayne.*

XXIII

THE COTTON GNOMES

A GNOME is a sententious saying which may be proverbial, aphoristic, figurative, moral. The primitive literature of most peoples contains gnomic passages and early Teutonic poetry has many examples of this type of writing. Gnomes are fairly common in Old English poems, especially in *Beowulf.* Some of them are distinctly heathen in character, with especial emphasis on Fate; some are Christian, Fate being replaced by God; and others present a combination of the two. Only in Old Norse and Old English, however, of the Teutonic languages, do we find collections of gnomes. In Old English there are two of these, one in the Exeter Book, which is divided by the letters A, B, and C, into three parts, the other in the Cotton MS. Tiberius B I, which contains Alfred's *Orosius.*

The Cotton gnomes given below show a dual pagan and Christian character. Fate, giants, monsters appear side by side with Christ. These gnomes were evidently written at a time when Christianity was still a new religion and when old pagan memories were easily awakened. They are probably West Saxon in origin, for in Wessex the fusion of Christianity and heathendom occurred late, and may have been the work of some monk who put together the two elements, his own contribution being the Christian.

The following text is from the manuscript. The only exclusive study of the Old English gnomes is that of Blanche Colton Williams, *Gnomic Poetry in Anglo-Saxon*, Columbia University Press, 1914.

Cyning sceal rīce healdan. Ceastra bēoð feorran gesȳne,
orðanc enta geweorc, þā þe on þysse eorþan syndon,
wrætlīc weallstāna geweorc. Wind byð on lyfte swiftust,
þunar byð þrāgum hlūdast. Þrymmas syndan Crīstes myccle.

Wyrd byð swīðost. Winter byð cealdost;
lencten hrīmigost, hē byð lengest ceald;
sumor sunwlitegost, swegel byð hātost,
hærfest hrēðēadegost; hæleðum bringeð
gēres wæstmas þā þe him God sendeð.
Sōð bið switolost,[1] sinc byð dēorost,   10
gold gumena gehwām, and gomol snoterost,
fyrngēarum frōd, sē þe ær feala gebīdeð.
Wēa bið wundrum clibbor. Wolcnu scrīðað.
Geongne æþeling sceolan gōde gesīðas
byldan tō beaduwe and tō bēahgife.
Ellen sceal on eorle. Ecg sceal wið hellme
hilde gebīdan. Hafuc sceal on glōfe
wilde gewunian; wulf sceal on bearowe,
earm ānhaga;[2] eofor sceal on holte
tōðmægenes trum. Til sceal on ēðle   20
dōmes wyrcean. Daroð sceal on handa,
gār golde fāh. Gim sceal on hringe
standan stēap and gēap. Strēam sceal on ȳðum
mecgan mereflōde. Mæst sceal on cēole
segelgyrd seomian. Sweord sceal on bearme
drihtlīc īsern. Draca sceal on hlǣwe
frōd, frætwum wlanc. Fisc sceal on wætere
cynren cennan. Cyning sceal on healle
bēagas dǣlan. Bera sceal on hǣðe
eald and egesfull. Ēa of dūne sceal   30
flōdgrǣg fēran. Fyrd sceal ætsomne,
tīrfæstra getrum. Trēow sceal on eorle,
wīsdōm on were. Wudu sceal on foldan
blǣdum blōwan. Beorh sceal on eorþan
grēne standan. God sceal on heofenum

[1] *MS.* swicolost.   [2] *MS.* earn an haga.

dǣda dēmend.   Duru sceal on healle,
rūm recedes mūð.   Rand sceal on scylde,
fæst fingra gebeorh.   Fugel uppe sceal
lācan on lyfte.   Leax sceal on wǣle
mid scēote scrīðan.   Scūr sceal on heofenum   40
winde geblanden   in þās woruld cuman.
Þēof sceal gangan þȳstrum wederum.   Þyrs sceal on fenne
      gewunian
āna innan lande.   Ides sceal dyrne cræfte,
fǣmne hire frēond gesēcean,   gif hēo nelle on folce geþēon,
þæt hī man bēagum gebicge.   Brim sceal sealte weallan,
lyfthelm and laguflōd   ymb ealra landa gehwylc
flōwan firgenstrēamas.   Feoh sceal on eorðan
tȳdran and tȳman.   Tungol sceal on heofenum
beorhte scīnan,   swā him bebēad Meotud.
Gōd sceal wið yfele,   geogoð sceal wið yldo,   50
līf sceal wið dēaþe,   lēoht sceal wið þȳstrum,
fyrd wið fyrde,   fēond wið ōðrum,
lāð wið lāþe   ymb land sacan,
synne stǣlan.   Ā sceal snotor hycgean
ymb þysse worulde gewinn;   wearh hangian,
fǣgere ongildan,   þæt hē ǣr fācen dyde
manna cynne.   Meotod āna wāt
hwyder sēo sāwul sceal   syððan hweorfan
and ealle þā gāstas,   þe for Gode hweorfað
æfter dēaðdæge;   dōmes bīdað   60
on Fæder fæðme.   Is sēo forðgesceaft
dīgol and dyrne;   Drihten āna wāt,
nergende Fæder.   Nǣni eft cymeð
hider under hrōfas,   þe þæt hēr forsōð
mannum secge,   hwylc sȳ Meotodes gesceaft,
sigefolca gesetu,   þǣr hē sylfa wunað.

BEOWULF

Beowulf, the best-known and most important of Old English poems, exists today in a single manuscript, Cotton Vitellius A XV, in the British Museum. This copy probably was made about the year A.D. 1000 and is the work of two scribes, the second hand beginning at line 1940 of the poem. It was damaged by the disastrous fire of 1731 which destroyed many of the Cotton manuscripts, and in the years following the fire many of its pages crumbled at the edges, thus rendering illegible some of the writing, a loss which would have been prevented had the manuscript been in its present bound condition. The poem was first edited by a Danish scholar, Thorkelin, who in 1787 had a transcript of the manuscript made and later in the same year made a second transcript himself. These transcripts are of great value because Thorkelin was able to decipher words which have since become illegible. His edition appeared in 1815. Since then the poem has been edited many times. The German scholar, Julius Zupitza, in 1882 made photostats of the entire manuscript, which were published with his transcription and notes by the Early English Text Society. The best two modern editions of the poem in English are by A. J. Wyatt and R. W. Chambers, Cambridge, 1914, and by Fr. Klaeber, Boston, 1922, new edition with supplement, 1928.

The poem is divided into two main parts, the first dealing with Beowulf's exploits as a young man, the second with his last fight and death in old age. Beowulf is a Geat living probably in what is now Southern Sweden at the court of his uncle, Hygelac, king of the Geats. Hearing of the crimes of a monster, Grendel, who has ravaged Heorot, the hall of the Danish king, Hrothgar, he decides to kill Grendel, and with a small band of men sets out for the Danish court to accomplish this adventure. Here he engages in two fights, one more than he had anticipated, the first with Grendel and the second with Grendel's mother, who comes to avenge her son and who proves the more deadly enemy of the two. The first combat takes place in the Danish hall; the second in Grendel's mother's lair at the bottom of a pool. Both are victories for the hero and after receiving Hrothgar's grateful thanks together with many gifts, Beowulf returns to Geatland. In time Beowulf becomes king and reigns for fifty years over the Geats. At the end of that period he engages in a fight with a fire-breathing dragon who has been destroying his kingdom. Beowulf is again victorious but he frees his people from this enemy at the expense of his own life. The poem ends with an account of his funeral.

The author and the date of *Beowulf* are both unknown. It has been conjectured that the author may have been someone at an Anglian court, and recent editors have assigned to the poem a date around A.D. 730. In addition to the main narrative as outlined above, the elements of which are derived chiefly from folklore, there are many allusions of an historical or pseudo-historical character, and many Christian passages which seem surprising to the modern reader in a poem dealing with a pagan society. The presence of the latter has been accounted for in two ways: they are interpolations made by a later Christian scribe; or, more probably, they are the sentiments of the original author who was a Christian and who occasionally forgot he was writing of a pagan society. The presence in England of both pagan and Christian religions may also account for their juxtaposition in the epic.

Aside from its linguistic value, *Beowulf* is most important for us today by reason of the vivid picture it gives of old Germanic life. Although the poem purports to depict social conditions among

Scandinavian peoples of the sixth century (Beowulf, if he had lived, would have been born about 490), and although there is no great disharmony between a number of the facts presented in *Beowulf* and those related by Tacitus in his *Germania*, as many editors have observed, still the likelihood is that the writer of *Beowulf* drew largely on his knowledge of the customs of his own day in England for his picture. The virtues of Hrothgar and Beowulf, courage in war and generosity in peace, and of their followers, loyalty and bravery, were the virtues of the Anglo-Saxon lord and his *comitatus*.[1]

Of the three selections given below, the first (ll. 491–661) gives a description of Hrothgar's feast in honor of Beowulf upon his arrival, one of the several vivid descriptions in the poem of a scene of revelry in the hall. This particular feast was noteworthy because it was the occasion of a spirited exchange of speeches between Beowulf and a member of the Danish court. Hunferth, one of the king's counselors, who is apparently jealous of Beowulf, taunts him with an episode of his youth, a swimming match with a friend named Breca, in which, according to Hunferth, Breca was the victor. Beowulf replies with a true story of the contest which shows that his strength was indubitably the greater of the two. The contest with Breca is one of the most famous of the many digressions in the poem. The second selection (ll. 1345–1376), often known as the "purple passage," is the description of Grendel's mere. It shows the ability of the Anglo-Saxon poet to describe nature in its wilder aspects, and is noteworthy for its power to suggest the weird and supernatural. The third selection (ll. 2669–2711) forms part of the account of Beowulf's last fight against

[1] For a discussion of the poem the reader is referred to R. W. Chambers, *Beowulf: An Introduction to the Study of the Poem*, 2nd ed., Cambridge, 1932, the Introduction to Klaeber's *Beowulf*, Heath, 1922, new ed. 1928, and W. W. Lawrence, *Beowulf and Epic Tradition*, Harvard University Press, 1928.

the dragon, in which he is aided by his loyal retainer and kinsman, the young Wiglaf, without whose timely help the dragon might not have been killed.

The *Beowulf* manuscript was used in the preparation of the following text, with consultation of the editions by Klaeber, Chambers, and Zupitza.

I. HROTHGAR'S FEAST AND THE BRECA EPISODE

ll. 491–661

þā wæs Gēatmæcgum   geador ætsomne
on bēorsele   benc gerȳmed;
þǣr swīðferhþe   sittan ēodon,
þrȳðum dealle.   Þegn nytte behēold,
sē ðe on handa bær   hroden ealowǣge,
scencte scīr wered.   Scop hwīlum sang
hādor on Heorote.   Þǣr wæs hæleða drēam,
duguð unlȳtel   Dena ond Wedera.

(H)Unferð maþelode,   Ecglāfes bearn,
þe æt fōtum sæt   frēan Scyldinga,   50C
onband beadurūne —   wæs him Bēowulfes sīð,
mōdges merefaran,   micel æfþunca,
forþon þe hē ne ūþe,   þæt ǣnig ōðer man
ǣfre mǣrða þon mā   middangeardes
gehēdde under heofenum   þonne hē sylfa: —
"Eart þū sē Bēowulf,   sē þe wið Brecan wunne,
on sīdne sǣ   ymb sund flite,
ðǣr git for wlence   wada cunnedon
ond for dolgilpe   on dēop wæter
aldrum nēþdon?   Ne inc ǣnig mon,   510
ne lēof ne lāð,   belēan mihte
sorhfullne sīð,   þā git on sund rēon;

þǣr git ēagorstrēam   earmum þehton,
mǣton merestrǣta,   mundum brugdon,
glidon ofer gārsecg;   geofon ȳþum wēol,
wintrys wylme.[1]   Git on wæteres ǣht
seofon niht swuncon;   hē þē æt sunde oferflāt,
hæfde māre mægen.   Þā hine on morgentīd
on Heaþo-Rǣmas [2]   holm ūp ætbær;
ðonon hē gesōhte   swǣsne ēþel,[3]   52⊙
lēof his lēodum,   lond Brondinga,
freoðoburh fægere,   þǣr hē folc āhte,
burh ond bēagas.   Bēot eal wið þē
sunu Bēanstānes   sōðe gelǣste.
Ðonne wēne ic tō þē   wyrsan geþingea,
ðeah þū heaðorǣsa   gehwǣr dohte,
grimre gūðe,   gif þū Grendles dearst
nihtlongne fyrst   neân bīdan."

    Bēowulf maþelode,   bearn Ecgþēowes:
"Hwæt, þū worn fela,   wine mīn (H)Unferð,   53⊙
bēore druncen   ymb Brecan sprǣce,
sægdest from his sīðe!   Sōð ic talige,
þæt ic merestrengo   māran āhte,
earfeþo on ȳþum,   ðonne ǣnig ōþer man.
Wit þæt gecwǣdon   cnihtwesende
ond gebēotedon   — wǣron bēgen þā gīt
on geogoðfēore --   þæt wit on gārsecg ūt
aldrum nēðdon,   ond þæt geæfndon swā.
Hæfdon swurd nacod,   þā wit on sund reôn,
heard on handa;   wit unc wið hronfixas   54⊙

---

[1] *MS.* wylm; *em. by Thorpe.*
[2] *MS.* heaþorǣmes; *em. by Chambers.*
[3] *MS.* ◇, *the rune called* eþel.

werian þōhton. Nō hē wiht fram mē
flōdȳþum feor flēotan meahte,
hraþor on holme, nō ic fram him wolde.
Ðā wit ætsomne on sǣ wǣron
fīf nihta fyrst, oþ þæt unc flōd tōdrāf,
wado weallende, wedera cealdost,
nīpende niht, ond norþanwind
heaðogrim ondhwearf; hrēo wǣron ȳþa.
Wæs merefixa mōd onhrēred;
þǣr mē wið lāðum līcsyrce mīn   550
heard hondlocen helpe gefremede,
beadohrægl brōden, on brēostum læg
golde gegyrwed. Mē tō grunde tēah
fāh fēondscaða, fæste hæfde
grim on grāpe; hwæþre mē gyfeþe wearð,
þæt ic āglǣcan orde gerǣhte,
hildebille; heaþorǣs fornam
mihtig meredēor þurh mīne hand.
  Swā mec gelōme lāðgetēonan
þrēatedon þearle. Ic him þēnode   560
dēoran sweorde, swā hit gedēfe wæs.
Næs hīe ðǣre fylle gefēan hæfdon,
mānfordǣdlan, þæt hīe mē þēgon,
symbel ymbsǣton sǣgrunde nēah;
ac on mergenne mēcum wunde
be ȳþlāfe uppe lǣgon,
sweordum āswefede, þæt syðþan nā
ymb brontne ford brimlīðende
lāde ne letton. Lēoht ēastan cōm,
beorht bēacen Godes, brimu swaþredon,   570
þæt ic sǣnæssas gesēon mihte,

windige weallas. Wyrd oft nereð
unfǣgne eorl, þonne his ellen dēah!
Hwæþere mē gesǣlde, þæt ic mid sweorde ofslōh
niceras nigene. Nō ic on niht gefrægn
under heofones hwealf heardran feohtan,
ne on ēgstrēamum earmran mannon;
hwæþere [1] ic fāra fēng fēore gedīgde
sīþes wērig. Ðā mec sǣ oþbær,
flōd æfter faroðe on Finna land,   580
wadu [2] weallendu. Nō ic wiht fram þē
swylcra searonīða secgan hȳrde,
billa brōgan. Breca nǣfre gīt
æt heaðolāce, ne gehwæþer incer,
swā dēorlīce dǣd gefremede
fāgum sweordum — no ic þæs fela [3] gylpe —,
þēah ðū þīnum brōðrum tō banan wurde,
hēafodmǣgum; þæs þū in helle scealt
werhðo drēogan, þēah þīn wit duge.
Secge ic þē tō sōðe, sunu Ecglāfes,   590
þæt nǣfre Grendel [4] swā fela gryra gefremede,
atol æglǣca ealdre þīnum,
hȳnðo on Heorote, gif þīn hige wǣre,
sefa swā searogrim, swā þū self talast;
ac hē hafað onfunden, þæt hē þā fǣhðe ne þearf,
atole ecgþræce ēower lēode
swīðe onsittan, Sige-Scyldinga;
nymeð nȳdbāde, nǣnegum ārað

---

[1] *M.S.* hwaþere; *em. by Grundtvig.*   [2] *M.S.* wudu; *em. by Grundtvig.*
[3] *M.S.* no ic þæs gylpe; *Grein, Sedgefield, Klaeber insert* fela; *Kluge, Holt-hausen, Schucking, Chambers,* geflites.
[4] *MS.* gredel; *em. by Thorkelin*

lēode Deniga, ac hē lust wigeð,
swefeð ond sendeþ, secce ne wēneþ 600
tō Gār-Denum. Ac ic him Gēata sceal
eafoð ond ellen ungēara nū,
gūþe gebēodan. Gǣþ eft sē þe mōt
tō medo mōdig, siþþan morgenlēoht
ofer ylda bearn ōþres dōgores,
sunne sweglwered sūþan scīneð!"

þā wæs on sālum sinces brytta
gamolfeax ond gūðrōf; gēoce gelȳfde
brego Beorht-Dena; gehȳrde on Bēowulfe
folces hyrde fæstrǣdne geþōht. 610
Ðǣr wæs hæleþa hleahtor, hlyn swynsode,
word wǣron wynsume. Ēode Wealhþēow forð,
cwēn Hrōðgāres cynna gemyndig,
grētte goldhroden guman on healle,
ond þā frēolīc wīf ful gesealde
ǣrest East-Dena ēþelwearde,
bæd hine blīðne æt þǣre bēorþege,
lēodum lēofne; hē on lust geþeah
symbel ond seleful, sigerōf kyning.
Ymbēode þā ides Helminga 620
duguþe ond geogoþe dǣl ǣghwylcne,
sincfato sealde, oþ þæt sǣl ālamp,
þæt hīo Bēowulfe, bēaghroden cwēn
mōde geþungen medoful ætbær;
grētte Gēata lēod, Gode þancode
wīsfæst wordum þæs ðe hire sē willa gelamp,
þæt hēo on ænigne eorl gelȳfde
fyrena frōfre. Hē þæt ful geþeah,
wælrēow wiga æt Wealhþēon,

ond þā gyddode   gūþe gefȳsed;   630
Bēowulf maþelode,   bearn Ecgþēowes:
"Ic þæt hogode,   þā ic on holm gestāh,
sǣbāt gesæt   mid mīnra secga gedriht,
þæt ic ānunga   ēowra lēoda
willan geworhte,   oþðe on wæl crunge
fēondgrāpum fæst.   Ic gefremman sceal
eorlīc ellen,   oþðe endedæg
on þisse meoduhealle   mīnne gebīdan!"
Ðām wīfe þā word   wel līcodon,
gilpcwide Gēates;   ēode goldhroden   646
frēolīcu folccwēn   tō hire frēan sittan.

  Þā wæs eft swā ǣr   inne on healle
þrȳðword sprecen,   ðēod on sǣlum,
sigefolca swēg,   oþ þæt semninga
sunu Healfdenes   sēcean wolde
ǣfenræste;   wiste þǣm āhlǣcan
tō þǣm hēahsele   hilde geþinged,
siððan hīe sunnan lēoht   gesēon meahton,
oþ ðe nīpende   niht ofer ealle,
scaduhelma gesceapu   scrīðan cwōman   654
wan under wolcnum.   Werod eall ārās.
Gegrētte [1] þā   guma ōþerne,
Hrōðgār Bēowulf,   ond him hǣl ābēad,
wīnærnes geweald,   ond þæt word ācwæð:
"Nǣfre ic ǣnegum men   ǣr ālȳfde,
siþðan ic hond ond rond   hebban mihte,
ðrȳþǣrn Dena   būton þē nū ðā.
Hafa nū ond geheald   hūsa sēlest,
gemyne mǣrþo,   mægenellen cȳð,

[1] *MS.* grette; *em. by Grundtvig.*

waca wið wrāþum! Ne bið þē wilna gād, 660
gif þū þæt ellenweorc aldre gedīgest."

II. GRENDEL'S MERE

ll. 1345–1376

Ic þæt londbūend, lēode mīne,
selerǣdende secgan hȳrde,
þæt hīe gesāwon swylce twēgen
micle mearcstapan mōras healdan,
ellorgǣstas. Ðǣra ōðer wæs,
þæs þe hīe gewislīcost gewitan meahton, 1350
idese onlīcnes;[1] ōðer earmsceapen
on weres wæstmum wræclāstas træd,
næfne hē wæs māra þonne ǣnig man ōðer;
þone on gēardagum Grendel nemdon
foldbūende; nō hīe fæder cunnon,
hwæþer him ǣnig wæs ǣr ācenned
dyrnra gāsta. Hīe dȳgel lond
warigeað, wulfhleoþu, windige næssas,
frēcne fengelād, ðǣr fyrgenstrēam
under næssa genipu niþer gewīteð, 1360
flōd under foldan. Nis þæt feor heonon
mīlgemearces, þæt sē mere standeð;
ofer þǣm hongiað hrinde bearwas,
wudu wyrtum fæst wæter oferhelmað.
Þǣr mæg nihta gehwǣm nīðwundor sēon,
fȳr on flōde. Nō þæs frōd leofað
gumena bearna, þæt þone grund wite.
Ðēah þe hǣðstapa hundum geswenced,
heorot hornum trum holtwudu sēce,

---

[1] *MS.* onlic næs; *em. by Kemble.*

feorran geflȳmed,   ǣr hē feorh seleð,   1376
aldor on ōfre,   ǣr hē in wille,
hafelan hȳdan;¹   nis þæt heoru stōw!
þonon ȳðgeblond   ūp āstīgeð
won tō wolcnum,   þonne wind styreþ
lāð gewidru,   oð þæt lyft drysmaþ,
roderas rēotað.

III. BEOWULF'S FIGHT WITH THE DRAGON

ll. 2669-2711

Æfter ðām wordum   wyrm yrre cwōm,
atol inwitgæst   ōðre sīðe   2676
fȳrwylmum fāh   fīonda nīosian
lāðra manna.   Līgȳðum forborn
bord wið ronde,²   byrne ne meahte
geongum gārwigan   gēoce gefremman,
ac sē maga geonga   under his mǣges scyld
elne geēode,   þā his āgen wæs
glēdum forgrunden.   þā gēn gūðcyning
mǣrða gemunde,   mægenstrengo slōh
hildebille,   þæt hyt on heafolan stōd
nīþe genȳded;   Nægling forbærst,   2686
geswāc æt sæcce   sweord Bīowulfes
gomol ond grǣgmǣl.   Him þæt gifeðe ne wæs,
þæt him īrenna   ecge mihton
helpan æt hilde;   wæs sīo hond tō strong,
sē ðe mēca gehwane   mīne gefrǣge
swenge ofersōhte,   þonne hē tō sæcce bær
wǣpen wundrum³ heard;   næs him wihte ðē sēl.

¹ *MS.* hafelan: nis; hydan *supplied by* *Kemble.*
¹ *MS.* rond; *em. by* *Kemble.*   ³ *MS.* wundum; *em. by* *Thorpe.*

þā wæs þēodsceaða   þriddan sīðe,
frēcne fȳrdraca   fǣhða gemyndig,
rǣsde on ðone rōfan,   þā him rūm āgeald,   2690
hāt ond heaðogrim,   heals ealne ymbefēng
biteran bānum;   hē geblōdegod wearð
sāwuldrīore,   swāt ȳðum wēoll.

Ðā ic æt þearfe gefrægn [1]   þēodcyninges
andlongne eorl   ellen cȳðan,
cræft ond cēnðu,   swā him gecynde wæs.
Ne hēdde hē þæs heafolan,   ac sīo hand gebarn
mōdiges mannes,   þǣr hē his mǣges [2] healp,
þæt hē þone nīðgæst   nioðor hwēne slōh,
secg on searwum,   þæt ðæt sweord gedēaf   2700
fāh ond fǣted,   þæt ðæt fȳr ongon
sweðrian syððan.   þā gēn sylf cyning
gewēold his gewitte,   wæll-seaxe gebrǣd
biter ond beaduscearp,   þæt hē on byrnan wæg;
forwrāt Wedra helm   wyrm on middan.
Fēond gefyldan   — ferh ellen wræc —,
ond hī hyne þā bēgen   ābroten hæfdon,
sibæðelingas;   swylc sceolde secg wesan,
þegn æt ðearfe!   þæt ðām þēodne wæs
sīðast sige-hwīla [3]   sylfes dǣdum,   2710
worlde geweorces.

---

[1] gefrægn *not in MS.; supplied by Kemble.*
[2] *MS.* mægenes; *em. by Kemble.*
[3] *MS.* siðas sige hwile; *em. by Grein.*

NOTES

The authorities cited in these notes are those mentioned in the prefaces to the several selections in the text. In addition, references may be found to the following Old English Readers: James G. Bright, *An Anglo-Saxon Reader*, 4th edition, Henry Holt and Company, 1917; George T. Flom, *Introductory Old English Grammar and Reader*, 2nd edition, D. C. Heath and Company, 1930; George P. Krapp and Arthur G. Kennedy, *An Anglo-Saxon Reader*, Henry Holt and Company, 1929; Henry Sweet, *An Anglo-Saxon Reader*, 9th edition, revised by C. T. Onions, Clarendon Press, 1922; Milton H. Turk, *An Anglo-Saxon Reader*, rev. ed., Charles Scribner's Sons, 1930. The abbreviations *Eng. St.*, *JEGP*, and *MLN* refer to the periodicals *Englische Studien*, *Journal of English and Germanic Philology*, and *Modern Language Notes*; *EETS* is the *Early English Text Society*. Reference is also made to two dictionaries: Joseph Bosworth and T. Northcote Toller, *An Anglo-Saxon Dictionary*, Oxford, 1898 (*Supplement*, 1921), and C. W. M. Grein, *Sprachschatz der angelsächsischen Dichter*, Göttingen, 1861. The abbreviations O. E., Mn. E., O. Fr., and W. S. are used respectively for Old English, Modern English, Old French, and West Saxon. In the selections from the Bible, V. refers to Verse.

NOTES

THE WEST SAXON GOSPELS

Manuscripts: Corpus Christi, Cambridge, 140 (Corp.), pp. 97–98, 203–204; Bodley 441 (B), fols. 129a–130a, 134a–134b; Cotton Otho C I (C), fols. 47a–48a (48a–49a, later numbering), 52a–52b (53a–53b, later numbering); Cambridge University Library I, i, 2, 11 (A), fols. 114a–115a, 118b–119a.

St. Luke, XV, 11–32

V. 12. Notice in the phrase, mē tō gebyreþ, that the preposition follows the pronoun. This use of the preposition is adverbial in character.

V. 13. gegaderude. The less common spelling of gegaderode; examples of this and of the -ade ending may be found throughout the following texts.

V. 17. beþōhte hē hine. "He considered"; hine, the reflexive, is not translated. See also V. 28.

hȳrlinga. Partitive genitive after fela, translated as if it were nominative; literally, "how many of hirelings."

V. 18. Ic ārīse, etc. The present tense in O. E. may be translated either present or future according to the sense of the sentence; it is future here.

V. 19. dō mē. "Make me."

V. 24. For þām. "Because."

V. 29. ne sealdest þū mē nǣfre. Notice the double negative, so commcn in O. E., which should be translated by only one negative.

St. Luke, XVIII, 10–17

V. 10. þæt hig hig gebǣdun. "To pray," literally "that they might pray," with the reflexive untranslated. The normal spelling of gebǣdun is gebǣden; of fērdun, in the same verse, fērdon.

V. 11. A, ne eom, *which Bright wrongly gives as the reading of Corp. and B.*
   dō. "Give."

THE HEPTATEUCH

Manuscript: Bodley Laud Misc. 509 (formerly Laud E 19), fols. 3a–4a; 39b–40a.

Genesis, I

V. 2. þēostru wǣron. Notice the plural where in modern English we use the singular, "darkness was." See also Verses 4 and 5.

Brādnisse is the object of ofer; þǣre nīwelnisse is a genitive modifying brādnisse.

V. 3. Geweorðe. Hortatory subjunctive, "Let there be."

V. 5. wæs geworden. "Was." The verb weorðan, "to become," in all its forms, is often used in place of the verb "to be."

V. 8. ōþer. "Second." Ōþer, in addition to its meaning "other," is also used as an ordinal in O. E.

V. 14. Bēo. Translate plural. tōdǣlon. "Let them divide."

V. 15. scīnon, ālihton. Subjunctives, like tōdǣlon above.

V. 16. *Thwaites wrongly reads* micle.

V. 17. scinon. Subjunctive of purpose, "to shine."

V. 18. gīmdon, tōdǣldon. See note on **V. 17.**

V. 24. *Thwaites wrongly reads* eacswilc.

dēor. This word, from which we get "deer," was used in O. E. to mean any wild animal. Cf. Shakespeare's usage,

> "But mice, and rats, and such small deer
> Have been Tom's food for seven long year."
> *Lear*, III, 4.

V. 26. tō. "In" or "after."

V. 30. Ic forgeaf eall gærs, etc. should be understood before the clause þæt hig habbon him tō gereordienne. Habbon should be translated as a subjunctive; tō gereordienne is the gerund, expressing purpose, "to eat," that is, "for the purpose of eating."

Exodus, III, 1–14

V. 1. *Thwaites wrongly reads* heolde.

þæs sācerdes. In apposition with his mǣges.

V. 5. dō. "Put."

V. 7. þe. "Of those who."

V. 8. *Thwaites wrongly reads* Amoneus.

V. 9. *Thwaites wrongly reads* geseaþ, geswencednyssa.

V. 10. *Thwaites wrongly reads* Isrehela.

V. 12. tō tācne. "As a sign."

V. 13. *Thwaites wrongly reads* cwæþaþ *for* cweþaþ.

V. 14. Ic eom sē þe eom. Cf. the King James version of the Bible, "I am that I am."

THE COLLOQUY OF ÆLFRIC

Manuscript: Cotton Tiberius A III (C), fols. 60b–64b.

3. wille gē. Notice the verbal form in e when followed by the pronoun.

8. *Stevenson reads* witun.

10. weorkes. Notice the unusual k. See also geiukodan (l. 22), **melke** (l. 36), ofstikian (l. 69).

11. *Stevenson reads* sincge.

11. seofon tīda. The seven canonical hours.

28. *Stevenson inserts* "sic" *after* oxan, *indicating* oxena *would be better*.

31. *Stevenson reads* Geleof.

32. *Wright supplies* Hwæt segst þu *before* sceaphyrde, *from the Latin*, "Quid enim dicis tu?" *The meaning of the Old English script is obvious without this.*

36. *MS.* tweowa. *Stevenson wrongly reads* treowa. *Latin*, bis.

36. heora loca, etc. "I keep their stables and in addition I make **cheese** and butter." The Latin reads: *et caulas earum cotidie moueo, insuper et caseum et buterum facio.*

42. *MS.* ham. *Stevenson wrongly reads* þam.

43. þæs. Another spelling for þēs.

53. *MS.* þe cuman. *Stevenson suggests the reading* becuman.

54. begrynodo. The usual spelling is **begrynede.**

59. wildēor. See note to Genesis I, 24.

62. huntnolde. *So MS. and so Stevenson with* "(sic)" *as comment and suggested reading* huntnoþe.

66. *Stevenson omits* and. *The character* 7 *is present in the MS.*

70. *Stevenson wrongly reads* bedrufon. *He writes:* ic þærto geanes, etc.

76. forþām ic eom hunta hys. Wright notes that the hunter was employed by another whereas the fisherman in the following passage worked for himself.

85–86. ancgil oþþe æs. Wright comments on the apparent doubt in the glossator's mind as to the meaning of *hamus* in the Latin text, which he translates by **æs,** *bait,* and **ancgil,** *hook,* the latter being the source of our word *angling.*

95. *Stevenson reads* hwilce.

96. Ælas, etc. Wright notes the absence of several common river fish from this list.

97. Sprote. This translates the Latin *saliu.* Its meaning here is doubtful; it may be **sprott,** a kind of fish (Mn. E. *sprat*).

102. *MS.* fage. *This is also Stevenson's reading. Bosworth-Toller and Flom read* fagc.

107. *MS.* Forhwær.   *Stevenson wrongly reads* for hwan *followed by* "(sic)."

108. scype.   The glossator wrongly uses this word to translate *hamo.*

111–12. þe nā þæt ān mē, etc.   The Latin reads, *qui non solum me sed etiam meos socios.* Wright points out that the translator wrongly glossed *solum* as an adjective rather than an adverb.

114. *Stevenson reads* manige.

114. mænige gefōþ hwælas.   Wright states that for many reasons it is presumable that the Anglo-Saxons as well as the northern nations engaged in a considerable whale trade.

116. *Stevenson reads* secgst.

THE ANGLO–SAXON CHRONICLE

Manuscripts: Parker Chronicle (Corpus Christi, Cambridge, 173) (A), fols. 11a, 12a–b, 13b, 14a–16b, 18a–b, 20a; Peterborough Chronicle (Bodley Laud 636) (E), fols. 39b–40a, 44b–47a, 49a–50b, 51a, 57b.

1. Hēr.   The record of each year in the Chronicle usually begins with this word. Translate "In this year."

1. nōm.   "Took in marriage."   Beorhtric, king of Wessex, by his marriage with Eadburg allied himself with her father, Offa, king of the Mercians and the most powerful Anglo-Saxon ruler of the period.   In Asser's *Life of King Alfred* (L. C. Jane, tr., London, 1926, pp. 12–13) we find an account of the subsequent career of Eadburg.   She developed into a blood-thirsty tyrant "after the manner of her father," destroying her husband's friends one by one, either by direct accusations or by poison, until in her effort to do away with the king's favorite she poisoned her husband by mistake and was forced to flee the country.   She took refuge with Charles, king of the Franks, who gave her the choice between him and his son as a husband.   Foolishly she chose the son because of his youth, whereupon Charles replied, "Had you made choice of me you should have had my son; but as you have chosen my son, you shall have neither me nor him."   Charles, however, made her abbess of an important monastery, but, her evil ways still continuing, she was eventually expelled from this refuge and forced to spend the rest of her days in shame and degradation.

2. on his dagum cuōmon ǣrest iii scipu.   The Parker MS. is the only one which omits the word Norōmanna after scipu.   This refers to the first coming of the Danes, the terms Danes and Northmen being used interchangeably in the Chronicle.   They may not have come in the year 787.   The Chronicle merely says that they came in Beorhtric's "days."   Their ships were built of wood with curved prow and stern and benches for thirty or forty rowers, fifteen or twenty to a side.   A ship approximately seventy feet long, sixteen feet wide, and five feet deep, with holes for fifteen oars on a side, was unearthed in a burial mound at Oseberg, Norway, in 1903. It is now on exhibition in Oslo.

2. sē gerēfa. The reeve was the king's financial officer.

6. Ecgbryht. Egbert, the grandfather of King Alfred.

6. wiþ. "Against."

6. *E*, xxv.

13. dux. The Latin term corresponding to ealdorman. The latter word is used in both the Peterborough and Abingdon Chronicles.

14. here. The term used for the invading army, from which was derived the verb hergian, modern English "harry." The native army was distinguished by the term fierd.

14. mid Dornsǣtum. "In Dorset," literally "among the Dorset men." The chronicler here and elsewhere uses the name of the people where we should expect the name of the place.

24. feorðe healf hund. "Three hundred and fifty"; three full hundreds (understood) and "the fourth" only "a half hundred."

25. Contwaraburg. "The city (burg) of the dwellers (wara) of Kent (Cont)," that is, Canterbury.

27. gefeaht. Singular verb with plural subject, Æþelwulf and Æþelbald. Æþelwulf was the father of Alfred.

31. fēng tō rīce. "Came to the throne."

35. of. "From."

36. Eoforwīcceastre. York, the "City of the Wild Boar"; Latin, *Eboracum*.

37. þǣre þēode. Of the Northumbrians.

38. āworpenne. Notice the use of the participle as an adjective agreeing with cyning.

43. binnan... būtan. This survives in the familiar Scotch phrase "ben and but," "within and without."

49. *E inserts after* nam, and wearð þær se oþer ofslægen þæs nama wæs Sidrac. Ða....

50. Ælfrēd. Later King Alfred.

55. Æscesdūne. Ashdown in Berkshire. This battle is Alfred's famous victory. According to Asser's *Life of King Alfred* (pp. 26–27) Æþelred refused to fight till he had finished hearing mass, so Alfred was forced to begin the fight alone.

55. hīe. The Danes.

57. eorlas. Danes, whose names are given below. Their Danish title was jarl. The term eorl was at first used to distinguish the Danish jarl from the English ealdorman, but in course of time the word ealdorman fell into disuse and the title eorl was applied to both Englishmen and Danes.

68. longe on dæg. "Late in the day."

68–69. sige āhton ... and þā Deniscan āhton wælstōwe geweald. The real meaning of these apparently contradictory statements is doubtful.

71. *E*, com mycel sumerlida to Readingum.

71. sumorlida. "Summer army," the pirates who used to come on marauding expeditions in the summer returning to their homes in the winter, as distinguished from the other Danes who stayed in Britain over the winter and finally became permanent settlers. (Earle and Plummer, *Two of the Saxon Chronicles Parallel*, II, 88.)

73. *E*, mynster *added*.

83. The year 878 began with a disastrous defeat and ended in a decisive victory for the West Saxons.

83–84. tuelftan niht. "Twelfth Night" or "Epiphany," January 6th, twelve days after Christmas.

85. *Sweet wrongly reads* ond micel þæs folces ofer sæ.

90. *E*, and þar wæs se guðfana genumen þe hi ræfen heton *inserted after* heres.

91. þæs on Ēastron. "The following Easter."

91. geweorc. "Fortification."

92. Æþelingaēigge. Athelney, near modern Taunton in Somerset. Alfred made this the headquarters of his "little band" with whom he made raids on the enemy. The familiar story of the cakes, which first appeared in an untrustworthy work of the eleventh or twelfth century, *The Annals of St. Neot* (a late interpolation in Asser's *Life of King Alfred*), is connected with this period of Alfred's life. It was also near Athelney that in 1693 the so-called "Alfred jewel" was found, around the edges of which are worked in metal the words, "Ælfred mec heht gewyrcan." (Earle and Plummer, *op. cit.*, II, 93.)

93. dæl. Nominative case, same construction as Ælfrēd, subject of was winnende.

94. Ecgbryhtesstāne. Probably the judgment-seat of the district, according to Earle.

96. sē dæl sē hiere behinon sæ was. "The part of it which was this side of the sea." Spoken from the point of view of a person in Wessex, this clause would exclude the Isle of Wight which was also part of Hampshire but was the other side of the sea. (Krapp and Kennedy, *Anglo-Saxon Reader*, p. 172.)

105. his. Genitive, object of onfēng.

106. crismlīsing. The loosing of the baptismal band which bound the unction to the head of the newly baptized person for a week. This incident is mentioned in Asser's *Life of King Alfred* (p. 43).

108. *E, Earle wrongly reads* here *for* her.

108. on Fronclond. Many Danes abandoned England for the Meuse River and the land of the Franks, thus laying the foundation for their power in Normandy. The later dukes of Normandy were descendants of these Norsemen who had adopted French modes and customs.

115. *E,* æt Paris þære byrig *inserted after* namon.

117. hīe. Accusative feminine singular in apposition with burg. This is an awkward construction. Most of the manuscripts, including *E,* write he in place of hie, which makes the translation very simple.

118. Æþerēde. Alfred's son-in-law, husband of his daughter, Æþelflæd.

119 ff. 891. *E* omits the entry for this year.

119. Earnulf. King of the Franks.

121. þrie Scottas. Three Irish missionaries. Irish literature has many references to similar expeditions "for the love of God." Those who undertook such missions embarked in small boats without oars, entrusting themselves to the mercy of God. Accounts of such voyages belong to the class of Irish literature known as *Imrama* or Voyages, one of the best-known being the story of Saint Brandan. (For a full discussion see Earle and Plummer, *op. cit.,* II, 103–104.)

125. þriddan healfre. "Two and a half." See note to *Chronicle,* l. 24.

129. Swifneh. Irish Suibhne, modern Sweeny. (Earle and Plummer, *op. cit.,* II, 105.)

130. 892. After writing this date the first hand ends and, after a few blank lines at the bottom of the page, the new hand begins at the top of the next page. This entry is not in *E.*

130. gang dagas. Walking or "perambulation" days, better known as Rogation Days, the three days before Ascension. They received the former name because on them it was the custom to have processions with relics as an intercession with God. (See Toller's *Supplement.*)

132. feaxede steorra. "A haired or hairy star" is a translation of the Greek κομήτης, "long-haired."

135. 893. This entry is dated 892 in *E.*

138. *E,* Limene. *Earle wrongly reads* Limine.

138. Limene mūþan. According to Earle and Plummer (*op. cit.,* II, 106) the coast of Kent and Sussex has so changed since Alfred's time that at present no river exists with which the Limen can be identified.

139. *A,* miclam. *Sweet wrongly reads* miclan.

148. *E. The following sentence is added:* Hic obiit Wulfhere Norðanhymbrorum archiepiscopus.

149 ff. 895 and 896. The entries for these years are omitted in *E*.

154. *A*, seo.   *Earle wrongly reads* sio.

161. *A*, ilcan.   *Earle wrongly reads* ylcan.

169. *A*, þare.   *Sweet wrongly reads* þære.

171. *A*, bi.   *Earle and Bright wrongly read* be.

179. *A*, gefetedon.   *Sweet wrongly reads* gefetodon.

183. þrēo gēr.   They had come into the Limen in 893.

185. 901. *The entire entry for this year in E is as follows:* Her gefor Ælfred cyning vii KL NOVEB̄ and he heold þet rice xxviii wintra and healf gear and þa feng Ædward his sunu rice.

185–86. ealra hāligra mæssan.   All Saints' Day, November first.   There is a doubt about the date of Alfred's death because if he began to rule in 871 and ruled for twenty-eight and a half years (one and a half less than thirty) as this passage says, he must have died in 899 or probably 900.

187. ōþrum healfum.   "One and a half."

189. Æðelwald.   The son of Ethelred, Alfred's brother and predecessor. He had been a minor at the time of his father's death and now claimed the throne.

194–95. libban oððe... licgan.   "Live or lie (dead)," i.e. "live or die."

199. tō nunnan gehālgod.   The punishment for this crime was according to the Laws a fine of 120 shillings.

202. 991. The period between Alfred's death and the year 991 was one which saw the continued rise in power of the West Saxon kingdom under Alfred's son and grandsons, a rise which reached its culmination in the reign of Alfred's great-grandson, Edgar, the most powerful English king before the Norman Conquest. In the mean time the Danes, with whom Alfred had made a treatv granting them certain territory for themselves, had settled down in England and had gradually become English citizens, recognizing the sovereignty of the English kings. The last few years of the period present a marked contrast to this era of supremacy. Edgar was succeeded first by his son Edward, a boy whose brief reign ended with his assassination. He in turn was followed by his brother, Ethelred, who has become notorious in history by his title "the Unready," or more accurately "the Redeless," the man without counsel. During Ethelred's long reign of over thirty years (978–1016), the Danish invasions which had ceased under his predecessors began anew, the Danes becoming increasingly bolder as they saw the instability of the king's character. Ethelred weakly preferred to pay tribute to the invaders rather than to fight them and this tax became finally a regular levy known as the Danegeld. Mention of it is made in the first two entries of the Chronicle given below.

202–03. This brief statement is all the Peterborough Chronicle has to say about the Battle of Maldon, which has been celebrated in one of the most stirring of Old English battle poems. See pp. 256 ff. The whole entry for 991 is dated 993 in the Parker Chronicle and reads as follows: Her on ðissum geare com Unlaf mid þrim and hundnigentigon scipum to Stane, and forhergedon þæt on ytan, and for ða ðanon to Sandwic, and swa ðanon to Gipeswic, and þæt eall ofereode, and swa to Mældune; and him þær com togeanes Byrhtnoð ealdorman mid his fyrde, and him wið gefeaht, and hy þone ealdorman þær ofslogon, and wælstowe geweald ahtan. And him man nam syððan frið wið, and hine nam se cing syððan to bisceopes handa.

204. geald ærest gafol. This statement is not strictly true as Alfred himself had had to pay tribute to the Danes.

207. 994. There is no entry for this year in *A*.

207. Anlāf ƿnd Swegen. The famous Olaf Tryggvason, King of Norway, and Swegen, King of Denmark. The latter finally conquered England, his son Cnut becoming king of the country in 1017. The difference in character between the two periods of Danish invasion is marked. The Danes before and during Alfred's time came in small bands, hoping to gain possession of a small part of the country for themselves; the Danes in the later invasions came under the leadership of powerful kings like Olaf and Swegen, who wished to seize the whole country.

208. Nativitas Sancte Marīe. September 8th.

212. on ðām. "Thereupon."

227. his anfēng æt biscepes handa. "Acted as his sponsor at confirmation" (Earle and Plummer, *op. cit.*, II, 178). Olaf had been baptized at a previous time.

229. Hic Ricardus, etc. "Here Richard the old died and Richard his son succeeded to the kingdom and ruled thirty-one years." These were Richard I and II, dukes of Normandy, father and brother respectively of Emma, wife of Ethelred and later of Cnut.

232. 1011. There is no entry for this year in *A*.

235 ff. This list of counties ravaged by the Danes shows how powerful they had become.

239. Hæstingas. Hastings, the name of a district as well as of a town.

242. tō tīman. "In good time." The chronicler evidently had no objections to the "gafol" provided it was used as a preventive. By this time, in fact, the English had come to regard the tribute money as a matter of course.

244. folcmǣlum for flocmǣlum. "In companies."

246. *Earle wrongly reads* betwix.

246–47. Sancte Michaeles mæssan. September 29th.

248. Ælmǣr. The identity of this traitor is not certain. He may have been the Abbot of St. Augustine's, in which case he is the person referred to in the next sentence, where his fate is given as different from that of the other dignitaries mentioned. Whoever he was, his life had apparently been saved at one time by Archbishop Ælfeah.

257 ff. The following lines constitute a sort of semi-poetical lament for the martyred Ælfeah.

263. swā lange. From September to April.

265. 1013. There is no entry for this year in *A*.

271. Uhtrēd. Earl of Northumbria, son-in-law of King Ethelred.

272. Fīfburhingan. The five Danish Boroughs of Derby, Stamford, Nottingham, Leicester, and Lincoln, situated in the part of England known as the Danelaw, inhabited by the Danes after their treaty of peace with Alfred. The mention of them by this name at such a late date has been taken as a sign that they still kept some of their old organization. (Earle and Plummer, *op. cit.*, II, 191.)

273. Wætlinga stræte. Watling Street, the most famous of the old Roman roads in Britain. The route of Watling Street was from Dubrae (Dover) to Londinium (London), northwest by way of Verulamium (St. Albans) to Viroconium (Wroxeter) whence a branch ran into South Wales, from Viroconium north to Deva (Chester) where another branch went west to Segontium (Carnarvon), northeast from Deva to Eburacum (York), and northwest from Eburacum to the Firth of Forth. The reference here is to the region north of it inhabited by the Danes.

276. mid fulre fyrde. Swegen made the national troops (fyrde) go with him on his march southward, forcing them to leave hostages behind with his son, Cnut, as a surety of their loyalty. (Earle and Plummer, *op. cit.*, II, 191.)

278. Wæclingastræte. Notice the spelling of Watling Street here.

284. þūrkil. A Danish leader.

290. for fullne cyning. Swegen was apparently accepted as king over all England, but there is no record of Ethelred's abdication and he is still called king. (See l. 296.)

297. 1014. There is no entry for this year in *A*.

298. Candelmæssan. February 2nd, the feast of the Purification of the Virgin, at which candles were blessed. N°. stands for Nones.

298. sē flota. Cnut was chosen king by the Danish fleet but he was not accepted by the people of England till 1017.

302. rihtlicor healdan. The English nobles wished Ethelred to return to them but they also made it clear to him that they expected his rule to be more just than it had been.

309. æfre ælcne. Literally "ever each," that is, "every." (Middle English *everich*.)

313-14. gewearð him and þām folce. "It was agreed between him and the people."

327. 1017. *The entry for this year in A reads:* Her Cnut wearð gecoran to kinge.

329. þûrcylle. The same þurkill who was with Ethelred in London. See l. 284 above.

334. Ēadwīg ceorla cyng. This strange nickname or title has not been satisfactorily explained. It has been suggested that the person so designated was like the later Lords of the May, chosen by the churls to be king of their sports. (Earle and Plummer, *op. cit.*, II, 201.)

335. feccan him Æðelrēdes lāfe. Cnut married Emma, the widow of Ethelred and daughter of Richard I of Normandy.

337. 1036. *A* has no entry for this year but in the margin is written opposite the date, *Cnut ob. MSS. C* and *D* which give 1035 for the date of Cnut's death are correct.

340. Lēofrīc. The powerful Earl of Mercia whose wife was the lady Godiva noted for her legendary ride, and whose son according to tradition was Hereward, familiarly surnamed "the Wake." Leofric supported Harold while Godwin, Earl of Wessex (mentioned in the next sentence of the Chronicle), upheld Hardacnut and his mother Emma.

341. liðsmen. The crews of the Danish ships.

342. Harold. Cnut's son by his first wife.

342. healdes. Genitive; an error for healde. This means that Harold was made regent, not king, for himself and his brother who was absent in Denmark.

344. lāgon ongēan. "Opposed."

346. Ælfgifu. Another name for Emma. She and Godwin tried to hold Wessex for Hardacnut.

351-52. hē wæs full cyng. Harold was regent for a year and was then elected king.

353. 1039. Again the date is wrong in the Peterborough Chronicle. It should be 1040, the date of Harold's death given in *MSS. A* and *C*.

353-54. xvi KL. Aprēlis. The Kalends were the first day of the month, and as the Roman calendar counted backward, the 16th Kalends of April would be sixteen days before the first of April, or March 17th.

354. hē wēolde. This includes his government as regent and as king.

356. æt ælcere hamulan viii marc. The amount paid for each "oar-lock,' that is, for each rower.

364. 1041. The date of Hardacnut's death is given as 1042 in *A, C, D. A* reads simply: Her forðferde Harðacnut king.

364-65. vi ID. Junius. June 8th.

368. Ēadward. Edward the Confessor, son of Ethelred and Emma. **With** him the throne came back again to the English royal family.

373. E. *After* geare *a caret and above* line *in later hand,* ætiwede cometa xiiii KL maij.

373. E, *Earle wrongly reads* Westmynster.

374. Cildamæssedæg. "Children's Mass-day," that is, Holy Innocents' Day, December 28th.

375. twelfta mæsse æfen. The eve of Twelfth Night, that is, January 5th.

376. nīwan hālgodre circean on Westmynstre. The shrine of Edward the Confessor may still be seen in Westminster Abbey, which Edward began to **erect** in 1050.

377. Harold eorl. The son of Godwin, the Earl of Wessex, who had supported Hardacnut. Godwin's daughter was married to the king. Harold had succeeded his father and, by dominating his weak brother-in-law, had made himself the real ruler of England before Edward's death.

377–78. sē cyng hit him geūðe, etc. The Peterborough Chronicle states much more explicitly than do the others that the king granted Harold the kingdom, and it is the only Chronicle which says that Harold was elected king.

380. Willelme. William, Duke of Normandy, "the Conqueror."

381. Tostig. Harold's brother whom he had made Earl of Northumbria.

381. Ēadwine eorl. Earl of Mercia, grandson of Leofric mentioned above.

382. hine. Tostig.

383–84. Harold sē Norrena cyng. Harold Hardrada, king of Norway.

386. Morkere eorl. Morcar, brother of Edwin, had been chosen earl by the Northumbrians in place of Tostig against whose cruel rule they had previously revolted. Tostig, now that his brother was king, was trying to regain his old earldom with the help of the Norwegian Harold, who hoped to become a second Cnut. The allies defeated Morcar and Edwin but in turn were defeated and killed by King Harold of England at the Battle of Stamford Bridge, **as** the Chronicle goes on to relate.

389. E, Harode. *Earle wrongly reads* Harolde.

391. Hestingan. D is the only Chronicle which relates the story of the Battle of Hastings at length.

391–92. Sancte Michaeles mæssedæg. September 29th. Harold did not meet William at Hastings until October 14th, the date of the battle.

The complete entry for 1066 *in A is as follows:* Her forðferde Eaduuard king and Harold eorl feng to ðam rice and heold hit xl wucena and ænne dæg, and **her** com Willelm and gewann Ænglaland, **and her on** ðison geare barn Xp̄es cyrĉ, and her atiwede cometa xiiii KL Mai.

OLD ENGLISH TRANSLATION OF BEDE

DESCRIPTION OF BRITAIN AND IRELAND

Manuscript: Cambridge University Library K.k.3.18, fols. 8b–9b.

1. gârsecges. Gârsecg is the ocean or sea, literally, "spear-man." The origin of this word is in doubt. It may possibly contain a reference to some Germanic sea-god, cognate with Neptune, who held a trident.

1. Albion. From the Latin *albus*, white. This name was given to Britain because of the shining white cliffs of Dover.

2–3. Germānie, Gallie, Hispānie. Datives (Latin *-æ*) after ongēgen.

23. ānes wana þrittigum. "The lack of one from thirty," that is, twenty-nine.

26. middangeardes. Literally, "middle-yard," the Scandinavian "midgarth," the region in the midst between heaven and hell, that is, the earth.

32. fîf Moyses bōca, etc. The only connection between the languages and the books of Moses is that they are both five in number.

36. Lēden. Latin was the literary language for so long that the word for it in O. E., Læden or Lēden, came in time to be used as a synonym for geþēode, "language." Here, of course, it has its original meaning.

37. gewrita. Here, the holy writings, the Scriptures.

39. sæd<sægd. The loss of the consonant lengthens the preceding vowel.

40. Armoricano. Armorica was the Latin name used in the Middle Ages for that part of France now called Brittany. The connection between Brittany and Britain is the opposite of what Bede here suggests. Brittany was largely settled by Celts who, during the Saxon invasions, migrated there from Britain.

42. Scyððia. No one knows the original home of the Picts, so perhaps Scythia is as good a guess as any. Some scholars have thought that Bede meant Scandinavia. Aside from the question of their origin, it is generally believed today that the Picts were in Britain before the Celtic migrations. In other words, according to Bede the Britons were the first to come to Britain, then the Picts, and then the Scots, whereas modern historians place the Picts first, followed by the Goidelic Celts or Scots, and then by the Brythonic Celts or Britons, the ancestors of the Welsh.

44. Scotland. Bede means the land of the Scots, Ireland.

46. tō þæs. "So."

54. Mid ðȳ. "Since."

70. nædre. An adder is derived from O.E. nædre by false division. Other examples in modern English are auger, apron, umpire, for nauger (O. E. *nafogar*), napron (O. Fr. *naperon*), numpire (O. Fr. *nomper*).

73. magon. Supply "prevail."

74. geslegene. Here not "slain" but merely "bitten."

THE COMING OF THE ANGLES, SAXONS, AND JUTES

Manuscripts: Cambridge University Library K.k.3.18 (Ca), fol. 14a–14b; Bodley Tanner 10 (T), p. 1.

2. rīce onfēng. Literally, "seized the kingdom," that is, "began to rule."

4. Seaxna. Genitive with þēod. foresprecenan cyninge. A reference to Vortigern, the British king, who according to tradition asked the Angles and Saxons to aid him against his enemies.

14. sealdan and gēafan. An example of the double epithet which the translator of Bede often uses, sometimes with alliterative effect. Notice the -an ending used in place of the common -on ending of the preterit.

26–27. Hengest and Horsa. The names of the two leaders not only alliterate but also have the same meaning, "steed" and "horse."

29–30. tō þon þæt. "Until."

32. tō þan. "So." Cf. tō þæs, p. 170, l. 46.

51. *Tanner MS. begins with* Sume.

VICTORIES OF THE BRITISH OVER THE SAXONS

Manuscripts: Cambridge University Library K.k.3.18 (Ca), fol. 14b; Bodley Tanner 10 (T), p. 1.

5. biddende. Biddan here takes the dative of the person, him, and genitive of the thing, fultumes.

6. wǣron. Form should be subjunctive.

13. Beadonescan dūne. Mt. Badon, near modern Bath. This is the battle mentioned by the Anglo-Latin chronicler Nennius in his *Historia Britonum* (826), in which Arthur, who is described as *dux bellorum*, was the victor.

POPE GREGORY AND THE ENGLISH SLAVE BOYS

Manuscripts: Corpus Christi, Oxford, 279 (C), fols. 5b–6b; Bodley Tanner 10 (T), pp. 9–10; Cambridge University Library K.k.3.18 (Ca), fol. 18a–18b.

1. *Krapp and Kennedy read* forswigianne, eadegan. *These readings, and those of Krapp and Kennedy which follow in the selections from Bede, are from*

Schipper's edition in the "Bibliothek der angelsächsischen Prosa," Vol. IV, which they give as their source. Their statement that their text is from the Corpus Christi, Oxford, MS. (C) is, however, misleading since many of their readings are from Schipper's text of the Corpus Christi, Cambridge, MS. 41, and others are from corrections made in his C text by Schipper from other manuscripts.

1–2. þām ēadigan Grēgōrie. Gregory I, one of the greatest of the popes, was called "the Apostle of the English people," because he was responsible for sending Augustine and a band of monks in 597 to convert the English to Christianity. Gregory's interest in the English was aroused before he became pope, as is evidenced by this story.

2. *Krapp and Kennedy read* ealdra; sage *for* segene; hwylcum.

3. *Krapp and Kennedy read* manad; geornlice wæs gymende ymbe þa hæle

4. *Krapp and Kennedy read* secgað‍; þætte.

4–5. cōme... brōhte. These are subjunctive plurals without the final n.

4–5. cȳpemen, cēpeþing, cēapstōwe. These are compounds with the word cēap, "a price" or "bargain," from which we get our English word "cheap." "Cheapside" in London, the place where goods were bought and sold; "chapman" (cēap man), a merchant, later abbreviated to "chap"; "chaffer" (cēap faru), to bargain, are related words.

6. *T begins after* monige.

8. cēpecnihtas. These men whom Gregory saw were probably prisoners of war who were sold as slaves.

13. hwæþer... þe. "Whether... or."

20. *T,* nemnde. *Miller wrongly reads* nemde.

21. *Schipper wrongly reads C,* englelice. *This is the reading of Ca.*

22. *Krapp and Kennedy read* sin, *the reading of Ca.*

25. Dēre. The inhabitants of Deira, one of the northern Kingdoms, which in the early seventh century became part of Northumbria.

28. *Schipper wrongly reads C,* ondswarode.

29. *T, Ca,* Ælle. *Miller wrongly reads T,* Æll; *Krapp and Kennedy read* Ælle.

29. *Schipper wrongly reads C,* pleogode.

40. *T,* from. *Miller wrongly reads* fram.

40. hraþe. Supply a verb after hraþe; for example, "brought it about."

41. *Krapp and Kennedy omit* geworden.

43. *T, like C.* trymenessum. *Miller wrongly reads T,* trymnessum.

THE CONVERSION OF EDWIN

Manuscripts: Corpus Christi, Oxford, 279 (C), fols. 17a–19b; Bodley Tanner 10 (T), pp. 36–38; Cambridge University Library K.k.3.18 (Ca), fols. 24a–25b.

Edwin was the son of the Ælle who is mentioned in the previous selection. Upon his father's death in 588, Edwin, then an infant, was banished and the kingdom seized by Ethelric who, after a reign of five years, was succeeded by his son Ethelfrith. The latter continued to persecute Edwin over a long period of time, and finally tried to bribe Redwald, king of the East Angles, with whom Edwin had found shelter, to kill him. After repeated offers, Redwald at last agreed to put his guest to death. When news of this treachery reached Edwin he sat brooding over it in front of the palace one night, when he was suddenly accosted by a stranger who asked him how he would reward the man who delivered him from his enemies, gave him victory over them, and made him a mightier king than any of his predecessors. Edwin replied that he would give him all he could, and upon further questioning also agreed to follow his commands. With this the stranger placed his hand on Edwin's head, bidding him remember his promise when this sign again came to him.

The stranger's promises were fulfilled. Redwald decided not only to spare Edwin but to aid him against Ethelfrith who, with his son, was slain in battle, leaving Edwin heir to the throne. Edwin became, as the stranger had prophesied, a mighty king. He took for his wife Ethelburga, daughter of Ethelbert, the Christian king of Kent. When Ethelburga came north to Edwin's court she brought with her Paulinus, who had been made bishop of York and who endeavored to convert Edwin to Christianity. This he was unsuccessful in doing, until by the use of the sign formerly employed by the stranger he reminded Edwin of his promise of obedience made during his exile. It is with this reminder that the present selection begins.

4–5. *T omits* ond hwylc æfæstnes him to healdanne wære, *which Turk, Bright give.*

18. *Ca,* fram, *which Schipper wrongly gives as reading of C.*

18. *T, like C,* tintregum. *Miller, Bright wrongly read* tinttregum.

19. *Ca,* on *for* in, *which Schipper wrongly gives as reading of C.*

19. *T ends here.*

20. *C, Schipper wrongly reads* ondswarede.

23. *Krapp and Kennedy after* freondum *insert* ond mid his ealdormonnum; *Turk wrongly states that* mid *is not in C.*

25. willan. "Well," "fount."

28. þūhte ond gesawen wǣre. These two verbs are synonymous. Of the two þūhte is the correct O. E. word for "it seemed"; gesawen wǣre is a literal translation of the Latin *videretur*, from the verb *video*, "to see," which in the passive has the meaning "to seem."

35. *Ca*, hine sylfne. *Krapp and Kennedy read this, and Miller gives it wrongly as the reading of C.*

38. Cefi's materialism at least has the virtue of being frank.

39. *Schipper wrongly reads C*, woldon.

43. *Ca*, þæs cyninges; *Krapp and Kennedy give this reading.*

48. *C*, *Schipper wrongly reads* onæled.

49. *Ca*, cume þonne, *the reading of Krapp and Kennedy.*

49. *C*, *scribe first wrote* spearca, *with correction possibly by a later hand.*

50. *Krapp and Kennedy read* ond *before* cume.

52. *Ca*, læste, *which Schipper wrongly gives as reading of C.*

55. *C*, eftfylge. *Miller, Bright wrongly read* æfterfylige.

55. *Miller, Bright wrongly omit* niwe *which is in both C and Ca.*

56. *Ca*, heo þæs wyrðe, *the reading of Krapp and Kennedy; Schipper wrongly reads C* wyrðe.

67. *T begins again with* bedo (*C*, bede).

72. *C*, *Schipper wrongly omits* þe.

73. *Ca*, acsode, *the reading of Krapp and Kennedy.*

73. hiora hálignesse þe hí ǽr beēodan. This clause modifies **bisceope.**

74. *Krapp and Kennedy read* hie *for* hi.

75. hī. In apposition with wīgbed and **heargas.**

76. *Ca adds* se bisceop *after* he; *Krapp and Kennedy give this reading.*

76. *T*, nū ēað þe ic. This passage has been considered awkward by most editors who read either ēað þe (*T*) or wrongly ēaðe þe (*C*), and translate either omitting ēað entirely, at Bright's suggestion, or making ēað a comparative like gerisenlícor, as Miller did, "more readily and suitably." The sentence is easily simplified by omitting the letters ea, which in the *C MS.* are blurred as if partly erased. The *C MS.* does not contain the second þe. In *Ca* the passage reads, Efne ic þá godas lange mid dysinysse beēode oð þis. Hwá mæg hí gerisenlícor nū tōworpan tō bysne ōðra manna þonne ic sylfa, etc.

77. *T*, bisencenne. *Bright, Turk wrongly read* bysene.

83. *C*, *Schipper wrongly reads* widan *for* ridan.

84. *T*, nom, *the reading of Krapp and Kennedy.*

84. *T*, *Ca*, hond, *the reading of Krapp and Kennedy.*

85. *T*, *Ca*, þæm, *the reading of Krapp and Kennedy.*

85. *T*, deofolgeldum. *Miller, Bright wrongly read* deoful-.

87. *T*, nealehte *for* gelyhte.

88. *T, Ca,* sticode, *the reading of Krapp and Kennedy.*

89. *T,* ongytenisse. *Miller, Bright wrongly read* ongytenesse.

92. *Ca,* naht, *which Schipper wrongly gives as reading of C*

94. *Turk wrongly omits* þæs, *which is in T.*

97. bæðe. Dative, object of onfēng.

98. Endlyftan gēare his rīces. 627.

104. māran cyricean. Both the wooden and the stone churches were built on the site of the present York Cathedral.

104. *Ca,* hyhran, timbrian, *which Schipper wrongly gives as reading of C.*

106. Supply "it happened" before þæt.

107. mid ārlēasre cwale. Edwin was killed in 633 in a battle with Cadwalla, king of the Welsh, and Penda, the pagan king of the Mercians. His sons were also killed and his immediate successors renounced Christianity. Queen Ethelburga and Paulinus fled to Kent where the latter was made Bishop of Rochester. Christianity was restored to Northumbria in the reign of Oswald, 635, who had for his bishop the Scottish monk, Aidan, to whom he gave the episcopal see of Lindisfarne.

THE STORY OF CÆDMON

Manuscripts: Corpus Christi, Oxford, 279 (C), fols. 111b–113b; Bodley Tanner 10 (T), pp. 193–198; Cambridge University Library K.k.3.18 (Ca), fols. 72a–73b.

1. On þysse abbudissan mynstre. Abbudissan, genitive case. The "abbudisse," or abbess of the monastery at Whitby, was Hild, a grandniece of King Edwin. Both men and women lived at Whitby, in separate buildings but under one head.

1. *Krapp and Kennedy read* In.

2. *T,* gife, *the reading of Krapp and Kennedy.*

10. *C, Schipper wrongly reads* Ongol-.

10. *Ca,* æfeste, *which Schipper gives as reading of C.*

15. *Krapp and Kennedy read* ne *before* meahte.

21. *C,* hi. *Sweet wrongly reads* hie.

29. *Krapp and Kennedy read* hwæthwegu.

37 ff. Nū wē sculan herian, etc. This bit of poetry, usually known as Cædmon's Hymn, has been the subject of scholarly investigation because it is obviously not in its original form. The following facts are now established. Cædmon, living at Whitby, must have composed the original poem in the

Northumbrian dialect. Bede in his *Historia* translated it into Latin In several of the Latin manuscripts of Bede, however, the scribes wrote the poem in Old English, the language in which it was evidently well known. The most interesting of these Old English versions is one in the Northumbrian dialect which appears in the Moore MS. K.k.5.16 in the Cambridge University Library. The poem in the Alfredian translation of Bede proves upon comparison to be a West Saxon transcription of this Northumbrian version. The text of this Northumbrian version as given by Grein-Wülker (*Bibliothek*, II, 316) follows:

> Nu scylun hergan   hefaenricaes uard,
> metudæs maecti   end his modgidanc,
> uerc uuldurfadur,   sue he uundra gihuaes
> eci dryctin   or astelidæ.
> He aerist scop   aelda barnum
> heben til hrofe   haleg scepen;
> tha middungeard   moncynnæs uard,
> eci dryctin   æfter tiadæ
> firum foldan,   frea allmectig.
> Primo cantauit Caedmon istud carmen.

54. *T, Ca,* hwonan, *the reading of Krapp and Kennedy.*

55. *T,* hit wære. *Miller, Bright wrongly read him* wæïe.

56. *C,* gyfo forgyfen. *Sweet wrongly reads* gyfu forgifen.

58. *Krapp and Kennedy give the reading of this passage in T. See footnote.*

63. *T,* monade, *the reading of Krapp and Kennedy.*

64. *C, Schipper wrongly reads* well.

66. hēt hine lǣran. "Commanded them (understood) to teach him."

68–69. swā swā clǣne nēten eodorcende. This homely simile is particularly appropriate in connection with Cædmon, whose duty it was to care for the cattle.

71. *Ca,* leornodan, *which Schipper wrongly gives as reading of C.*

72 ff. Song hē ǣrest, etc. On the basis of this statement regarding the content of Cædmon's poems, the Dutch scholar Junius asserted in 1655 that Cædmon was the author of the poems Genesis, Exodus, Daniel in the *Junius XI MS.* at Oxford. These are still called the Cædmonian poems but they were probably not the work of Cædmon.

74. *T, Ca,* Ægypta, *which Schipper wrongly gives as reading of C.*

77. *Ca,* big *for* bi, *which Schipper wrongly gives as reading of C.*

78. *T,* dæge *for* ege.

85. regollīcum. Cædmon belonged to the *regular* as distinguished from the *secular* clergy. The former were the monks who lived according to monastic rule (*reguīæ*).

86. *T, Ca*, in *for* on, *the reading of Krapp and Kennedy.*

92–93. untrumra manna hūs. The infirmary.

95. *C, Schipper wrongly reads* þeng *for* þen.

96. *Ca*, him on þam huse, *the reading of Krapp and Kennedy.*

98. *T*, swa neah wære. *Bright, Turk wrongly read* swa neah ne **wære.**

100. gefēonde. Present participle used as an adjective modifying **mōde.**

103. *Krapp and Kennedy read* hio.

113. *C, Schipper wrongly reads* heofonlicam.

115. *Krapp and Kennedy give* lof ræran, *the reading of T.*

116. *T, Ca*, ondswaredon, *the reading of Krapp and Kennedy.*

124. Ond sēo tunge, etc. This sentence as it stands is ungrammatical. The original subject, sēo tunge, is changed to hē, referring to Cædmon. The Latin ablative *illaque lingua* was misread for nominative.

126. *Krapp and Kennedy give* in, *the reading of T.*

128. *T*, þæm, *the reading of Krapp and Kennedy.*

KING ALFRED'S BOETHIUS

Manuscript: Bodley 180, fols. 7b–8a; fols. 19b–20a; fol. 42b.

II. THE GOLDEN AGE

1. Gescēadwīsnes. "Intelligence" or "discrimination," is the word which Alfred uses to translate *Philosophia.*

1. þis spell. Refers to the discussion in the preceding chapter of the book on the vanity of riches.

III. THE EQUALITY OF MANKIND

1. ðis spell. Refers to the first part of the chapter in which Wisdom discourses on the same theme, the equality of mankind and the folly of boasting of high lineage.

8. mid his þām anwealde. Notice the use of both the pronoun and the article; only the former need be translated.

9. fruman. Here an adjective meaning "first."

13. *MS.* eowres; *Sedgefield wrongly reads* eoweres.

KING ALFRED'S OROSIUS

Manuscript. Cotton Tiberius B I, fols. 9b–13a (11b–15a by another number-ing on flyleaf).

1. Ōhthere sǣde his hlāforde, Ælfrēde kynincge. Ohthere is the first man on record who sailed around the North Cape. The exact date of his voyage we do not know, but by the time he recounted it to Alfred he had evidently be come a member of the king's court and considered him his lord.

3. Westsǣ. The sea west of Norway, that is the present North Sea.

5. Finnas. The Lapps, who belong to the Finnish race.

9–10. stēorbord...bæcbord. The right side of the boat had a steering-oar, hence it was called the "steer-board." As the steersman sat with his back to the left side of the boat, that side was known as the "back-board."

12–13. þā bēah þæt land, etc. Ohthere was not sure at first whether he had reached the northernmost point of the land, or whether he had merely entered a bay. He had actually rounded the North Cape and was sailing east along the coast.

17. bēah sūðrihte. When he turned south he was entering the White Sea.

19. ān mycel ēa. Probably the Warsuga River in the Kola Peninsula, but the Dwina and the Ponoi Rivers have been suggested and Sedgefield thinks it is the narrow gulf of Kandalak, a branch of the White Sea.

20–21. forþ be þǣre ēa. "Past the river." (Sweet.)

24–25. þæt wǣran ealle Finnas. Ðis and ðæt are often found with a plural verb and predicate noun.

25. Beormas. The Permians. According to Bosworth, the entire country from the White Sea to the Ural Mountains was called Permia by the Scandina-vians. The name exists today in the city of Perm in the extreme middle-western part of Asiatic Russia. The Permians belong to the Finno-Ugraic group of peoples which includes among its chief members the Finns, the Lapps, and the Esthonians.

27. Terfinna. Probably a tribe of the Finns.

31. sōþes. This should be sōþ. The scribe probably wrote sōþes because he had already written one genitive, þæs.

33. horshwælum. The horshwæl or horse-whale was the walrus, or whale-horse (Danish, *hvalros*). Cf. modern German *Ross* with English *horse*.

34. æþele bān. Ivory from the tusks of the walrus.

57. his. "Of it."

58. clūdig. "Rocky," from clūd, a mass of rock. This is the modern word *cloud*, a mass of vapors.

70. Cwēna land. The land at the head of the Gulf of Bothnia, including Bothnia and part of Finland. (See Kemp Malone, *King Alfred's North*, in *Speculum*, V, 157.)

78. Scīringeshēal. Skiringssal, a Norwegian town situated on the Christiania fjord in the southern part of the country.

82. Īraland. It is difficult to believe that Ohthere was referring to Ireland, and this word has been thought to be a scribal error for Iseland, Iceland, in which case the islands between it and "þissum lande" or England, are the Faroe, the Shetland, and the Orkney Islands. On the other hand, Malone thinks Ohthere had quite possibly never heard of Iceland but "spoke of Ireland first because it was the first country, on the starboard side, which seemed to him worthy of mention" (*op. cit.*, p. 143), and also because "in the ninth century the north coast of Ireland was thought to front the North Sea, and Ohthere, as a true son of his age, considered himself to be sailing, first past Ireland and then past Britain, on his way down the Norwegian coast" (*On King Alfred's Geographical Treatise*, in *Speculum*, VIII, 78).

85. swīðe mycel sǣ. Skagerrak and Kattegat, the body of water which lies between Norway and Jutland (Gotland) and Zealand (Sillende), provinces of modern Denmark. Ohthere evidently considered Skagerrak part of the Baltic Sea (Malone, *King Alfred's North*, in *Speculum*, V, 160).

90. æt Hǣþum. The use of a preposition as part of a place-name was fairly common in early Old English, nor did it always disappear in later times. Cf. modern English Tipton, once "at Upton." (Weekley, *Adjectives and Other Words*, N.Y., 1930, p. 101.) In Wulfstan's account (p. 195, l. 98) we have the same name Hǣðum without the preposition.

92. on þæt bæcbord Denamearc. Sailing south from Norway today one would have Denmark on the right, but Ohthere meant by Denamearc the southern part of Sweden which in his time was inhabited by the Danes. Earlier in the first chapter of Orosius Alfred divides the Danes into two parts, the South Danes who inhabit the peninsula of Jutland, and the North Danes who dwell in the islands and on the Scandinavian mainland. (See Malone's article cited above, *Speculum*, V, 154–55.)

96. ǣr hī hider on land cōman. Before they came to England the Angles inhabited the lands Ohthere mentions.

97. þā īgland þe in tō Denemearce hȳrað. These are the islands of Falster, Lolland, and Langeland mentioned below in Wulfstan's account.

100. Weonodland. The land of the Wends, a Slavic race who lived along the southern shore of the Baltic.

101. Scōnēg. Skaane, the extreme southern part of Sweden.

102–03. Burgenda land. The island of Bornholm, belonging to Denmark, the old home of the Burgundians.

105. Blēcinga-ēg, etc. Blekinge and Möre are districts in southern Sweden; Öland is an island off the south-east coast of Sweden. Gotland is not Jutland here but the island of Gottland not far from Öland.

107. Wīslemūðan. The mouth of the Vistula. "At the present time the main stream of the Vistula flows directly into the Gulf, well to the west of the Frisches Haff [Estmere]. But an eastern branch of the Vistula, called the Nogat, empties into the Frisches Haff, and the Elbing [Ilfing] flows from the lake into the Nogat just as Wulfstan explains. Since the delta of a river is notoriously shifty ground and the course of the main stream often changes, we have every reason to accept Wulfstan's witness that in the ninth century the Nogat was the main stream of the Vistula." (Malone, *op. cit.*, *Speculum*, V, 162.)

108. Wītland lay to the east of the mouth of the Vistula, and was inhabited by the Ests, or Esthonians, a people related to the Finns.

109. līð ūt. "Flows out."

111-12. ðe Trūsō standeð in staðe. "On the shore of which Truso stands."

112. *MS.* staðe. *Sweet wrongly reads* stæðe *in his Reader but has the correct reading in his text for the Early English Text Society.*

112. Eastlande. The land of the Ests. The Scandinavians of Wulfstan's day called "the country *Estland* or **Æstland,* using a stem-vowel of such quality that it struck Wulfstan as equivalent, now to OE. *e,* now to OE. *æ.*... The spellings with *ea* in the *Cotton MS.* are usually explained as due to confusion with the cardinal point *east,* and it is likely enough that the Cotton scribe wrote *ea* instead of *æ* because some such association had arisen in his mind.... [He] was copying an earlier text in which the form *æst* appeared. He had learned in school that *ea,* not *æ,* must be used in writing *east,* in spite of the pronunciation. When he saw *æst,* his school training in spelling mechanically asserted itself, and he 'corrected' to *east.*" (Malone, *op. cit.,* *Speculum,* VIII, 68–69.)

129. feoh. Originally this meant "cattle" (cf. modern German *Vieh*). As cattle formed part of wealth in Anglo-Saxon times, the transition to the meaning "property" or "money" (modern English *fee*) is easy to understand. The word "pecuniary" from the Latin *pecus,* "cattle," is a parallel derivation.

131. Ālecgað hit, etc. The property of the dead man is divided into five or six or even more parts graduated in size. These are placed at intervals within a mile, the smallest part being nearest and the largest farthest from the town. The horsemen then assemble five or six miles away from the town and race for the treasure, the one with the swiftest horse receiving, because he reaches it first, the largest pile, which is the one nearest the horsemen and farthest from the town; the next one receiving the second pile, and so on, the smallest pile, that nearest the town and farthest from the horsemen, going to the man with the slowest horse.

150. Eastum. See note on l. 112.

KING ALFRED'S PREFACE TO POPE GREGORY'S
PASTORAL CARE

Manuscript: Bodley Hatton 20, fols. 1a-2b.

1-2. hāteð grētan... ond ðē cȳðan hāte. The formal greeting is given in the third person, after which the letter proceeds in the more familiar first person.

11-12. hū man ūtanbordes, etc. A reference to the fame of the schools of Wearmouth, Jarrow, and York, which in the seventh and eighth centuries were visited by many scholars from the Continent.

17. MS. *erasure after* ðæt; *probably originally* ðætte *here and in ll.* 19, 26, 58, 79.

17. begiondan Humbre. What little learning there was in England when Alfred began to reign would appear to have been "beyond the Humber," that is, in Northumbria, where Anglo-Saxon culture had flourished before the depredations of the Danes.

22. swæ ðū oftost mæge. "As often as you can."

24. for ðisse worulde. "In the sight of this world."

24. hit. Refers to learning.

25-26. ðone naman ænne, etc. Meaning that we were Christians in name only, not in deeds.

30. MS. *originally* gefyldæ, a *erased*.

31-32. swiðe lȳtle... wiston. Apparently there was little learning in Alfred's kingdom even before the coming of the Danes.

34. MS. cwæden *corrected to* cwædon; ieldran *to* yldran.

41. MS. *originally* eallæ, *with* e *of digraph erased*.

44. MS. *originally* ðætte, *with final* e *erased*.

44. MS. *originally* swæ, *with* e *of digraph erased here and in ll.* 45, 51, 54, 57, 69, 72, 73, 78.

44. MS. reccelease, *with first* c *erased*.

45. MS. *originally* hie, *corrected to* hy.

46-47. þȳ māra... ðȳ... mā. The instrumental þȳ is preserved in our phrases with the comparative, for example, "the more the merrier," that is, "merrier by that much."

49. MS. Greccas *corrected from original* Creacas.

50. MS. mænige *written above original* ealle *which has been crossed out*.

52. MS. ealla *before* oðre *crossed out in later ink*.

53. MS. *originally* oðræ cristnæ, *with* a *of each digraph erased*.

54. MS. eac *in later ink above line after* betre.

54. *MS. originally* sumæ *corrected to* sume.

57–58. ȝif wē ðā stilnesse habbað. A rather pathetic reminder of the fact that Alfred, who was so deeply interested in peaceful pursuits, was forced to spend a large part of his time fighting.

60–61. ðā hwīle ðe hīe tō nānre ōðerre note ne mægen. "As long as they can be put to no other employment."

63. dōn. "Place."

68–69. hwīlum word be worde, hwīlum andgit of andgiete. Alfred's method of translation was sometimes literal but more often free. He often condensed his original and as often added to it comments of his own.

70. Plegmunde, etc. Plegmund was a Mercian who became Archbishop of Canterbury in 890; Asser, to whom we owe the *Life of King Alfred*, was Welsh; Grimbold and John were from Flanders and Low Germany, respectively. These men represent only a few of the nationalities gathered at Alfred's court.

73. *MS.* forstod *crossed out and above line* betst understandon cuðe *written in later ink.*

75. æstel. A bookmark of artistically wrought metal was sometimes attached to books. Alfred's bookmarks were worth about thirty dollars apiece in modern money, the mancus being reckoned at thirty pence.

81. tō lǣne. "On loan."

81. ōðre bī wrīte. "Write another by it," that is, "copy it."

ÆLFRIC'S HOMILY ON NEW YEAR'S DAY

Manuscripts: Cambridge University Library Gg. 3.28 (C), Bk. I, fols. 21b–22b; Bodley 340 (B), fols. 25a–26b; British Museum, Royal 7C XII (R), fols. 29a–31a.

4. þā ealdan Rōmāni. The ancient Roman year began with March, but in 46 B.C. Julius Cæsar instituted a new calendar, in which the civil year was regulated by the sun rather than the moon. He intended to have the new year begin on the shortest day, which in that particular year would have been December 25th, but because the people were accustomed to beginning the year with a new moon, he postponed the first day until the next new moon after December 25th, which was January 1st, thereby fixing a date which has no logical reason for being the first day of the year.

5–6. ðā Ebrēiscan lēoda on lenctenlīcere emnihte. The Jews have two New Years. The first of these, the one referred to by Ælfric, occurs in the spring on the first day of the first month, Nisan, and commemorates the freedom of the Hebrew people from the bondage of Egypt. Ælfric, it will be noted, does not give this as the reason for celebrating New Year in the spring, although he quotes the first verse of the passage in the Bible which gives this explanation, Exodus xii, 2. (See also Deuteronomy xvi, 1.) The second New Year, or Rosh Ha-Shanah, is religious in character, symbolizing the beginning of a new spiritual life. It takes place in the fall and is today much the more generally celebrated of the two.

6. lenctenlīcere. The O. E. word for spring, lencten, has given us the word Lent, a period of the Church Year which falls in the spring. Lencten is supposedly derived from lang, *long*, because the days lengthen in the spring. This etymology is, however, open to question.

10–11. Aduentum Domini. The calendar of the Church Year begins with the season of Advent, the four Sundays immediately preceding Christmas.

23. Hlȳda. An O. E. word for March, derived from the adjective hlūd, *loud*. Hlȳda is the loud, noisy month.

43. sē ōðer. "The second." See note on Genesis I, 8.

57. næddran. See note to Bede's *Description of Britain and Ireland*, l. 70.

68. *All MSS.* lichamlic. *Thorpe wrongly reads* lichamlice.

ÆLFRIC'S HOMILY ON
THE INVENTION OF THE HOLY CROSS

Manuscripts: Cambridge University Library Gg. 3.28 (C), Bk. II, fol. 194a–b; Bodley 340 (B), fols. 166a–167a.

1. Men ðā lēofoston. This corresponds to the salutation in the Prayer Book, "Dearly beloved brethren."

4. *B,* and se mæra abbud *added in margin after* mæssepreost

6. Constantīnus, etc. This is the well-known story of the conversion of the Emperor Constantine, which may be found in the *Life of Constantine* (I, 28–31) by Eusebius, a contemporary of the Emperor's to whom he told the story of his vision. See A. S. Cook, *The Old English Elene, Phoenix, and Physiologus,* Yale University Press, 1919, pp. xxii–xxiii.

13–14. him cwædon ðā tō... englas. "Angels then spoke to him."

37. Elena. St. Helena, the mother of Constantine, was a very popular mediæval saint. The legend connecting her with the Cross is probably of Syriac origin and dates back to the beginning of the fifth century. One of Cynewulf's poems in the Vercelli Book relates the legend. For a discussion of the subject see A. S. Cook, *The Old English Elene, Phoenix, and Physiologus.*

37. mann. "Man" in the generic sense. Translate "person" or "woman."

42. ðæra ðēofa. The two thieves who were crucified with Christ.

50. *B,* se haliga abbud and *inserted above line after* Hieronimus.

WULFSTAN'S *SERMON TO THE ENGLISH*

Manuscripts: Bodley Hatton 113, formerly Junius 99, (H), fols. 84b–90; Cotton Nero A I (N), fols. 113a–118a; Corpus Christi, Cambridge, 419, formerly S 14, (C I), pp. 95–112; Corpus Christi, Cambridge, 20, formerly S 18, (C II), pp. 82–86

Sermo Lupi, etc. "Sermon of Lupus to the English when the Danes greatly persecuted them, which was in the days of King Æthelred."

N, Title reads, Sermo Lupi... eos, quod fuit Anno millesimo XIIII ab incarnatione Domini nostri Jesu Christi; *C II, same reading, with* VIIII *for* XIIII.

2. þam ende. A reference to the mediæval belief that the second coming of Christ, marking the end of the world, was near at hand.

3. *C I, C II omit* for folces synnan from dæge to dæge; *N omits* from dæge to dæge.

4–5. *C I omits* and huru hit wyrð... worulde.

5. *C II adds after* worulde, "þis wæs on Æþelredes cyninges dagum gediht, feower geara fæce ær he forðferde. Gime se ðe wille hu hit þa wære, and hwæt siððan gewurde."

12. byrsta and bysmara gebiden. Notice the alliteration, a device used frequently by Wulfstan and his contemporary, Ælfric.

19. tō āhte. "At all"; āhte is the dative of āwiht.

21. *N, C I, C II omit* bet þonne he ær dyde.

29–30. *N, C I, C II omit* sume men secgað þæt.

30. þēnan. Dative plural. The usual West Saxon form is þegnum or þēnum.

32–33. *C I omits* and Godes þeowas griðian.

35. *C I omits* innan þysan earde on æghwylcum ende.

35. on æghwylcum ende. "On every side."

36. *C I, C II omit* syððan Eadgar geendode.

36. Eadgar, who ruled England from 959 to 975, had a peaceful and prosperous reign. He is celebrated in the Chronicle in three poems, all of which sing his praises. One of the eulogies contains the following lines:

> He wearð wide, geond þeodland,
> swiðe geweorðad,
> forþam þe he weorðode Godes naman georne.
> And Godes lage smeade, oft and gelome.
> And Godes lof rærde, wide and side.
> And wislice rædde, oftost a simle,
> for Gode and for worulde, eall his þeode.

38. *C I, C II after* gerisena *add* and godcunde hadas wæron nu lange swiðe forsawene.

40. *C I, C II omit* and gehynede swyðe.

40. *H,* syndan; *Sweet wrongly reads* sindon; *C I, C II omit* syndan **sare.**

41. *After* besyrwde *C I reads,* ge æt freme ge æt fostre ge æt feo ge **æt feore** ealles to gelome.

43–44. *C II omits* for lytelre þyfðe wide gynd þas þeode; *C I omits* wide gynd þas þeode.

44. frēoriht. The rights of free men were taken from them and they **were** made thralls or slaves.

45. *C II inserts after* gewanode *the following passage:* Frige menn ne motan wealdan heora sylfra, ne faran þar hi willað, ne ateon heora agen swa swa hi willað; ne þrælas ne moton habban þæt hi agon on agenan hwilan mid earfeðan gewunnen, ne þæt þæt heom on Godes est gode menn geuðon, and to ælmesgife for Godes lufan sealdon; ac æghwilc ælmesriht þe man on Godes est scolde mid rihte georne gelæstan ælc man gelitlað oððe forhealdeð. For ðam unriht is to wide mannum gemæne and unlaga leofe.

51. Ne dohte hit nū lange. "There has been no goodness now for a long time."

53. stalu and cwalu, etc. Notice the rhyme and alliteration in these **lines.**

59. *All MSS.* gesibban. *Sweet wrongly reads* gesibbum.

62–64. *C I, C II omit* ac worhtan lust... we scoldan.

63. *H,* heoldan. *Sweet wrongly reads* heoldon.

66. *C II after* unrihtlice *reads* and unþegenlice.

67. *N, C I, C II omit* and mid wrohtlacan.

69–70. *C II omits* on mistlice wisan hlafordswican manege. And...

72. *C I,* on life beswice *for* of life forræde.

73. *H,* þisan. *Sweet wrongly reads* þissan.

73. *C II after* earde *reads* on mistlice wisan hlafordswican manega.

73. Ēadwerd. Edward the Martyr, the son of Edgar, mentioned **above,** succeeded his father in 975. He ruled only three years and was assassinated in 978, supposedly at the command of his stepmother, who wished her own son, Ethelred, to be king. As the Chronicle says, "Men murdered him but God honored him. He was in life an earthly king; he is now after death a heavenly saint." There is no mention in the Chronicle of his being burned.

74. *C I, after* forbærnde, *reads* and Æþelred man dræfde ut of his earde.

76–77. *N, C I, C II omit* toeacan oðran ealles to manegan þe man unscyldige forfor ealles to wide.

81 ff. *H, N contain* 9½ *lines here omitted. This material is not in C I or C II.*

82. *N has* Eac we witan georne hwær seo yrmð gewearð *in parenthesis, then gives the passage just omitted, and then repeats the above sentence.*

84. *N, C I, C II omit* ut of ðisse þeode.

86. *H,* þysse. *Sweet wrongly reads* þisse.

87. wed. A pledge. The meaning has been narrowed from any pledge to a particular one, as in modern English "wedding."

90. And la hu mæg, etc. *C I omits this paragraph and the next.*

91. for āgenum gewyrhtum. "Because of our own deserts."

95. ægilde. "Without compensation," "unpaid for." Each man had a money value fixed by law according to his social class. This price or wergeld was paid in case of death by the slayer. Lesser amounts or bōte were paid for injuries. See the extracts from the *Laws* in this volume. In the particular instance mentioned here by Wulfstan, is seen the injustice of a one-sided wergeld.

102. *C II reads after* tyne, and twegen oft twentig.

103. *Five lines of the MS. are here omitted.*

110. *N omits* oððon we woldan.

111. wē gyldað. The English made the fatal mistake of trying to protect themselves from the Danes by money payments.

120. þurh morðdǣda and ðurh māndǣda, etc. Notice the series of alliterative phrases.

128. *C I inserts* Godes wiðersacan, *C II,* a Godes wiðersacan, *after* earde.

129. *C I omits* apostatan abroðene.

138. *C II inserts after* habbað, and syndæda eargiað.

140. lāþað. Some editors consider the reading of *C I,* lāðeð, another form of lǣðeð, from lǣðan, "to hate."

144–45. *All MSS.* swa swa. *Sweet wrongly reads* swa.

147. *H,* gelewede. *Sweet wrongly reads* gelæwede.

148–64. *C I omits* Her syndan... to lange; *C II omits* Her syndan... forsyngodon þeode.

148. *N omits* swa we ær sædon.

149. *N reads* mæsserbanan *for* sacerdbanan.

149–50. *N omits* and hlafordswican and æbere apostatan.

151–52. *N omits* and her syndan hadbrecan and æwbrecan, and ðurh siblegeru and ðurh mistlice forligeru forsyngode swyðe.

154. wælcerian. Literally, "choosers of the slain" (from wæl and cēosan), the Norse Walkyrie. Here the meaning is "witches."

155–56. *N omits* and ðeofas and þeodscaðan and wedlogan and wærlogan.

158 ff. And þæs ūs ne scamað nā, etc. Wulfstan accuses the people of being ashamed of repentance rather than of their sins.

161. þæs þe. Depends upon mycel.

161–62. *C II,* beþencan þæs þe ic ana on rædinge ne mihte fullice asmeagan.

162–63. *C II,* ealle hwile innan þisse earman forsingodre þeode.

164. *H, N, C I,* ac la on, *C II,* ac nu; *Napier wrongly reads* la nu, *Sweet wrongly,* ac on.

165. þē læs. "Lest."

167–82. *C I, C II omit* An þeodwita... þingian georne.

167. Gildas, a British ecclesiastic of the sixth century, was the author of *De Excidio et Conquestu Britanniae,* in which he described the conquests of the Saxons and denounced his own people for their sins. The parallel between the attitude of Gildas towards the Britons at the time of the Saxon invasions and that of Wulfstan, six hundred years later, towards the Saxons during the Danish invasions, is striking.

170. *H,* dugeðe. *Sweet wrongly reads* duguðe.

171–72. *N omits* þurh gelæredra regolbryce and ðurh læwedra lahbryce.

174. *N omits* and unsnotornesse.

180–81. *N omits* sume gewordene.

184. *C II inserts* ascunian and *before* forlætan.

184. *C II inserts after* bræcan, Uton creopan to Criste, and bifigendre heortan clipian gelome, and geearnian his mildse.

194. *C I reads in place of* God ure helpe, Him simble sy lof and wuldor in ealra worulda woruld a butan ende.

THE LAWS OF ALFRED

Manuscript: Corpus Christi, Cambridge, 173.

VI

1. Be circena friðe. Friðe here means "the right of sanctuary," according to which any man pursued by his enemies might take refuge in a church and there remain for a certain period of time (in this law, seven days) unmolested. Frið in l. 4 means the fine which one must pay for violating this right.

4. hē. The man who drags the fugitive from the church.

5. mundbyrde. Here this also refers to a fine for violating the king's or any other protection.

5. māre gif hē þǣr māre of gefð. Liebermann agrees with Rieger who translates gefð, "wound" or "kill." The meaning then is that if the man who drags the fugitive from the church should injure him severely or kill him, he would have to pay a larger fine.

6. būton hē self ūt feohte. Liebermann makes this refer to the fugitive who by the act of fighting at the door forfeits the right of asylum.

VIII

14. weregilde. See note to Wulfstan's *Sermon*, l. 95. In this particular law the guilty man is allowed to pay his own wergild, or in other words, to ransom himself.

14. gebēte. To pay bōt.

14. wer. The short form of wergild. Wīte was a lesser penalty. Both wer and wīte were money payments.

XXXVII

19. bōclondum. The land acquired by a document, as distinguished from folcland, the title to which depended upon the witness of the people and upon common report. Cf. *Alfred's Will*, ll. 4, 27.

XLII

34. ōþer ēare. According to one of Ethelbirht's laws, the penalty for striking off an ear was twelve shillings. Such a law may have directly preceded this and have been lost, as Thorpe suggests (*Ancient Laws and Institutes of England*, p. 92, n.), or ōþer ēare may mean, as Krapp says (*Anglo-Saxon Reader*, Vocabulary), "one of the ears." If this latter is the correct translation, it is obvious that the price of an ear had risen since Ethelbirht's day.

XLVII

This law and the following are Ine's.

38. ðēowmon. A slave. The ðēow belonged to the lowest rank of Anglo-Saxon society. Above him was the ceorl or freeman, and above him the noble, variously known as ealdorman, eorl, or þegn.

40. gewitnesse. Here "knowledge."

40–41. þolie his hȳde. "Let him suffer in his hide," that is, "Let him be whipped."

LVII

Note the distinctions, made on a numerical basis, for a thief, a band of robbers, and a marauding army.

LX

60. nalles ða gegildan. "Not his guild-companions." Both Liebermann and Thorpe prefer this translation rather than that of **gegildan** as an infinitive. Thorpe elucidates the law with the following statement: "If a thief be slain while thieving, the slayer must declare on oath that he slew him in the fact, but then that slayer must not be an associate" (*op. cit.*, p. 114, n.).

LXXV

Similar penalties for breaking a marriage contract are found among other Germanic peoples. Gift is a marriage not a gift, and the subject of āgife is the bridegroom. (Liebermann.)

LXXXII

71. ceorl. See note to Law XLVII, ðēowmon.

CIII

76. weorð. Understood after bið wherever it is not written.

77. fifa. Five pence, not shillings, as we know from other manuscripts.

78. wyrhtan. Dative of wyrhta, a worker or laborer. This ordinary meaning of the word is favored by Liebermann, whereas Thorpe prefers "a measure of land."

79. *MS.* wæga; *Thorpe reads* pæga.

CXVI

85–86. nāh him mon māre æt ðonne fulwīte. "One shall not have more from him than full compensation." The object of æt is him.

WILLS

I. ALFRED'S WILL

Manuscript: British Museum, Stowe Charter 20.

1, 2. dux, regi. Notice the Latin terms. In the inscription referred to in the prefatory note, p. 222, Alfred calls himself an "aldorman."

1. hātu: West Saxon hāte.

2. weotum ond geweotan: W. S. witum ond gewitan. Eo instead of i is a more common spelling in Kentish than in West Saxon.

8. mēgum: W. S. mǣgum. E instead of æ is a common feature of the Kentish dialect and is found frequently in this manuscript. It is sometimes difficult to determine whether the correct reading is e or æ.

3. *MS.* gefeorum. *Sweet reads* gefoerum.

3. *MS.* men. *Possibly* mæn, *Sweet's reading.* This is the generic use of the word.

4. bōcland. See note to *Laws*, l. 19.

4. *MS.* seolest. *Sweet reads* soelest.

5. gemēne: W. S. gemǣne.

5. *MS.* erestan. *Sweet reads* ǣrestan. Erestan and the preceding et are Kentish forms.

6. hīda. A hide was a measure of land.

12. sello: W. S. selle.

12. þēm: W. S. þǣm.

12. *MS.* gif *illegible; supplied by Sweet.*

13. seondan: W. S. sindon.

13. *MS.* gebrenge; *final* e *illegible, supplied by Sweet.*

14. þet: W. S. þæt.

15. dæge. After Werburg's death.

15. sēo. The verb, sīe.

17. *MS.* feo. *Sweet wrongly reads* foe. Fēo is the 3d singular present subjunctive of fōn.

18. reht-: W. S. riht-.

18. nēste: W. S. nīehst.

20. sīo. The verb, sīe.

20. ōðoro: W. S. ōðre.

21. begeotan: W. S. begietan.

24. *MS.* æghwylce. *Sweet reads* eghwylce.

26. *MS.* Hwætedune. *Sweet wrongly reads* Huætedune.

26. *MS.* anes *illegible; supplied by Sweet.*

26. *MS.* sello, e *illegible; supplied by Sweet.*

27. folclandes. Genitive after geunnan.

28. *MS.* hæbbe he; *Sweet omits* he.

29. hīo. "He."

33. āgeofen: W. S. āgiefen.

41. *MS.* Eðelredes. *Sweet reads* Æðelredes.

43. gēre: W. S. gēare.

46. āwreotene: W. S. āwritene.

47. willio: W S. willie.

49. on lǣne gelīð. "Grants" Gelīð is oresent indicative of gelēon.

06. breoce: W S brece.

56–57. *MS.* ond eac swa his weorldare *crossed out.* *After* ond eac swa his sawle are *follow three or four words of doubtful reading.*

The names at the end of the will are those of the witnesses, most of whom are ecclesiastics, as may be seen from the abbreviations, ab, *abbot,* pr, *priest,* diac, *deacon,* m̄, *monk,* following their names in the MS. Each name has a cross placed before it.

II. LUFA'S WILL

Manuscript: **Cotton Augustus II, 92.**

1. ancilla domini. "Handmaid of the Lord."

1. *MS.* soecende. *Sweet reads* seocende. The **õe** is an old form of the mutated ō which is usually written ē.

1. *MS.* smeacende. *Sweet wrongly reads* smeagende.

4. forgef: W. S. forgeaf.

5. *MS.* CXX elmeshlafes *appears on the second line of the signatures, preceded by* ħ (crossed **h**). *After* hwitehlafa *a new line begins with* ð., *followed by* an hriðer, etc.

7. Supply "the souls" before mīnra frīonda.

8. adsumsio. The Feast of the Assumption of the Virgin, August 15.

9. ēihwelc: W. S. ǣghwelc. The change of g to i after a palatal vowel at the end of a syllable is one of the principal marks of the Kentish dialect.

9. hebbe: W. S. hæbbe.

11. gōes See note to l. 1 above.

12–20. Again, as in Alfred's Will, we have a list of witnesses. The abbreviations for prēost and dīacon, pr and diac are used in the MS.

13. *MS.* festne. *Sweet wrongly reads* festnie.

21. ðīwen: W. S. ðēowen.

23. hiium. Possibly the reading is hinim.

27. sē. The verb. sīe.

27. sīa hiabenlīce: W. S. sēo heofonlīce.

28. āgēle: W. S. āgǣle.

29. Uene Ualete. The Latin salutation, "farewell."

GENESIS

SATAN'S ADDRESS TO HIS FOLLOWERS

Manuscript: Bodley, Junius XI, pp. 18–22, ll. 338–441.

The frontispiece of this *Handbook* is a photostatic reproduction of ll. 389–408 of *Genesis B*.

339. *MS.* hwittost on heofnen; *first* t *and last* n *inserted above line by another hand.*

344. *MS.* þæt *inserted after* cwæð *by another hand.*

349. *MS.* gieman; y *written above* ie *by another hand.*

350. *MS.* heofne; n *added at end of word above line by another hand.*

350. forspēon.   Preterit of **forspanan.**

356. *MS.* þæs *corrected to* þes *by another hand.*

356. *MS.* ænga; i *added above the line after* n *by another hand.*

356. *MS.* styde; e *written above* y *by another hand.*

358. onlāg.   Preterit of onlēon.

359. *MS.* alwaldan; e *inserted after* w *by another hand.*

360. romigan.   Old Saxon.

361. *MS.* befælled; y *written above* æ *by another hand.*   This is a Mercian form, the normal West Saxon being befylled or befielled.

370. werode.   Either something is lacking after werode or the sentence is broken off for dramatic effect.   Editors are about evenly divided in opinion. There is no space after werode in the MS.

371. *MS.* irenbenda; s *added at end above line by another hand.*

381. mid wihte.   "At all," "utterly."

382. *MS.* ymbe; *final* e *erased and* utan *written above line.*

387. unc Ādāme.   "Us two, Adam and me."   Ādāme is in apposition with the second person implied in the dual pronoun.

390. Krapp (*The Junius Manuscript,* p. 166) suggests that grimme be translated as modifying þrēa, and grundlēase, helle.

395. geworhtne.   A good example of the participle used as an adjective in agreement with a noun, rather than in its absolute form.   See also bescyrede in the line above.

399. andan gebētan.   "Satisfy our vengeance" (*Sweet*).

400. onwendan.   "To deprive of."

401. *MS.* him; eo *written above* i *by another hand.*

405. onwendon.   "Transgressed."   Cf. l. 400.

406. āhwet. Probably from āhwettan, "to dismiss or reject."

409 ff. Satan's attitude here is that of the Anglo-Saxon prince who gave treasure in times of peace, expecting his followers to repay him by their prowess in time of war.

413. his. "In return for it."

417. *MS.* feðerhoman; *first* e *corrected from* æ *by another hand.*

424. rǣd. "Good fortune."

425. *MS.* mode minum, *with transposition marks.* Minum mode *is generally read by editors, with the noteworthy exception of Grein-Wülker.*

431. *MS.* gegearwod; e *above line before* a, *inserted by another hand.*

432. hearmscearu. Old Saxon, harm-skara.

432. his. "Of it," genitive after hycgað.

436. æfter tō aldre. "Forever after."

441. This sentence is unfinished. Several pages in the manuscript probably are missing.

EXODUS

THE MARCHING OF PHARAOH'S HOST

Manuscript: Bodley, Junius XI, pp. 149–55, ll. 148–251.

149. mānum trēowum. Literally "with evil faithfulness," i.e. "treacherously," an example of a dative case used adverbially. Bright suggested (*MLN* XXVII, 15) the emendation mannum tweonum, and saw in it a reference to the fight between Moses and the Egyptian.

151. þætte hē, etc. If we keep the manuscript reading, hē must refer to Moses and lēode is genitive. Many editors, among them Blackburn and Krapp, consider hē a misspelling for hīe, make Moyses lēode in apposition with it, and eall gebohte a plural subjunctive with the final n omitted. The dægweorc Blackburn explains as the work of the day on which the first-born were killed.

161–62. There is no gap in the manuscript but apparently something is lacking. Various explanations of the passage have been attempted. The reading here given is that of Grein, who inserted the half-line hræfen gōl after hildegrǣdige and connected hwæl with hwēol, *wheel,* translating it, "im Kreise," "in a circle." The hw of hwrēopon seems to be a mistake of the scribe who had just finished writing hw in hwæl. If so, hwrēopon is the preterit of hrōpan, *to cry* or *scream.* A translation following these suggestions would read, "The carrion birds, greedy for battle, screamed in a circle; the raven, dewy-feathered, dark carrion-seeker, sang over the corpses." Other editors, among them Blackburn and Krapp, write the lines

On hwæl

Hreopon herefugolas hilde grædige, etc. (Blackburn, hwreopon.) Blackburn thought the mistakes in the passage were connected with the mis. placement of ll. 158–59 above, that the scribe copied from a manuscript in which lines were omitted and placed in the margin, part of them being entirely left out for want of space. He rewrote the passage in the following order:

ll. 154, 155, 156, 157, 160, 161 (on hwæl mere hreo wæron yða, all but on hwæl being original with him), 158, 159, 162 (hreopan herefugolas hilde grædige), 163.

164. Page 150 of the manuscript is blank; page 151 begins with Wonn, written with a capital.

164. wonn wælcēasega. "Dark carrion-chooser or seeker." Blackburn began a new sentence with wonn, making wonn the preterit of winnan, and translating "hastened (thither)."

164. Wulfas. The eagle, the raven, and the wolf were the three beasts of prey which haunted the battle-fields. There are many references to them in Anglo-Saxon battle poetry (see, e.g., Battle of Brunanburh, ll. 60–65; and Beowulf, ll. 3024–27).

167. ful. A mistake for fyl, "death."

168. mearcweardas. Literally "the border guardians," that is, "the wolves."

172. him. Refers to Pharaoh. Translate with rād, "rode for himself," or omit.

176. hwælhlencan. Considered by all editors an error for wælhlencan, as is shown by the alliteration.

178. syrdgetrum. An error for fyrdgetrum.

178. on sigon. Blackburn translated, using cyme as nominative plural, "The advance of the men of the land [the Egyptians] moved toward the friends [the Hebrews] with hostile looks." Most editors read sēgon for sigon, making it the preterit of sēon, with frēond as the subject.

180. wǣgon. Since there is no object it must be translated here by the intransitive verb, "go," or "advance," an unusual usage.

186. on þæt ēade riht. Blackburn translated, "'for that honored duty,' i.e. for subordinate command."

187. ānra gehwilc. "Each one."

190. inge. Usually taken as another form of ginge, "young." Open, however, to doubt

191. gebād. Usually translated as if it were gebēad, "announced."

192. tō hwæs.   "Whither."

194. werod.   Object of læddon.   Ēcan may be an adjective modifying werod, "continuous, unending" (Blackburn), or a noun, ēacan, "reinforcement" (Grein and others).   The latter seems preferable.

197. Page 152 of the manuscript is blank; p. 153 begins with Hæfdon, etc.

200. wīcum.   The camps of the Israelites.

202. weredon wælnet.   Possibly "coats of mail protected (them)."   Krapp prefers, "They defended the coat of mail."

206. mid him.   Read with tōsomne in the next line, "each other."

210. mægen oððe merestrēam.   The Israelites were between Pharaoh's host and the sea.

222. Brūdon.   Preterit of bregdan, with the g omitted and the vowel lengthened.

226. mōde rōfa.   Blackburn defended rōfa as a Northumbrian form for rōfan, accusative plural, modifying fēðan.   Most editors emend to mōde rōfra, genitive plural.

227. wæs.   Subject is fīftig.

233. wāc.   An error for wāce, as Grein pointed out.

239. swōr.   "Pain." (Kock, *Anglia* XLIII, 305.)

243. wīg.   "Warriors."   This is such an unusual meaning for the word that wigheap or wigþreat has been suggested by Blackburn.   Krapp, following Bright, reads on wig curon.

246. gārbēames fēng.   There is no gap in the manuscript.   Various half-lines have been suggested, Kluge's gretan mihte being one of the best.   It is possible, as Krapp points out, "to take *cræft*, l. 245, and *feng*, l. 246, as subjects of *wolde*, and as parallel to and amplifying *mod*."   Nothing need then be supplied.

248. forðwegas.   Genitive in -as.

248. fana.   The pillar of cloud.

249. būton.   Grein emended this to bidon, a reading adopted by most editors.

250. sīðboda.   Also the pillar of cloud.

CYNEWULF'S *CHRIST*

I. DIALOGUE BETWEEN MARY AND JOSEPH

Manuscript: Exeter Book, fols. 10a–11a, ll. 164–213.

This dramatic dialogue between the parents of Christ before His birth was considered by several older critics as the possible beginning of the English drama. Modern scholarship has not favored this theory but it is still possible to consider this portion of the *Christ*, with Gollancz, "the earliest dramatic scene in English literature" (*Cynewulf's Christ*, p. xxi).

169. worde. Genitive plural.

177. culpan. Notice the Latin word.

192. stānum āstyrfed. Adultery among the Jews was punished by stoning

193. morþor. Here a crime or sin.

207. frōfre. Genitive, modifying Gæst.

211. sē-þēah. A weakened form of swā-þēah (Cook).

212. bī wēne. "According to supposition" (Cook).

II. RUNIC PASSAGE

Manuscript: Exeter Book, fol. 19b, ll. 797–814.

This passage is the one in which Cynewulf signed his name in runic letters. These runes formed the original Old English alphabet before the adoption of the Latin alphabet about the year 600. Two of the runes, þ (thorn) and ᚹ (wēn), continued to be used by the scribes and are found in all extant Old English manuscripts. Modern printing of Old English texts keeps only the "thorn," the letter w being used for the "wēn."

The runic alphabet has been preserved in several manuscripts but our chief source of information regarding it is the *Runic Poem*. The manuscript of this was burned in the Cotton Library fire of 1731, but fortunately a copy of it had been previously made and published by Hickes in his *Thesaurus* in 1705. In the poem twenty-nine runes with their names are given, the verse accompanying each one being used as an explanation of the rune. Even with this help the meanings sometimes are obscure and in some instances the definitions given by various Anglo-Saxon scholars differ widely. As an example of a verse from the *Runic Poem* the following may be cited. Scholars have generally considered this to refer to money, fortune, possessions (fee).

> ᚠ (feoh) byþ frōfur fīra gehwylcum;
> sceal ðēah manna gehwylc miclun hyt dǣlan,
> gif hē wile for drihtne dōmes hlēotan.

The names of the runes used in the *Christ* are as follows: ᚻ cēn, ᚤ ȳr, ᚾ nēd, ᚹ wēn or wynn, ᚢ ūr, ᚲ lagu, ᚠ feoh. They spell CYNWULF. According to the definitions of Gollancz these mean respectively, the Keen (cēn = cēne), Yearning, Need, Winsomeness, Us (ūre, *our*), Lake, Fortune. By using this vocabulary the student will find the passage not difficult to translate. It forms part of a description of the Last Judgment.

For an excellent discussion of this runic passage see A. S. Cook, *The Christ of Cynewulf*. Boston, Ginn, 1900, pp. 151–163.

THE PANTHER

Manuscript: Exeter Book, fols. 95b–96b.

4. þæs. "So."

6. swā. "As far as."

10. frēamǣrne. Accusative masculine, subject of the infinitive, **weardian.**
It is masculine probably because the poet had the masculine noun **pandher** in
mind.

12. Pandher. The usual spelling is panðer.

16. duguða. Genitive plural, "kindness."

18. hē. Cook says this pronoun refers to the Panther, "who inflicts all
possible injuries upon the dragon." It can apply equally well to the dragon
with whom the Panther is at enmity, "because of all the evils which he (the
dragon) can perform."

23. beorhtra. This and the following adjectives in -ra are comparatives.

39. swifeð. Present tense of swefan.

44. stenc. The ancient writers cf natural history, among them Aristotle
and Pliny, emphasized this characteristic of the panther. According to them
this animal used his sweet odor to attract his prey.

53. dēor. Nominative plural.

55 ff. What follows is the "significatio" or allegorical interpretation. The
panther is Christ who is kind to all but the dragon, Satan. As the panther
sleeps for three nights in the cave, so Christ lay in the tomb, arising on the
third day. The sweet odor seems to have two allegorical interpretations. In
l. 64 it refers to Christ's victory over death; in l. 74 it signifies the manifold
gifts of God to man. In the Middle English Bestiary (*EETS* 49.1) the
sweet odor is the breath of Christ who by His sweetness draws all men to Him.

59 ff. These lines refer to the belief that Christ bound Satan during His
Descent into Hell in the interval between the Crucifixion and the Resurrection.
This belief is graphically narrated in a Middle English poem of the thirteenth
century called "The Harrowing of Hell" (*EETS* 100) and in pageants of
the same name in the York and Chester cycles of mystery plays (L. T. Smith
ed., *York Plays*, Oxford, 1885; T. Wright, ed., Shakespeare Society, *Chester
Plays*, London, 1843–47, 2 v.).

BATTLE OF BRUNANBURH

Manuscripts: Cotton Tiberius A VI (A), fols. 31a–32a; Cotton Tiberius B I (B), fol. 139a–b; Corpus Christi, Cambridge, 173 (C), fols. 26a–27a; Cotton Tiberius B IV (D), fols. 49a–50a.

1. *Turk wrongly reads A, Æþelstan.*

2. The Anglo-Saxon king had two chief virtues, courage in war and generosity in peace. The term bēahgifa, or bēaggifa, "ring-giver," emphasizes the second of the two.

3. Ēadmund. A half-brother of Æþelstan. They were sons of Edward by different mothers.

6. hamora lāfum. A good example of the Old English kenning. "Leavings of hammers" means "swords."

7. Ēadweardes. Edward was the son of King Alfred.

12. dennade. The meaning of this is in doubt. The generally accepted translation is "became slippery." Holthausen emended to dunnade, "became stained."

13. *C, secgas hwate.*

16. *Turk wrongly reads A,* dryhtnes; *Grein-Wülker wrongly read C,* aþele.

18. *B, C,* garum ageted, *D,* forgrunden *written in later hand over* ageted; *C,* ȝuma norþerna, *D,* guma norþærne *which Grein-Wülker wrongly read* guman norþærne.

20. *Grein-Wülker wrongly read D,* ræd.

22. on lāst legdon. "Followed" or "pursued."

24. Myrce ne wyrndon heardes handplegan. Litotes.

29. *B, C, D,* þam, *which Turk wrongly gives as reading of A.*

30. *C, D,* seofene, *which Turk wrongly gives as reading of A.*

35. *D omits 35b, 36a, but above the line in a later hand is written,* "cing ut gewat on fealo flode."

36. on fealone flōd. Fealu, modern English "fallow," is one of the comparatively few color words in Old English. It is applied to the earth, to horses, to the sea, and to other objects, with varying gradations of meaning. "Yellow," "tawny," "brown," "dark," "dusky," are all used as translations.

41. gefylled. Notice that there are two weak verbs gefyllan, one the causative of full (full), meaning "to fill," the other the causative of feallan (to fall), meaning "to fell," "cut down," or "deprive of." The latter is used here.

45. Blandenfeax. "Grey-haired." Blanden means "mixed"; feax occurs in a few proper names, notably Fairfax, "fairhaired."

47. hlihhan. A good example of onomatopoeia.

53. *D*, dæggled on garum.

54. drēorig daroða lāf. Cf. l. 6. The lāf here refers to the men.

54. If dinges is a common noun its meaning is unknown; if a proper noun, the place to which it refers is also unknown.

55. Difelin. Dublin.

56. *C*, hira land.

57. *D*, ætsunne, *which Grein-Wülker wrongly read* ætrunne.

60–65. See note on *The Marching of Pharaoh's Host*, l. 164.

BATTLE OF MALDON

Manuscript: Cotton Otho A XII, destroyed. Text based on the transcript by Thomas Hearne in his Johannis, Confratris et Monachii Glastoniensis, *Chronica sive Historia de Rebus Glastoniensibus*, Oxford, 1726, Vol. 2, pp. 570–77.

The following Latin note supplements the title in Hearne: Fragmentum quoddam historicum de Eadrico et vel Fragmentum historicum, capite et calce mutilum, sex foliis constans, quo Poetice et Stylo Cædmoniano celebratur virtus bellica Beorhtnothi Ealdormanni et aliorum Anglo-Saxonum, in proelio cum Danis.

1. brocen wurde. Probably "was broken" from **brecan**, but possibly "was used or enjoyed" from **brūcan**.

4. hicgan tō handum. Literally "to think about his hands," i.e., "to be active" (Bright).

6. sē eorl. Byrhtnoð, the Anglo-Saxon leader.

7. hē lēt, etc. The kinsman of Offa gave up the pursuits of peace, chief among which was hawking, and went to war.

17. Ðā þær Byrhtnoð ongan, etc. These lines contain Byrhtnoð's instructions to his troops, who seem to have been new recruits.

24. heorðwerod. The "hearth-band" was one of many names used in Old English poetry to designate the comitatus, or picked body of fighting men, who surrounded their lord.

28. hē. The earl.

31. bēagas wið gebeorge. "Rings for protection," i.e. tribute money.

39. wið frēode. "For peace."

39. niman frið æt ūs. "Make peace with us."

41. friðes. "In peace."

45. gehyrst. *Grein-Wülker misread Hearne as* gehyrt.

47. ættrynne ord. Bright thought this meant "deadly" rather than "poisonous" as he did not believe that the Anglo-Saxons fought with poisoned weapons.

53. Æþelrēdes. King Æthelred, "the Unready."

64. Ne mihte þǣr for wætere, etc. According to the description of the battle-place in Freeman's *Norman Conquest* (Am. rev. ed., N.Y., Macmillan, 1873), I, 182, the Panta river near the town of Maldon had two branches. The Danish ships were in the southern branch, their men were on the ground between the two branches, and Byrhtnoð with his army was on the northern shore of the northern branch. The two armies were therefore separated from each other by the northern branch of the Panta, and could reach each other only by a bridge, which was held by the English.

69. ord. This originally meant a "point" (see l. 46 above), and was applied to spears and other sharp weapons. Since the point was usually in front, ord acquired the meaning of "front," specifically in reference to an army, the front-line of battle, in which sense it is used here.

69. æschere. Æsc (ash) was applied to anything made of ash-wood, notably spears and ships. Æschere then may mean a spear-army or a ship-army. Since it refers here to the Norsemen, the latter is the more appropriate.

74. hæleða hlēo. Byrhtnoð.

82. hī. Accusative singular, referring to bricg.

89. for his ofermōde. Byrhtnoð had the advantageous position, but when the enemy asked if they might cross the river and engage in combat, his overconfidence in his own men, together with a desire to fight, led him to accede to their demands. When the two armies met on equal terms, the English were overpowered by the stronger Danes.

92. Byrhtelmes bearn. Byrhtnoð.

96. wælwulfas. "Slaughter-wolves," an expressive kenning for the Vikings.

106. *Hearne,* hremmas, *not* bremmas, *the usual reading, which editors generally emend to* hremmas. For the reference to the "ravens" see the note on *The Marching of Pharaoh's Host,* l. 164.

129. gefeohtan. Notice the force of the prefix ge. Feohtan is "to fight," gefeohtan, "to gain by fighting."

130. Wōd. The subject is Byrhtnoð (understood), who advanced toward one of the Danish warriors (beornes).

134. sūþerne gār. "A spear from the south." The Danes occupied the southern position on the battlefield.

136. hē. Byrhtnoð.

140. sē fyrdrinc. Byrhtnoð.

144. hē. The Viking.

149. drenga sum. Another Viking.

152. Him. Byrhtnoð.

156. forlēt forheardne, etc. Wulfmær drew the spear from Byrhtnoð's wound and hurled it back at the Viking, thus killing him with his own spear.

159. gesyrwed secg. Another Viking.

167. hē. Byrhtnoð.

180. hī. Accusative singular feminine, object of hȳnan, referring to sāwol.

186. bearn Oddan. Bearn is plural, but two of the sons, Godwine and Godwig, are not mentioned till l. 192.

190. on þām gerǣdum. Because of the trappings on Byrhtnoð's horse, many of the English, when they saw Godric flee, thought Byrhtnoð himself was deserting. See ll. 239–42 below.

197. hē. Byrhtnoð. If they had remembered all the earl's kindnesses to them in the past, they ought not to have fled.

207. ōðer twēga. "One of two things." This expression occurs repeatedly in Old English poetry. Cf. *Beowulf* (ll. 1873–76), where Hroðgar expects one of two things, especially the second, that he either will or will not see Beowulf again.

209. bearn Ælfrīces. This warrior and the others whose names follow belong to the *comitatus* of Byrhtnoð. Since their lord is dead, each of them expects to die. Accordingly each makes a short speech telling what daring deeds he will do, and forthwith begins to accomplish them. This boasting was part of the accredited technique of an Anglo-Saxon warrior.

218. ealda fæder. "Grandfather."

236. habban and healdan. An alliterative phrase which has become part of our modern speech.

249. Stūrmere. Leofsunu's home.

261. hīredmen. "Men of the household," i.e. retainers, not men who were hired.

276. ōfer bæc būgan. "Turn backwards."

297. feorhhūs. "Life-house," a good kenning for the body.

300. Wīgelīnes. Most editors have considered Wīgelīn another name for þūrstān. It may be an error for Wīg(h)elmes.

304. *Hearne,* Eadwold. *So Grein-Wülker; most editors, wrongly,* Ealdwold.

312–13. þē heardra... þē cēnre, etc. See note to *Pastoral Care,* ll. 46–47. þē ūre mægen. "As our strength."

325. Næs þæt nā sē Godrīc, etc. The presence of two warriors of the same name is here carefully explained. A similar duplication of names occurs in *The Finnsburg Fragment* where an absence of explanation has caused much editorial conjecture.

THE WANDERER

Manuscript: Exeter Book, fols. 76b–78a.

6. Swā cwæð. The Wanderer's speech follows.

7. hryre. The sense of this seems to be genitive, in apposition with **earfeþa** and **wælsleahta.** In form, however, it is either dative or instrumental and may be so translated.

10. þe ic him. "To whom."

15–18. This is one of many moralizing or gnomic passages to be found in Old English poetry. See the introduction to the selection from the *Cotton Gnomes*, p. 287.

17. drēorigne. A masculine noun such as **hyge** or **mōdsefa** must be understood after drēorigne.

27. minne wisse. "May show favor" (Bright). Sweet writes mine and translates "love." Cf. German *minnesinger*, "a singer of love."

29. *MS. may read either* wenian *or* weman. Sweet translates **wenian mid wynnum,** "to treat kindly," Bright, "to entertain joyfully."

30. tō gefēran. "As a companion."

32–33. waraθ hine, etc. Notice the use of antithesis.

41. þinceθ him, etc. This clause may be translated as the object of wāt in l. 37.

42. on cnēo lecge. Probably this is part of an oath of fealty.

44. giefstōles brēac. "He enjoyed the gift-stool" means that he enjoyed the gifts presented from the lord's throne.

45–48. The bitterness of awakening pictured in these lines presents a strong contrast to the joy of the Wanderer's dreams.

46. fealwe. See note on *Battle of Brunanburh*, l. 36.

52–55. These lines are somewhat obscure. They are generally taken to refer to the spirits of his friends whom the Wanderer sees in his mind's eye. Swimmaθ, flēotendra, and cwidegiedda have been translated both literally and figuratively. Gollancz reads:

> Soon they swim away;
> the sailor-souls do not bring thither
> many old familiar songs. (*Exeter Book*, p. 289.)

It is also possible to translate,

> "They vanish again;
> the spirit of the floating ones does not bring there many
> familiar words,"

that is, the spirits of those floating in his imagination do not speak.

64. wís. Predicate adjective.

65–69. Another gnomic passage in which the wise man is advised to follow the Aristotelian "golden mean."

78. *MS.* woriað, *not* woniað *as Gollancz reads.*

79. duguð. Related to the verb dugan, *to be strong.* The "doughty," tried men of the *comitatus.* See note on *Battle of Maldon*, l. 24.

81. sumne. Notice the singular number.

81. fugel. This has been taken figuratively to mean ship, or literally to mean the eagle.

85. *MS.* yþde *not* yþðe, *as Grein, Bright, Sweet, and others read and emend.*

87. enta geweorc. This same expression is used in *The Ruin,* l. 2 and in the *Cotton Gnomes,* l. 2. It probably refers to the ruins of Roman buildings in England. Anything built of stone seemed to the Anglo-Saxons of mysterious origin.

88. Sē. "He who."

88. geþōhte. A noun.

89. *Krapp, Bright, Turk misread MS.* deorcne.

92–93. Hwǽr cwōm, etc. The familiar "Ubi sunt" formula found in Latin poetry. The most famous example of it in the vernacular of western Europe is Villon's ballade,

"Où sont les neiges d'antan?"

103. won. The original meaning of won or wan is "lacking." Cf. modern English "want." Applied to the lack of color wan meant in O. E. "dark," whereas today it has the opposite meaning, "pale."

111–15. These are hypermetric lines, that is, each of them has three feet to a half-line instead of the usual two.

114. Wel bið, etc. The Christian sentiment of this last sentence forms a surprising conclusion to a poem of so fatalistic a trend. It may have been added by a Christian scribe.

THE SEAFARER

Manuscript: Exeter Book, fols. 81b–83a.

8. calde. Northumbrian form of cealde.

16. There is no gap in the manuscript or in the meaning here but the alliteration demands another half-line. Ettmüller used winemǽgum bidroren as the second half-line, inserting wynnum beloren before it. This is the reading of Grein-Wülker, with the change of beloren to biloren.

20. dyde ic mē tō gomene. "I entertained myself with."

21. fore. "In place of."

23. *MS*. stearn. *Sweet reads* stear *and supplies* n.

25. ūrigfeþra, etc. The lack of alliteration in this line has been variously obviated. Grein changed nǣnig to ne ǣnig; Kluge read heaswigfeþra, "dusky-winged," for ūrigfeþra; Thorpe, Ettmüller, Wülker, and others assumed the omission of two half-lines.

32. *MS*. bond; *Sweet wrongly reads* band.

33. corna caldast. Notice the effective comparison of hail to grain.

33. For þon. Cf. also ll. 39, 58, 72. Instead of the usual translation of this expression, "therefore," W. W. Lawrence suggests the weaker word, "verily" or "so" (*J E G P*, IV, 460–80), which removes some of the difficulties of the poem. Lawrence does not think the poem a dialogue. Rieger, the first advocate of the dialogue, thought the young man's first speech began here. The holders of this theory do not agree upon the points of division. Kluge divided the poem into three parts: ll. 1–33, the old man's speech, ll. 33–64b, the young man's speech, ll. 64b–end, a later homiletic addition not in dialogue form, by another writer (*Eng. St.* VI, 322 ff.). Rieger's divisions will be mentioned as they occur in the poem.

37. tō fēran. Poetic usage, where the prose would prefer the gerund.

39. For þon, etc. According to Rieger the second speech of the old man begins here.

39. þæs. Here and in the following lines, the adverb, "so."

48. Bearwas, etc. Here, Rieger begins the second speech of the young man.

48. nimað. "Produce."

53. Swylce, etc. Rieger assigns this to the old man.

56. ēstēadig secg. Grein emended to sefteadig; Grein-Wülker follow Ettmüller's emendation, esteadig; Sweet changed the order and emended to secg esteadig, to avoid alliteration of "the weaker wave."

58. For þon, etc. The young man is speaking here, according to Rieger.

62. ānfloga. This refers to mōdsefa or hyge.

64. for þon, etc. Beginning with 64b, "the theme of the sea is changed into didactic commonplaces about the universe" (B. C. Williams, *Gnomic Poetry*, p. 48).

69. tīdege. According to Bosworth-Toller, "death"; Sweet and Grein-Wülker emend to tid aga, "before his time goes."

72. For þon, etc. Rieger made the old man's last speech extend from here to the end. Kluge and other scholars assigned this to another author.

72. æftercweþendra. This depends upon lof.

97. Þēah þe græf wille, etc. "Though he will strew the grave with gold, the brother will bury by his dead brothers various treasures, that will not go with them." For another reading see Krapp and Dobbie, *The Exeter Book,* pp. 297 f.

106–08. Notice the close similarity between these lines and the concluding lines of *The Wanderer.*

The poem continues for sixteen more lines which are omitted in the text because it is very doubtful whether they formed part of the original. They are as follows:

> Stieran mōd sceal strongum mōde   and þæt on
>   staþelum healdan
> and gewis werum   wīsum clǣne:
> scyle monna gehwylc   mid gemete healdan
> wiþ lēofne and wiþ lāþne bealo,
> þēah þe hē hine wille fȳres fulne
> oþþe on bǣle forbærnedne
> his geworhtne wine.   Wyrd biþ swīþre, (MS. swire)
> Meotud meahtigra   þonne ǣnges monnes gehygd.
> Uton wē hycgan   hwǣr wē (MS. se) hām āgen,
> and þonne geþencan   hū wē þider cumen,
> and wē þonne ēac tilien   þæt wē tō mōten,
> in þā ēcan   ēadignesse,
> þǣr is līf gelong   in lufan Dryhtnes,
> hyht in heofonum!   Þæs sȳ þām hālgan þonc
> þæt hē ūsic geweorþade,   wuldres ealdor,
> ēce Dryhten,   in ealle tīd!   Āmēn.

RIDDLES

Manuscript: Exeter Book, fols. 104a, 101a, 101a, 107b, 127a.

I. THE HORN

1. wǣpenwiga.   Interpreted as referring to the horns on the head of an ox (Dietrich, *Haupts Zeitschrift für deutsches Alterthum,* XI, 464).

2. golde and sylfore.   Drinking horns were often richly decorated with gold and silver.

4. tō hilde, etc.   The horn is here referred to as part of a warrior's equipment.

6. merehengest.   "Sea-horse," a kenning for "ship." Cf. the proper name Hengest.

8. mægða sum, etc.   One of the duties of the noble ladies of the time was to fill and pass the drinking horns to the warriors. A well-known instance of this

custom is found in *Beowulf* (l. 615), where the queen, Wealhþeow, goes among the warriors with the ale.

9–10. bordum... licgan. Tupper translates, "Sometimes I shall lie stripped on the tables" (bordum... behlȳþed). Wyatt makes bordum... behlȳþed equal hēafodlēas, and translates, "deprived of my covers."

13. frēolīc fyrdsceorp. Another reference to the war-horn.

14. winde. Dative or instrumental after swelgan.

17b–19. The horn was used to sound the alarm against thieves.

II. STORM ON LAND

This riddle, the one which follows it, and a third not given here, have been considered by some scholars, notably Erlemann and Trautmann, as parts of one riddle. Each of the three, however, has the common closing formula, and it seems better to regard them as separate riddles, despite the fact that the three obviously deal with the same general subject. Both Tupper and Wyatt so print them. Editors have punctuated this riddle in various ways. Grein-Wülker put the first question mark after reafige, l. 6; Tupper, after þunie, l. 4; Brooke in his translation (*English Literature from the Beginning to the Norman Conquest*, App. I), after strong, l. 3. The punctuation here used is that of Wyatt.

2. wræce. Wyatt considers this a present subjunctive, probably a Northern form. Tupper thinks wræce is preterit, and since the meaning demands a verb in the present and the ordinary metre makes a long syllable necessary, he follows Herzfeld in emending to wræcca, "an exile."

10. holme gehrēfed. This modifies ic.

11. wrecan. Kept by most editors who consider it an infinitive, "to drive," depending upon sended. Grein translated it as the genitive of wrec(c)a, "wanderer" (*Sprachschatz*, II, 739).

14. sunde. Grein-Wülker, Tupper, and others emend to sonde, "sand."

III. STORM AT SEA

Erlemann thinks this riddle refers to a submarine earthquake.

4. *MS.* No gap, but lack of alliteration shows some words are missing. Various half-lines have been suggested but the sense of the passage is clear without any additions.

5. hˡimmeð... grimmeð. Notice the rhyme.

7. stāne and sonde. Datives, objects of weorpað.

IV. MEAD

2. brungen. An unusual, strong form of the past participle of **bringaa**

2. burghleoþum. The reading, beorghleoþum, "mountain heights," sug-gested by Thorpe, is probably more in keeping with the general sense of the passage than "city heights."

3. dæges. Adverbial genitive. This use still exists in modern colloquial English, as, for example, in the sentence, "He sleeps days and works nights," where "days ' and "nights" are genitive and not plural.

4. feþre. The feathers or wings of the bees who bear the honey from which mead is made to the hrōfes hlēo, "the shelter of the roof," that is, the hive. The culture of bees was highly esteemed by the Anglo-Saxons.

8. efne. From the verb efnan.

15. *MS.* has the mark after hātte which usually comes at the end of a riddle; following this is a space, after which ðe begins with a capital letter.

V. THE FALCON

Other solutions have been suggested for this riddle, the best of which is Horn. This was suggested by Müller (*Cöthener Program*, p. 18) and independently by Trautmann (*Bonner Beitrage zur Anglistik*, XIX, 203 f.) and is perhaps better than Falcon, the answer given by Dietrich (*Haupts Zeitschrift*, XI, 483) and accepted by several others. If Horn is the correct solution, the first sentence refers to the war-horn and the third (l. 6) to the drinking-horn which has the mead in its bosom (cf. Riddle I, l. 9).

9-10. Since wōðboran refers to the riddle-solver and **giedde** to a riddle, this passage may be, as Tupper states in his notes, "a sly hint" on the part of the "thirsty riddler."

CHARMS

I. AGAINST A SWARM OF BEES

Manuscript: Corpus Christi, Cambridge, 41, fol. 202a.

This charm probably is an aid in taking the bees after they swarm.

1-2. These lines and line 7 are the directions. The rest constitutes the charm proper.

3. funde. The weak preterit of findan, which also has a strong preterit fand.

4. mæg. "**Is** powerful" **or** "is **mighty.**"

7. forweorp. "Throw gravel over them," that is, over the bees.

8. sitte gē. Notice the verbal form in **e** when followed by the pronoun.

8. sigewīf. A courteous title, an appellation of the Valkyries, applied **to the** bees to propitiate them. (Grendon, *The Anglo-Saxon Charms*, N.Y., 1909, p. **217.**)

II. NINE HERBS CHARM

Manuscript: British Museum, Harleian 585, fols. 160a–163a.

Herbal charms were popularly used among the Anglo-Saxons **as a means of** curing disease. The following nine-herbs charm was to be recited over herbs which had been gathered to make a healing remedy of some kind. It begins with a description of the various herbs, followed by the charm itself expressed in a formula, which in this particular case is largely heathen in character. Some of these formulae were expressed in the language of Christian ritual and others were merely nonsense. For an interesting discussion of the Anglo-Saxon charms the student is referred to Grendon's dissertation mentioned above **on** p. 283.

1. Mucgwyrt. Mugwort, the first herb.

2. regenmelde. Cockayne translates this "at the prime telling"; Grendon considers it a proper name. The latter seems the better of the two.

4. wið III ond wið **XXX.** "Three and thirty" was a favorite charm **number** in Indo-European folk-lore.

5. onflyge. Literally "flying" sickness, i.e., an infectious disease.

7. Wegbrāde. Plantain, the second herb. According to Cockayne, **Weg**brāde or "Waybroad" received its name from the fact that it grew by the wayside.

14. Stīme. The third herb. Grendon translates Stime; Cockayne, **Steem** or water-cress, adding that its fiery pungency is perhaps the origin **of the** name, stiem meaning conflagration.

16. Stīðe. In order to have nine herbs given by name it is necessary **to** count this as the fourth. Grein-Wülker do so; Cockayne considers ll. 19–20 descriptive of the fourth herb; Grendon makes ll. 14–20 all apply to the third herb, Stime, but does not have nine herbs.

21. Attorlāðe. The fifth herb. Grendon calls it Betonica; Cockayne, **the** blind nettle.

23. Mægðe. The **sixth** herb, **translated by** Grendon, Camomile; **by** Cockayne, Maythem.

27. Wergulu. The seventh herb, Crabapple.

32. Wōden. References to the heathen gods occur seldom because of the power of the Church.

32. wuldortānas. Grendon, "thunderbolts"; Cockayne, "wondrous twigs."

34. Grendon translates, "There apple destroyed the serpent's poison"; Cockayne, "There ended it the crabapple and its venom, That never it should more in house come"; Grein-Wülker consider a line missing after āttor.

36. Fille ond Finule. The eighth and ninth herbs, which Grendon calls Thyme and Fennel; Cockayne, Chervil and Fennel.

38. þā hē hongode. Grendon, "while hanging (on the cross)"; Cockayne, "them he suspended." The latter seems the more probable, although its meaning is not very clear. The seven worlds are the seven spheres in which the seven planets revolved around the earth.

43-44. Grendon, assuming no omission, reads wið feondes hond and wið fær-bregde and translates, "Against a demon's hand and against sudden guile."

46. wuldorgeflogenum. Cockayne, "exiles from glory," i.e., "devils."

48. runlan. Grendon, "running"; Cockayne, "stinking."

55. behealdað. Grendon, "take heed (of it)."

55. mōtan ealle wēoda nū wyrtum āspringan. Grendon, "all pastures now may spring up with herb"; Cockayne, "all weeds now may give way to worts."

THE COTTON GNOMES

Manuscript: Cotton Tiberius B I, fol. 115a–b.

The Cotton Gnomes have several more or less clearly defined divisions. The first group, 1–16a, is composed of sentences, almost the only connection between which is the bond of alliteration. Lack of unity characterizes these lines, but hardly artificiality, except in so far as crudeness of poetizing results in a mixture which is neither prose nor verse. Quite otherwise is the analysis of 16b–41, where the hand of the artificer is evident. The purpose of these lines is to assign objects and persons their fitting places and duties. The b half-line contains the essential prose gnome, the a half-line representing an attempt at adornment. The writer of these lines was probably performing an exercise in verse technic. From a store of old sentences he selected such as suited his purpose and bound them together as we find them. Lines 41–47 point to an early origin; 50–54 list contending forces, arranging them in pairs. The remainder of the poem, 54b to the end, is the addition of a Christian scribe. Such reflective and religious endings are common in Anglo-Saxon poetry: compare the *Wanderer* and the *Seafarer*. (Adapted from B. C. Williams, *Gnomic Poetry*, pp. 106–10.)

2. enta geweorc. See note to the *Wanderer*, l. 87.

6. lencten. See note to *Ælfric's Homily on New Year's Day*, l. 6.

7. sunwlitegost. "Most sun-beautiful," that is, beautiful from sunshine.

10. switolost. "Most clear." The *MS.* reading swicolost, "most treacherous," is a surprising one when applied to "Truth."

16. sceal. "Ought to be."

16. hellme. Misspelling for helme. "Representatives of ancient chessmen found in the isle of Lewis show the sword held in the right hand resting against the helmet in the left." (Williams, *op. cit.*, p. 148.)

19. By following the *MS.* one may read, "The eagle in the haw." In Kent, a haw is a yard or enclosure. But by changing earn to earm and making one word of anhaga (emendation of Ettmüller, followed by Grein, Sweet) the passage becomes aligned with the preceding and the following gnomes. "The miserable recluse," i.e. the wolf. (Williams, *op. cit.*, p. 149.)

20. Til. "The good man."

21. dōmes wyrcean. "Do justice," "win glory."

25. segelgyrd. "The sailyard," used here synonymously with mæst.

25. sweord sceal, etc. "The sword shall rest in the lap." Bearme may be translated also as "in bosom" or "on bosom" (cf. *Beowulf*, ll. 1143, 2195). The gnome probably refers to the old manner of holding the sword, practised by royal personages, across the knees and with both hands.

26. sceal. "Shall dwell." It was the habit of dragons to dwell in mounds and guard treasures.

29. Bera. Bears were held in great respect by the Germanic peoples.

31. flōdgræg. Modifies ēa.

33. Wudu. "Tree."

40. scēote. "Rapid movement."

42 þyrs. A demon in Old Norse mythology. Like enta and wyrd it shows that traces of old superstition still existed in England.

43. Ides sceal, etc. "A woman shall by secret craft seek her lover, if she does not wish publicly to be sought in marriage.... If the lines are to be translated as above, a late origin is indicated: being bought was a reproach. But in the *Exeter Gnomes*, geþēon was used in a good sense and the purchase was honorable enough, something to be desired, according to old Germanic custom. By a slight emendation in 44b, the thought becomes similar to that in *Exeter Gnomes*: nelle may be error for *wille*. The meaning then becomes, The woman shall by secret craft seek her friend, if she would thrive among the people, that she may be bought with rings." (Williams, *op. cit.*, p. 150.)

48. Tungol. Any heavenly body; here probably the sun.

54. synne stælan. "Avenge hostility."

55. wearh hangian. The beginning of a new gnome, not as most editors make it, part of the gnome beginning l. 54b.

BEOWULF

Manuscript: Cotton Vitellius A XV, fols. 143a–147a; 162b–163b; 192a–193a (new numbering).

Thorkelin transcripts, A, B.

I. HROTHGAR'S FEAST AND THE BRECA EPISODE

492. benc. The warriors sat on benches in the hall during the feasts.

498. Wedera. Another name for the Geats.

499. *MS.* Hunferð; *changed to* Unferð *by most editors, for alliteration.*

499. Hunferð has been somewhat of a puzzle to scholars. By some he has been considered the type of wicked counsellor often found in Germanic legend. By others he has been called the "advocatus diaboli" of the poem, that is, the person who presents matter detrimental to the hero, so that the latter by refuting the charges against him may shine with added glory. Hunferð undoubtedly occupies a prominent place at Hroðgar's court. He sits at the king's feet, a place of distinction, and he is generally considered a wise and sagacious counsellor, despite the fact that he is charged with having slain his brothers. His original jealousy of Beowulf later changes to courtesy and helpfulness, and he even offers Beowulf his sword in the fight with Grendel's mother.

501. onband beadurūne. "Unbound a battle-rune," that is, he began a hostile speech.

503. ne ūþe. "Did not wish."

503–04. *MS. Erasure of four or five letters between* man *and* æfre; m *of* mærða *illegible, but in* A.

505. *MS.* gehedde: h *illegible.*

506 ff. The contest between Beowulf and Breca is generally considered a swimming-match, but it is interesting to note that the words used to describe it may also be applied to rowing. The original meaning of reôn in l. 512, for example, is "row," not "swim."

509. *MS.* ond *illegible.*

514. merestrǣta. Kenning for sea.

519. Heaþo-Rǣmas. This tribe probably lived in southern Norway.

521. Brondinga. In *Widsið* (l. 25) we are told that Breca ruled the Brondingas.

524. sunu Bēanstānes. Breca.

524. *MS.* ðe *of* soðe *illegible; in B.*

525. *MS.* geþingea: ge *missing at edge of page; in A, B.* **Geþingea** Partitive genitive after **wyrsan.**

526. heaðoræsa. Genitive with **dohte.**

527. *MS.* es *of* Grendles *missing at edge of page; in A, B.* **Grendles.** Genitive, object of **bīdan.**

528. *MS.* dan *of* bīdan *missing at edge of page; in A, B.*

530. *MS.* Hunferð: *part of* ð *gone; in A.*

534. earfeðo. "Hardship." This is not a parallel object to **merestrengo** and for that reason some editors have emended to **eafeðo,** "strength." It seems best, however, to keep the original reading.

535. Wit. Notice the dual form throughout this passage.

539. swurd. Accusative plural.

542–43. meahte... wolde. These two words form the crux of Beowulf's reply. Breca *could* not swim away from Beowulf, and Beowulf *would* not out-swim Breca. According to Beowulf then, there was no contest involved; the two boys were merely carrying out a boast.

544. *MS.* ætsomne: so *gone and* mn *mutilated;* ætsomne, *A, B.*

545. *MS.* oþ: o *gone at beginning of line;* oþ, *A, B.*

546. *MS.* wedera: *part of* w *gone at beginning of line;* wedera, *A, B.*

547. *MS.* wind: wi *gone at beginning of line;* wind, *A, B.*

548. *MS.* yþa: y *gone at beginning of line;* yþa, *A, B.*

550. līcsyrce mīn. His coat-of-mail, instead of being a hindrance to him in swimming, proved a defense against the sea-monsters.

563–64. þæt hīe mē þēgon, etc. This clause explains ðǣre fylle, "that feast," in the preceding line; þæt may be translated "whereat." The clause describes the feast the sea-monsters would have had if they had killed Beowulf.

566. be ȳþlāfe. "Along the shore." Ȳþlāfe, "the leavings of the waves," a kenning.

567. *MS.* sweordum: ordum *missing at end of line; A,* sweodum; *Kemble,* sweordum.

568. *MS.* brontne: ne *gone;* brontne, *A, B.*

568. brimlīþende. Accusative plural, object of **letton.** "Let" has the same meaning, "hinder," in Hamlet's speech, "I'll make a ghost of him that lets me."

569. *MS.* leoht *gone at end of line; in A, B.*

572. Wyrd oft nereð, etc. One of the gnomic passages in *Beowulf.* It corresponds to the saying, "Fortune favors the brave," or the more colloquial "God helps those who help themselves."

578. feng. Accusative singular, object of **gedigde.**

580. on Finna land. Usually thought to be Finmarken in northern Norway.

581. þē. Beowulf is still addressing Hunferð. He begins here to turn his defense into an attack upon his accuser.

587. banan. The fact that Hunferð had killed his brothers does not seem to have affected his position at court. Beowulf, however, says that he will suffer for it in the next world.

588. *MS.* helle *gone at beginning of line*; *in A, B.*

589. *MS.* wit duge: wit *and* d *of* duge *gone*; wit dug (*a letter erased*) *in A.*

590. *MS.* Ecglafes: laf *gone at beginning of line*; Ecglafes *in A.*

597. Sige-Scyldinga. One of the many names given to the Danes. They were called Scyldings either because they were considered "sons of Scyld," Scyld being one of their early legendary kings, or more probably because they were "men with shields" for whom a mythical ancestor Scyld (Shield) was invented to explain their name. The suffix -ing may indicate a patronymic or may mean "possessing."

599. lust wigeð. "He feels joy."

600. swefeð ond sendeþ. "He puts to sleep (i.e. kills) and sends (to death)."

605. ōþres dōgores. "The next day."

607. sinces brytta. Hroðgar.

609. *MS.* brego: *top gone at top of page*; *in A, B.*

609. *MS.* Beowulfe: Beo *gone at edge of page*; *in A, B.*

617. *MS.* þǣre: e *gone at edge of page*; *in A, B.*

621. duguðe ond geogoðe. Genitive singular, modifying **dǣl,** the object of ymbēode.

626. willa. "Joy" or "pleasure."

629. *MS.* æt Wealhþeon: æt We *gone at beginning of line*; *in A, B.*

630. *MS.* guþe gefysed: *top of* uþe *and of* gef *covered at top of page*, ysed *gone*; *in A, B.*

631. *MS.* Beowulf: B *gone at beginning of line*; *in A, B.*

633. *MS.* gesæt: s *covered at beginning of line*; *in A, B.*

634. *MS.* eowra: e *covered at beginning of line*; *in A, B.*

635. *MS.* crunge: c *covered at beginning of line*; *in A, B.*

636. *MS.* gefremman: *first stroke of second* m *covered at beginning of line*; *in A, B.*

641. *MS.* frean: fr *illegible*; *in B.*

641. tō hire frēan. "By her lord."

646. þām āhlǣcan. "For the monster."

648–49. Klaeber translates, "From the time that they could see the light of the sun, until night came." Many editors insert ne before meahton and translate oþþe as one word, "or" or "and."

II. GRENDEL'S MERE

1345. *MS.* ic: i gone at beginning of line; in A, B.

1345. ic. Hroþgar is speaking.

1345–46. londbūend... selerǣdende. Notice the difference in form. The first is declined as a noun, the second as a present participle.

1347. swylce twēgen. This refers to Grendel and his mother.

1350. þæs þe. "As."

1353. *MS.* man: an gone at edge of page; in A, B.

1354. *MS.* nemdon: don gone at edge of page; nemdod in A, B; emended by Kemble.

1356. *MS.* hwæþer: þer gone at edge of page; in A, B.

1357 ff. It has been pointed out by Klaeber, Lawrence, and others that the description of Grendel's home is similar to that of the Christian hell, especially in a passage from the 17th Blickling Homily, where the verbal agreement is so marked as to make probable a common or a very similar source.

1358. *MS.* windige: ige gone at edge of page; in A.

1359. fyrgenstrēam. Klaeber translates "mountain stream"; Lawrence, "waterfall."

1360. *MS.* gewiteð: iteð illegible at edge of page; in A, B.

1362. *MS. usually read* stanðeð. *The first ð is a* d; *a blur near it makes it look like a* ð.

1365. mæg sēon. The subject, man, is omitted.

1366. fȳr on flōde. Klaeber points out that the burning lake or river is a noticeable feature in the description of hell.

1366. Nō þæs frōd. "No one so wise."

1367. þone grund. The bottom of the pool.

1368. hǣðstapa. "Heathstepper," a kenning for deer.

1370–71. ǣr... ǣr. "Rather... before."

1372. nis þæt hēoru stōw! The negative expression of a formula often found in *Beowulf*, such as, "That was a good king," "That was a good people."

III. BEOWULF'S FIGHT WITH THE DRAGON

2670. *MS.* gæst *gone at edge of page; in* A, B.

2671–72. fionda, manna.   Genitive, objects of **nēosian.**   The men were Beowulf and his young companion. Wiglaf.

2671. *MS.* niosian: sian *gone at edge of page;* niosnan *in* B, mosum *in* A; *em. by Grein.*

2672. līgȳþum.   "Waves of fire" coming from the dragon.

2673. *MS.* bord wið: d *of* bord *and* wið *gone at edge of page; in* A, B.

2673. wið ronde.   "To the boss."   The boss was the center of the shield.

2674. geongum gārwigan.   Wiglaf.

2675. *MS.* under: der *gone at edge of page; in* B.

2676. *MS.* wæs *gone at edge of page; supplied by Grundtvig.*

2675–76.   Wiglaf was forced to take refuge behind Beowulf's shield since the dragon's fiery breath had burned his own.

2678. *MS.* mærða: ærða *gone at edge of page; supplied by Grundtvig.*

2679. *MS.* þæt *gone at edge of page; in* A, B.

2679. on heafolan.   On the head of the dragon.

2680. *MS.* Nægling: *last stroke of second* n *and last* g *gone at edge of page; in* A, B.

2680. Nægling.   Swords customarily had names, most of them ending in -ing.   Cf. Siegfried's sword, Nothung.   That the sword burst was evidence of Beowulf's great strength, as we are expressly told in ll. 2684 ff.

2682. *MS.* gamol: g *and* l *unclear at top of page; in* A, B.

2682. *MS.* wæs: s *not visible at edge of page.*

2683. *MS.* þæt *and first stroke of* him *gone at edge of page; in* A, B

2684. *MS.* wæs: w *gone at beginning of line; in* A, B.

2685. sē ðe.   This refers to Beowulf, not to hand which is feminine.

2685. *MS.* mine: mi *gone at beginning of line; in* A, B

2685. mīne gefrǣge.   "As I have heard."

2686. *MS.* sæcce: sæ *and first part of* c *gone at beginning of line; in* A, **B.**

2687. *MS.* wihte: wi *and part of* h *gone at beginning of line; in* A, B.

2687. næs him wihte ðē sēl.   "It was not a whit the better for him."

2688. *MS.* siðe: si *gone at beginning of line; in* B; side *in* A.

2690. *MS.* ræsde: r *and part of* æ *gone at beginning of line; in* A, B.

2692. hē.   Beowulf.

2695. andlungne eorl.   Wiglaf.   Accusative, subject of cȳðan.

2696. *MS.* gecynde: ge *nearly gone at beginning of page; in A, B.*

2697. Ne hēdde hē þæs heafolan. "He did not heed the head (of the dragon)." Possibly this means, "He did not take heed to his own head," but the first translation is preferable.

2699. þæt. Translate "when."

2699. nioðor hwēne slōh. "Struck a little lower down." The lower parts of dragons were their vulnerable spots.

2700. *MS.* gedeaf: d *gone at beginning of line; in A, B.*

2705. *MS.* helm: *upper part of* h *gone at top of page; in A, B.*

2705. Wedra helm. Beowulf. Wiglaf apparently gave the fatal blow but Beowulf struck the final stroke.

2706. Fēond gefyldan. "They felled the foe."

2706. ferh ellen wræc. "(Their) courage drove out life."

2708. swylc sceolde secg wesan. Every thane should be like Wiglaf.

2711. *MS.* worlde: *part of* r *and* lde *gone at edge of page; in A, B.*

GLOSSARY

THE alphabetical order is followed in the glossary with two exceptions: þ is considered a separate letter coming after *t*, and verbs with the prefix *ge* are alphabetized according to their root syllables. *Æ* comes between *ad* and *af*.

Nouns are designated *m.* (masculine), *f.* (feminine), or *n.* (neuter). The cases are abbreviated as follows: nominative, *n.*, genitive, *g.*, dative, *d.*, accusative, *a.*, instrumental, *i.*, vocative, *voc.* The numbers are singular, *s.*, and plural, *p.*

Pronouns (*pron.*) are marked *pers.* (personal), *refl.* (reflexive), *poss.* (possessive), *dem.* (demonstrative), *rel.* (relative), *interrog.* (interrogative), *indef.* (indefinite). In each instance the case, number, and gender are given; for example, *nsm.* means nominative, singular, masculine.

Adjectives (*adj.*) are also designated as to case, number, and gender. Weak forms are marked *wk.*; comparatives, *comp.*; superlatives, *supl.*

Adverbs, prepositions, conjunctions, and interjections are abbreviated to *adv.*, *prep.*, *conj.*, *interj.*

Verbs are described in the following manner. Strong verbs are marked with an *S* and the number of their gradation series; weak verbs, with a *W* and the numbers, 1, 2, 3, representing the three classes; preterit-present verbs, *PP*; anomalous verbs, *anom.* The forms of verbs occur in the following order: infinitive (*inf.*); present participle (*pres. ptc.*); gerund (*ger.*); indicative (*ind.*) present (*pres.*), 1st, 2nd, 3rd persons (*1, 2, 3*) singular (*sing.*), plural (*pl.*); subjunctive (*subj.*) present, singular and plural; imperative (*imp.*) singular and plural; indicative preterit (*pret.*), 1st, 2nd, 3rd persons singular and plural; subjunctive preterit, singular and plural; past participle (*pp.*), followed by the case, number, and gender when used adjectivally.

A few other abbreviations occur occasionally: *arch.* (archaic), *cf.* (compare), *indecl.* (indeclinable), *intrans.* (intransitive), *Lat.* (Latin), *num.* (numeral), *Sc.* (Scotch), *trans.* (transitive), *w.* (with).

One example of each form of every word in the text is given, with a reference to the place in which it may be found. The various spellings are included. Unless otherwise stated, it is assumed that any form given in the glossary has the spelling of the form of that word in bold-face type. A hyphen followed by an inflectional ending means that the ending is added to the word as originally given.　Roman numerals refer to the selections (see the Table of Contents) and Arabic numerals to the lines. Small Roman numerals designate the subdivisions of the main selections, as, for example, the six passages from Bede's *History*.　In the chapters from the Bible reference is made to the verse (*vs.*) rather than to the line. Words in parentheses in small capitals are modern derivatives.

A

ā, adv., *ever, always;* VII, 25.

ābbod, m., *abbot;* as. IV, 251.　(ABBOT, Lat. abbas)

abbudisse (-ysse), f., *abbess;* ns. -ysse, V, vi, 62; gs. -issan, V, vi, 1; ds. -yssan, V, vi, 50.　(ABBESS, Lat. abbatissa)

ābelgan, S3, *to anger;* pp. ābolgen, *angry,* XIII, 430.

ābēodan, S2, *to announce;* imp. s. ābēod, XVIII, 49; pret. 3s. ābēad, XVIII, 27, hǣlo ābēad, *wished good luck,* XXIV, 653.

ābīdan, S1, *to abide, await, remain;* inf. VII, 16; pret. 3s. ābād, VII, 14.　(ABIDE)

Abrahām, m., *Abraham;* gs. -es, II, ii, vs. 6.

ābrecan, S4, *to break down, destroy;* pret. pl. ābrǣcon, IV, 144.

ābregdan, S3, *to draw away, rescue;* pp. npm. ābrōdene, V, iv, 26.

ābrēotan, S2, *to slay, destroy;* inf. XIV, 199; pp. ābroten, XXIV, 2707.

ābrēoðan, S2, *to fail, perish;* subj. pres. 3s. ābrēoðe, XVIII, 242; pp. npm. ābroðene, *degenerate,* X, 129.

ābūgan, S2, *to bow to, bend to, incline, submit;* inf. IX, ii, 21; pres. pl. ābūgað, IX, ii, 54; pret. 3s. ābēah, IV, 270.

ābūtan, prep. w. dat. acc., *about, around;* IV, 268.　(ABOUT)

ac, conj., *but;* I, i, vs. 30.

ācennan (-cænnan), W1, *to bring forth, give birth to;* pres. 3s. ācenð, IX, i, 69; pp. ācenned, XXIV, 1356, ācænned, XII, i, 50; npm. ācennede, VI, iii, 4.

ācennednes, f., *birth;* as. -se, VI, iii, 13.

Āclēa, f., *Ockley in Surrey?* d. IV, 28.

ācsian (āxian), W2, *to ask;* pres. 1s. āxie, III, 10; pret. 3s. ācsode, V, v, 7, ācsade, V, iv, 27, āxode, I, i, vs. 26.　(ASK)

ācwæncan, W1, *to quench;* inf. X, 19.　(QUENCH)

ācweccan, W1, *to shake;* pret. 3s. ācwehte, XVIII, 255.　(QUAKE)

ācwellan, W1, *to kill;* pret. 3s. ācwealde, X, 74; pret. pl. ācwealdon, IX, i, 58; pp. npm. ācwealde, V, ii, 50.　(QUELL)

ācweðan, S5, *to speak;* pres. 3s. ācwið, XIX, 91; pret. 3s. ācwæð, XXIV, 654

ācȳþan, W1, *to reveal, make known;* inf. XIX, 113.

ād, m., *fire, funeral pyre;* ds. -e, VII, 129.

Ādām, m., *Adam;* ns. XIII, 365; ds. -e, XIII, 387.

ādl, f., *disease;* ns. XX, 70; as. -e, *poison,* XXII, ii, 54.

ādrǣfan, W1, *to drive out, expel;* pret. pl. ādrǣfdon, IV, 85.

ādrencan, W1, *to drown, submerge;* pret. 3s. ādrencte, IV, 325.　(DRENCH)

ādrēogan, S2, *to arrange, perform;* pres. 3s. ādrīhð, IX, i, 64 ādrifan, S1, *to drive, drive away;* pret. pl. ādrifan, V, ii, 35; pp. npm. **ādrifene.** IX, ii, 49.

ādrincan, S3, *to be drowned;* pret. 3s. ādranc, IV, 281.

adsumsio, Lat., *Assumption;* tō adsumsio, XII, ii, 8.

Aduent, Lat., *Advent;* ds. -um, IX, i, 10.

ǣ, f., *law;* ns. V, i, 33.

ǣalā, see ēalā.

ǣbere, adj., *open, public;* npm. X, 150.

ǣcer, m., *field;* ds. -e, I, i, vs. 25; as. III, 23. (ACRE, Lat. **ager**)

Ædwīg, m., *an Anglo-Saxon aetheling;* as. IV, 333.

ǣfǣst (-fest), adj., *religious, pious;* nsm. V, vi, 85; asf. wk. ǣfestan, **V, vi, 16;** apn. ǣfǣste, V, vi, 10.

ǣfǣstnes (-festnes), f., *religion, piety;* ns. V, v, 5; ds. **-se,** V, vi, 16, ǣfestnesse, V, vi, 3.

ǣfen, m., *evening, eventide;* **ns. II, i, vs. 5;** gs. -nes, VI, ii, 8; ds. -ne, V, vi, 95; **as.** IX, i, 24. (EVEN)

ǣfenglōmmung, f., *evening gloaming;* ns. V, i, 28. (-GLOAMING)

ǣfenlēoð, n., *evening song;* ns. XIV, 201; as. XIV, 165.

ǣfenrǣst, f., *evening rest, bed;* **as.** -e, XXIV, 646. (EVENing-REST)

geǣfnan, W1, *to do, perform, execute;* inf. XVI, 18; pret. pl. -ǣfndon, XXIV, 538.

ǣfre, adv., *ever;* VIII, 44. (EVER)

æftan, adv., *from behind, behind;* XVII, 63. (AFT)

æfter, prep. w. dat., *after, through, according to, among, on, along;* I, i, vs. 13, IV, 87, V, i, 32, XVI, 12, XXIV, 580; adv., *afterwards;* V, vi, 44. (AFTER)

æftera, adj. comp., *next, second;* dsn. æftran, IV, 265.

æftercweþende, pres. ptc. as adj., *speaking afterwards;* gp. -cweþendra, XX, 72.

æfterfylgend, m., *follower, successor;* ds. **-e, V, v,** 108.

æfþunca, m., *vexation;* ns. XXIV, 502.

ǣghwǣ, pron., *everyone;* ds. -hwām, XVI, 15.

ǣghwǣr, adv., *everywhere;* V, iii, 6.

ǣghwǣs, adv., *in every respect, entirely;* XVI, 24.

ǣghwǣþer ge... ge, conj., *both... and;* V, v, 21.

ǣghwelc, see ǣghwilc.

ǣghwider, adv., *in all directions;* IV, 244.

ǣghwilc (-hwelc, -hwylc, ēghwylc), pron., adj., *each, every;* ns. VII, 51, ēghwylc XII, i, 37, ūre ǣghwylc, *each of us,* XVIII, 234; dsm. -hwylcum, X, 35, dsf. ǣghwelcere, XI, 2; asm. -hwilcne, XIV, 188, -hwylcne, XXIV, 621; isn. -hwylce, XII, i, 24, -hwelce, XII, i, 43.

ǣglǣca, see āglǣca.

ǣgþer, pron., *each;* ns. VII, 54; adj., *each;* asf. -e, IV, 309; conj. ǣgþer ge... ge, *both... and,* ǣgþer... and, *both... and;* IV, 372, XVIII, 224. (EITHER)

ǣgylde, adv., *unpaid for, without compensation;* X, 95.

ǣht, f., *property, possessions;* gs. -e, I, i, vs. 12; as. -e, I, i, vs. 12, as. XXIV, 516 (*power, possession*); dp. -um, VII, 41; ap. -a, I, i, vs. 13. (Cf. āgan)

ǽl, m., *eel;* ap. -as, III, 96.   (EEL)

ǽlan, W1, *to burn up, consume, burn;* pres. 3s. ǽleð, XV, 812.

ǽlc, pron., adj., *each, any, every;* nsm. I, ii, vs. 14; gsm. -es, VI, iii, 13, gsn. -es, V, i, 13; dsm. -um, VI, ii, 3, dsf. -ere, V, i, 18, -re, VIII, 75, dsn. -um, V, i, 73; asm. -ne, IV, 309, asf. -e, IV, 133; ism. -e, VII, 80; gp. -ra, X, 38; dp. -um, IV, 122.   (EACH)

ǽlcor, adv., *otherwise;* V, v, 83.

ǽlde, m. pl., *men;* gp. ælda, XIX, 85.

ǽlepūta, m., *eel-pout;* ap. -n, III, 96.   (EELPOUT)

Ælfēah, m., *a bishop, made Archbishop of Canterbury in 1006;* ns. IV, 249; as. IV, 250, -feach, IV, 224.

Ælfelm, m., *an alderman in Northumbria;* gs. -es, IV, 350.

Ælfere, m., *an Anglo-Saxon warrior;* ns. XVIII, 80.

Ælfget, *miswritten for* **Ælfheah** (Earle & Plummer); gs. -es, IV, 332.

Ælfgifu, f., *the English name of Emma, wife of Cnut;* ns. IV, 346; *daughter of the alderman Ælfelm;* gs. -giue, IV, 350.

Ælfnöð, m., *an Anglo-Saxon warrior;* ns. XVIII, 183.

Ælfrēd (Elfrēd), m., *Alfred, king of the West Saxons;* ns. IV, 50; ds. -e, IV, 127; *one of King Alfred's war leaders;* ns. Ælfrēd, XII, i, 8; gs. Ælfrēdes, XII, i, 24.

Ælfrīc, m., *an Anglo-Saxon warrior;* gs. -es, XVIII, 209.

Ælfwine, m., *an Anglo-Saxon warrior;* ns. XVIII, 211; voc. s. XVIII, 231.

Ælfword, m., *king's reeve;* as. IV, 250.

ǽlīc, adj., *of the law, legal;* dp. -um, IX, i, 17.

Ælla, m., *king of the Northumbrians;* as. -n, IV, 38.

ællmæhtig, see **ælmihtig**.

Ælmǽr, m., *betrayer of Canterbury to the Danes;* ns. IV, 248; *abbot of St. Augustine's, Canterbury;* as. IV, 251.

ælmesriht, n., *almsright;* np. X, 45.   (ALMSRIGHT)

ælmihtig (ællmæhtig, almahtig), adj., *almighty;* nsm. V, vi, 45, ællmæhtig, XII, i, 48, almahtig, XII, i, 56, nsm. wk. ælmihtiga, IX, i, 14; gsm. wk. -an, IX, i, 78; dsm. ælmihtegum, VIII, 19, dsm. wk. ælmihtigan, IX, i, 62; asm. wk. -an, IX, i, 39.   (ALMIGHTY)

geǽmetian, W2, *to free, release;* subj. pres. 2s. -ǣmetige, VIII, 22.

ǽminde, n., *forgetfulness;* as. XXII, i, 5.

ǽmtig, adj., *empty;* nsf., II, i, vs. 2.   (EMPTY)

geǽndian, see **geendian**.

ǽne, adv., *once;* VI, ii, 8.

ǽnig, pron., adj., *any;* nsm. IV, 278, nsf. IV, 211, nsn. X, 114; gsm. ǣnges, XV, 200, gsf. ǣnigre, V, ii, 47, gs. wk., ǣngan, XXII, ii, 54; dsm. ǣnigum X, 139, ǣnegum, XIII, 409, ǣngum, XVI, 33; asm. ǣnigne, V, i, 69, asf ǣnige, V, v, 38, asn. ǣnig, III, 32.   (ANY)

ǽnge, adj., *narrow;* nsm. wk. ænga, XIII, 356.

ǽnlīc, adj., *beautiful, peerless;* nsm. comp. ǣnlīcra, XVI, 24.

ǽppel, m., *apple;* ns. XXII, ii, 34.   (APPLE)

ǽppelbǣre, adj., *apple-bearing;* asn. II, i, vs. 11.

ǽr, adj., *early;* asm. ǽrne, III, 41; supl. ǽrest, *first;* nsf. wk. -e, V, vi, 73; dsm. wk. -an, VII, 139; npn. wk. -an, IV, 4; et erestan, XII, i, 5 (*at first*).

ǽr, adv., *before, formerly,* V, vi, 90, VI, i, 4; w. verb as pluperfect; IV, 249; supl. ǽrest, *first;* V, v, 75, ǽrost, XVIII, 124. (ERE, ERST)

ǽr, prep. w. dat., *before;* X, 4; conj., *before;* ǽr þon þe, V, v, 105; ǽr þǽm þe, VIII, 28; ǽrðan ðe, IX, ii, 42; ēar þan þe, IV, 367.

ǽrǽnde, n., *errand, message;* as. XVIII, 28. (ERRAND)

ǽrbenumen, pp. as noun, *heir;* gp. -a, XII, ii, 10.

ǽrcebiscop (-biscep, ercebiscop), m., *archbishop;* ns. ercebiscop, XII, ii, 12; gs. ǽrcebiscopes, XII, ii, 2; ds. -biscepe, VIII, 70. (ARCHBISHOP)

ǽrdæg, m., *dawn;* ds. -e, XIV, 198. (EARly DAY)

ǽren, adj., *of brass, brazen;* dp. ǽrnum, XIV, 216.

ǽrendgewrit, n., *message, letter;* as. VIII, 16.

ǽrendraca (-wreca), m., *messenger;* dp. -racan, IV, 303, -wrecum, VIII, 6; ap. -dracan, V, ii, 10.

ǽrest, see ǽr, adj. and adv.

ǽrfe (erfe, erbe), n., *inheritance;* gs. -s, XII, i, 3; ds. erfe, XII, i, 10; as. erbe, XII, ii, 24.

ǽrfeweard, m., *guardian of an inheritance, heir;* ns. XII, i, 49; gp. -a, XII, i, 37; dp. -um, XII, i, 48.

ǽrm, see earm.

ǽrn, n., *dwelling, house;* ds. -e, XI, 8. (Cf. RANSACK)

ǽrnan, W1, *to make run, to ride, gallop;* pres. pl. ǽrnað, VII, 137; pret. pl. ǽrndon, XVIII, 191.

geǽrnan, W1, *to reach by riding, gain by running;* pres. 3s. -ǽrneð, VII, 141; subj. pres. 3s. -ǽrne, XI, 3.

ǽs, n., *food, prey, carrion, bait;* gs. -es, XVII, 63; as. III, 86.

ǽsc, m., *ash, spear;* as. XVIII, 43; gp. asca, XIX, 99. (ASH)

Æscesdūn, f., *Ashdown, in Berkshire;* ds. -e, IV, 55.

Æscferð, m., *an Anglo-Saxon warrior;* ns. XVIII, 267.

æschere, m., *ash-army,* i.e. *spear-army* or *ship-army, fleet;* ns. XVIII, 69.

æscholt, n., *spear-shaft;* as. XVIII, 230.

æstel, m., *bookmark;* ns. VIII, 75; as. VIII, 77.

ǽswic, m., *sedition;* ap. -as, X, 123.

æt (et), prep. w. dat. or acc., *at, in, by, of, from;* V, v, 37, VII, 6, VIII 69, XI, 85; et, XII, i, 5. (AT)

ǽt, m., *food;* gs. -es, XIV, 165. (Cf. etan)

ætberan, S4, *to bear away, bear;* pret. 3s. -bær, XXIV, 519.

ætberstan, S3, *to escape;* pres. pl. -berstaþ, III, 114.

ætēowan, W1, ætēowian, W2, *to appear, show, manifest;* subj. pres. 3s. ætēowige, II, i, vs. 9; ind. pret. 3s. ætēowde, II, ii, vs. 2. See also ætȳwan.

ætforan, prep., *before;* XVIII, 16.

ætgædere, adv., *together;* V, ii, 48.

æthlēapan, S7, *to run away, escape* (w. dat.); subj. pres. 3s. -hlēape, X, 92.

æthrīnan, S1, *to touch;* subj. pret. 3s. -hrine, I, ii, vs. 15.

Ætne, *Mt. Etna;* ns. VI, ii, 19.

ætsomne, adv., *together;* V, v, 24.

ætstandan, S6, *to stand fixed, stop;* pret. 3s. -stōd, IX, ii, 30.

ǣttern (ǣttryn), adj., *poisonous;* nsn. wk. ǣtterne, XVIII, **146; asm** ǣtterne, V, i, 70; apn. ǣttrynne, XVIII, 47.

ætwītan, S1, *to twit, reproach;* inf. XVIII, 220. (TWIT)

ætȳwan, W1, *to appear, show;* pres. 3s. ætȳweð, V, v, 54; pp. ætȳwed, V, v, 91. See also ætēowan.

Æþelbald, m., *son of Æþelwulf, whom he succeeded as king of the West Saxons;* ns. IV, 28.

Æþelbryht, m., *king of the West Saxons;* gs. -es, IV, 31.

æþele, adj., *noble, excellent;* nsm. V, iv, 39, nsf. wk. XVII, 16; gsn. wk. æþelan, XIV, 227; asm. wk. æþelan, XVIII, 151; apn. VII, 34; supl. dp. æþelestum, V, i, 22.

Æþelgār, m., *an Anglo-Saxon warrior;* gs. -es, XVIII, 320.

Æþelhelm, m., *a West Saxon alderman;* ns. IV, 13.

æþelīc, adj., *excellent;* comp. nsm. -ra, XVI, 48.

æþelīce, adv., *nobly;* V, iv, 9.

æþeling, m., *noble, prince;* ns. XVII, 3; gs. -es, XXI, v, 1; as. XXIII, 14; gp. -a, XX, 93; dp. -um, V, v, 96.

Æþelingaēigg, f., *Athelney, in Somersetshire;* ds. -e, IV, 92, Æþelinggaēige, IV, 105.

Æþelmer (-mǣr), m., *alderman of Devon;* ns. IV, 287; gs. -mǣres, IV, 332.

Æþelrēd, m., *king of England, surnamed "the Unready";* ns. IV, 227; gs. -es, IV, 335, XVIII, 53; ds. -e, IV, 300.

Æþelstān, m., *king of the West Saxons;* ns. XVII, 1; *king of Kent;* ns. IV, 21.

æþelu (æþelo), f., *noble birth, nature, noble quality;* as. æþelu, XVI, 2, æþelo, VI, iii, 16; dp. æþelum, XIV, 186.

Æþelwald, m., *son of Æþelred I;* ns. IV, 189; *son of Alfred, dux;* ds. -e, XII, i, 25.

Æþelward (-word), m., *son of Æþelmær the Stout;* ns. -word, IV, 331; *alderman in Wessex;* as. IV, 224.

Æþelwulf, m., *king of the West Saxons;* ns. IV, 17; *alderman of Berkshire;* ns. IV, 48.

Æþelwulfing (Aþulfing), m., *son of Æþelwulf,* i.e. *Alfred;* ns. IV, 74, Aþulfing, IV, 185.

Æþerēd, m., *Æþelred, king of the West Saxons, brother of Alfred;* ns. IV, 31; *alderman of Devon;* ns. IV, 200; *an archbishop;* ns. XII, i, 60; *a Mercian alderman;* ds. -e, IV, 118.

Æþerīc, m., *an Anglo-Saxon warrior;* ns. XVIII, 280.

æwbreca, m., *adulterer;* np. -n, X, 151.

æwbryce, m., *breaking of the marriage vow, adultery;* ap. -brycas, X, **124.**

æwiscmōd, adj., *ashamed, abashed;* npm. -e, XVII, 56.

āfeallan, S7, *to fall, decline;* pret. pl. āfēollan, V, ii, 45; pp. āfeallan, VIII, **64.**

āfindan, S3, *to find;* pret. 3s. āfunde, IX, ii, 41.

āflȳman, W1, *to put to flight;* pret. 3s. āflȳmde, XVIII, 243.

āfrēfran, W1, *to console, comfort;* inf. XV, 175.

āfyllan, W1, *to destroy;* subj. pres. 3s. āfylle, X, 94; pp. āfylled, XVII, **67.**

āfyrran, W1, w. dat. or acc., *to deprive of, to remove;* imp. s. **āfyr**, VI, i, **11**; pp. āfyrred, XIII, 379.

āfȳsan, W1, *to hasten forth;* inf. XVIII, 3.

āgǣlan (-gēlan), W1, *to hinder;* subj. pres. 3s. āgēle, XII, ii, 28.

āgan, PP, *to own, possess, keep, have;* inf. V, iv, 17; pres. 1s. āh, XVIII, 175; pres. pl. āgan, XIII, 427; subj. pres. 3s. āge, XI, 15; pret. 1s. āhte, XIII, 368; pret. 3s. āhte, IV, 387; pret. pl. āhton, IV, 8. (OWE, OUGHT)

āgēlan, see āgǣlan.

āgen, pp. of āgan, used as adj., *own;* nsm. XXIV, 2676; gsf. -re, IX, ii, 32, gsn. -es, II, i, vs. 29; dsm. -um, VII, 29, āgnum, VII, 23, dsf. -re, IV, 311; asn. āgen, VIII, 33; dp. -um, X, 91. (OWN)

agēn, see ongēan.

agēnlǣdan, W1, *to lead back;* pres. 1s. -lǣde, III, 35.

āgendlīce, adv., *properly;* V, i, 80.

āgēotan, S2, *to pour out, shed;* pp. dsn. āgotenum, IX, ii, **32**.

āgieldan, S3, *to permit;* pret. 3s. āgeald, XXIV, 2690.

āgifan (-gyfan), S5, *to give up, relinquish, give, pay;* inf. XI, 78; pres. 1s. āgyfe, XXI, v, 10; subj. pres. 3s. āgefe, XII, ii, 10, āgife, XI, 62; subj. pres. pl āgeofen, XII, i, 38; ind. pret. 3s. āgeaf, V, vi, 61; pp. āgyfen, XVIII, 116.

aginnan, see onginnan.

āglǣca (ǣglǣca, āhlǣca), m., *monster, fiend, great fighter;* ns. ǣglǣca, XXIV, 592; ds. āhlǣcan, XXIV, 646; as. -n, XXIV, 556.

Agustus, m., *Emperor Augustus;* ds. Agusto, V, ii, **3**.

āgyfan, see āgifan.

āhebban, S6, *to raise, lift;* inf. I, ii, vs. 13; pres. 3s. āhefð, I, ii, vs. 14; pret. 3s. āhōf, V, v, 10; pret. pl. āhōfon, XVIII, 213; pp. āhafen, I, ii, vs. 14.

āhlǣca, see āglǣca.

geāhnian, W2, *to acquire, possess;* pret. pl. -āhnodon, V, i 41.

āhreddan, W1, *to rescue, save;* pret. 3s. āhredde, IV, 213; pp. nsm. āhred. IX, ii, 30.

āhtlīce, adv., *courageously;* IV, 390.

āhwār, adv., *anywhere;* X, 181.

āhwettan, W1, *to dismiss;* pres. 3s. āhwet, XIII, 406.

āīdlian, W2, *to profane;* inf. V, v, 75. (Cf. Idel)

ālǣdan, W1, *to lead away;* inf. IV, 179; pres. 2s. ālǣtst, II, ii, vs. 12; subj. pres. 2s. ālǣde, II, ii, vs. 10; ind. pret. 3s. ālǣdde, XIV, 187; subj. pret. 1s. ālǣdde, II, ii, vs. 8.

ālǣtan, S7, *to forsake, cast off;* inf. XV, **167**.

Albion, *a name for England;* ns. V, i, 1.

aldor (ealdor), n., *life;* ds. aldre, XXIV, 661, on aldre, XIII, 402 (*ever*), tō aldre, XIII, 427 (*for ever*), tō ealdre, XX, 79 (*for ever*); as. aldor, XXIV, 1371; dp. aldrum, XXIV, 510.

aldorman, -mon, see ealdorman (n).

ālecgan, W1, *to lay down, place;* inf. IX, ii, 28; pres. pl. ālecgað, VII, 131, pp. āled, VII, 133.

ālēogan, S2, *to falsify, belie;* pres. pl. ālēogað, XI, 53; subj. pres. 3s. ālēoga XI, 54

ālesan, S5, *to pick out, choose;* pp. ālesen, XIV, **183.**
Alhðrȳð, f., *daughter of Alfred, dux;* ds. -e, XII, i, **8.**
ālīesan, see ālȳsan.
ālihtan, W1, *to enlighten;* subj. pret. pl. II, i, vs. 15.
ālimpan, S3, *to befall, come to pass;* pret. 3s. XXIV, 622.
all, see **eall.**
Alle, m., *Ælle, king of the Deirans;* ns. V, iv, 29.
Aller, *Aller, in Somerset;* ds. Alre, **IV, 104.**
allunga, adv., *entirely;* VI, iii, 15.
almahtig, see ælmihtig.
Alorford, m., *Allerford?* ds. -a, XXII, ii, 24.
Alwalda, m., *ruler of all;* ds. -n, XIII, 359.
ālȳfan, W1, *to allow, grant, permit;* inf. XVIII, 90; pret. 1s. ālȳfde, XXIV, **655;** pp. ālȳfed, V, v, 82.
ālȳsan (-līesan), W1, *to free, deliver;* subj. pres. 3s. ālīese, XI, 52; ind. pret. 3s. ālȳsde, IX, ii, 58; subj. pret. 1s. ālȳsde, II, ii, vs. 8.
āmǣran, W1, *to drive out, exterminate;* pp. apm. āmǣrde, V, iii, 2.
ambor (ombor), m. n. or f.? *a measure equal to 4 bushels;* gp. ambra, VII, **53,** ombra, XII, i, 43.
Ambrōsius, m., *Ambrosius Aurelianus, leader of the British;* ns. V, iii, **7.**
ambyre, adj., *favorable;* asm. ambyrne, VII, 80.
āmeldian, W2, *to reveal, make known;* pret. 2s. āmeldodest, XXII, ii, **1.**
Amorēus, m., *the Amorites;* II, ii, vs. 8.
āmyrran, W1, *to waste, squander,* w. gen. *hinder from;* pret. 3s. āmyrde, **I, i, vs.** 30; pp. āmyrred, XIII, 378; pp. apf. āmyrrede, I, i, vs. 14.
ān (ǣn), num., adj., indef. art., *one, a certain, alone, a, an;* nsm. V, v, 49, **nsf.** VII, 19, nsm. wk. -a, V, v, 3; gsm. -es, XII, i, 26; his ānes, IX, ii, 30 (*of him alone*); gewearð him and þām folce... ānes, IV, 313 (*they agreed*); ānes wana þrittigum, V, i, 23 (*the lack of one from 30,* i.e. *29*); dsm. -um, I, i, vs. 15, dsf. -re, II, ii, vs. 2; asm. -ne, I, i, vs. 19, ǣnne, V, i, 33, asf. -e, VIII, 75, asn. I, i, vs. 23; npm. -e, V, i, 38; gp. -ra gehwilc, XIV, **187** (*each one*); apn. þā ān, V, vi, 15 (*those alone*). (ONE)
ān, see on.
anæðelian, W2, *to debase, degrade;* pp. anæðelad, VI, iii, **16.**
ancgil, m., *fishhook;* as. III, 85. (ANGLE, Lat. angulus)
ancilla domini, Lat., *handmaid of the Lord;* XII, ii, **1.**
and (ond), conj., *and;* I, i, vs. 13; ond, V, v, 3. (AND)
anda, m., *injury, mischief;* ds. -n, XIX, 105; as. -n, XIII, **399.**
Andefera, m., *Andover, in Hampshire;* ds. -n, IV, 226.
andefn, f., *fitting amount, proportion;* ns. VII, 131.
andettan (ondettan), W1, *to confess;* pres. 1s. andette, **V, v,** 32, ondette, **V, v,** 65; pres. pl. andetteað, V, i, 35 (should be sing.); pret. 3s. andette, **V, v, 70.**
geandettan, W1, *to confess;* inf. XI, 18.
andgit (-giet), n., *intelligence, meaning, sense;* ns. VIII, 69; ds. andgiete, VIII, 69.
andgitfullīce, adv., *intelligently, intelligibly;* supl. -fullīcost, VIII, **73.**

andlang, adj., *continuous, entire, standing upright;* asm. -ne, XVII, 21, XXIV, 2695.

andlang, prep. w. gen., *along;* IV, 269. (ALONG)

andlīcnis, see onlīcnes.

andlyfen, f., *substance;* as. -lyfne, V, ii, 16.

Andred, m., *the Weald, a great forest in Kent and Sussex;* as. IV, 140.

andswarian (ondswarian, ondswearian), W2, *to answer;* pres. pct. andswari-gende, I, i, vs. 29; pret. 3s. andswarode, II, ii, vs. 4, ondswarode, V, iv, 20, ondswarade, V, iv, 28; pret. pl. andswearedon, V, i, 46, ondswearodon, V, vi, 116, ondswarodon, V, vi, 103. (ANSWER)

andswaru, f., *answer;* as. -sware, V, vi, 34. (ANSWER)

andweard (ondward, ondweard), adj., *present;* nsn. wk. -e, V, v, 45; dsn. ondwardum, XII, i, 54; asm. wk. -an, IV, 30; dp. ondweardum, V, vi, 52.

andweardnys, f., *present time;* ds. -nysse, V, i, 32.

andwlita, m., *countenance, face;* gs. -n, V, iv, 8.

andwrāð, adj., *at enmity;* nsm. XVI, 17.

andwyrdan, W1, *to answer;* pret. 1s. andwyrde, VIII, 43.

anfēng, see onfōn.

ānfloga, m., *solitary flyer;* ns. XX, 62.

ānga, adj., *only, sole;* nsm. wk. XVI, 73.

Angel, f., *Angeln, a district in Denmark from which the Angles came;* ds. Angle, V, ii, 18, VII, 91.

Angelcyn(n) (Angolcynn, Ongelcyn), n., *the English people or race, England;* ns. Angelcyn, IV, 116; gs. Angelcynnes, V, iii, 14, Angolcynnes, V, i, 35; ds. Angelcynne, IV, 229; as. Angelcynn, VIII, 3, Ongelcyn, IV, 186.

Angelþēod (Ongelþēod), f., *the Angles, English people, England;* ns. V, ii, 4; ds. -e, V, iv, 34, Ongelþēode, V, vi, 10.

anginn (angin), n., *beginning, undertaking, plot;* ns. IX, i, 13, angin, XVIII, 242; ds. -e, II, i, vs. 1; as. IX, i, 15.

Angle, m. pl., *the Angles, the English;* dp. Anglum, IV, 359.

Angulus, Lat., *Angulus, the land of the Angles;* ns. V, ii, 23.

ānhaga (-hoga), m., *wanderer, solitary, recluse;* ns. XIX, 1; as. -hogan, XIX, 40.

anhebban, S6, *to raise, exalt;* subj. pres. 2s. anhebbe, VI, i, 13.

Angolcynn, see Angelcynn.

Anlāf, m., *Olaf Tryggvason, king of Norway;* ns. IV, 228; ds. -e, IV, 224; as. IV, 226; *a Danish king;* ns. XVII, 46; gs. -es, XVII, 31; ds. -e, XVII, 26.

ānlēpe, adj., *individual, single;* asm. ānlēpne, VIII, 18. See also ānlīpig.

anlīcnys, see onlīcnes.

ānlīpig, adj., *single, one by one;* nsm. IV, 80; npn. ānlīpie, V, ii, 45.

ānmōd, adj., *bold, resolute; unanimous;* nsm. XIV, 203; dsf. -re, V, iii, 4.

ānrǣd, adj., *resolute;* nsm. XVIII, 44.

ānrǣdlīce, adv., *unanimously;* IV, 307.

ānstapa, m., *solitary rover;* ds. -n, XVI, 15.

ansȳn (onsȳn), f., *face;* ns. onsȳn, XX, 91; gs. ansȳne, V, iv, 12; ap. ansȳne, V, iv, 21.

Antecrīst, m., *Antichrist;* gs. -es, **X, 4.**

ānunga, adv., *entirely, by all means, certainly;* XXIV, **634.**

anweald, see **onwald.**

anweorc, n., *material, cause;* ds. -e, VI, iii, 10.

apostata, m., *apostate;* np. -n, X, 129. (APOSTATE, Lat. apostata)

apostol, m., *apostle;* ns. IX, i, 65; gs. -es, V, v, 100; gp. -a, V, vi, 78. (APOSTLE, Lat. apostolus)

apostolīc, adj., *apostolic;* gsn. wk. -an, V, iv, 33; dsm. **wk.** -an, **V, iv, 37.**

Aprēlis, m., *April;* ns. IV, 354. (APRIL, Lat. Aprilis)

Apulder, m., *Appledore, in Kent;* ds. Apuldre. IV, 148.

ār, m., *messenger;* ns. XVIII, 26.

ār, n., *copper;* gs. -es, V, i, 19. (ORE)

ār, f., *honor, favor, mercy; property, possessions;* ns. XX, 107, VII, 48 (*property*); gs. -e, V, ii, 47; as. -e, V, v, 16, V, ii, 16 (*property*). See also **āre.**

āræcan, W1, *to reach, get at;* inf., IV, 317.

āræd, adj., *inexorable;* nsf. XIX, 5.

ārædan, W1, *to read;* inf. VIII, 61.

āræran, W1, *to raise, erect, rear;* pret. 3s. ārærde, IX, ii, **45.**

arcebiscep (-biscop), m., *archbishop;* ns. IV, 206, -biscop, XII, i, 60; as. **IV,** 250. (ARCHBISHOP)

arcestōl, m., *archiepiscopal see;* ds. -e, IV, 266.

āre, f., *honor;* ds. āran, XIV, 245. See also **ār.**

āreccan (-cean), W1, *to tell, relate, translate;* inf. āreccean, VIII, 16; pp. **āreht,** VI, iii, 1.

ārēdnes, f., *condition, covenant;* ds. -nesse, V, i, 55.

ārfæst, adj., *virtuous, kind;* nsm. IX, ii, 6.

ārfæstnes, f., *virtue;* ds. -nesse, V, vi, 3.

ārhwæt, adj., *eager for glory;* np. ārhwate, XVII, 73.

ārian, W2, w. dat., *to show mercy, spare;* pres. 3s. āraδ, XXIV, 598.

ārīsan, S1, *to arise;* inf., V, vi, 116; pres. 1s. ārīse, I, i, vs. 18; 3s. ārist, **IX, i, 76;** pret. 3s. ārās, I, i, vs. 20. (ARISE)

ārlēas, adj., *wicked, dishonorable;* nsm. wk. -a, IX, ii, 26; dsf. -re, **V, v, 107,** dsf. wk. -an, V, ii, 43.

Armoricanus, Lat. adj., *Armorican;* dsf. Armoricano, **V, i, 40.**

asca, see **æsc.**

āscacan, S6, *to shake;* pret. 3s. āscēoc, XVIII, 230.

āscunian, W2, *to shun, hate;* pret. pl. āscunedon, IV, 305.

āsecgan, W1, *to say, tell, deliver* (*a discourse*); inf. XIX, 11; pret. 3s. āsǣde, XVIII, 198; pp. āsǣd, VI, ii, 1.

āsettan, W1, *to set, set down, place;* subj. pres. 3s, āsette, VII, 153; **intrans.** *to transport oneself, go;* pret. pl. āsettan, IV, 137.

āsingan, S3, *to sing;* pret. 3s. āsong, V, vi, 61.

āslēan, S6, *to strike, cut off;* subj. pres. 3s. āslēa, XI, 34.

āsmēagean (āsmēan), W1, *to consider, treat of, examine;* inf. āsmēagean, X, 163; pp. **asf.** āsmēade, IV, 255.

āsolcennes, f., *sloth;* as. -nesse, X, 173.

āspendan, W1, *to spend;* pp. āspended, VII, 144.

āspringan, S3, *to spring up, to give way;* inf. XXII, ii, **55.** See note.

Asser, m., *Asser, priest and biographer of King Alfred;* ds. -e, VIII, 70.

āstīgan, S1, *to ascend, descend, climb, step into;* pres. 1s. āstīge, XXI, **ii, 3,** āstīgie, III, 85; pres. 3s. āstīgeð, XXIV, 1373; pret. 1s. āstāh, II, ii, **vs. 8.**

āstondan, S6, *to rise;* pres. 3s. āstondeð, XVI, 40.

āstyrfan, W1, *to kill;* pp. āstyrfed, XV, 192. (Cf. steorfan)

āstyrian, W1, *to stir;* pp. astyrod, I, i, vs. 20.

āswāmian, W2, *to cease;* pres. 3s. āswāmað, XIII, 376.

āswebban, W1, *to put to sleep, kill;* pp. npm. āswefede, XVII, 30. (Cf. swefan)

ātēon, S2, *to draw, bring forth;* pret. 3s. ātēah, II, i, vs. 12; subj. pret. 3s. ātuge, V, vi, 83.

atol, adj., *dreadful, horrible, terrible;* nsm. XXIV, 592, nsn. XIV, 201; asf. -e, XXIV, 596, asn. XIV, 165.

āttor (ātter), n., *poison;* ns. XXII, ii, 52, ātter, V, i, 77; gs. āttres, XVI, 58; ds. āttre, V, i, 73; as. XXII, ii, 17; is. āttre, XXII, ii, 47; dp. āttrum, XXII, ii, 30.

āttorgeblǣd, m., *poison blister;* as. XXII, ii, 52.

āttorlāðe, f., *betonica, or blind nettle;* voc. s. XXII, ii, 21.

āttorsceaþa, m., *venomous foe;* ds. -n XVI, 33.

āð, m., *oath;* ds. -e, XI, 59; as. X, 188; ap. -as, IV, 101. (OATH)

āðbryce, m., *breaking of oaths, perjury;* ap. -brycas, X, 126.

āþencan, W1, *to devise, contrive;* inf., XIII, 400.

āðer, conj., *either;* āðer oððe... oððe, *either... or;* VII, **57.**

Āðulfing, see Æðelwulfing.

Augustus, Lat., *August;* IV, 267.

Aureliānus, m., *Ambrosius Aurelianus, a British leader;* ns. V, iii, 7.

āuðer, pron., *either;* ns. VI, i, **17.**

āwa, adv., *always.*

āwæcnan, S6, W1, *to awaken;* pret. 3s. āwōc, IX, ii, 15.

āweccan, W1, *to awake, arouse;* pret. 3s. āwehte, V, vi, 84. (AWAKE)

aweg, adv., *away;* IV, 252. (AWAY)

āwendan, W1, *to turn, change, translate;* pret. 1s. VIII, 74.

āweorpan, S3, *to throw, cast off, reject;* pret. 3s. -wearp, V, v, 79; pp. asm. āwor-penne, IV, 38, npm. āworpene, XIII, 420.

āwiht (ōwiht), pron., *aught, anything;* ds. tō āhte, as adv., *at all,* X, 19; as. ōwiht, V, v, 55. (AUGHT)

āwrītan, S1, *to write, compose;* pret. 3s. āwrāt, IX, i, 17; pp. āwriten, V, i, **33;** pp. npm. āwritene, XII, i, 58, āwreotene, XII, i, 46, npf. āwritene, VIII, **33.**

āwyrigednys, f., *curse;* ds. -nysse, **IX, i, 49.**

Āxiǫn, see ācsian.

B

Bāchsecg (Bāgsecg), m., *a Danish king;* ns. IV, 56, Bāgsecg, IV, 59.

gebād, see gebēodan.

Baddanburh, f., *Badbury Rings, in Dorsetshire;* ds. -byrig, IV, 191.

bæc, n., *back;* as. ofer bæc, *backwards;* XVIII, 276. (BACK)

bæcbord, n., *larboard,* i.e. *left or port side of a ship;* as. VII, 10 .

bæcere, m., *baker;* np. bæceras, III, 17. (BAKER)

gebædan, W1, *to compel, force;* pp. -bæded, XVII, 33.

bǣgen, see bēgen.

Bǣgere, m. pl., *Bavarians;* dp. Bægerum, IV, 121.

bæl, n., *fire, flame;* ds. -e, XV, 808.

bærnan, W1, *to burn;* pres. 1s. bærne, XXI, ii, 5; pret. 3s. bærnde, IV, 317; pret. pl. bærndon, V, ii, 39.

bærnett, n., *burning;* ds. -e, IV, 215.

bæð, n., *bath;* ds. -e, V, v, 97; ap. baðo, V, i, 18. (BATH)

Bāgsecg, see Bāchsecg.

baldlīce, adv., *boldly;* XVIII, 311; supl. -līcost, XVIII, 78. (BOLDLY)

bān, n., *bone;* ds. -e, VII, 50; np. XI, 27; dp. -um, XXIV, 2692; ap. VII, 34. (BONE)

bana, m., *slayer, murderer;* ns. XVIII, 299; ds. -n, XXIV, 587. (BANE)

bār, m., *boar;* as. III, 66; ap. -as, III, 61. (BOAR)

Basengas, m. pl., *Basing, in Hampshire;* dp. Basengum, IV, 64.

basu, adj., *purple;* isn. wk. basewan, XXII, ii, 50.

bāt, m., *boat;* ns. IV, 124; ds. -e, IV, 122. (BOAT)

baþian, W2, *to bathe;* inf. XIX, 47; pret. pl. baþedan, XXI, iv, 6. (BATHE)

Baðon, *Bath;* as. IV, 286.

be (bī, big), prep. w. dat. instr., *by, near, beside, along; concerning, according to;* V, i, 81 (*beside*); VII, 6, bī, IV, 171 (*along*); VI, i, 1 (*concerning*); VII, 52 (*according to*); big, XVIII, 182 (*by*); bī wrīte, VIII, 81 (*copy*). (BY)

bēacen, n., *beacon, signal, sun;* ns. XXIV, 570; dp. bēacnum, XIV, 219. (BEACON)

beadchrægl, n., *war-garment, coat of mail;* ns. XXIV, 552.

Beadonesca, adj., *of Badon;* dsf. -n dūne, *Mt. Badon,* V, iii, 13.

beacoweorc, n., *work of battle;* gp. -a, XVII, 48.

beaðu, f., *battle;* ds. beaduwe, XVIII. 185.

beadurǣs, m., *rush of battle, onslaught;* ns. XVIII, 111.

beadurūn, f., *battle-rune;* as. -e, XXIV, 501.

beaduscearp, adj., *battle-sharp;* asn XXIV, 2704. (-SHARP)

beag (bēah), m., *ring, bracelet, necklace, crown;* as. bēah, III, 78; dp. -um, XXIII, 45; ap. -as, XVIII, 31. (Cf. būgan)

bēaggifa (bēah-), m., *ring-giver, lord, king;* ns. XVII, 2; ds. bēahgifan, XVIII, 290.

bēaghroden, ptc. as adj., *ring-adorned;* nsf. XXI, i, 9.

Bēagmund, m., *a priest;* ns. XII, ii, 13.

bēah, see bēag.

bēahgifa, see bēaggifa.

bēahgifu, f., *distribution of rings, gifts;* ds. -gife, XXIII, 15.

bealosīþ, m., *hardship;* gp. -a, XX, 28.

bealu, n., *misfortune, affliction;* gp. bealwa, XV, 182. (BALE)

bealubenn, f., *wound;* gs. -e, XIV, 238.

bēam, m., *tree, column;* gp. -a, XIV, 249; ap. -as, XXI, ii, 9. (BEAM)

bēancodd, m., *bean-pod, husk;* dp. -um, I, i, vs. 16. (BEANCOD)

Bēanstān, m., *father of Breca;* gs. -es, XXIV, 524.

bearm, m., *bosom, lap;* ds. -e, XXIII, 25. (BARM)

bearn, n., *child, son;* ns. XVIII, 92; ds. -e, XII, i, 9; as. IX, i, 63; voc. s. XV, 164; np. XVI, 13; gp. -a, II, ii, vs. 9; dp. -um, II, ii, vs. 13; ap. -as, II, ii, vs. 10. (Sc. BAIRN, cf. beran)

bearnmyrðre, f., *infanticide;* np. -myrðran, X, 153.

Bearrucscīr, f., *Berkshire;* as. -e, IV, 239.

bearu, m., *grove, wood;* ds. bearwe, XXI, v, 6, bearowe, XXIII, 18; np. bearwas, XX, 48; dp. bearwum, XXI, iv, 2; ap. bearwas, XXI, ii, 9.

bēatan, S7, *to beat, strike;* pres. pl. bēatað, XXI, iii, 6; pret. 3s. bēot, I, ii, vs. 13; pret. pl. bēotan, XX, 23. (BEAT)

bebīodan (-bēodan, -bīadan), S2, *to command, order, entrust, commit;* pres. ptc., -bēodende, V, vi, 126; pres. 1s. -bīode, VIII, 20, -bīade, XII, ii, 24; pret. 3s. -bēad, V, vi, 99; pret. pl. -budon, V, vi, 57; pp. -boden, V, vi, 25, XII, ii, 26.

bebod, n., *request, command;* as. I, i, vs. 29; ap. -a, V, v, 14.

bebyrgian, W1, *to bury;* pp. -byrged, IV, 338.

bebyrignys, f., *burial;* as. -nysse, V, ii, 49.

beclyppan, W1, *to embrace;* pret. 3s. -clypte, I, i, vs. 20.

becuman, S4, *to come, arrive, happen;* inf. IX, ii, 24; pret. 3s. -cōm, V, iv, 2; pret. pl. -cōmon, VIII, 24, -cōman, XVII, 70. (BECOME)

becyrran, W1, *to betray, deliver up;* pret. 3s. -cyrde, IV, 248.

Bēda, m., *Bede;* ns. IX, i, 30.

bedǣlan (bi-), W1, *to separate,* w. gen., *to deprive of;* pp. bidǣled, XIX, 20; pp. npm. bedǣlde, X, 29.

bēdan, see bēodan.

Bedanfordscīr, f., *Bedfordshire;* as. -e, IV, 237.

bedrīfan, S1, *to drive off, put to flight;* pret. pl. -drifon, III, 70.

befællan, W1, *to throw down;* pp. -fælled, XIII, 361.

befæstan, W1, *to entrust, fasten, make safe;* inf. VIII, 23; subj. pres. 2s. -fæste, VIII, 23; pret. 3s. -fæste, IV, 117; pp. -fæst, IV, 181.

befēolan, S3, w. dat., *to apply oneself;* inf. VIII, 59.

befōn, S7, *to seize, encircle, encompass;* pp. -fangen, XIII, 374; pp. npm. -fangene, IX, i, 40.

beforan (bi-), prep., *before;* I, i, vs. 18; bi-, XIX, 46; adv., *before;* V, iv, 42. (BEFORE)

begān, anom., *to fulfill, observe, practice, perform, carry on;* pres. 2s. -gæst, III, 18, subj. pres. 1s. -gancge, III, 79; ind. pret. 1s. -ēode, V, v, 76, 3s. -ēode, V, v, 79; pl. -ēodon, V, v, 34, -ēodan, V, v, 63.

begangan, see begān.

bēgde, see bȳgan.

bēgen (bǣgen, bēigen), num. adj., *both;* npm. XVII, 57, bǣgen, IV, 385; gpt. bēigra, XXII, ii, 22.

begeondan (-giondan), prep. w. dat., *beyond;* V, **v**, 92, -giondan, VIII, 17. (BEYOND)

begeotan, see begietan.

begietan (-gytan, -geotan), S5, *to get, obtain, find, occupy;* inf. VIII, 13, -geotan, XII, i, 21; pres. 2s. -gytst, III, 82; pres. pl. -gytaþ, III, 115; pret. 3s. bigeat, XX, 6; pret. pl. -gēaton, VIII, 35.

begiondan, see begeondan.

begrynan, W1, *to entrap, catch;* pp. npn. -grynodo, III, 54.

begyrdan, W1, *to gird;* pret. 3s. -gyrde, V, **v**, 84.

begytan, see begietan.

behātan, S7, *to promise;* pret. 3s. -hēt, IV, 227; pret. pl. -hētan, X, 186; subj. pret. 3s. -hēte, IV, 220; pp. dsm. wk. -hātenan, IX, ii, 16.

behealdan, S7, *to hold, take care of, take heed, attend to, look, behold;* inf. XIII, 366 (*hold*); pres. ptc. as noun, dp. -healdendum, V, i, 28 (*beholders*); pres. pl. -healdað, XXII, ii, 55 (*take heed*); pret. 3s. -hēold, V, iv, 9 (*behold*), IX, ii, 10 (*look*), XXIV, 494 (*attend to*), XIV, 205 (*take care of*). (BEHOLD)

behefe, adj., *necessary;* nsn. III, 5.

behelian, W1 or 2, *to cover, conceal;* pp. -helod, VI, ii, 24.

behindan, prep. w. dat., *behind;* XVII, 60. (BEHIND)

behionan (behinon), prep. w. dat., *on this side of;* VIII, 14, -hinon, IV, 96.

behlȳþan, W1, *to deprive, strip;* pp. nsm. w. dat. -hlȳþed, XXI, i, 10.

behȳdan, W1, *to hide, conceal;* pp. -hȳd, VI, ii, 23; pp. npm. -hȳdde, V, iii, 4

bēigra, see bēgen.

belēan, S6, w. dat. of person, acc. of thing, *to dissuade, keep from;* inf. XXIV, 511.

belgan, S3, *to be angry;* pret. 3s. bealh, I, ı, vs. 28.

belimpan, S3, *to belong, pertain to, concern;* pres. 3s. -limpeð, VII, 109; pres. pl. -limpað, XII, i, 11; pret. pl. -lumpon, V, vi, 4.

Bellica, Lat., *Belgic;* ns. Gallia Bellica, V, i, 5.

bemurnan, S3, *to bewail, grieve over, mourn over;* pres. 2s. -murnest, XV, 176.

bēn, f., *prayer, petition, request;* ns. IX, ii, 31.   (BENE)

benǣman, W1, *to deprive, rob;* inf. IX, ii, 9.

benc, f., *bench;* ns. XXIV, 492; ds. -e, XVIII, 213.   (BENCH)

bēne, see bȳme.

Benedict, m., *St. Benedict;* ds. -e, IX, i, 32.

beniman (bi-), S4, w. acc. of pers. and gen. of thing, *to take from, deprive of, rob;* pres. 3s. benimð, VII, 113; pp. benumen, XIII, 362, binumen, XXI, iv, 14; pp. npm. benumene, IV, 151.

benn, f., *wound;* np. -e, XIX, 49.   (Cf. bana)

benorðan, adv., **w.** dat., *to the north of;* IV, 341.

bēodan (bēdan), S2, *to announce, proclaim, command, order, offer;* inf. bēdan, IV, 242; pres. 3s. bēodeð, XX, 54; pres. pl. bēodað, X, 132; pret. 3s. bēad, IV, 275; bēodan, should be pret. pl. XIV, 166.   (BID)

gebĕodan, S2, *to offer, show;* inf. XXIV, 603; pret. **3s.** gebād, XIV, **191, see** note.

bēon (bīon, wesan), anom., *to be, exist;* inf. bēon, V, v, 17, bīon, VII, 62, wesan, XIII, 367; pres. 1s. eom, I, i, vs. 21, eam, XV, 206; 2s. eart, I, i, vs. 31; 3s. is, I, i, vs. 24, ys, I, ii, vs. 16, biờ, I, ii, vs. 14, byờ, I, ii, vs. 14; pres. pl. sind, II, i, vs. 9, synd, VII, 82, sint, VI, iii, 11, synt, I, i, vs. 31, syn, X, 68, sindon, XVI, 1, siendon, VIII, 79, syndon, V, ii, 19, syndan, XXIII, 4, seondan, XII, i, 13, bēoờ, V, i, 10; subj. pres. 1s. bēo, I, i, vs. 19; 2s. bī, III, 9; 3s. sīe, V, v, 48, sī, II, ii, vs. 3, sīa, XII, ii, 27, sīo, XII, i, 18, sig, II, i, vs. 11, sȳ, VII, 3, sē, XII, ii, 27, sēo, XII, i, 14; subj. pres. pl. sīen, VIII, 55, sīon, XII, i, 47, bēon, II, i, vs. 9; imp. s. bēo, I, ii, vs. 13; imp. pl. bēo, XXII, i, 10; ind. pret. 1s. wes, XII, ii, 1; 2s. wǣre, III, 62; 3s. wæs, I, i, vs. 20, was, VI, ii, 2; pret. pl. wǣron, II, i, vs. 2, wǣran, V, v, 25, wǣrun, IV, 40; subj. pret. 3s. wǣre, I, i, vs. 26; subj. pret. pl. wǣren, VIII, 26; neg. pres. 1s. neom, III, 31; 3s. nis, V, vi, 116, nys, III, 20; pl. nearon, XX, 82; pret. 1s. næs, III, 63; 3s. næs, II, ii, vs. 2; pret. pl. nǣron, VI, ii, 4, nǣran, VI, ii, 5; subj. pret. 3s. nǣre, IV, 301; pret. pl. nǣren, VIII, 17. (BE)

bĕor, n., *beer;* ds. -e, XXIV, 531. (BEER)

beorg (beorh), m., *mountain, hill;* ns. beorh, XXIII, 34; dp. -um, XIV, 212. (BARROW; iceBERG)

beorgan, S3, w. dat., *to save, preserve;* inf. X, 146; pret. 3s. bearh, X, 59; pret. pl. burgon, XVIII, 194.

gebeorgan, S3, *to preserve, save;* subj. pres. 3s. -e, X, 48.

beorh, see beorg.

beorht, adj., *bright, glorious;* nsf. XVII, 15, nsn. XXIV, 570; asm. -ne, XV, 205, asm. wk. -an, XVI, 7, asn. XIV, 219; comp. nsm. -ra, XVI, 23; supl. nsm. -ost, XIV, 249. (BRIGHT)

Beorht-Dene, m. pl., *Bright Danes,* i.e. *Danes;* gp. -Dena, XXIV, 609.

beorhte, adv., *brightly;* XXIII, 49.

Beorhtrīc, m., *king of the West Saxons;* ns. **IV, 1.**

Beorhtwulf, m., *king of Mercia;* as. IV, 26.

Beormas, m. pl., *the Permians;* np. VII, 25.

beorn, m., *man, retainer;* ns. XVII, 45; gs. -es, XVIII, 131; ds. -e, XVIII, 154; np. -as, XVIII, 92; gp. -a, XVIII, 257; dp. -um, XVIII, 101; ap. -as, XVIII, 17.

beornan (bernan), S3, *to burn;* pres. pl. bernaờ, X, 113; pret. 3s. barn, II, ii, vs. 2. (BURN)

beornþrēat, m., *troop of men;* ns. XVI, 50.

bĕorsele, m., *beer-hall;* ds. -sele, XXIV, 492.

bĕorþegu, f., *beer-drinking;* ds. -þege, XXIV, 617.

bĕot, n., *boast;* as. XVIII, 15; on bĕot, *boastfully,* XVIII, **27.**

bĕotian, W2, *to boast;* pret. 3s. bēotode, XVIII, 290.

gebēotian, W2, *to boast, vow;* pret. pl. -bēotedon, XXIV, **536.**

bĕotung, f., *boast;* as. -e, V, ii, 39.

Bēowulf (Bīo-), m., *prince of the Geats;* ns. XXIV, 506; gs. -es, XXIV, **501** Bīowulfes, XXIV, 2681; ds. Bēowulfe, XXIV, 609; as. XXIV, 653.

bepǣcend, m., *deceiver;* ns. IX, i, 52.

bera, m., *bear;* **ns.** XXIII, 29; gs. -n, **VII, 53.** (BEAR)

beran, S4, *to bear, carry;* inf. VII, 129; pres. ptc. berende, **II, i, vs. 12; pres. 1s.**
bere, XXI, ii, 15; 3s. byreð, XXI, i, 5, byrð, VII, 144; pl. berað, VII, **73;**
imp. pl. berað, V, vi, 105; pret. 3s. bær, XXIV, 495; **pl.** bæron, XIV, 193;
pp. nsm. geboren, XI, **17.** (BEAR)

geberan, S4, *to bear, give birth to;* inf. XV, 205.

berēafian, W2, *to bereave;* **pp.** -rēafod, XV, 168. (BEREAVE)

beregafol, n., *barley-rent, tribute of barley;* ds. -e, XI, 78.

beren, adj., *of a bear;* asm. -ne, VII, 54.

Berhtsige, m., *a kinsman of Alfred, dux;* ds. XII, **i, 30.**

berīdan, S1, *to capture;* pret. 3s. -rād, IV, 197.

bernan, see bearnan.

berstan, S3, *to burst asunder, tumble, crash;* pres. pl. berstað, XV, **811;** pret.
3s. bærst, XVIII, 284. (BURST)

berȳpan, W1, *to plunder, despoil;* pp. apn. -rȳpte, X, 28.

bescyrian, W1, w. gen., *to deprive;* pp. apm. -scyrede, XIII, 392.

besencean, W1, *to sink;* inf. III, 112.

besēon, S5, *to look;* inf. II, ii, vs. 6.

besettan, W1, *to place;* inf. IX, i, 78. (BESET)

besittan, S5, *to possess, besiege;* inf. V, iv, 17; pp. -seten, IV, 157.

besmītan, S1, *to defile;* pp. -smiten, VI, ii, 14.

bestandan, S6, *to surround;* pret. pl. -stōdon, XVIII, 68.

bestelan, S4, refl., *to steal away from;* pret. 3s. -stæl, IV, 83; pl. -stælon, IV, **123.**

bestrȳpan, W1, *to strip;* pp. npn. -strȳpte, X, 38.

beswīcan, S1, *to deceive, betray;* subj. pres. 3s. -swīce, X, 71; pl. -swīcen, XIII,
433; pp. -swican, IV, 319; pp. npm. -swicene, X, 41, apm. -swicene, XVIII,
238, apf. -swicene, V, v, 11.

beswingan, S3, *to beat, scourge;* **pp.** -swungen, III, 6.

besyrwan, W1, *to ensnare;* pp. npm. -syrwde, X, **41.**

bet, see wel.

betǣcan, W1, *to entrust, take, appoint;* pres. 1s. -tǣce, III, 41; pret. **3s.** -tǣhte,
IV, 276; pp. -tǣht, X, 27.

bētan, W1, *to improve, amend, better, to pay a fine for;* inf. X, 184; subj. **pres. 3s.**
bēte, XI, 18; subj. pres. pl. bētan, X, 144; ind. pret. pl. bētton, X, 50.
(Cf. bōt)

gebētan, W1, *to make amends for, repent, make reparation, atone for;* inf. VII,
150; subj. pres. 3s. -bēte, XI, 14.

betera, see gōd.

betst, see gōd, wel.

betuh, betux, prep. w. dat. and acc., *between, among;* betuh, VII, 90; betux.
VII, 82.

betwēnan, adv., *between-whiles, in between times;* III, 13.

betwēonan, prep. w. gen. dat. acc., *between,* VII, 120. (BETWEEN)

betweox (betwih, betwyh, betwux, betwyx), prep. w. dat. acc., *between, among;*
IV, 37; -twih, V, i, 62; -twyh, V, i, 2; -twux, IX, i, 54; -twyx, IV, 246.
(BETWIXT)

betȳnan, W1, *to conclude, finish, end;* pret. 3s. -tȳnde, V, vi, 88.

beþencan, W1, refl., *to bethink, consider, call to mind;* inf. X, 182 *(consider)*, X, 161, *(call to mind);* pret. 3s. -þōhte, I, i, vs. 17. (BETHINK)

beweorpan, S3, *to throw;* pp. -worpen, XIII, 393.

bewindan, S3, *to wind about, encompass, surround;* pret. 3s. -wand, IX, ii, 46: pp. -wunden, XIII, 420.

bewitan, PP, *to oversee, watch over;* pres. pl. -witon, II, ii, vs. 7.

bī, see be.

bibūgan, S2, *to encircle;* pres. 3s. -būgeð, XVI, 6.

bicgean, gebicgean, see bycgan, gebycgan.

bidǣlan, see bedǣlan.

bīdan, S1, w. gen., *to wait, await;* inf., V, vi, 117; pres. pl. bīdað, XXIII, 60; pret. 3s. bād, XIV, 213; pret. pl. buton, error for bidon, XIV, 249. (BIDE)

gebīdan, S1, w. gen. *to await, wait for; endure, experience;* inf. XIX, 70; pres. 3s. -bīdeð, XIX, 1; pret. 1s. -bād, XVIII, 174; pret. pl. -bidan, V, ii, 54; pp. -biden, XIV, 238.

biddan, S5, w. gen. of thing, acc. or dat. of person, *to ask, beg, request, entreat;* inf. I, i, vs. 28; pres. ptc. biddende, V, iii, 5; pres. 1s. bidde, XII, ii, 23; pres. pl. biddað, III, 1; pret. 3s. bæd, V, iv, 34; pret. pl. bǣdon, w. dat. of person, V, i, 45, w. acc. of person, V, vi, 110; subj. pret. 3s. bǣde, V, vi, 98. (BID)

gebiddan, S5, refl., *to pray;* pret. 3s. hine -bæd, I, ii, vs. 11, him -bæd, V, vi, 117; subj. pret. pl. hig -bǣdun, I, ii, vs. 10.

bidrēosan, S2, w. instr., *to deprive;* pp. -droren, XX, 16; pp. npm. -drorene, XIX, 79.

gebiesgian, W2, *to trouble, afflict, overcome;* pp. -biesgad, XVI, 39.

biforan, see beforan.

big, see be.

gebīgan, W1, *to convert;* pret. 1s. -bīgde, IX, i, 67.

bīgang (-gong), m., *worship;* ns. bīgong, V, v, 29; gs. -es, V, v, 89; ds. -e, V, v, 35.

bigeat, see begietan.

bīgenga, m., *inhabitant;* np. -n, V, i, 38; ap. -n, V, iii, 2.

bigiellan, S3, *to scream around;* pret. 3s. bigeal, XX, 24.

bigleofa, m., *food, sustenance;* as. -n, III, 83.

bīgong, see bīgang.

bihōn, S7, *to hang;* pp. bihongen, XX, 17.

bihrēosan, S2, *to cover;* pp. npm. bihrorene, XIX, 77.

bilewit (byle-), adj., *gentle, kind, innocent;* dsn. bylewite, V, vi, 121; asm. -ne, III, 8.

bill, n., *sword;* as. XVIII, 162; gp. -a, XXIV, 583; dp. -um, XIV, 199. (BILL)

billgeslyht, n., *clashing of swords;* gs. -es, XVII, 45.

bilūcan, S2, *to lock, encompass;* pp. -locen, XV, 806.

bindan, S3, *to bind;* pres. 1s. binde, XXI, iv, 16; 3s. bindeð, XIX, 102; pl. bindað, XIX, 18; subj. pres. 3s. binde, XIX, 13; ind. pret. 3s. bond, XX, 32. (BIND)

gebindan, S3, *to bind;* pres. pl. -bindað, XIX, 40; pp. -bunden, VI, i, 16; pp npm. -bundene, XIII, 379.

bindere, m., *binder;* ns. XXI, iv, 6. (BINDER)

binnan, adv., *within, inside;* IV, 43; prep. w. dat. or acc., *within, inside;* IV, 180.

binne, f., *bin, crib;* as. or p. binnan, III, 28. (BIN)

bīon, see bēon.

birnan, see byrnan.

bisceop (biscep, biscop, bysceop), m., *bishop;* ns. V, iv, 33; -cep, VIII, 80; gs. -es, V, v, 104; -cepes, IV, 227; -copes, XI, 24; ds. -e, V, iv, 32; -cepe, VIII, 70; -cope, V, v, 102; bysceope, V, v, 70; as. V, v, 60, -cep, VIII, 1; np. -cepas, IV, 8, -copas, V, ii, 47. (BISHOP, Lat. episcopus)

bisceopsetl, n., *episcopal residence;* as. V, v, 103.

biscep, see bisceop.

biscepprīce, n., *bishopric;* as. IV, 45. (BISHOPRIC)

biscepstōl, m., *bishopric;* ds. -e, VIII, 74.

biscop, see bisceop.

bisigu (bisgu), f., *business, occupation, concern, trouble;* as. bisgo, XX, 88; dp. bisgum, VIII, 67. (BUSINESS)

bistelan, S4, w. dat., *to rob, deprive;* pp. -stolen, XXI, iv, 13.

biter (bitter), adj., *bitter, fierce, sharp;* nsm. XVIII, 111; bitter, XX, 55; asf. bitre, XX, 4, asn. XXIV, 2704; dp. wk. -an, XXIV, 2692; apm. -e, XVIII, 85. (BITTER)

biþeccan, W1, *to cover;* pret. 3s. -þeahte, XVI, 61; pp. -þeaht, XXI, iii, 9.

biwāwan, S7, *to blow upon;* pp. npm. -wāune, XIX, 76.

biwrēon, S1, *to cover;* pret. 3s. -wrāh, XIX, 23.

blāc, adj., *bright, shining;* nsm. XV, 808; dp. -um, XIV, 212. (Cf. BLEAK)

blācian, W2, *to turn pale;* pres. 3s. blacað, XX, 91.

blæc, adj., *black;* nsm. V, i, 20. (BLACK)

blǣc, adj., *brilliant, shining;* nsn. XVI, 26.

blǣcan, W1, *to bleach;* inf. V, i, 15. (BLEACH)

blǣd, m., *riches, prosperity, glory;* ns. XIX, 33, XX, 79.

blǣd, f., *flower, blossom;* dp. -um, XXIII, 34. (BLADE)

geblandan, S7, *to mix, mingle;* pp. -blanden, XXIII, 41.

blandenfex, adj., *gray-haired;* nsm. XVII, 45.

geblāwan, S7, *to blow;* pres. 1s. -blāwe, XXII, ii, 56. (BLOW)

Blēcinga-ēg, f., *Blekinge;* VII, 105.

blēdhwæt, adj., *fruitful, flowery;* apm. -e, XXI, ii, 9.

blēdsung, see blētsung.

blēo, n., *color;* dp. -wum, VI, ii, 11, -m, XVI, 23.

blētsian (-igan), W2, *to bless;* inf. -igan, IX, i, 46; pret. 3s. blētsode, II, i, vs. 22. (BLESS)

geblētsian, W2, *to bless, consecrate;* pp. -blētsod, IV, 378.

blētsung (blēdsung), f., *blessing;* ns. IX, i, 49, blēdsung, XII, ii, 27; as. -e, IX, i, 48. (BLESSING)

blīcan, S1, *to shine, gleam, glitter;* pres. 3s. blīceð, XVI, 29; pret. pl. blicon, XIV, 159.

bliss, f., *joy, bliss;* gs. -e, V, vi, 20; as. or pl. -e, IV, 260; np. -e, IV, 262. (BLISS)

geblissian, W2, *to rejoice, be glad;* inf. I, i, vs. 32.

blīðe, adj., *blithe, glad, happy, friendly;* nsm. V, vi, 110; asm. blīðne, XXIV, 617, asn. V, vi, 107; comp. blīðra, XVIII, 146. (BLITHE)

blīð(e)mōd, adj., *friendly;* nsm. blīðmōd, V, vi, 111; npm. blīðemōde, V, vi, 109.

blōd, n., *blood;* ds. -e, VI, ii, 15. (BLOOD)

blōdegian, W2, *to make bloody;* pp. geblōdegod, XXIV, 2692. (BLOODY, verb)

blōdgyte, m., *bloodshed;* ns. X, 52.

blōdig, adj., *bloody;* asm. -ne, XVIII, 154. (BLOODY)

blōstma, m., *blossom, flower;* dp. blōstmum, XVI, 47.

blōwan, S7, *to bloom, blossom;* inf. XXIII, 34.

bōc, f., *book;* ns. V, vi, 73; ds. bēc, VIII, 77; as. VIII, 67; gp. -a, V, i, 32; dp. -um, IX, i, 3; ap. bēc, VIII, 41. (BOOK)

bōcere, m., *scholar;* ap. bōceras, V, vi, 5.

bōclæden, n., *Latin;* as. IV, 131.

bōclond, n., *"bookland,"* i.e. *land held by legal title;* gs. -es, XII, i, 4; ds. -e, XII, i, 28; as. XI, 20; dp. -um, XI, 19.

boda, m., *messenger;*▮voc. s. XVIII, 49; np. -n, X, 132.

bodian, W2, *to preach;* pres. 3s. bodað, V, v, 17; pret. 3s. bodade, V, v, 1; pp. bodad, V, v, 31. (BODE)

gebodian, W2, *to announce, bid, proclaim;* pret. 3s. -bodade, XV, 202.

bōg, m., *leg;* dp. -um, XIV, 171.

boga, m., *bow;* np. -n, XVIII, 110. (BOW)

bolster, m., *pillow;* ds. bolstre, V, vi, 119. (BOLSTER)

bonnan, S7, *to summon;* pres. 1s. bonne, XXI, i, 4. (BAN)

bord, n., *shield;* ns. XVIII, 110; gs. -es, XVIII, 284; as. bord, XVIII, 15; gp. -a, XVIII, 295; dp. -um, XVIII, 101. (BOARD)

bordhrēoða, m., *shield-covering, shield;* ds. -n, XIV, 236; np. -n, XIV, 159.

bordweall, m., *wall of shields, phalanx;* as. XVII, 5.

borgbryce, m., *breach of surety;* ns. XI, 63.

bōsm, m., *bosom;* ds. -e, XVII, 27; as. XXI, i, 9, XVI, 7 *(earth).* (BOSOM)

bōt, f., *compensation, remedy, reparation;* ns. X, 18; gs. -e, X, 34; ds. -e, XI, 27; as. -e, XIX, 113. (BOOT)

botm, m., *bottom;* ds. -e, XIII, 361. (BOTTOM)

brād, adj., *broad;* nsm. IV, 142, nsn. V, i, 4; asn. XVIII, 15; apn. -e, XVII, 71; comp. n. -re, VII, 63, brædre, VII, 63; supl. -ost, VII, 61. (BROAD)

brādnis, f., *broadness, surface, extent;* ds. -nisse, II, i, vs. 2. (BROADNESS)

brǣdan, W1, *to spread;* inf. XIX, 47. (Cf. brād)

brǣdo, f., *breath;* ds. V, i, 65. (Cf. brād)

breahtm, m., *noise, revelry;* gp. -a, XIX, 86.

Breca, m., *chief of the Brondingas;* ns. XXIV, 583; d. or as. -n, XXIV, 506; as. -n, XXIV, 531.

brecan, S4, *to break, torment, break into, storm (military);* pres. 3s. bricð, IX, i, 59; pres. pl. brecað, XIII, 430; subj. pres. 3s. breoce, XII, i, 56; ind. pret. 3s. bræc, XIV, 251; pret. pl. brǣcon, X, 50, IV, 25 *(storm),* brǣcan, X, 184: pp. brocen, XVIII, 1. (BREAK)

brēdan, see bregdan.

gebrēdan, W1, *to draw, brandish;* subj. pres. 3s. -**brēde, XI, 11**; pret. 3s. -**brǣd,** XXIV, 2703.

bregdan (brēdan), S3, *to move quickly, brandish, draw, drag; strike (tents); braid, weave, vary;* pres. ptc. bregdende, XVI, 23 *(vary);* pres. 1s. brēde III, 52; subj. pres. 3s. bregde, XXI, iii, 13; ind. pret. 3s. brǣd, XVIII, 154; pret. pl. brugdon, XXIV, 514, brūdon, XIV, 222; pp. nsn brōden, XXIV, 552. (BRAID)

brego, m., *chief, leader;* ns. XVII, 33.

bremelþyrne, f., *bramble-bush;* ds. -þyrnan, II, ii, vs. 2. (BRAMBLE-)

brengan, W1, *to bring;* subj. pres. 3s. brenge, V, v, 56.

gebrengan, W1, *to bring;* subj. pres. 3s. -brenge, XII, i, **13.**

breoce, see brecan.

breodian, W2, *to exclaim;* pret. pl. bryodedon, XXII, ii, 10.

brēost, n., *breast;* as. I, ii, vs. 13; dp. -um, XVIII, 144. (BREAST)

brēost-cearu, f., *heart-care;* as. -ceare, XX, 4.

brēost-cofa, m., *heart;* ds. -n, XIX, 18.

brēosthord, n., *heart;* as. XX, 55.

brēostnet, n., *armor, mail;* as. XIV, 236.

Breoton, f., *Britain;* ns. V, i, 1; gs. -e, V, i, 43; **ds. -e, V, i, 40.**

gebrēowan, S2, *to brew;* pp. -browen, VII, 121. (BREW)

bricg (brycg), f., *bridge;* gs. brycge, IV, 282; ds. **-e, IX, ii, 28; as. -e, IX, ii, 24.** (BRIDGE)

bricgweard, m., *bridge-guard;* ap. -as, XVIII, 85.

brigd, n?, *variety;* gp. -a, XVI, 26.

Brihtnōð, see Byrhtnōð.

Brihtrīc, m., *son of Ælfheah;* ns. IV, 332.

brim, n., *sea;* ns. XVI, 7; **gs. -es, XXI, iii, 13; np. -u, XXIV, 570; ap. -u,** XVII, 71. (BRIM)

brim-fugol, m., *sea-bird;* ap. -fuglas, XIX, **47.**

brim-lād, f., *ocean-path;* ds. -e, XX, 30.

brimlīðend, m., *seafarer, pirate;* gp. -ra, XVIII, 27; ap. -e, XXIV, 568.

brim-man(n), m., *seaman, pirate;* np. -men, XVIII, 295; gp. -manna, XVIII, 49.

bringan, W1, *to bring;* pres. 3s. bringeð, XIX, 54; imp. pl. bringað, I, i, vs. 23; pret. 3s. brōhte, V, vi, 7; pret. pl. brōhton, I, ii, vs. 15; subj. pret. pl. brōhte, V, iv, 5 (see note); pp. brōht, X, 27; pp. npm. brōhte, V, iv, 11; pp. brungen, XXI, iv, 2. (BRING)

gebringan, W1, *to bring;* pres. 3s. -bringeð, X, 141; pret. pl. -brōhton, IV, **180.**

brōc, m., *brook;* ns. VI, i, 7. (BROOK)

brōga, m., *terror, horror;* ds. -n, IV, 205; as. -n, XXIV, 583.

brond, m., *fire, conflagration;* ns. XV, 811. (BRAND)

Brondingas, m. pl., *a tribe of whom Breca was chief;* gp. -dinga, XXIV, 521.

bront, adj., *high;* asm. -ne, XXIV, 568.

brōþor (brōþur), m., *brother;* ns. I, i, vs. 27, -ur, IV, 31; ds. brōðer, IV, **343;** np. V, vi, 115, brōðru, XVIII, 191; dp. brōðrum, XXIV, 587; voc. **p.** brōðro, V, vi, 111. (BROTHER) bróðorgyld, n., *vengeance for brothers;* as. XIV, 199.

brúcan, S2, w. gen., *to use, enjoy;* inf. XVII, 63; ger. tō brūcenne, XII, i, 51; pres. pl. brūcað, IX, i, 47; subj. pres. 3s. brūce, XII, i, 23; ind. pret. 3s. brēac, XIX, 44. (BROOK)

brūn, adj., *brown;* isn. wk. -an, XXII, ii, 50. (BROWN)

brūnecg, adj., *brown-edged;* asn., XVIII, 163.

Brunnanburh, f., *site of the battle;* as. XVII, 5.

bryce, m., *breakage;* ds. bryce, X, 18. (Cf. brecan)

brycg, see bricg.

brȳd, f., *bride;* np. -e, XXII, ii, 10. (BRIDE)

bryhtm, m., *twinkling;* ns. V, v, 52.

bryne, m., *burning, conflagration;* ns. X, 52; ds. X, 18; as. X, 192. (Cf. byrnan)

bryodedon, see **breodian.**

Bryten, f., *Britain;* ds. -e, V, iv, 5; as. -e, XVII, 71.

brytta, m., *dispenser;* ns. XXIV, 607; as. -n, XIX, 25.

Bryttas, m. pl., *Britons;* np. V, i, 38; gp. Brytta, V, i, 35; dp. Bryttum, V, i, 59, Bryttan, X, 181; ap. V, ii, 36.

bryttigean, W2, *to divide, share;* inf. XVII, 60. (Cf. brytta)

būan, W1 (irreg.), *to dwell, settle, inhabit;* pret. 3s. būde, VII, 2; pp. gebūn, VII, 21.

Bucingahāmscīr, f., *Buckinghamshire;* as. -e, IV, 237.

bufan, prep., *above, upon, over;* II, i, vs. 7, VII, 126. (ABOVE)

būgan, S2, *to bow, bend, turn, submit;* inf. XVIII, 276; pret. 3s. bēah, VII, 12; pret. pl. bugon, XVIII, 185. (BOW)

gebūgan, S2, *to incline, bow, submit;* inf. X, 183; pret. pl. -bugon, IV, 193; pp. -bogen, IV, 274.

bune, f., *cup;* ns. XIX, 94.

Bunne, f., *Boulogne;* ds. Bunnan, IV, 136.

burg (burh), f., *city, fort, castle, stronghold;* ns. burh, VII, 116; gs. byrig, IV, 169; ds. byrig, VII, 117; as. IV, 117, burh, IX, ii, 22; np. byrig, XX, 48; dp. -um, XIV, 222. (BURG, BOROUGH, -BURY)

Burgendas, m. pl., *the Burgundians;* gp. Burgenda land = Bornholm, VII, 102.

burghlið, n., *castled hill, slope of the stronghold;* dp. -hleoðum, XXI, iv, 2.

burgsæl, n., *castle hall;* dp. -salum, XVI, 50.

burgstede, m., *citadel, castle, stronghold;* np. XV, 811.

burgware (burh-), m. pl. *inhabitants of a "burg,"* i.e. *burghers, citizens;* np. IV, 159, burhware, V, iv, 38; gp. burgwara, IV, 166.

burh, see burg.

burhsittend, adj., *inhabiting the city;* dsm. wk. -an, I, i, vs. 15.

burhware, see burgware.

burhwaru, f., *the inhabitants of a town, collectively;* ns. IV, 211; gs. -ware, IX, ii, 32; ds. -ware, IV, 212.

būrþēn, m., *chamberlain;* ds. -e, XVIII, 121. (BOWER-THANE)

būtan, adv., *without, outside;* IV, 43.

būtan, prep., conj., see **būton.**

butere, f., *butter;* as. buteran, III, 37. (BUTTER)

būton (būtan, būte), prep. w. dat., *except, but, without, in spite of, free from, beside;* būtan, VII, 24 (*except*), būton, V, ii, 47 (*without*), būtan, IV, 122 (*without*), būton, IV, 322 (*in spite of*), IV, 116 (*free from*), būtan þām þe, IV, 79 (*beside the fact that*); conj. w. indic., *but, except that;* VI, ii, 7 (*but*), VII, 4 (*except that*); conj. w. subj., *unless, if... not;* VIII, 80, būte, XII, ii, 28. (BUT)

buton, XIV, 249, error for bidon; see bīdan.

butse-carl, m., *boatman, mariner;* np. -as, IV, 382.

būtū, num., *both;* XI, 27.

bycgan (bicgean), W1, *to buy;* ger. tō bicgeanne, V, iv, 6; pres. 3s. bigþ, III, 92; subj. pres. 3s. bycgge, XI, 61; ind. pret. pl. bohtan, IV, 397. (BUY)

gebycgan (gebicgean), W1, *to buy, procure;* subj. pres. 3s. -bycgge, XI, 62, -bicge, XXIII, 45; ind. pret. 3s. -bohte, XIV, 151.

bydel, m., *messenger;* gp. -a, X, 174.

byden, f., *barrel;* ds. -e, XXI, iv, 6.

bȳgan, W1, *to bow, humble oneself;* pret. 3s. bēgde, XXII, ii, 44. See also note.

byldan, W1, *to encourage;* inf. XXIII, 15; subj. pres. 3s. bylde, XVIII, 234; ind. pret. 3s. bylde, XVIII, 169.

bylewit, see bilewit.

bȳme (bēme), f., *trumpet;* np. bȳman, XIV, 159; dp. bēnum (*error for* bēmum) XIV, 216; ap. bȳman, XIV, 222.

bȳne, adj., *inhabited, cultivated;* nsn. wk. VII, 61; dsn. bȳnum, VII, 60. (Cf. būan)

byrde, adj., *of high rank, well-born;* supl. nsm. wk. byrdesta, VII, 52.

byrdscype, m., *child-bearing;* gs. -s, XV, 182.

byre, m., *opportunity;* as. XVIII, 121.

byrgan, W1, *to bury;* inf. XX, 98. (BURY)

byrgea, m., *surety, one who gives bail;* ds. -n, XI, 63.

Byrhtelm, m., *father of Byrhtnoth;* gs. -es, XVIII, 92.

Byrhtnōð, m., *Byrhtnoth or Bryhtnoth, leader of the Anglo-Saxons in the Battle of Maldon;* ns. XVIII, 17, Brihtnōð, IV, 203; gs. Byrhtnōðes, XVIII, 114; as. XVIII, 257.

Byrhtwold, m., *an Anglo-Saxon warrior;* ns. XVIII, 309.

gebyrian, W1, *to pertain, belong;* impers. w. dat., *to be fitting, behoove;* pres. 3s. gebyreð, I, i, vs. 12; pres. pl. -byriað, X, 133; pret. 3s. (impers.) -byrede, I, i, vs. 32.

byrnan (birnan), S3, *to burn, consume, be on fire;* inf. XV, 808; pres. ptc. byrnende, VI, ii, 18, birnende, VI, ii, 20. (BURN)

gebyrnan, S3, intrans., *to burn;* pret. 3s. -barn, XXIV, 2697.

byrne, f., *coat of mail;* ns. XVIII, 144; ds. byrnan, XXIV, 2704; as. byrnan, XVIII, 163. (BYRNIE)

byrn-wiga, m., *mailed warrior;* ns. XIX, 94.

byrst, m., *loss, injury;* ns. X, 47; gp. -a, X, 12.

bysceop, see bisceop.

bȳsen, f.. *example;* ds. -e. V, v, 77.

bysgian, W2, *to busy, occupy;* pp. bysgod, III, 12. (BUSY)
bysig, adj., *busy;* npm. -e, XVIII, 110. (BUSY)
bysmor (-mar), n. or m., *insult, ignominy;* as. X, 47; gp. bysmara, X, 12.

C

Cænt, see Cent.
câf, adj., *bold, brave;* asm. -ne, XVIII, **76.**
câflīce, adv., *boldly, quickly;* IX, ii, 28.
cald (ceald), adj., *cold;* nsm. ceald, XXIII, 6; asn. XVIII, 91; npm. -e, XX, 8;
dp. -um, XX, 10; supl. -ast, XX, 33, cealdost, XXIII, 5. (COLD)
camp, m., *fight, battle;* ds. -e, XVII, 8. (Lat. campus)
campian, see compian.
campstede, m., *battlefield;* ds. XVII, 29.
candel, f., *candle;* ns. XVII, 15. (CANDLE, Lat. candela)
Candelmæsse, f., *Candlemas, Feast of the Purification, February 2;* ds. -mæssan,
IV, 298.
canon, m., *canon (Scriptural)*; gs. -es, V, vi, 76. (CANON, Lat. canon)
Cantwaraburh (Contwaraburg), f., *Canterbury, "city of the dwellers of Kent"*;
ds. -byrig, IV, 266; as. IV, 247, Contwaraburg, IV, 25.
Cantware, m. pl., *inhabitants of Kent;* np. V, ii, 19.
carful, adj., *careful, anxious;* nsm. IX, ii, 10. (CAREFUL)
carlēas, adj., *unscrupulous;* npm. wk. -an, XIV, 166. (CARELESS)
Carr, m., *Carhampton, in Somersetshire;* d., æt Carrum, IV, 7.
câsere, m., *emperor;* ns. V, ii, 2; gs. -s, IX, ii, 31; ds. V, ii, 4; as. IX, ii, 34;
voc. s. IX, ii, 14; np. câseras, XX, 82. (Lat. Caesar)
ceafl, m., *jaw;* dp. -um, X, 175.
ceald, see cald.
ceallian, W2, *to call;* inf. XVIII, 91. (CALL)
cēap, m., *cattle;* gs. -es, IV, 151. (CHEAP)
cēapstōw, f., *market place;* as. -e, V, iv, 5.
cearian, W2, *to be concerned, be disquieted;* pres. ptc. cearigende, XV, **177.**
(CARE)
cear-seld, n., *abode of care;* gp. -a, XX, 5.
cearo, f., *care;* ns. XIX, 55; as. ceare, XIX, 9; np. ceare, XX, 10. (CARE)
ceaster (cester), f., *city, castle, town;* ds. ceastre, III, 91, cestre, V, v, 102;
as. ceastre, IV, 41; np. ceastra, XXIII, 1; gp. ceastra, V, i, 25; dp. ceastrum,
V, i, 22. (LANCASTER, WINCHESTER, Lat. castra)
ceasterware, m. pl. *citizens, city-dwellers;* np. -wara, III, 93.
Cedmon, m., *Cœdmon, an Anglo-Saxon poet;* voc. s. V, vi, 28.
Cēfi (Cæfi), m., *Coifi, heathen bishop of King Edwin;* ns. V, v, 30, Cæfi, V, v,
59.
celf, n., *calf;* as. I, i, vs. 27. (CALF)
cellod, adj., *hollow, curved;* asn. XVIII, 283.
cempa, m., *warrior;* ns. XVIII, 119. (Cf. camp)
cēne, adj., *bold, keen;* nsm. XVIII, 215; npm. XVIII, 283; comp. nsf. cēnre,
XVIII, 312. (KEEN)

cennan, W1, *to bring forth, beget;* inf. XXIII, 28.

Cent, f., *Kent;* ds. Cent, IV, 139, Cænt, XII, **i, 34.**

Centingas, m. pl., *people of Kent;* ap. IV, 239.

Centland, n., *land of Kent;* ds. -e, IV, 216.

cēnðu, f., *boldness;* as. XXIV, 2696.

cēol, m., *ship:* ds. -e, XX, 5.　(KEEL, a kind of ship)

Cēola, m., *an Anglo-Saxon warrior;* gs. -n, XVIII, 76.

Cēolnōð, m., *an archbishop;* ns. XII, ii, 12; gs. -es, XII, ii, **2.**

ceorfan, S3, *to cut;* pret. 3s. cearf, IV, 321.　(CARVE)

ceorl, m., *freeman, peasant, man;* ns. XI, 71; ds. -e, XVIII, 132; as. **XXI, iv,** 8; gp. -a, IV, 334.　(CHURL)

Ceorl, m., *a West Saxon alderman;* ns. IV, 19.

Ceortes-ēg, *Chertsey, in Surrey;* ds. XII, i, 24.

cēosan, S2, *to choose;* pret. pl. curon, XIV, 243, curan, **V, i, 57.**　(CHOOSE)

gecēosan, S2, *to choose;* pret. 3s. -cēas, XVIII, 113; pret. pl. -curon, IV, 298; pp. -coren, V, vi, 54.

cēpa, m., *trader;* ns. VI, ii, 13.

cēpan, W1, w. gen. or acc., *to observe, look out for, keep;* pres. pl. cēpað, IX, i, 41; pret. pl. cēpton, IV, 282.　(KEEP)

cēpecniht, m., *boys for sale, slave-boys;* np. -as, **V, iv, 8.**

cēpeðing, n. pl., *goods, merchandise;* ap. V, iv, 5.

gecerran, see gecyrran.

cēse (cȳse), m., *cheese;* gs. -s, XII, ii, 6; as. cȳse, III, 37.　(CHEESE)

cester, see ceaster.

Chaldeas, m. pl., *Chaldeans;* np. V, ii, 41.

Chananēus, m., *Canaanites;* II, ii, vs. 8.

cīdan, W1, *to chide, reproach;* pret. pl. cīddon, I, ii, vs. 15.　(CHIDE)

cīgean (cȳgan), W1, *to summon, call;* inf. XIV, 219; pret. pl. cȳgdon, V, ii, 33.

gecīgan (-cȳgan), W1, *to call, name;* pret. 3s. -cīgde, II, i, **vs. 10; pp. npm.** -cȳgde, V, iv, 27.

cild, n., *child;* ns. I, ii, vs. 17; np. -ra, III, 1; ap. I, ii, vs. 15.　(CHILD)

Cildamæssedæg, m., *Childermas, i.e. Holy Innocents' Day, December 28;* as. IV, 374.

cinberg, f., *chin-guard, visor;* as. -e, XIV, 175.　(CHIN-)

cincg, cing, cining, see cyning.

cinn, see cynn.

Cippanhām, m., *Chippenham, in Wiltshire;* ds. -me, IV, 84.

cirice (circe, cyrice, cyrce), f., *church;* ns. XI, 8; gs. cirican, XI, 7; ds. cirican, XI, 2, circean, IV, 376, circcan, XII, ii, 7, cyrican, V, v, 100; as. **cyrcan,** IX, ii, 45, cyricean, V, v, 101; np. ciricean, VIII, 29; gp. circena, **XI, 1;** dp. ciricum, XII, i, 34.　(CHURCH, Sc. KIRK)

cirlisc, adj., *churlish, common;* npm. -e, IV, 145.　(CHURLISH)

cirran, gecirran, see cyrran, gecyrran.

Cisseceaster, f., *Chichester;* ds. -ceastre, IV, **158.**

cist, f., *company;* gp. -a, XIV, 229.

ciꝺ, m., *young shoot of tree, sprout, seed;* dp. -um, IX, i, 33.

clǣne, adj., *pure, clean, spotless;* nsn. V, vi, 68; asf. XV, 187; apm. III, 89. (CLEAN)

clǣne, adv., *completely, entirely;* VIII, 13. (CLEAN)

clǣnnis, f., *purity;* ds. -se, XII, i, 12. (CLEANNESS)

clǣnsian, W2, *to cleanse, purify;* inf. X, 188. (CLEANSE)

clēofan, S2, *to cleave, split;* pret. pl. clufon, XVIII, 283, clufan, XVII, 5 (CLEAVE)

cleopian, see clypian.

clibbor, adj., *clinging, cleaving;* nsm. XXIII, 13.

clif, n., *cliff, rock;* dp. -um, V, ii, 55. (CLIFF)

clomm, m., *bond, chain;* ds. -e, XIII, 408; np. -as, XIII, 373.

Cloppahām, m., *Clapham, in Surrey;* as. XII, i, 7.

clūdig, adj., *rocky;* nsn. VII, 58. (CLOUDY)

clūmian, W2, *to mumble;* pret. pl. clūmedan, X, 175.

clūstor, n., *prison;* ap. clūstro, XIII, 416. (Lat. claustrum)

clypian (cleopian), W2, *to cry out, call, exclaim;* inf. X, 175; pres. 2s. cleopast, XV, 177; pret. 3s. clypode, I, i, vs. 26. (YCLEPT)

clyppan, W1, *to embrace;* inf. V, vi, 62; subj. pres. 3s. clyppe, XIX, 42. (CLIP)

clypung, f., *calling, outcry;* ns. II, ii, vs. 9; as. -e, II, ii, vs. 7.

cnapa, m., *boy;* as. -n, III, 25. (KNAVE)

gecnāwan, S7, *to know, understand, recognize;* inf. VIII, 56; imp. pl. -enāwaꝺ X, 1; subj. pres. 3s. -cnāwe, X, 47. (KNOW)

cnear, m., *ship;* ns. XVII, 35.

cnēo, n., *knee;* ap. XIX, 42. (KNEE)

cnēomǣg, m., *kinsman;* np. -māgas, XIV, 185; dp. -māgum, XVII, 8.

cniht, m., *boy, youth, retainer, young warrior;* ns. XI, 49; np. -as, V, iv, 24. (KNIGHT)

cnihtwesende, pres. ptc. as adj., *being a boy;* npm. XXIV, 535.

cnossian, W2, *to knock (against);* pres. 3s. cnossaꝺ, XX, 8.

Cnūt, m., *king of England;* gs. -es, IV, 349; ds. -e, IV, 277; as. IV, 298.

cnyssan, W1, *to beat;* pres. pl. cnyssaꝺ, XIX, 101.

cnyttan, W1, *to bind;* pres. 3s. cnyt, X, 104. (KNIT)

collen-ferꝺ, adj., *proud;* nsm. XIX, 71.

cometa, m., *comet;* ns. IV, 131. (COMET, Lat. cometa)

compian (campian), W2, *to contend, struggle;* inf. V, ii, 8; pret. pl. compedon, V, ii, 8, campodon, V, ii, 15.

Constantīnus, m., *Constantine, the Emperor of Rome;* ns. IX, ii, 6; voc. ꞩ. -tīne, IX, i, 14; *king of Scotland;* ns. XVII, 38.

Contwaraburg, see Cantwaraburh.

corn, n., *corn, grain;* gs. -es, XII, i, 43; as. IV, 169; gp. -a, XX, 33. (CORN)

Cornwealas, m. pl., *the inhabitants of Cornwall, Cornwall;* dp. -walum, IV, 127.

corꝺor, n., *troop, host, pomp;* ds. corꝺre, XIV, 191.

coꝺu, f., *disease;* ap. coꝺa, IV, 372.

crabba, m., *crab;* ap. -n, III, 101. (CRAB)

cradolcild, n., *infant;* np. X, 42. (CRADLE-CHILD)

cræft, m., *skill, art, knowledge, strength, craft, occupation;* ns. XIV, 245; ds. -e, XIII, 402; as. XIII, 416; is. -e, XXIII, 43. (CRAFT)

cræt, n., *cart;* np. crætu, XXII, ii, 9. (CART)

crēodan, S2, *to crowd, press, hasten;* pret. 3s. crēad, XVII, 35.

crēopan, S2, *to creep;* pres. ptc. crēopende, II, i, vs. 24. (CREEP)

crincan, gecrincan, see cringan, gecringan.

cringan (crincan), S3, *to cringe, fall, die, yield;* inf. XVIII, 292; pret. pl. crungon, XVII, 10, cruncon, XVIII, 302; subj. pret. 1s. crunge, XXIV, 635. (CRINGE)

gecringan (-crincan), S3, *to cringe, fall, yield;* pret. 3s. -crong, XIX, 79, -cranc, XVIII, 250.

crismlīsing, f., *loosing of the chrismale or baptismal fillet;* ns. IV, 106.

Crīst, m., *Christ;* ns. IX, ii, 39; gs. -es, V, iv, 27; ds. -e, V, iv, 35.

crīsten, adj., *Christian;* nsf. IX, ii, 37; gsn. -es, X, 79; npm. -e, V, iv, 13, crīstne, VIII, 26; gp. -ra, IX, ii, 7; dp. -um, IX, i, 3.

Crīstendōm, m., *Christendom, Christianity;* ns. IV, 262; gs. -es, IV, 258; ds. -e, X, 92; as. IX, i, 38.

Crīstes-cirice, f., *Christ-church;* ds. -cirican, XII, i, 37.

gecrīstnian, W2, *to christen, baptize;* pp. -crīstnad, V, v, 101. (CHRISTEN)

cū, f., *cow;* gs. -s, XI, 77, -us, XI, 75, -u, XI, 76; as. XI, 73. (COW)

cucu, see **cwic**.

culpe, f., *fault;* as. culpan, XV, 177. (Lat. culpa)

culter, m., *coulter;* ds. cultre, III, 22. (COULTER)

cuman, S4, *to come;* inf. I, ii, vs. 16, cumon, IV, 229; pres. 3s. cymeð, V, i, 27, cymð, VII, 83; pres. pl. cumað, V, i, 73; subj. pres. 3s. cyme, V, i, 56, cume. V, v, 49; pres. pl. cuman, III, 53; imp. s. cum, II, ii, vs. 10; ind. pret. 3s, cōm, I, i, vs. 20, cwōm, XIV, 202, cuōm, IV, 24; pret. pl. cōmon, IV, 121, cōman, IV, 385, cwōman, XXIV, 650, cuōmon, IV, 2; subj. pret. 3s. cōme, IV, 393; pret. pl. cōme, V, iv, 4 (see note); pp. cumen, V, vi, 54; pp. npm. cumene, V, i, 60. (COME)

cumbol, n., *standard, ensign;* np. XIV, 175.

cumbolgehnāst, n., *conflict of banners;* gs. -es, XVII, 49.

cund (usually an adj. termination), *kind;* gs. -es, XXII, ii, 54.

cunnan, PP, *to know;* pres. 1s. cann, III, 46, conn, XV, 198, con, V, vi, 29'; 2s. canst, III, 45; pres. pl. cunnon, VIII, 36, cunnun, V, v, 55; subj. pres. pl. cunnen, VIII, 61; ind. pret. 1s. cūðe, V, vi, 31; 3s. cūðe, XIII, 385; pret. pl. cūþon, VI, ii, 10, cūðan, X, 110. (CAN, UNCOUTH)

cunnian, W2, *to prove, try, test, explore;* inf. XVIII, 215; pres. 1s. cunnige, XX, 35; 3s. cunnað, XIX, 29; pret. pl. cunnedon, XXIV, 508; pp. gecunnad, XX, 5.

curran, W1, *to creak;* pret. pl. XXII, ii, 9.

cūð, adj., *known, familiar, famous;* nsn. XIV, 191; gsn. -es, XIV, 230; gp. -ra, XIX, 55. (UNCOUTH)

cūðlic, adj., *clear, certain;* comp. asn. -re, V, v, 55.

cūðlice, adv., *clearly;* V, v, 10.

cwacian, W2, *to tremble;* pres. 3s. cwacað, XV, 797. (QUAKE)

cwalu, f., *killing, violent death;* ns. X, 53; ds. cwale, **V, v, 107.**

Cwǣtbrycg, f., *Bridgenorth, in Shropshire;* ds. -e, IV, 177.

cwealm-stōw, f., *death place;* ds. -e, IX, ii, 46. (QUALM-)

cwēn, f., *queen;* ns. IX, ii, 43; ds. -e, IV, 335; np. -e, XXII, ii, 9. (QUEEN)

Cwēnas, m. pl., *Kwaens, a tribe near the Finns;* np. VII, 70; gp. Cwēna, VII, 70.

cweðan, S5, *to say, speak;* pres. ptc. cweðende, II, i, vs. 22; ger. tō cweðenne, X, 45; pres. pl. cweðað, II, ii, vs. 13; imp. s. cweð, XXII, i, 2; pret. 3s. cwæð, I, i, vs. 11; pret. pl. cwǣdon, V, i, 47, cwǣdan, X, 125; pp. *(called),* cweden, V, iv, 25. (QUOTH)

gecweðan, S5, *to speak, say;* pret. 3s. -cwæð, XVI, 69; pret. pl. -cwǣdon, XXIV, 535; pp. -cweðen, IV, 306.

cwic (cucu), adj., *alive, living;* asn. cucu, II, i, vs. 20; isn. -e, XII, i, 10; gp -ra, XIX, 9; apn. cuce, II, i, vs. 24. (QUICK)

cwide-giedd, n., *word, speech, utterance;* gp. -a, XIX, 55.

cwīþan, W1, *to bewail;* inf. XIX, 9.

cwyldrōf, adj., *savage;* npn. XIV, 166.

cwylman, W1, *to murder;* pp. npm. cwylmde, V, ii, 47. (Cf. cwealm)

gecwylman, W1, *to kill;* inf. III, 113.

cȳdde, see cȳðan.

cȳgan, gecȳgan, see cīgean, gecīgan.

cyld, n., *cold;* ds. -e, III, 26.

cyle, m., *chill, coldness, cold;* ds. III, 34; as. VII, 151. (CHILL)

cyme, m., *coming, approach;* ds. V, iii, 14; as. XIV, 179. (Cf. cuman)

cyncg, see cyning.

cynelīc, adj., *royal;* npn. -o, V, ii, 45; apn. wk. -an, V, ii, 42.

cynelīce, adv., *royally;* IV, 227.

cynerīce (kynerīce), n., *kingdom;* gs. kynerīces, VIII, 67; ds. IV, 377; is. **IV, 78.**

cynestōl, m., *throne, royal dwelling;* as. IX, ii, 35; dp. -um, XVI, 49.

cyning (cynincg, cyningc, cyng, cyncg, cing, cincg, cining, kyning, kynincg), m., *king;* ns. V, iv, 28, cyningc, VII, 117, cyng, IV, 169, cing, XVII, 1, kyning, VIII, 1; gs. -es, V, ii, 7, cynges, XI, 10, cincges, III, 50; ds. -e, IV, 106, cynincge, VII, 35, cynge, IV, 226, cyncge, III, 76, cyng, IV, 387, kynincge, VII, 1; as. IV, 26, cyningc, VII, 42; voc. s. V, v, 31; np. -as, XIV, 185, ciningas, XVII, 29, kyningas, VII, 124; gp. -a, IV, 58. (KING)

cyningcynn, n., *royal family;* ns. V, ii, 29.

cynn (cinn), n., *kin, race, kind, family;* ns. V, i, 60; gs. -es, V, iii, 8; ds. -e, II, i, vs. 25, cinne, II, i, vs. 11; as. II, i, vs. 20, cinn, II, i, vs. 20; gp. -a, V, i, 6. (KIN)

cȳnren, n., *kindred, kind;* as. XXIII, 28.

cȳpan, W1, *to sell;* pres. 2s. cȳpst, III, 90. (Cf. cēap)

cȳpmann, m., *merchant;* np. -menn, III, 17, cȳpemen, V, iv, 4. (CHAPMAN)

cyrice, see cirice.

cyrichata, m., *persecutor of the church;* np. -n, X, 129.

cyrm, m., *cry;* ns. XVIII, 107.

cyrr, m., *turn, time, occasion;* ds. -e, VII, 6. (Cf. CHAR, CHORE)

cyrran (cirran), W1, *to turn, return;* inf. IX, ii, 33; pret. 3s. cirde, IV, 116; pret pl. cyrdon, VII, 20.

gecyrran (-cerran, -cirran), W1, *to turn, change, return;* inf. -cerran, **XII, ii,** 29; pret. pl. -cyrdon, IV, 307, -cirdon, IV, 86, tō þǣm gecirdon þæt, IV, 39 (*came to the resolution that*); pp. npm. -cyrde, V, iv, 35.

cȳse, see cēse.

cyssan, W1, *to kiss;* pres. pl. cyssað, **XXI, i,** 3: subj. pres. 3s. cysse, XIX, 42; ind. pret. 3s. cyste, I, i, vs. 20.   (KISS)

cȳðan, W1, *to make known, tell, show;* inf. VIII, 2; pres. 3s. cȳð, IX, i, 33; pres. pl. cȳðað, XVI, 14; imp. s. cȳð, XXIV, 659; pret. 3s. cȳðde, V, vi, 51, cȳdde, IV, 387; pret. pl. cȳðdon, V, ii, 36.   (Cf. cūð)

gecȳðan, W1, *to make known, proclaim;* inf. XI, 59; pret. 3s. -cȳðde, IV, 213.

cȳððu, f., *kith, home, country;* as. cȳððe, XVII, 38.   (KITH)

D

dǣd, f., *deed, act;* gs. -e, X, 66; as. XXIV, 585; np. -a, X, 85; gp. -a, V, vi, 84; dp. -um, V, ii, 39; ap. -a, IX, i, **41.**   (DEED)

Dæfenascīr, see Defenascīr.

dæg, m., *day;* ns. II, i, vs. 5; gs. -es, XXI, iv, 17, used adverbially, XXI, **iv, 3** (*by day*); ds. -e, V, iv, 4, dege, XII, i, 44, tō dæge, V, ii, 25 (*today*); as. VII, 128, longe on dæg, IV, 68 (*far on in the day*), tō dæg, V, i, 58 (*today*); is. -e, XI, 84; np. dagas, XX, 80; gp. daga, IX, i, 43; dp. dagum, I, i, **vs. 13,** dagan, VII, 89; ap. dagas, V, i, 30; adv. of time, þrȳ dagas, VII, 10.   (DAY)

dæghwomlīce (-hwamlīce), adv., *daily;* IX, i, 76, -hwamlīce, X, 10.

dægrǣd, n., *dawn;* as. III, 19.

dægweorc, n., *day's work, deed;* gs. **-es, XVIII.** 148; as. XIV, 151.   (DAY'S-WORK)

dæl, n., *valley;* ap. dalo, XIII, 421.   (DALE)

dǣl, m., *part, portion, share;* ns. XV, 806; ds. -e, V, i, 60, be suman dǣle, X, 183 (*in some part, partly*); as. I, i, vs. 12; dp. -um, V, i, 3.   (DEAL)

dǣlan, W1, *to divide, distribute, deal out, bestow;* inf. XXIII, 29; pres. **3s.** dǣleð, XVI, 71; subj. pres. pl. hilde dǣlon, XVIII, 33 (*fight*); ind. pret. **3s.** dǣlde, I, i, vs. 12.   (DEAL)

gedǣlan, W1, *to divide, distribute, separate, part, break off;* inf. XV, 166; subj. pres. 3s. -dǣle, XII, i, 33; ind. pret. 3s. -dǣlde, XIX, 83; pp. -dǣled, XIV, 207.

dǣlnimende, pres. ptc. as adj., *partaking, participating;* asm. used as noun, V, ♥, 18 (*partaker*).

gedafenian, W2, *to befit, beseem;* pres. 3s. -dafenað, V, iv, 22, -dafonað, **V, iv, 30;** pret. 3s. -dafenode, V, vi, 16.

Dālrēadingas, m. pl., *a tribe of Scots;* np. **V, i, 64.**

dareðlācende, m. pl., *lancers;* np. XVI, 53.

daroð, m., *dart, spear;* ns. XXIII, 21; as. XVIII, 149; gp. daroða lāf, XVII, **54** (*leavings of spears,* i.e. *survivors*).   (Cf. DART)

daru, f., *harm, injury;* ds. dare, IX, i, 58.   (Cf. derian)

Dāuīd, m., *David;* gs. -es, XV, 165.

dēad, adj., *dead;* nsm. I, i, vs. 24, nsm. wk. -a, VII, 134, nsn. wk. -e, XX, 65; gsm. wk. -an, VII, 146; npm. wk. -an, VII, 151; dp. -um, XX 98.   (DEAD)

dēaf, adj., *deaf;* nsm. XI, 17.   (DEAF)

deagung, f., *dawn;* ns. V, i, 29.

deall, adj., *proud, famous;* npm. -e, XXIV, **494**

dēaŏ, m., *death;* ns. XI, 12; ds. -e, IX, ii, 30; **ag.** XVI, 62; **is.** -e, V, ʋi, 123. (DEATH)

dēaŏdæg, m., *day of death;* ds. -e, XXII**,**ⁱ 60. (ꝺEATH-DAY)

dēawigfeŏere, adj., *dewy-winged;* npm. 𝔛ₗV, 163. (DEWY-FEATHER)

Defenas, m. pl., *people of Devon, Devon* .ⁱp. Defenum, IV, 200.

Defenascīr (Dæfena-), f., *Devonshire;* ds. -e, IV, 19, Dæfenanscīre, IV, 333.

delfan, S3, *to delve, dig;* inf. VI, ii, 22. (DELVE)

dēman, W1, *to judge;* inf. XV, 803. (DEEM, cf. dōm)

dēmend, m., *judge;* ns. XXIII, 36.

Denamearc (Dene-), f., *Denmark;* ns. VII, 92; ds. Denemearce, VII, 97. See also Denemearce.

Dene, m. pl., *the Danes;* gp. Dena, XXIV, 498, Deniga, XXIV, 599; dp. Denum, IV, 359, Denon, XVIII, 129; ap. VII, 91.

Denemearce, f., *Denmark;* ds. -mearcan, VII, 102, -mearcon, IV, 343. See also Denamearc.

Denisc (Denesc), adj., *Danish;* asm. -ne, IV, 14; npm. wk. as noun, þā Deniscan, IV, 15, þā Denescan, IV, 7; gp. -ra, IV, 5, gp. wk. -ana, IV, 167.

dennian, W2, *to become slippery;* pret. 3s. dennade, XVII, 12.

denu, f., *valley;* dp. -m, XXI, iv, 3.

dēofellīc (dēoflīc), adj., *devilish;* dp. -um, IX, i, 60, dēoflīcum, IX, i, 63. (DEVIL-LIKE)

dēofol, m. or n., *devil;* ns. IX, i, 50; gs. dēofles, IX, i, 48; ds. dēofle, IX, i, 49. (DEVIL, Lat. diabolus)

dēofolgyld (dēoful-), n., *idol;* as. V, ʋ, 81; gp. -a, V, ʋ, 74; dp. -um, V, ʋ, 85, deofulgyldum, V, ʋ, 71.

dēop, adj., *deep;* asn. XVII, 55; apn. wk. -an, XIII, 421. (DEEP)

dēope, adv., *profoundly, deeply;* XV, 168.

dēor, n., *animal, wild beast;* ns. XVI, 12; gs. -es, XVI, 25; as. XVII, 64; np. XIV, 166; gp. -a, VII, 43; ap. II, i, vs. 24. (DEER)

dēor, adj., *brave;* nsm. XX, 41; dp. -um, XX, 76.

dēorboren, adj., *well-born;* comp. dp. -borenran, XI, 68.

deorc, adj., *dark, gloomy;* asn. wk. -e, XIX, 89. (DARK)

dēorcynn, n., *animal-kind, race of animals;* ds. -e, IX, i, 55.

dēore (dȳre), adj., *dear, beloved, precious, valuable;* dsn. wk. dēoran, XXIV, 561; npm. XIV, 186, npn. dȳre, VII, 44; supl. nsn. dēorost, XXIII, 10. (DEAR)

deorfan, S3, *to work, labor;* pres. 1s. deorfe, III, 19.

gedeorfan, S3, *to labor, toil;* pres. 1s. -deorfe, III, 39.

dēorlīc, adj., *bold;* asf. -e, XXIV, 585.

Deorwente, f., *the river Derwent;* ds. -wentan, V, ʋ, 92.

dēorwurŏlīce, adv., *preciously, gloriously;* IX, ii, 13.

Dēre, m. pl., *Deirans, inhabitants of Deira;* np. V, iv, 25.

derian, W1, w. dat., *to injure, harm;* inf. IX, i, 56; pres. 3s. dereŏ, X, 86; pret. 3s. derede, X, 54.

ꝺiacon, m., *deacon;* ns. XII, i, 66. (DEACON, Lat. diaconus) gedīgan, W1, *to survive;* pres. 3s. -dīgest, XXIV, 661; pret. 1s. -dīgde, XXIV, 578.

digol, n., *grave;* ds. dīgle, XVI, 62.

dīgol, adj., see dȳgol.

dīorwyrðe, adj., *precious;* gp. -wyrðra, VI, ii, 5.

dōgor, n., *day;* gs. -es, XXIV, 605; gp. dōgra, XIX, 63.

dohtor, f., *daughter;* ns. XV, 191; as. IV, 1. (DAUGHTER)

dol, adj., *foolish, stupid, proud;* nsm. XX, 106; npm. -e, XIII, 340; apm. -e, XXI, iv, 17. (Cf. DULL)

dolgilp, n., *foolish boasting, foolhardiness;* ds. -e, XXIV, 509.

dōm, m., *doom, judgment, decree, choice; glory, renown, reputation;* gs. -es, V, vi, 79; ds. -e, V, vi, 53, XV, 168; as. XVIII, 38, XVIII, 129; dp. -um, V, vi, 82. (DOOM)

dōm-georn, adj., *eager for glory;* npm. -e, XIX, 17.

Dominus, m., Lat., *Lord;* gs. Domini, IX, i, 11.

dōn, anom., *to do, perform, cause, act, make, put;* inf. V, vi, 11; ger. tō dōnne, V, v, 4; pres. 1s. dō, I, ii, vs. 11; 2s. dēst, III, 27; 3s. dēð, V, i, 21; pres. pl. dōð, VI, i, 9; subj. pres. 2s. dō, VIII, 21; 3s. dō, VIII, 77; imp. s. dō, I, i, vs. 19, II, ii, vs. 5 (*put off*); imp. pl. dōð, IX, i, 61; pret. 1s. dyde ic mē tō gomene, XX, 20 (*I diverted myself with*); 3s. dyde, V, vi, 24, V, iv, 3 (*took*); pret. pl. dydon, IV, 173; pp. gedōn, II, i, vs. 7. (DO)

gedōn, anom., *to do, bring about, accomplish, make, cause, reach, arrive at;* inf. VIII, 57; pres. 3s. -dēð, V, v, 18; pres. pl. -dōð, VII, 153; pret. pl. -dydon, IV, 166; pp. -dōn, IV, 242.

Dornsǣte, m. pl., *inhabitants of Dorsetshire;* dp. -sǣtum, IV, 14.

draca, m., *dragon;* ns. XXIII, 26; ds. -n, XVI, 16; ap. -n, IX, i, 57. (DRAKE, Lat. draco)

drāf, f., *drove;* as. -e, X, 108. (DROVE)

drēam, m., *joy;* ns. XX, 80; is. -e, XIX, 79; np. -as, XX, 65; gp. -a, XVI, 55.

gedreccan, W1, *to afflict;* pret. pl. -drehton, X, 55.

gedrēfan, W1, *to stir up, trouble, distress;* pres. 3s. -drēfeð, VI, i, 4; pp. -drēfed, XV, 168.

dreng, m., *warrior;* gp. -a, XVIII, 149.

drēogan, S2, *to suffer, endure;* inf. XXIV, 589; pres. pl. drēogað, XX, 56. (Sc. DREE)

drēor, m., *blood;* ds. -e, XIV, 151.

drēorig, adj., *dreary, sad;* nsm. XIX, 25, nsf. XVII, 54; asm. -ne, XIX, 17. (DREARY, cf. drēosan)

drēorig-hlēor, adj., *with sad face;* nsm. XIX, 83.

drēosan, S2, *to fall, perish;* pres. 3s. drēoseð, XIX, 63.

gedrēosan, S2, *to fall, fail;* pret. 3s. -drēas, XIX, 36; pp. -droren, XX, 86.

drīfan, S1, *to drive;* inf. IV, 3; pres. 1s. drīfe, III, 33; pres. pl. drīfað, X, 108; subj. pres. 3s. drīfe, X, 73; ind. pret. 3s. drāf, II, ii, vs. 1. (DRIVE)

drignis, f., *dryness;* ns. II, i, vs. 9; as. -e, II, i, vs. 10. (DRYNESS)

Drihten (Dryhten), m., *the Lord, God, lord, prince, ruler, king;* ns. II, ii, vs. 2, Dryhten, V, vi, 44; gs. Drihtnes, V, ii, 2, Dryhtnes, XV, 186; ds Drihtne, IX, ii, 46, Dryhtne, V, vi, 55.

drihtně, m., *corpse;* dp. -um, XIV, 163.

drinc, m., *drink;* np. -as, VI, ii, 4. (DRINK)

drincan, S3, *to drink;* inf. V, i, 76; pres. pl. drincað, VII, 118; pret. pl. druncon, VI, ii, 12, druncan, VI, ii, 9; pp. druncen, XXIV, 531 (*flushed with drink*). (DRINK)

dryht, f., *multitude, men;* gp. -a, XVI, 25.

Dryhten, see Drihten.

dryhtlīc (driht-), adj., *lordly;* nsn. drihtlīc, XXIII, 26; supl. dp. dryhtlīcestum, XX, 85.

drysmian, W2, *to become gloomy;* pres. 3s. drysmað, XXIV, 1375.

Dubslane, m., *one of the three Scots who came to Alfred;* ns. IV, 128.

Dudda, m., *a West-Saxon alderman;* ns. IV, 9.

gedūfan, S2, *to plunge in, sink in;* pret. 3s. -dēaf, XXIV, 2700.

dugan, PP, *to avail, profit, be of use, be strong;* pres. 3s. dēag, XV, 189, dēah, XVIII, 48; subj. pres. 3s. duge, XXIV, 589; ind. pret. 3s. dohte, X, 51 (*there was no goodness*), duhte, IV, 295; subj. pret. 2s. dohte, XXIV, 526. (Cf. DOUGHTY)

duguð, f., *virtue, honor, benefit; men (doughty ones), retainers, host;* ns. XIX, 79; gs. -e, XIV, 228; ds. -e, XVIII, 197, dugeðe, IX, ii, 21; as. dugeðe, X, 170; gp. -a, XVI, 16; dp. dugeþum, XX, 80. (Cf. dugan)

dumb, adj., *dumb;* nsm. XI, 17; gp. -era, XI, 16. (DUMB)

dūn, f., *hill, down;* gs. -e, V, iii, 13; ds. -e, II, ii, vs. 1; dp. -um, XXI, iv, 3. (DOWN)

Dunnere, m., *an Anglo-Saxon warrior;* ns. XVIII, 255.

dūnscræf, n., *ravine;* dp. -scrafum, XVI, 12.

durran, PP, *to dare;* pres. 2s. dearst, XXIV, 527; 3s. dear, X, 23; subj. pres. 1s. durre, XIX, 10; ind. pret. 3s. dorste, II, ii, vs. 6; pret. pl. dorston, VII, 20. (DARE)

duru, f., *door;* ns. XXIII, 36; as. V, v, 50; gp. dura, XI, 8. (DOOR)

dux, m., Lat., *leader;* ns. XII, i, 1.

dwæs, adj., *foolish;* dp. wk. -an, X, 145.

dwelian, W2, *to lead astray;* pret. 3s. dwelode, X, 7. (Cf. DWELL)

Dyflen, *Dublin;* as. XVII, 55.

dȳgol (dȳgel, dīgol), adj., *concealed, secret, obscure;* nsf. dīgol, XXIII, 62; asf. dȳgle, XVI, 37, asn. dȳgel, XXIV, 1357; dp. dīglum, V, iii, 4.

Dynges (mere), gs., *a proper name* or *the sea of dashing and noise;* XVII, 54.

dynt, m., *blow;* dp. -um, XXI, iv, 17. (DINT)

dȳre, see dēore.

dyrne, adj., *secret, hidden;* nsf. XXIII, 62; ism. XXIII, 43; gp. dyrnra, XXIV, 1357.

dyrstig, adj., *bold;* nsm. III, 69.

dysig, adj., *foolish;* npm. -e. X, 131. (DIZZY)

dysi(g)nes, f., *folly, foolishness;* ds. dysinesse, V, v, 76; as. dysinesse, V, v, 79 (DIZZINESS)

E

ēa, f., *river;* ns. VII, 19; gs. -s, IV, 19; ds. V, v, 93, ēæ, IV, 171; as. VII, 20,
    ēa rinnende, XXII, ii, 54 (*water*).

ēac (ēc), adv., conj., *also, moreover, even, besides;* I, ii, vs. 11; ēc, XII, i, 2;
    ēac swā, IV, 166 (*likewise*); prep. w. instr., *besides, in addition to;* XIV, 245.
    (EKE)

ēacen, adj., *great, exalted;* asn. XV, 205.

ēad, n., *riches, prosperity;* gs. -es, XIII, 402.

ēad, adj., *honored;* asn. wk. -e, XIV, 186.

Ēadburg, f., *daughter of the Mercian king Offa;* as. -e, IV, 1.

ēaden, pp., *granted, vouchsafed;* XV, 200.

Ēadgār, m., *king of the West Saxons;* ns. X, 36.

ēadig, adj., *blessed, happy, rich;* nsm. XX, 107; dsm. wk. -an, V, iv, 1; dp. as
    noun, -um, XXII, ii, 40.

ēadignes, f., *happiness, blessedness;* gs. -se, V, v, 66.

Ēadmund, m., *Edmund, king of the West Saxons, brother of King Athelstan;*
    ns. XVII, 3.

Ēadrēd, m., *a kinsman of Alfred, dux;* gs. -es, XII, i, 44; ds. -e, XII, i, 41.

Ēadrīc, m., *alderman of Mercia;* ns. IV, 330; ds. -e, IV, 329; *a follower of Byrht-
    noþ;* ns. XVIII, 11.

Ēadweard (-werd, -ward), m., *Edward, king of the West Saxons, son of King
    Alfred;* ns. IV, 188; gs. -es, XVII, 7; *king of the West Saxons, called the
    Martyr, son of Edgar;* as. Ēadwerd, X, 73; *Edward the Confessor, king of
    England, son of King Ethelred II;* ns. Ēadward, IV, 374; as. Ēadward, IV,
    303; *an Anglo-Saxon warrior;* ns. XVIII, 117.

Ēadwīg, m., *king of "churls";* as. IV, 334.

Ēadwine, m., *Edwin, earl of Mercia;* ns. IV, 381; *king of Bernicia;* ns. V, v, 96.

Ēadwold, m., *an Anglo-Saxon warrior;* ns. XVIII, 304.

eafora, m., *child;* np. -n, XVII, 7; dp. eafrum, XIII, 399; ap. -n, XVII, 52.

eafoð, n., *strength, might;* as. XXIV, 602.

ēage, n., *eye;* ns. XI, 77; gs. ēagan, V, v, 52; dp. ēagan, XIV, 179; ap. ēagan,
    I, ii, vs. 13. (EYE)

ēagorstrēam, m., *sea-stream, sea;* as. XXIV, 513.

eahta (ehta), num., *eight;* VII, 38; ehta, V, i, 4. (EIGHT)

eahtetēoða, num., *eighteenth;* IX, i, 22. (EIGHTEENTH)

eal, see eall.

ēalā (æalā), interj., *alas, oh;* I, i, vs. 17; æalā, VI, ii, 21.

ēaland (-lond), n., *island;* ns. -lond, V, i, 1; gs. -es, V, iv, 12, -londes, V, i, 38;
    ds. -e, V, iv, 11, -londe, V, i, 61; as. VI, ii, 13, -lond, V, i, 49.

ealað, see ealo.

Ēalchere, m , *alderman of Kent;* ns. IV, 21.

Ēalchstān, m., *bishop of Sherborne;* ns. IV, 45.

eald (ald), adj., *old, ancient;* nsm. XXIII, 30, nsm. wk. -a, XVI, 58, ealda
    fæder, XVIII, 218 (*grandfather*), alda, IV, 60; dsm. wk. -an, IX, i, 9, dsn.
    wk. Ēaldan mynstre, IV, 338 (*the Cathedral*); asm. -ne, XXI, iv, 8; npm.
    -e, XVII, 69, npm. wk. -an, IX, i, 4. npn. XIX, 87; gp. -ra, X, 38; apn

-e, XVIII, 47; comp. nsm. yldra, I, i, vs. 25; gp. yldra, V, iv. 2; supl. nsm. wk. yldestan, IV, 344, nsf. yldost, XXII, ii, 3. (OLD, ELDER, ELDEST)

ealdgestrēon, n., *ancient treasure;* as. XV, 812.

ealdian, W2, *to grow old;* pres. 3s. ealdaδ, XX, 89.

ealdor, m., *prince, ruler, elder;* ns. V, iv, 18; gs. *ealdres,* XVIII, 53; ds. ealdre, XVIII, 11.

ealdor, *life,* see aldor.

ealdorbisceop, m., *chief bishop;* ns. V, v, 30.

ealdorlang, adj., *life-long, lasting;* asm. -ne, XVII, 3.

ealdorman(n) (-mon, aldorman, -mon), m., *alderman, chief;* ns. -man, IV, 203, -mann, IV, 330, -mon, IV, 200, aldorman, IV, 11, aldormon, IV, 19; gs. ealdormannes, IV, 331; ds. aldormen, IV, 118; as. ealdorman, IV, 224, aldormon, IV, 16; np. aldormen, IV, 9; dp. ealdormannum, V, v, 47. (ALDEB MAN)

Ealdrēd, m., *archbishop of York;* ns. IV, 395.

Ealdseaxe, m. pl., *Old Saxons;* ap. -seaxan, V, ii, 21.

ealgian, W2, *to defend;* pret. pl. ealgodan, XVII, 9.

geealgian, W2, *to defend;* inf. XVIII, 52.

Ealhelm, m., *an Anglo-Saxon warrior;* ns. XVIII, 218.

eall (eal, al, all), adj., *all;* nsm. IV, 393, nsf. VIII, 58, nsn. IV, 367, eal, IX, ii, 33, all, IV, 116; gsn. as noun, -es, I, ii, vs. 12, gsn. -es, IV, 342; dsn. -um, IV, 244; asm. ealne, V, v, 90, -ne, IV, 390, alne, IV, 55, asf. -e, V, vi, 91, ealle þā hwīle, VII, 126 *(all the time),* asn. IV, 339, eal, V, vi, 73; npm. -e, VI, iii, 2, alle, IV, 95, npf. -e, IV, 241, npn. VII, 102, -e, I, i, vs. 31; gp. -ra, VI, iii, 5, ealra, IV, 340; dp. -um, V, v, 27, allum, XII, i, 2; apm. -e, XXIV, 649, apf. -e, I, i, vs. 14, -a, VIII, 41, apn. -e, I, i, vs. 13; gs. as adv. eallea, X, 11 *(entirely);* is. as. adv. mid ealle, X, 143 *(entirely).* (ALL)

eallinga, adv., *entirely;* V, v, 32.

ealneg (= ealne weg), adv., *always;* VIII, 79.

ealo, n., *ale;* ns. VII, 121; gs. ealaδ, VII, 153. (ALE)

ēalond, see ēaland.

ealowǣge, n., *ale-cup;* as. XXIV, 495.

ēar, see ǣr.

eard, m., *home, dwelling, country;* ds. -e, X, 35; as. XVI, 11.

eardgeard, m., *dwelling-place, earth;* as. XIX, 85.

eardian (-igan), W2, *to dwell, inhabit;* inf. eardigan, V, i, 53; pres. pl. eardiaδ, VII, 60; pret. pl. eardodon, VII, 95.

geeardian, W2, *to dwell, abide;* pret. 3s. -eardode, XV, 208.

eardstapa, m., *land-stepper, wanderer;* ns. XIX, 6.

eardungstōw, f., *dwelling-place;* gs. -e, V, i, 45; as. -e, V, i, 51.

ēare, n., *ear;* as. XI, 34. (EAR)

earfeδe, n., *hardship;* gp. earfeδa, XIX, 6; dp. earfeδum, V, v, 15; ap. earfeδo, XXIV, 534.

earfoδlic, adj., *difficult, full of hardship;* nsn. XIX, 106.

earfoδhwīl, f., *time of hardship;* as. -e, XX, 3.

ēargebland, n., *wave-mingling, ocean;* as. XVII, 26.

earh, adj., *cowardly;* nsm. XVIII, 238.

earm, m., *arm;* as. XVIII, 165; dp. -um, XXIV, 513. (ARM)

earm (ærm), adj.. *poor, miserable, wretched;* nsm. IX, i, 65, **nsn. wk. -e, IV,** 319; gsf. wk. -ən, V, ii, 50; dsf. wk. -an, X, 159, ærman, IV, 261; asm. **-ne,** XIX, 40, asn. wk. -e, IV, 245; npm. -e, X, 40; dp. -um, XXII, ii, 40; comp. asm. -ran, XXIV, 577.

earmcearig, adj., *wretched, careworn;* nsm. XIX, 20.

earmlīc, adj., *wretched, miserable;* npf. -e, X, 96.

earmlīce, adv., *miserably, wretchedly;* X, 162.

earmsceapen, pp. as adj., *wretched, miserable;* nsm. XXIV, 1351.

earmŏu, see yrmŏu.

earn, m., *eagle;* ns. XVIII, 107; as. XVII, 63. (ERNE)

earnian, W2, *to earn, desire;* inf. X, 13. (EARN)

geearnian, W2, *to deserve, earn;* inf. XII, i, 42; pret. pl. -earnodon, X, 15

Earnulf, m., *Arnulf, king of the Franks;* ns. IV, 119.

earnung, f., *merit;* dp. -an, X, 14.

ēar-slege, m., *a blow on the ear;* ds. XI, 33.

earŏ, m., *arable land;* ds. -e, XII, i, 10.

ēast, adv., *east;* VII, 15. (EAST)

ēastan, adv., *from the east;* XVII, 69; be ēastan, IV, 95 *(to the east of)*; wiŏ ēastan, VII, 59 *(to the east).*

ēast-dæl, m., *eastern part;* ds. -e, V, ii, 6.

Ēast-Dene, m. pl., *East Danes,* i.e. *Danes;* gp. -Dena, XXIV, 616.

ēastende, m., *east end;* ds. IV, 140.

Ēast Engle, m. pl., *East Angles;* np. Eastengle, V, ii, 22; gp. Engla, IV, 154; dp. Englum, IV, 33; ap. IV, 181, Engla, IV, 235, Englan, IV, 329.

Ēasterdæg, m., *Easter-day;* is. -e, V, v, 99. (EASTER-DAY)

ēasteŏ, n., *river-bank;* ds. -e, XVIII, 63.

ēasteweard (-werd), adj., *eastward, easterly;* nsn. VII, 61, -werd, VII, 62; **dsf.** -weardre, IV, 139 *(in the east of).* (EASTWARD)

Ēast-Francan, m. pl., *the East Franks;* dp. -Francum, IV, 120.

Eastland, n., *Esthonia, the country of the Ests;* ns. VII, 116; ds. -e, VII, 112.

ēastlang, adv., *in an easterly direction;* ēastlang and westlang, IV, 140 *(east and west).*

Ēastre, f., *Easter;* ds. þæs ofer Ēastron, IV, 72 *(the following Easter),* **þæs on** Ēastron, V, 91 *(the following Easter);* as. Ēastron, IV, 313. (EASTER)

ēastrīce, n., *eastern kingdom;* ds. IV, 136.

ēastryhte (-rihte), adv., *eastward;* VII, 13; -rihte, V, i, 49.

ēastsǣ, m. or f., *east sea;* ds. V, ii, 40.

Ēastseaxe, m. pl., *East-Saxons;* np. -seaxan, V, ii, 21; gp. -seaxena, XVIII, 69, Ēast Seaxna, IV, 155; dp. Ēast Seaxum, IV, 216; ap. Ēast Seaxe, IV, 235.

Eastum, see Estas.

ēastward, adv., *eastward;* IV, 281. (EASTWARD)

ēaŏe (ȳŏe), adv., *easily;* VIII, 57; supl. ȳŏast, XV, 800.

ēaŏelīce, adv., *easily;* IX, i, 58.

eaðmēde, adj., *benignant;* nsm. XVI, **56.**

eaðmōd, adj., *humble;* nsf. XII, ii, 21.

eaðmōdlīce, adv., *humbly;* V, vi, 85.

ēawfæst, adj., *religious, pious;* nsm. IX, **ii, 6.**

eaxlgestealla, m., *shoulder-companion;* ns. XXI, v, 1.

ebba, m., *ebb;* ds. -n, XVIII, 65. (EBB)

Ebrēisc, adj., *Hebrew;* nsn. wk. -e, IX, i, 16; np. wk. -an, IX, i, 5, **as noun,** -an, IX, i, 28.

Ebrēisc-geðīode, n., *Hebrew language;* ds. VIII, 48.

ēc, see ēac.

ēce, adj., *eternal;* nsm. V, vi, 40; gsm. -s, XVII, 16, gsf. ēcre, V, v, 66, gsn. **-s,** V, v, 66, gsn. wk. ēcan, V, v, 19; dsn. ēcum, V, v, 112; asm. ēcne, V, ii, 52; npm. XX, 67; gp. ēcra, V, v, 18; apn. wk. ēcan, XIV, 194.

ecg (ecgg), f., *edge, sword;* ns. XVIII, 60; np. -e, XXIV, 2683; dp. ecggum, XVII, 4. (EDGE)

Ecgbryht, m., *Egbert, king of the West-Saxons;* ns. IV, 6.

Ecgbryhtesstān, m., *Egbert's stone, in Wiltshire;* ds. -e, IV, 94.

ecghete, m., *violence;* ns. XX, 70.

Ecglāf, m., *an Anglo-Saxon warrior;* gs. -es, XVIII, 267; *father of Unferð;* gs. -es, XXIV, 499.

Ecgþēow, m., *father of Beowulf;* gs. -es, XXIV, 529.

ecgþracu, f., *sword-storm,* i.e. *fight;* as. -þræce, XXIV, 596.

ēcnys, f., *eternity;* ds. -se, IX, i, 81.

geedcucian, W2, *to come to life;* pres. pl. -edcuciað, IX, i, 34; pret. 3s. -edcucude, I, i, vs. 24, -edcucede, I, i, vs. 32.

geedlǣcan, W1, *to repeat, persist in a statement;* subj. pres. pl. -edlǣcan, IX, **i, 13.**

edor, m., *enclosure, dwelling;* np. ederas, XIX, 77.

efenyrfeweard, m., *joint-heir, co-heir;* np. -as, V, iv, 22.

efnan, W1, *to level;* pres. 1s. efne, XXI, iv, 8.

efne, adv., *even, just;* I, i, **vs.** 29; interj., *lo!;* II, i, vs. 29. (EVEN)

efstan, W1, *to hasten;* pret. pl. efston, XVIII, 206. (Cf. ofost)

eft, adv., *again, afterwards, back;* II, i, vs. 6.

eftfylgan, W1, *to follow after, succeed;* subj. pres. 3s. -fylge, V, v, 55.

ege, m., *fear;* ds. III, 21; as. VI, i, 13. (Cf. AWE)

egesa (egsa), m., *fright, fear, terror;* ns. egsa, XX, 103; ds. egsan, XX, 101; np. -n, XIV, 201.

egesfull, adj., *fearful, terrible;* nsm. XXIII, 30.

egeslīc, adj., *terrible, awful;* nsn. X, 5; npf. -e, X, 85.

Egipte (Egypte), m. pl., *Egyptians;* gp. Egipta, II, ii, **vs.** 7, Egypta, V, **vi, 74;** dp. Egipton, II, ii, **vs. 9.**

ēgland, see īgland.

egsa, see egesa.

ēgstrēam, m., *water-stream, sea;* dp. -um, XXIV, **577.**

Egypte, see Egipte.

Egyptisc, adj., *Egyptian;* np. **wk.** -an, IX, **i, 7.**

ehta, see eahta.

ēhtan, W1, *to pursue;* pret. pl. ēhton, III, 53.

eld, f., *age;* ns. VI, ii, 2.

Elena, f., *Helena, mother of Constantine;* ns. IX, ii, 37.

Elfrēd, see Ælfrēd.

ellen, n., *courage, strength, deeds of valor;* ns. XXIII, 16; ds. mid elne, XIX, 114 *(courageously),* as adv. elne, XXIV, 2676 *(quickly, valiantly):* as. on ellen, XIV, 218 *(boldly).*

ellenrōf, adj., *vigorous;* nsm. XVI, 40.

ellenweorc, n., *work of valor, courageous deed;* as. XXIV, 661.

ellenwōdnes, f., *zeal, fervor;* gs. -se, V, vi, 87.

elles, adv., *else, otherwise;* IX, ii, 51.   (ELSE)

ellorgǣst, m., *alien spirit;* ap. -as, XXIV, 1349.

elmeshlāf, m., *alms-loaf;* gs. -es, XII, ii, 5.

elmesse, f., *alms, charity;* as. XII, i, 38.   (ALMS, Late Lat eleemosyna)

eln, f., *ell (measure of about 2 ft. used by Ohthere);* gp. -a, VII, 37.   (ELL)

elne, see ellen.

elþēodig, adj., *foreign;* gp. -ra, XX, 38.

elþīodignes, f., *exile, pilgrimage;* ds. -se, IV, 124.

embe, see ymbe.

emnæþele, adj., *equally noble;* ap. VI, iii, 9.

emniht, f., *equinox;* ds. -e, IX, i, 6.

emnlang, adj., *equally long;* on emnlange, prep. w. dat., *along;* VII, 59.

end, see and.

ende, m., *end;* ds. XXI, v, 8; as. V, v, 109.   (END)

endebyrdnes (-nys), f., *order, sequence;* ns. V, vi, 36; ds. -nysse, IX, i, 44 as. -e, V, vi, 21.

endedæg, m., *last day, death;* as. XXIV, 637

geendian (-ændian), W2, *to die, end, finish, accomplish, destroy;* ger. tō geendianne, V, v, 108; pret. 2s. -ændadest, XXII, ii, 24; 3s. -endode, X, 36, -endade, V, vi, 120, -ændade, XXII, ii, 34; pp. -endad, V, v, 106.   (END)

endlyfta, num., *eleventh;* isn. -n, V, v, 98.

Enēus, m., *the Hivites;* II, ii, vs. 8.

engel, m., *angel;* ns. XIII, 349; np. englas, IX, ii, 14; gp. engla, V, iv, 22; dp. englum, XX, 78.   (ANGEL, Lat. angelus)

Englafeld, m., *Englefield, in Berkshire;* ds. -a, IV, 49.

Englaland, n., *England;* gs. -es, IV, 342; ds. -e, IV, 310; as. IV, 339.

Engle, m. pl., *the Angles, later the English;* np. VII, 95; gp. Engla, X, 169; dp. Englum, X, 180; ap. V, ii, 22.

englelīc, adj., *angelic;* apf. -e, V, iv, 21.

Englisc, n., *the English language;* as. on Englisc, IV, 132; adj., *English;* asn VIII, 61; gp. -ra, IV, 388.

Engliscgereord, n., *English language;* ds. -e, V, vi, 7.

ent, m., *giant;* gp. -a, XIX, 87.

eodorcan, W1, *to ruminate;* pres. ptc. eodorcende, V, vi, 69.

Eoferwíc, n., *York* (*town of the wild boar*); as. IV, 385. (Celt. Eboracum)

Eoferwicceaster (Eofor-), f., *York;* ds. -ceastre, V, v, 92, Eoforwícceastre, IV, 41.

eofor, m., *boar;* ns. XXIII, 19.

eoh, m., *horse;* as. XVIII, 189.

ēored, n., *band, troop;* as. or p. XIV, 157.

ēoredcyst, f., *crowd, company;* dp. -um, XVI, 52.

eorl, m., *earl, man, warrior;* ns. XVIII, 6; gs. -es, XXI, v, 5; ds. -e, XVIII, 28; as. XXIV, 573; np. -as, XVII, 31; gp. -a, XIV, 154; ap. -as, XIV, 216. (EARL)

eorlíc, adj., *manly, heroic;* asn. XXIV, 637.

eornost, f., *earnest;* as. X, 109. (EARNEST)

eornoste, adv., *earnestly, fiercely;* XVIII, 281.

eorp, adj., *dark;* asn. XIV, 194.

eorðe, f., *earth, ground;* ns. II, i, vs. 2; gs. eorðan, V, vi, 41; ds. eorðan, V, v 45; as. eorðan, II, i, vs. 1. (EARTH)

eorðríce, n., *earthly kingdom;* ds. XIII, 419.

eorðscræf, n., *earth-cave,* i.e. *grave;* ds. -e, XIX, 84.

eorðwæstm, m., *fruit of the earth;* dp. -um, IV, 370.

eorðwela, m., *earthly prosperity;* np. -n, XX, 67.

ēow, see **þū.**

ēower, poss. pr. adj., *your;* gsm. ēowres, VI, iii, 13; dsn. ēowrum, II, i, vs. 28; gp. ēowra, XXIV, 634; dp. ēowrum, VI, iii, 10. (YOUR)

Ēowland, n., *Öland, island in the Baltic Sea;* ns. VII, 105.

erbe, see **ærfe.**

ercebiscop, see **ærcebiscop.**

erestan, see **ærestan.**

erfe, see **ærfe.**

erfeland, n., *heritable land;* ds. -e, XII, ii, 22.

erian, W1, *to plow;* inf. VII, 57; pret. 3s. erede, VII, 48.

esne, m., *servant, man;* ap. esnas, XXI, iv, 16.

Estas, m. pl., *the Ests or Esthonians;* dp. Estum, VII, 109, Eastum, VII, 150.

ēstēadig, adj., *prosperous;* nsm. XX, 56.

ēstig, adj., *bounteous;* nsm. XVI, 16.

Estmere, m., *the sea of the Ests,* i.e. *Frisches Haff;* ns. VII, 110; ds. VII, 110.

et, see **æt.**

etan, S5, *to eat;* inf. I, i, vs. 23; pret. pl. ǣtor, I, i, vs. 16. (EAT)

ettan, W1, *to graze, pasture;* inf. VII, 57.

Eþandūn, f., *Edington, in Wiltshire;* ds. -e, IV, 98.

ēðel, m., *home, native land, territory, one's own residence;* ns. V, i, 80; gs. ēðles, V, ii, 15, ēþeles, XXII, i, 11; ds. ēðle, V, ii, 8; as., VIII, 8.

Ēðelrēd, m., *Ethelred, mentioned in Alfred's Will;* gs. -es, XII, i, 41.

ēðelriht, n., *hereditary right, inheritance;* gs. -es, XIV, 211.

ēðelweard, m., *guardian of the native land, king;* ds. -e, XXIV, 616.

Ethēus, m., *the Hittites;* II, ii, vs. 8.

Eurōpe, *Europe;* gs. V, i, **3.**

Ēve, f., *Eve;* ns. XIII, 419.

Exanceaster, f., *Exeter, in Devonshire;* as. IV, **157.**

F

fācen, n., *deceit, evil, guilt;* ds. fācne, XV, 207; as. XXIII, 56; is. fācne, **XIV,** 150.

fadian, W2, *to arrange, order;* inf. X, 188; pret. 3s. fadode, X, 61.

fæc, n., *interval, time;* ns. V, v, 52; ds. -e, V, v, 54; as. V, vi, 119; is. myccle fæce, V, i, 3 *(far apart).*

fædan, see fēdan.

fæder, m., *father;* ns. I, i, **vs.** 22; gs. I, i, vs. 17; ds. I, i, vs. 12; as. XXIV, 1355; voc. s. I, i, vs. 12; gp. -a, II, ii, vs. 13. (FATHER)

fædra, m., *paternal uncle;* gs. -n, IV, 189.

fædrenmæg, m., *paternal kinsman;* gp. -mēga, XII, i, 19.

fǣge, adj., *doomed;* nsm. XIV, 169; gsm. -s, XVIII, 297; npm. XVII, 28; dp. fǣgum, XX, 71; apm. wk. fǣgean, XVIII, 125. (Sc. FEY)

fægen, adj., *glad;* nsm. XVI, 35. (FAIN)

fæger, adj., *fair, beautiful;* gsm. -es, V, iv, 8; dsm. -e, V, vi, 87; asf. -e, XXIV, 522, asn. V, iv, 17; comp. nsm. -ra, V, i, 15. (FAIR)

fægere, adv., *well, prosperously;* XVIII, 22; supl. fægrost, XX, **13.**

fægrian, W2, *to grow beautiful;* pres. pl. fægriað, XX, 48.

fǣhð, f., *feud, hostile act;* as. -e, XVIII, 225; gp. -a, XXIV, 2689. (Cf. FEUD)

fǣmne, f., *maiden, virgin, woman;* ns. XV, 195; as. fǣmnan, XV, 187; vocs. XV, 175.

fǣr, n., *journey, way;* as. IX, i, **41.** (Cf. faran)

fǣreld, n., *journey;* as. XII, i, 15.

fǣrlīce, adv., *suddenly;* XIX, 61. (FEAR-)

fǣrsceaða, m., *sudden enemy;* ds. -n, XVIII, 142.

fæst, adj., *fast, firm, secure;* nsm. XXIV, 636, **nsn.** XXIII, 38; dsm. -um, XIII, 408; asn. XIV, 178. (FAST)

fæstan, W1, *to fast;* pres. 1s. fæste, I, ii, **vs. 12.** (FAST)

fæste, adv., *fast, firmly;* V, **v,** 88. (FAST)

fæsten, n., *fastness, fortress;* ds. -ne, IV, 144; as. XVIII, 194.

fæstenbrice, m., *breaking of a fast;* ap. -bricas, X, 127.

fæstlice (fest-), adv., *firmly, resolutely, bravely;* V, v, 71; festlīce, IV, 209.

fæstnian, W2, *to fasten, confirm;* inf. XVIII, 35; pres. 1s. fæstnie, XII, i, 61. (FASTEN)

gefæstnian, W2, *to fasten, attach, make firm, establish;* pret. 3s. -fæstnode, IV, 308; pp. -fæstnod, IX, ii, 49; pp. dpm. -fæstnodon, III, 22.

fæstnis, f., *firmament;* **ns.** II, i, **vs.** 6; ds. -se, II, i, **vs.** 7; as. -se, II, i, **vs. 7** (FASTNESS)

fæstnung, f., *safety, security;* ns. XIX, **115.**

fæstrǣd, adj., *resolute;* asm. -ne, XXIV, 610.

fǣt, see fǣted.

*f**æted** (fætt, fæt), pp. as adj., *ornamented, fatted, fat;* nsn. XXIV, 2701; asn. fætt I, i, vs. 23, fæt, I, i, vs. 27. (FAT)

fætels, n., *vessel, vat;* ap. VII, 153.

fætt, see **fæted.**

fæþm, m., *embrace, bosom;* ds. -e, XXIII, 61; dp. -um, XXI, iii, 13. (FATHOM)

fāg (fāh), adj., *colored, variegated, stained, shining;* nsm. fāh, XIX, 98, nsn. fāh, XXIV, 2701; dp. -um, XXIV, 586.

fage, n., *plaice;* as. III, 102.

fāh (fāg), adj., *guilty, criminal, hostile;* nsm. XI, 3; gsm. wk. fāgan, XXII, ii, 43; gp. fāra, XXIV, 578. (FOE)

Falster, *an island in the Baltic Sea;* ns. VII, 101.

fām, n., *foam;* ns. XXI, iii, 4. (FOAM)

fana, m., *standard, banner;* ns. XIV, 248. (VANE)

fandian, W2, *to try, find out, examine, investigate;* inf. VII, 7.

faran, S6, *to go, travel, proceed, fare;* inf. XVIII, 88; pres. 1s. fare, I, i, vs. 18; 3s. fareð, XX, 91, færð, XXII, ii, 3; pres. pl. farað, VII, 11; pret. 3s. fōr, IV, 383; pret. pl. fōron, IV, 26, fōran, IV, 385. (FARE)

gefaran, S6, *to go, proceed, fare, travel, depart from life, die;* pret. 3s. -fōr, IV, 45; subj. pret. 3s. -fore, VII, 98; pp. gefaren, IV, 289.

Faraōn, m., *Pharaoh;* gs. -is, XIV, 156.

Fariseus, m., *Pharisee;* ns. I, ii, vs. 11.

faroð, m. or n., *current, sea;* ds. -e, XXIV, 580.

fēa (fēawa), adj., *few;* np. fēawa, VIII, 17; dp. fēawum, I, i, vs. 13. (FEW)

feala, see **fela.**

feallan, S7, *to fall;* inf. XVIII, 54; pres. 3s. fealleþ, XIX, 63, fealð, VI, i, 8, fylð, VII, 85; pret. 3s. fēoll, V, v, 9, fēol, XVIII, 126; pret. pl. fēollon, XVIII, 111, fēollan, XVII, 12. (FALL)

fealo, adj., *fallow, pale, yellow, dark;* asm. -ne, XVII, 36; apm. fealwe, XIX, 46. (FALLOW)

fealohilte, adj., *fallow-hilted;* nsn. XVIII, 166.

Fearnlēg, *Farleigh, in Kent;* ds. XII, i, 41.

fear (r), m., *bull;* np. fearras, XXII, ii, 10.

fēasceaft, adj., *miserable, wretched;* asm. -ne, XV, 175.

fēasceaftig, adj., *needy;* asn. XX, 26.

fēawa, see **fēa.**

feax, n., *hair;* ds. -e, XI, 31. (FairFAX)

feaxede, adj., *hairy, haired;* nsm. IV, 132

feax-wund, f., *scalp-wound;* ds. -e, XI, 30.

Februarius, Lat., *February;* IV, 298.

feccan, W1, *to fetch, bring;* inf. IV, 335. (FETCH)

gefecgan, W1, *to fetch, take;* inf., XVIII, 160.

fēdan (fǣdan), W1, *to feed, support, bring up;* pres. 3s. fētt, III, 78; subj. pres 3s. fēde, XI, 72; ind. pret. 3s. fǣdde, IV, 222. (FEED)

fel, see **fell.**

fela (feala), adj. indecl., *many, much;* I, i, vs. 17; feala, XXIII, 12.

gefēlan W1, *to feel;* inf. XX, 95. (FEEL)

feld, m., *field, battle-field;* ns. XVII, 12; ds. -a, XVIII, **241.** (FIELD)

feldhūs, n., *tent;* dp. -um, XIV, 223.

fell (fel), n., *skin, hide;* as. fel, VII, 53; dp. -um, VII, 49; ap. VII, 53. (FELL)

fēng, m., *grasp;* n. or as. XIV, 246; as. XXIV, 578. (Cf. fōn)

fengelād, n., *fen-path;* as. XXIV, 1359.

fenn, m., *fen, marsh;* ds. -e, XXIII, 42. (FEN)

feoh, n., *cattle, property, goods, money;* ns. XIX, 108; gs. fēos, VII, 131; **ds.** fēo, VII, 137; as. VII, 129. (FEE)

feoh-gīfre, adj., *greedy of possessions, avaricious;* nsm. XIX, 68.

feohtan, S3, *to fight;* inf. V, ii, 8; pres. ptc. feohtende, IV, 209; subj. pres. **3s.** feohte, XI, 10; ind. pret. 3s. feaht, XVIII, 254. (FIGHT)

gefeohtan, S3, *to fight, win by fighting;* inf. XVIII, 129; subj. pres. 3s. XI, **11;** ind. pret. 3s. -feaht, IV, 6; pret. pl. -fuhton, IV, 51; pp. -fohten, IV, 78.

feohte, f., *fight, battle;* ns. XVIII, 103; as. feohtan, XXIV, 576. (FIGHT)

fēolheard, adj., *hard as a file;* apn. XVIII, 108. (FILE-HARD)

gefēon, S5, w. gen. or dat., *to rejoice;* pres. ptc. -fēonde, V, v, 89.

fēond (fīond, fȳnd), m., *enemy, foe;* ns. XIV, 203; gs. -es, XXII, ii, 43; as. XIV, 237; gp. -a, V, v, 11, fīonda, XXIV, 2671; dp. -um, V, ii, 16; ap. fȳnd, XVIII, 82. (FIEND)

fēondgrāp, f., *enemy's grip;* dp. -um, XXIV, 636.

fēondscaþa (-sceaþa), m., *enemy;* ns. XXIV, 554; ap. -sceaþan, XXI, i, **19.**

feor (feorr), adv., *far, far off;* V, i, 49; feorr, I, i, vs. 20; supl. fyrrest, VII, 11. (FAR)

gefēordon, see gefēran.

feorh (feorg, ferh), m. or n., *life; person, form;* ns. feorg, XX, 94; gs. fēores, XVIII, 260; ds. fēore, XVIII, 194; as. V, iv, 17, ferh, XXIV, 2706.

feorhhūs, n., *life-house,* i.e. *body;* as. XVIII, 297.

feorhlēan, n., *gift of life, saving of life;* as. XIV, **150.**

feorhneru, f., *salvation;* ds. -nere, XVI, 72.

feorlen, adj., *distant, far;* asn. I, i, vs. 13.

feorlond, m., *distant land;* dp. -um, XVI, 10.

feormfultum, m., *support, benefit;* ds. -e, XII, i, 24.

feorr, see feor.

feorran, adv., *far off, from afar;* I, ii, vs. 13, XXIII, 1.

fēorþa, num., *fourth;* nsm. II, i, vs. 19, nsn. fēorþe healf hund, IV, 24 (see notes); ds. -n, IX, i, 26. (FOURTH)

fēower (fōwer), num., *four;* IV, 168; fōwer, IV, 328. (FOUR)

fēowertig, num., *forty;* ns. V, ii, 1; gs. -es, VII, 38; ds. -um, V, ii, 3. (FORTY)

fēowertȳne, num., *fourteen;* V, vi, 90. (FOURTEEN)

fēran, W1, *to go, travel, journey;* inf. XVIII, 41; pres. 1s. fēre, XXI, ii, **5;** subj. pres. 3s. fēre, XI, 71; ind. pret. 3s. fērde, I, i, vs. 13, pret. pl. fērdon, IV, 214, fērdun, I, ii. vs. 10.

gefēran, W1, *to acquire, attain;* **pret. pl.** -fēordon, IV, **210.**

ferh, see feorh.

ferian, W1 *to carry, go;* inf. XVIII, 179; pres. 3s. !ereð, XXI, i, 7; pret. **3s.** ferede, XIX, 81; pret. pl. feredon, XXI, iv, 4. (FERRY)

geferian, W1 or 2, *to carry, bear;* pp. -ferod, II, i, vs. 2.

fers, n., *verse;* ap. V, vi, 35. (VERSE, Lat. versus)

fersc, adj., *fresh;* npm. -e, VII, 72. (FRESH)

ferð, m. or n., *mind, spirit, heart;* ns. XIX, 54; ds. -e, XIX, 90; as. XX, 26.

ferðloca, m., *spirit, heart, mind;* ns. XIX, 33; as. -n, XIX, 13.

ferwernan, W1, *to prevent;* subj. pres. 3s. -werne, XII, ii, 27.

fēsan, W1, *to put to flight;* pres. 3s. fēseð, X, 102.

festlīce, see **fæstlīce.**

festnian, W2, *to fasten, confirm;* pres. 1s. festne, XII, ii, 13.

gefestnian, W2, *to fasten, fix;* pres. 1s. -festnie, XII, ii, 22.

gefetian, W2, *to fetch, bring;* pret. pl. -fetedon, IV, 179.

fetor, f., *fetter;* dp. feterum, XIX, 21. (FETTER, cf. fōt)

gefetrian, W2, *to shackle, fetter;* pret. 3s. -fetrade, XVI, 60.

fēða, m., *troop, company;* ap. -n, XIV, 225.

fēðe, n., *movement;* as. XIII, 379.

feðer, f., *feather;* np. feðre, XXI, iv, 4; gp. feðra, VII, 53; dp. -um, VII, **50;** ap. feðra, XIX, 47. (FEATHER)

feðerhoma, m., *feather-coat;* ds. -n, XIII, 417.

fierd, see **fyrd.**

fīf (fīfa, fīfe), num., *five;* V, i, 32; fīfa, XI, 77; fīfe, XVII, 28. (FIVE)

Fīfburhingas, m. pl., *people of the Five Danish Boroughs;* dp. -burhingan, **IV,** 272.

fīfta, num., *fifth;* II, i, vs. 23. (FIFTH)

fīftēne (-tȳne), num., *fifteen;* VII, 110; -tȳne, VII, 52. (FIFTEEN)

fīftig, num., *fifty;* n. XIV, 229; g. -es, VII, 39; d. -tegum, VIII, 76. (FIFTY)

gefillen, see **gefyllan.**

fille, f., *thyme* or *chervil;* as. XXII, ii, 36.

findan, S3, *to find;* inf. V, ii, 38; pres. 3s. findeð, VII, 149; pret. 1s. funde, XXII, i, 3; pret. 3s. funde, VI, ii, 23; pret. pl. fundon, XVIII, 85; pp. funden, VIII, 48, gefunden, IX, ii, 51. (FIND)

finger, m., *finger;* gp. fingra, XXIII, 38. (FINGER)

Finnas, m. pl., *the Finns;* np. VII, 25; gp. Finna, XXIV, 580; dp. Finnum, VII, 45.

finule, f., *fennel;* as. XXII, ii, 36. (FENNEL)

fīond, see **fēond.**

fiorm, f., *food, provisions, use, benefit;* as. -e, VIII, 31.

fīr, see **fȳr.**

fīras, m. pl., *men;* g. fīra, XIII, 408; d. fīrum, V, vi, 45.

fird, see **fyrd.**

firen (fyren), f., *sin, transgression, crime;* gp. -a, XV, 181, fyrena, XXIV, 628.

firgenstrēam (fyrgen-), m., *mountain stream;* ns. fyrgen-, XXIV, 1359; np -as, XXIII, 47.

first, see **fyrst.**

fisc (fix), m., *fish;* ns. XXIII, 27; as. III, **111; np. fixas,** III, 88; ap. **fixas,** II i, vs. 26. (FISH)

fisc-cinn, n., *fish-kind, race of fish;* as. II, i, vs. 21.

fiscere, m., *fisher;* ns. III, 81; np. fisceras, VII, 28; dp. fisceran, VII, 24. (FISHER)

fiscnað, m., *fishing;* ns. VII, 118; ds. fiscnoðe, VII, 6.

fiscwylle, adj., *abounding in fish;* nsn. V, i, 79; dp. -wyllum, V, i, 9.

fix, see **fisc.**

fixian, W2, *to fish;* pres. 2s. fixast, III, 98. (FISH)

flæsc, n., *flesh;* ds. -e, VI, iii, 14; as. XXI, ii, 13. (FLESH)

flæschoma, m., *body;* ns. XX, 94.

flāh, adj., *wily;* asm. flāne, XIV, 237.

flān, m., *arrow;* gs. -es, XVIII, 71; as. XVIII, 269.

flēam, m., *flight;* ds. -e, XVII, 37; as. XVIII, 81.

flēogan, S2, *to fly;* inf. XIII, 417; pres. ptc. flēogende, II, i, vs. 20; subj. **pres.** pl. flēogan, XXII, i, 9; ind. pret. 3s. flēag, XX, 17. (FLY)

flēon, S2, *to flee;* inf. XVIII, 247; pres. pl. flēoð, V, i, 21; imp. s. flēoh, XXII, ii, 21; pret. 3s. flēah, XIV, 169; pret. pl. flugon, XIV, 203. (FLEE)

flēotan, S2, *to float;* inf. XXIV, 542; pres. ptc. as noun, gp. flēotendra, XIX, 54. (FLOAT)

flet, n., *floor, hall;* as., XIX, 61.

geflīeman, see **geflȳman.**

flīes, n., *fleece;* ds. -e, XI, 80; as. XI, 82. (FLEECE)

flītan, S1, *to contend, compete;* pret. ?s. flite, XXIV, 507. (FLITE, dial.)

flōc, n., *flounder;* ap., III, 102.

flōd, m., *flood, wave, tide;* ns. XVIII, 65; **as.** XVII, 36; dp. -um, XV, 806; ap. -as, XXI, i, 7. (FLOOD)

flōdgrǽg, adj., *flood-gray, muddy;* nsf. XXIII, 31.

flōd-weg, m., *ocean path;* ap. -as, XX, 52.

flōdȳþ, f., *flood-wave, wave of the sea;* dp. -um, XXIV, 542.

flot, n., *deep water, sea;* as. XVII, 35.

flota, m., *sailor, fleet;* ns. IV, 298; ds. -n, IV, 318; as. -n, XVIII, 227; np. **-n** XVIII, 72; gp. -n, XVII, 32. (FLOATER)

flotman, m., *sailor, pirate;* np. -men, X, 101.

flōwan, S7, *to flow;* inf. XXIII, 47; pres. ptc. flōwende, XVIII, 65; pres. 3s. flēwþ, II, ii, vs. 8, flēowð, IX, i, 77. (FLOW)

flyht, m., *flight;* as. XVIII, 71. (FLIGHT)

flȳman, W1, *to put to flight;* inf. XXI, i, 19. (Cf. flēam)

geflȳman (-flīeman), W1, *to put to flight;* pret. 3s. -flīemde, IV, 15; pret. **pl.** -flīemdon, IV, 25; pp. -flȳmed, XVII, 32; pp. npm. -flīemde, IV, 167.

fnæran, W1, *to gnash one's teeth, breathe;* pret. pl. fnærdon, XXII, ii, 10.

fōddor, n., *food, fodder;* as. XVI, 35. (FODDER)

folc, n., *folk, people, nation;* ns. V, ii, 31; gs. -es, II, ii, vs. 7; ds. **-e,** V, **v, 97;** as. II, ii, vs. 10; gp. -a, XVI, 51; dp. -um, V, ii, 17. (FOLK)

folccwēn, f., *folk-queen, queen of the people;* **ns.** XXIV, 641. (FOLK-QUEEN)

folc-gefeoht, n., *general engagement, pitched battle;* np. IV, **78.**

folcgetæl, n., *count of the people, number;* as. XIV, 229.

folclagu, f., *folk-law, law of the people;* np. -laga, X, 36. (FOLK-LAW)

folclond, n., *public land;* gs. -es, XII, i, 27. (FOLK-LAND)

folcmælum, adv., *in bands;* IV, 244 (see note).

folcsæl, n., *people's hall, public hall;* ap. -salo, XXI, ii, **5.**

folcstede, m., *place of assembly, battlefield;* ds. XVII, 41.

folcwiga, m., *warrior;* np. -n, XXI, i, 13.

foldbūend, m., *earth-dweller;* np. -e, XXIV, 1355; gp. -ra, XXI, ii, 13.

folde, f., *earth, world;* gs. foldan, XIX, 33; ds. foldan, XV, 807; as. foldan, V, vi, 45.

foldhrērende, adj., *walking on the earth;* gp. -hrērendra, XVI. 5.

foldweg, m., *way, road;* dp. -um, XVI, 51.

folgian, W2, *to follow, serve, obey* (w. dat.); pret. 3s. folgude, I, i, vs. 15. (FOLLOW)

folm, f., *hand;* gp. -a, XXI, iv, 15; dp. -um, XIV, 237. (Lat. palma)

folme, f., *hand;* ds. folman, XVIII, 108; ap. folman, IX, ii, 49.

fōn, S7, *to seize, grasp, capture, catch* (often used with *tō* and dat.); inf. III, 104; pres. 1s. fō, XXII, i, 3; 2s. fēhst, III, 100; 3s. fēhð, XXI, iv, 9 (*grapples with*); pres. pl. fōð, VII, 45; subj. pres. 3s. tō þæm londe fōe, XII, i, 38, fēo, XII, i, 17; ind. pret. 1s. tō rīce fēng, VIII, 19 (*came to the throne*); 3s. tō cynerīce fēng, IV, 377 (*came to the throne*), tō þǣre sprǣce fēng, V, v, 44 (*took up the argument*), tō wǣpnum fēng, XVIII, 10; pp. npm. fangene, V, i, 10, fanggene, V, ii, 51. (Cf. FANG)

gefōn, S7, *to seize, take, capture;* inf. III, 107; pres. 1s. -fō, III, 76, -fēo, III, 61; 2s. -fēhst, III, 60; 3s. -fēhð, XI, 84; pres. pl. -fōð, XI, 85; subj. pres. 3s. -fō, XI, 5 (*wound or kill*); ind. pret. 1s. -fēnge, III, 68; 2s. -fēncge þū, III, 67; pret. pl. -fēngun, IV, 22; pp. -fongen, XI, 51; pp. dp. -fongenum, XI, 50.

for (fer), prep. w. dat. acc. instr., *for, before, because of, on account of, therefore;* XII, i, 39; fer, XII, i, 32; VII, 21; for þām, I, i, vs. 24 (*because*); for þām þe, I, i, vs. 27 (*because*), forðan VII, 16, forðan ðe, IX, i, 20, forþon þe, IV, 123; for þǣm, VIII, 37 (*therefore*); for þǣm ðe, VIII, 38 (*because*); for ðȳ, VII, 115 (*therefore*); forðȳ ðe, IV, 151 (*because*); for hwon, V, vi, 97 (*why*). (FOR)

fōr, f., *private war;* ds. -e, XI, 65; as. -e, XI, 66.

foran, adv., *before, in the van, in front;* XIV, 172.

forbærnan, W1, *to burn up* (trans.); inf. V, v, 91; pres. 3s. -bærnð, VI, ii, 21; pres. pl. -bærnað, VII, 128; subj. pres. pl. -bærnen, V, v, 69; ind. pret. 3s -bærnde, X, 74; pp. -bærned, II, ii, vs. 3.

forbēodan, S2, *to forbid;* imp. ne forbēode gē, I, ii, **vs. 16.** (FORBID)

forbeornan, S3, *to burn up* (intrans.), pret. 3s. -born, XXIV, 2672; pp. -burnen, II, ii, vs. 2.

forberstan, S3, *to burst asunder;* pret. 3s. -bærst, XXIV, 2680.

forbūgan, S2, *to escape, flee from;* pret. 3s. -bēah, XVIII, 325.

forbod, n., *prohibition;* ns. XI, 22.

ford, m., *ford;* ds. -a, XVIII, 81; as. XVIII, 88. (FORD)

fordiligian, W2, *to destroy;* pp. npm. -diligade, V, iii, 6.

fordōn, anom., *to destroy;* inf. X, 170; pret. 3s. -dyde, V, v, 95.

fore, prep. w. dat. or acc., *of, for, instead of;* XVI, 34; XVI, 62; XX, 21

forecweden, pp. as adj., *aforesaid;* ap. **wk.** -an, XII, ii, 21.

forefong, m., *seizing;* ds. -e, XI, 83.

foregangan, S7, *to go before, precede;* subj. pres. 3s. -gange, V, v, 54.

foregīsel, m., *preliminary hostage;* ap. -gīslas, IV, 100.

foresceawung, f., *foresight, providence;* ds. -e, IX, i, 79.

forespeca, m., *sponsor;* np. -n, X, 187.

foresprēc, f., *preamble;* ns. XII, i, 46.

foresprecan, S5, *to mention before;* pp. nsm. **wk.** -sprecena, IV, 164 (*aforesaid*); pp. dsm. **wk.** -n, V, ii, 4.

foretēon, W1, *to foreordain;* pp. npm. -tēode, V, v, 112.

forewerd, adj., *early;* asm. -ne, III, 33. (FORWARD)

forfaran, S6, *to destroy;* pret. 3s. -fōr, X, 76; pp. -faren, IV, 371.

forgieldan (-gyldan), S3, *to pay for, buy off;* pres. pl. -gyldon, XVIII, 32; subj. pres. 3s. -gielde, XI, 13; ind. pret. pl. -guldon, IV, 360.

forgifan (-giefan, -gyfan), S5, *to give, grant, provide; forgive* (rare); inf. XI, 13; pret. 1s. -geaf, II, i, vs. 29; 3s. -geaf, V, ii, 53, -gef, XII, ii, 4; pret. pl. -gēafen, V, ii, 16; subj. pret. 1s. -gēafe, XIII, 410; 3s. -gēfe, XIV, 153; pp. -gifan, IV, 306, -gyfen, V, vi, 56; pp. asm. -giefene, XX, 93. (FORGIVE)

forgrindan, S3, *to grind to pieces, destroy;* pp. -grunden, XVII, 18.

forgyldan, see forgieldan.

forgȳman, W1, *to neglect;* pret. 1s. -gȳmde, I, i, vs. 29.

forhealdan, S7, *to withhold;* inf. X, 23; pres. pl. -healdaδ, X, 24.

forheard, adj., *very hard;* asm. -ne, XVIII, 156.

forhēawan, S7, *to hew, cut down;* pp. -hēawen, XVIII, 115.

forhergian (-heregian), W2, *to lay waste, ravage;* pp. -hergod, VIII, 29; pp. np. -heregeode, V, ii, 44.

forhogian, W2, *to despise, scorn;* pret. 3s. -hogode, XVIII, 254.

forhohnes, f., *contempt;* ds. -nesse, V, vi, 8.

forht, adj., *afraid, fearful;* nsm. V, v, 9.

forhtfull, adj., *afraid;* nsm. III, 73.

forhtian, W2, *to fear, be afraid;* pres. ptc. forhtiende, V, ii, 54; pret. pl. forhtedon, XVIII, 21.

forhwæga, adv., *about, at least;* VII, 136.

forhwǣr, conj., *because;* III, 107.

forhwī, adv., *why;* III, 98.

forlǣtan, S7, *to leave, forsake, let;* inf. XVIII, 2; pres. ptc. -lǣtende, V, vi, 123; pres. 3s. -lǣt, VI, iii, 15; subj. pres. pl. -lǣten, XIII, 404; imp. s. -lǣt, XV, 208; ind. pret. 3s. -lēt, V, v, 108; pret. pl. -lēton, VIII, 46; subj. pret. 3s. -lēte, V, vi, 64; pp. -lǣten, VIII, 37.

forlēogan, S2. *to perjure;* pp. -logen, X, 127; pp. npm. -logene, X, 87.

forlēosan, S2, *to lose, ruin, abandon;* subj. pres. pl. -lēosen, V, v, 69; pp. -loren X, 127. (FORLORN)

forlicgan, S5, *to commit adultery;* pp. npm. -legene, X, 153 (*adulterous*).

forligere, n., *adultery;* ap. -ligeru, X, 152, -ligru, X, 125.

forma, adj., *first;* nsm. VI, ii, 21, nsf. forme, VI, ii, 2; asm. -n, IX, i, 20. (FORMER)

forniman, S4. *to carry off, destroy, annul;* pret. 3s. -nam, XXIV, 557, -nōm, XIX, 80, pret. pl. -nāman, V, ii, 42, -nōman, XIX, 99; pp. npm. -numene, V, ii, 48, pp. npn, -numene, X, 44 *(annul).*

fornȳdan, W1, *to compel, force;* pp. npf. -nȳdde, X, 39.

forrǣdan, W1, *to betray;* subj. pres. 3s. -rǣde, X, 72; ind. pret. 3s. -rǣdde, X, 74.

forsacan, S6, *to forsake;* pret. pl. -sōcan, IV, 382. (FORSAKE)

forscūfan, S2, *to shove aside, cut off;* pret. 3s. -scēaf, XIV, 204.

forsēon, S5, *to despise;* pp. npf. -sewene, X, 46.

forsīð, m., *departure, death;* ds. -e, IV, 340.

forslēan, S6, *to slay;* pp. -slegen, XVII, 42.

forsōð, adv., *truly, certainly;* XXIII, 64. (FORSOOTH)

forspanan, S7, *to seduce;* pret. 3s. -spēon, XIII, 350.

forspendan, W1, *to spend completely, squander;* pres. pl. -spendað, VII, 145.

forspillan, W1, *to waste, destroy, kill;* pret. 3s. -spilde, I, i, vs. 13.

forst, m., *frost;* ds. -e, XX, 9. (FROST)

forstelan, S4, *to steal, rob;* pp. as noun, asn. -stolen, XXI, i, 18 *(stolen property).*

forswāpan, S7, *to sweep away;* pp. -swāpen, XIII, 391.

forswelgan, S3, *to devour, swallow;* inf. XX, 95; subj. pres. pl. -swelgen, III 35.

forswerian, S6, *to forswear;* pp. npm. -sworene, X, 87. (FORSWEAR)

forswīgian, W2, *to conceal by silence, suppress;* ger. tō forswīgienne, V, iv, 1.

forsyngod, pp. as adj., *sinful;* nsm. X, 119; dsf. wk. -an, X, 160; npm. -e, X, 152.

forð, adv., *forth, forward, away; henceforth;* II, i, vs. 20, V, v, 16. (FORTH)

forðan, see **for.**

forðcuman, S4, *to come forth, be born;* pres. 3s. -cymeð, XII, i, 50.

forðfēran, W1, *to depart, die;* pret. 3s. -fērde, IV, 13; pret. pl. -fērdon, IV, 9.

forðfōr, f., *departure, death;* **gs.** -e, V, vi, 89; ds. æt -e, V, vi, 94 *(at the point of death).*

forðgān, anom., *to go forth;* pret. pl. -ēodan, V, iii, 3.

forðgecȳgan, W1, *to exhort;* pret. 3s. -cȳgde, V, iii, 10.

forðgeorn, adj., *eager to advance;* nsm. XVIII, 281.

forðgesceaft, f., *future condition;* ns. XXIII, 61.

forðgongan, S7, *to go forth, pass;* pp. dsf. -gongenre tīde, V, i, 59 *(in the course of time).*

forðhere, m., *front-army, van;* ds. -herge, XIV, 225.

geforþian, W2, *to accomplish;* pp. -forþod, XVIII, 289.

forðlēstan, W1, *to follow out, fulfill;* subj. pres. 3s. -lēste, XII, ii, 25.

forþolian, W2, w. dat., *to go without, lack;* inf. XIX, 38.

forþon, see **for.**

forðweard, adv., *in the future;* XII, i, 47.

forðweg, m., *departure, advance;* gs. -as, XIV, 248; ds. in -e, XIX, 81 *(away).*

forðȳ, see **for.**

forwegan, S5, *to kill, overcome;* pp. -wegen, XVIII, 228.

forweorpan, S3, *to throw;* imp. s. -weorp, XXII, i, 7.

forweorðan (wurðan), S3, *to perish;* pres. 1s. -wurðe, I, i, vs. 17; subj. pres. pl -weorðan, X, 166; ind. pret. 3s. -wearð, I, i, vs. 24; pret. pl. -wurdan, X, 77.

forwiernan, W1, **w.** gen. of thing, dat. of person, *to keep back from, prevent,* inf. IV, 170.

forwrītan, S1, *to cut through,* pret. 3s. -wrāt, XXIV, 2705.

forwurðan, see **forweorðan.**

forwyrcan, W1, *to close up, barricade, obstruct; ruin, destroy; incur guilt;* inf. IV, 172; subj. pres. pl. -wyrcan, X, 143; ind. pret. pl. -worhton, X, 177; pp. -worht, IV, 193; pp. npm. -worhte, XIII, 381.

forwyrd, f., *perdition, destruction;* as. V, iii, 6.

foryrman, W1, *to reduce to poverty;* pp. nsf. -yrmde, X, 40. (Cf. earm)

foster, n., *fostering, sustenance, food;* ds. fostre, XI, 73. (FOSTER)

fōt, m., *foot;* gs. -es, XVIII, 247; ds. fēt, XXII, i, 2; as. XXII, i, 3; np. fēt, XIII, 379; gp. -a, XXI, iv, 15; dp. -um, I, i, vs. 22. (FOOT)

fōtmǣl, n., *space of a foot;* as. XVIII, 275.

fōwer, see **fēower.**

fracod (fracoð), adj., *dishonored, despised, wicked;* nsm. fracoð, XV, 195, nsn. fracod, III, 5.

Frǣna, m., *a Danish earl;* ns. IV, 61.

fræng, see **frignan.**

frætwan, W1, *to adorn, ornament;* pp. frætwed, XXI, i, 11.

frætwe, f. pl., *treasures;* np. XV, 807; gp. frætwa, XV, 805; dp. frætwum, XVI, 29.

fram (from), prep. **w.** dat. or instr., *from, by, through, concerning;* II, i, **vs.** 4; from, XXIV, 532. (FROM)

franca, m., *spear;* ds. -n, XVIII, 77; as. -n, XVIII, 140.

frēa, m., *lord;* ns. V, vi, 45; gs. -n, XXIV, 500; ds. -n, XVIII, 12; as. -n, XVIII, 259, frēa, XXII, ii, 44 (see note).

frēamǣre, adj., *well-known;* asm. -mǣrne, XVI, 10.

freca, m., *warrior;* ap. -n, XIV, 217.

frēcednys, f., *danger;* ds. -nysse, IX, ii, 30.

frēcne, adj., *dangerous, wicked, fierce, cruel, violent;* nsm. XXIV, 2689; asf. wk. frēcnan, VI, ii, 23, asn. XXIV, 1359; npn. XIV, 203.

frēcnys, f., *danger, harm;* as. -se, III, 114.

frēfran, W1, *to comfort, cheer;* inf. XIX, 28. (Cf. frōfor)

fremde, adj., *strange, foreign, alien;* np. wk. as noun, fremdan, VII, 147; dp. as noun, fremdum, X, 42, fremdan, X, 59 (*stranger*).

gefremman, W1, *to do, perform, make, afford;* inf. XIX, 16; ger. tō gefremmanne, V, iv, 36; pret. 3s. -fremede, V, iv, 41; pret. pl. -fremedon, XIII, 392; pp. -fremed, XV, 207. (Cf. FRAME)

fremsumnes, f., *benefit, kindness;* **as. -se,** V, v, 36; dp. -sum, V, **vi, 81.**

fremu, f., *benefit;* as. freme, XX, 75; gp. fremena, XIII, 437.

frēod, f., *affection, troth, good-will, peace;* ds. -e, XVIII, 39; as. -e, **XV, 166.**

frēoh, see frīo.

frēolíc, adj., *free, noble, goodly;* nsf. -u, XXIV, 641, nsn. XXIV, 615; asn. XXI, i, 13.

frēolíce, adv., *gladly, freely;* XV, 187. (FREELY)

frēolsbrice, m., *breach of peace;* ap. -bricas, X, 127.

frēolsian, W2, *to keep holy, celebrate;* pres. pl. frēolsiaठ, IX, i, 32.

frēomǣg, m., *free kinsman;* dp. -um, XIX, 21.

frēond (frīond, frȳnd), m., *friend;* ns. XVI, 15; as., XXIII, 44; np. XIV, 178; gp. -a, XVII, 41, frīonda, XII, ii, 7; dp. -um, I, i, vs. 29; ap. frīond, XII, ii, 4, frȳnd, XVIII, 229. (FRIEND)

frēondlēas, adj., *friendless;* asm. -ne, XIX, 28. (FRIENDLESS)

frēondlíce, adv., *in a friendly manner;* VIII, 2. (FRIENDLY)

frēondscipe, m., *friendship;* ds. V, i, 62; as. IV, 308. (FRIENDSHIP)

frēorig, adj., *cold, chill;* nsm. XIX, 33.

frēoriht, n. pl., *rights of freemen;* np. X, 44. (FREE RIGHT)

frēot, m., *freedom, liberty;* gs. -es, XI, 43.

freoठoburh, f., *town giving protection, stronghold;* as. XXIV, 522.

fricgan, W1, *to ask, search for;* imp. s. frige, XXI, i, 19.

frīgea, m., *the freeman;* nsm. XI, 42.

frignan, S3, *to ask, inquire;* pres. ptc. frignende, V, v, 28; pret. 3s. frægn, V, iv, 10, fræng, V, vi, 106.

gefrignan, S3, *to learn, hear of;* pret. 1s. -frægn, XXIV, 575.

frīo (frīoh, frēoh), adj., *free;* nsm. frēoh, III, 31, frīoh, XI, 39; gp. -ra, VIII, 58. (FREE)

frīond, see frēond.

friठ, m. or n., *peace, refuge, security, right of sanctuary, fine (for violating this right);* gs. -es, XI, 5; ds. -e, XI, 1; as. XI, 2, friठ nāmon, IV, 34 *(made peace).*

frōd, adj., *wise, prudent, old;* nsm. XVIII, 140, nsm. wk. -a, XVII, 37.

frōfor, f., *comfort, help, joy;* gs. frōfre, XV, 207; ds. frōfre, XXIV, 628; as. frōfre, XV, 801.

from, see fram.

fromweard, adj., *enterprising;* dp. -um, XX, 71.

Fronclond, n., *land of the Franks;* as. IV, 108.

fruma, m., *beginning, origin;* ds. -n, V, ii, 18; as. -n, V, ii, 29.

fruma, adj., = forma, *first;* dsf. wk. -n, VI, iii, 9; asf. wk. -n sceaft = frumsceaft, VI, iii, 12 *(creation).*

frumsceaft, f., *creation;* as. -e, V, vi, 33.

frumstōl, m., *original seat or dwelling;* as. XI, 74.

frymdi, adj., *petitioning, entreating;* nsm. XVIII, 179.

frȳnd, see frēond.

fugel, m., *bird;* ns. XIX, 81; np. -as, II, i, vs. 22; gp. -a, V, i, 9, fugla, XVI, 5; ap. -as, II, i, vs. 26. (FOWL)

fugel-cynn, n., *race of birds;* ds. -e, II, i, vs. 30.

fugelere, m., *fowler;* np. fugeleras, VII, 28; dp. fugeleran, VII, 24. (FOWLER)

fugolwylle, adj., *abounding in fowl;* nsn., V, i, 79.

fūl, adj., *foul, unclean;* asm. -ne, X, **176.** (FOUL)

ful, n., *cup, beaker;* as. XXIV, 615.

ful, error for **fyl, q.v.**

ful, adj. or adv., see **full.**

fūle, adv. *foully;* X, 153.

fūlian, W2, *to decay, decompose;* pres. pl. **fūliaδ,** VII, 152.

full (ful), adj., *full;* nsm. IV, 352, nsf. ful, XX, 100; dsm. -um, **IX, i, ō9, -an,** IV, 283, be fullan, VIII, 42 (*fully*), dsf. fulre, XII, ii, 29; asm. -ne, IV, 290, fulne, XII, ii, 10, asn., IV, 292; apn. V, v, 109; comp. nsn. fulre, IX, i, 69. (FULL)

full (ful), adv., *fully, very;* XVIII, 153; ful, XVIII, 311.

gefullian (=fulwian), W2, *to baptize;* pp. -fullod, IX, ii, **7,** -fullad, V, **v,** 98, -fulwad, V, v, 103; pp. npm. -fulwade, V, v, 111.

fullīce, adv., *fully, completely;* X, 94. (FULLY)

fulluht, m., *baptism;* ds. -e, X, 187; as. X, 186.

fultum, m., *help, aid;* gs. -es, V, iii, 5; ds. -e, V, iv, 36; as. V, iii, 11.

fultumian, W2, *to aid, assist;* inf. V, **v,** 39; pres. ptc. fultumigend, IX, ii, **7.**

gefultumian (-fultemian), W2, *to help, aid;* pres. ptc. -fultumiende, V, iv, **44;** pres. pl. -fultumiaδ, V, i, 52; pret. pl. mīne frīond tō gefultemedan, XII, ii, 4 (*my friends helped me to*); pp. -fultumod, V, vi, 13.

gefulwian, see **gefullian.**

fulwiht, n., *baptism;* ns. XII, i, 39; gs. -e, V, v, 97; ds. -e, IV, **102.**

fulwīte, m., *full punishment;* as. XI, 86.

fundian, W2, *to hasten, set out;* pres. 3s. fundaδ, XX, **47.**

furδon, see **furδum.**

furδor (furδur), adv., *further;* IV, 363; furδur, V, iv, 23. (FURTHER)

furδum (furδun, furδon), adv., *even, just, quite;* VI, ii, 15; furδun, I, ii, **vs. 13;** furδon, VI, ii, 14.

furδun, see **furδum.**

furδur, see **furδor.**

fūs, adj., *ready, on the way;* nsm. XIV, 248; asm. -ne, XX, 50; npm. -e, XIV, 196.

fyligean, W3, w. dat., *to follow, serve, obey;* inf. X, 185; subj. pres. pl. fylgen, V, v, 56.

fyl, m., *fall, death;* as. XVIII, 71; ful, *error for* fyl, XIV, 167.

fyllan, W1, *to fill;* inf. III, 28. (FILL, cf. full)

gefyllan (-fillan), W1, *to fill, fulfill, complete;* inf. I, i, **vs. 16;** pres. 3s. -fylleδ, XXI, i, 8; imp. pl. -fillaδ, II, i, vs. 22; pret. pl. -fyldon, V, ii, 39; pp. -fylled, XV, 181; pp. npf. -fylde, VIII, 30; pp. apm. -fylde, III, 42.

fyllan, W1, *to fell, overthrow;* pres. 1s. fylle, XXI, ii, 9. (FELL, cf. feallan)

gefyllan, W1, *to fell, cut down, deprive of* (w. gen.); pret. pl. -fyldan, **XXIV,** 2706; pp. -fylled, XVII, 41.

fyllo, f., *feast;* gs. fylle, XVI, **35.** (FILL)

fylstan, W1, w. dat., *to help, aid;* inf. XVIII, **265.**

fȳnd, see **fēond.**

fȳr (fīr), n., *fire;* ns. V, **v,** 48; gs. fīres, II, ii, vs. 2; ds. -e, V, ii, 42; as. V, **i,** 21. (FIRE)

fyrd (fird, fierd), f., *army, campaign;* ns. XIV, 223, fird, IV, 154; ds. -e, **IX,** ii, 10, firde, IV, 191, fierde, IV, 26; as. XIV, 156, -e, XIII, 408, fierd, IV, 40.

tȳrdraca, m., *fiery dragon;* ns. XXIV, 2689. (FIRE-DRAKE)

fyrdrinc, m., *warrior;* ns. XVIII, 140; gs. -es, XXI, v, 2.

fyrdsceorp, n., *war-equipment;* as. XXI, i, 13.

fȳren, adj., *fiery;* ip. fȳrnum, XVI, 60.

fyren, see firen.

fyrenlust, m., *sinful desire;* gs. **-es,** VI, ii, **7.**

fyrgenstrēam, see firgenstrēam.

fyrhto, f., *fear;* ds. fyrhto, V, vi, 79. (FRIGHT)

fyrmest, adj., *first;* IX, i, 2. (Cf. FOREMOST)

fyrngēar, n., *former year;* dp. -um, XXIII, 12.

fyrngeflita, m., *ancient enemy;* ds. -n, XVI, 34.

fyrst (first, fierst), m., *time, period;* ds. -e, XIV, 189, fierste, XI, 9; as. XIV 208, first, VIII, 61.

fyrst, adj., *first, foremost;* dp. -um, VII, 46. (FIRST)

fȳrwylm, m., *surge of fire;* dp. -um, XXIV, 2671.

fȳsan, W1, *to impel, send;* pret. 3s. fȳsde, XVIII, 269. (Cf. fūs)

gefȳsan, W1, *to make ready, prepare;* pp. -fȳsed, XIV, 221; pp. npm. -fȳsde, XVI, 52.

G

Gabrihēl, m., *Gabriel;* ns. XV, 201.

gād, n., *lack, want;* ns. XXIV, 660.

Gadd, m., *an Anglo-Saxon warrior;* gs. -es, XVIII, 287.

gegaderian, W2, *to gather, collect;* pret. 3s. -gaderude, **I, i, vs.** 13; pret. **pl.** -gadrodon, IV, 40; pp. npm. -gaderode, II, i, vs. 9. (GATHER)

gādīsen, n., *goad-iron;* ds. -e, III, 25. (GOAD-IRON)

gǣlsa, m., *luxury;* ds. -n, I, i, vs. 13; as. -n, X, 176.

gærs, n., *grass;* as. II, i, vs. 11. (GRASS)

gǣst, see gāst.

gǣstlīc, adj., *ghastly, terrible;* nsn. XIX, 73. (GHASTLY)

gafol, n., *tax, tribute;* ns. VII, 49; ds. -e, VII, 49; as. XVIII, 61.

gagātes, indecl. m., *jet;* ns. V, i, 20.

Gallia, Lat. f., *Gaul;* ds. Gallie, V, i, 2; **as.** V, i, **5.**

gālscipe, m., *pride;* ds. XIII, 341.

gamol (gomol), adj., *old, aged;* nsm. gomol, XXIII, **11,** nsn. gomol, **XXIV,** 2682; npm. gamele, XIV, 240.

gamol-(gomel-)**feax,** adj., *gray-haired;* nsm. XXIV, 608, gomelfeax, XX, 92.

gān, anom., *to go;* inf. I, i, vs. 28; pres. 1s. gā, II, ii, vs. 3; 3s. gǣð, I, ii, vs. 17; pres. pl. gāð, VI, i, 2; imp. pl. gāð, XVIII, 93; pret. 1s. ēode, V, vi, 30; **3s.** ēode, I, i, vs. 28; pret. pl. ēodon, **IX, i, 24,** on hond ēodon, IV, 113 (*surrendered*). (GO)

gegån, anom., *to go, overrun, conquer;* pret. **3s.** -ēode, IV, 394, XXIV, **2676.**

gangan (gongan), S7, *to go, walk, advance;* inf. V, vi, 92, XVIII, 3, **gongan,** XI, 81; pres. ptc. gangende, V, vi, 96, gongende, V, **vi,** 25; subj. ɒres. **pl.** gongen, XI, 47, gangon, XVIII, 56. (Sc. GANG)

gegangan, S7, *to obtain;* inf. XVIII, 59.

gangdæg, m., *"perambulation days," Rogation days;* ap. -dagas, IV, 130.

ganot, m., *gannet, sea-bird;* gs. ganetes, XX, 20. (GANNET)

gār, m., *spear;* ns. XVIII, 296; gs. -es, XIV, 240; ds. -e, XVIII, 138; as. XVIII, 13; np. -as, XIV, 158; dp. -um, XVII, 18; ap. -as, XVIII, 46. (GORE, GARLIC)

gārbēam, m., *spear-shaft;* gs. -es, XIV, 246.

gārberend, m., *spear-bearer, warrior;* np. -berend, XVIII, 262; gp. **-ra,** XIV, 231.

Gār-Dene, m. pl., *Spear-Danes, Danes;* dp. -Denum, XXIV, 601.

gārmitting, f., *meeting of spears, contest;* gs. -e, XVII, 50.

gārræs, m., *spear-rush, attack, battle;* as. XVIII, 32.

gārsecg, m., *ocean, sea;* gs. -es, V, i, 1; as. XXIV, 515.

gārwiga, m., *spear-fighter, warrior;* ds. -n, XXIV, 2674.

gāst (gǣst), m., *spirit, soul;* ns. II, i, vs. 2, gǣst, XV, 203; gs. -es, V, vi, 78; ds. -e, XVIII, 176; as. V, vi, 126; np. -as, XXIII, 59; gp. **-a,** XXIV, 1357, gǣsta, XV, 198; ap. gǣstas, XXI, ii, 13. (GHOST)

gāsthālig, adj., *holy;* npm. -hālge, XVI, 21.

Gātatūn, m., *Gatton, in Surrey;* ds. -e, XII, i, 26.

ge, conj., *and;* VII, 123; ge... ge, *both... and;* V, vi, 92.

gē, pron., see **þū.**

gē (gēa), adv., *yes;* III, 31; gēa, III, 33. (YEA)

gēac, m., *cuckoo;* ns. XX, 53.

geador, adv., *together;* XXIV, 491 (w. ætsomne).

geæþele, adj., *natural, fitting;* ns. XVII, 7.

geanwyrde, adj., *known, confessed;* nsm. III, 11.

gēap, adj., *broad, extended;* nsm. XXIII, 23.

gēar (gēr), n., *year;* ns. IV, 369; gs. -es, IX, i, 1, gēres, XXIII, 9, used **as adv.** gēares, IV, 371; as. VII, 125, gēr, V, iii, 12; is. -e, IV, 12, gēre, IV, 49; gp. **-a,** I, i, vs. 29; dp. -um, II, i, vs. 14; ap. IV, 72, gēr, IV, 163. (YEAR)

gēara, adv., *formerly, of yore;* XIII, 410; gēara iū, XIX, 22 (*long ago*); iū gēara, V, i, 1 (*formerly*). (Cf. YORE)

geard, n., *dwelling, home;* dp. -um, XV, 201. (YARD)

gēardæg, m., *day of yore;* dp. -dagum, XIX, 44.

geare (gearwe), adv., *well, readily;* V, v, 62; gearwe, **XIX, 71.**

gēarlīc, adj., *yearly;* npf. -e, IX, i, **21.** (YEARLY)

gearo, adj., *ready;* nsm. V, iv, 36, nsn. XIII, 435; npm. gearwe, **IV, 316,** gearowe, XVIII, 72. (YARE)

gearwe, f. pl., *equipments, armor, dress;* ap. XIV, 193.

gearwe, adv., see geare.

gegearwian, W2, *to prepare, make ready;* pret. **3s.** -gearwade, V, vi, 114; **subj.** pret. 3s. -gearwade, V, vi, 96; pp. -gearwod, XIII, 431. (Cf. gearu)

geat, n., *gate, door;* dp. -um, **V, i,** 24; ap. -u, **IV,** 193. (GATE)

Gēatas, m. pl., *the Jutes;* gp. Gēata, V, ii, 18; dp. Gēatum, **V, ii,** 18; *the Geats, a Scandinavian tribe in southern Sweden;* gs. Gēates, XXIV, 640 (*Beowulf*); gp. Gēata, XXIV, 601.

Gēatmæcgas, m. pl., *men of the Geats;* dp. -mæcgum, XXIV, 491

gebed, n., *prayer;* dp. -um, V, iv, 44. (BEAD)

gebeorg (-beorh), n., *protection, defense;* ns. -beorh, XXIII, 38; ds. -beorge, XVIII, 31.

gebeorhtlīc, adj., *safe;* comp. nsn. -re, III, 107.

gebēorscipe, m., *feast, banquet;* gs. -s, V, vi, 24; ds., V, vi, 20.

gebīcnung, f., *sign;* ds. -e, IX, ii, 40.

gebind, n., *mingling;* as. XIX, 24.

gebod, n., *command, order;* as. IV, 199.

gebodscipe, m., *message, command;* as. XIII, 430.

geboren, pp. as noun, *one born;* dp. -um, XX, 98 (*brothers*).

gebræc, n., *breaking;* ns. XVIII, 295.

gebrōþor, m. pl., *brothers;* np. XVII, 57, -brōþru, XVIII, 305, -brōþra, IV, 394; dp. -brōþrum, III, 12.

Gebusēus, m., *the Jebusites;* II, ii, vs. 8.

gebyrd, f., *birth, descent;* dp. -um, VI, iii, 10. (Cf. beran)

gecamp, m., *battle, fight;* ds. -e, XVIII, 153.

gecynd, f. or n., *nature, kind, natural function;* ds. -e, VI, iii, 9; as. -cynd, VI, ii, 7. (KIND)

gecynde, adj., *natural, rightful;* nsn. IX, ii, 34.

gecyndelīc, adj., *natural;* nsn. IX, i, 73.

gedāl, n., *separation, parting;* gs. -es, V, ii, 36.

gedēfe, adj., *fitting, seemly;* nsn. XXIV, 561.

gedeorf, n., *labor, hardship;* ns. III, 30; as. III, **32.**

gedrēfednes, f., *trouble, confusion;* gs. -se, VI, i, 10; ds. -se, VI, i, 16.

gedriht, f., *band of retainers;* as. XXIV, 633.

gedrync, n., *drinking, carousing;* ns. VII, 127; ds. -e, VII, **130.**

gedwæsmann, m., *foolish man;* np. -menn, IX, i, 45.

gedwola, m., *heresy, error;* dp. -dwolum, V, iv, 14.

gedwol-god, m., *false god;* gp. -a, X, 24; dp. -an, X, **27.**

gedwyld, n., *folly, error;* ds. -e, IX, i, 37.

geearnung, f., *merit, desert;* ap. -a, XVIII, 196. (EARNING)

gefægen, adj., w. gen., *glad;* npm. -e, IV, 97.

gefara, m., *companion;* ns. XXI, v, 2. (Cf. faran)

gefēa, m., *joy;* as. -n, XXIV, 562.

gefeaxe, adj., *furnished with hair;* npm. **V, iv, 9.**

gefeoht, n., *fight, war;* ds. -e, V, i, 62; as. V, ii, 35.

gefēra (-fēora), m., *companion, comrade;* ns. XVIII, 280; ds. tō gefēran, XIX, 30 (*as a companion*); as. -n, III, 24; np. -n, IX, i, 75; dp. -fērum, III, **43,** -fēorum, XII, i, 3; ap. -n, V, v, 90.

geflit, n., *conflict;* ns. V, i, **27.**

geflōg, n., *infectious disease;* ds. -e, XXII, ii, 25.

gefrǣge, n., *information through hearsay;* is. mīne gefrǣge, XXIV, 2685 (*as I have heard say*).

gefu, see **giefu.**

gefylce, n., *army, band;* dp. -fylcum, IV, 56, -fylcium, IV, 67.

gefyrn, adv., *formerly;* IV, 135.

gegaderung, f., *gathering;* ap. -a, II, i, vs. 10. (GATHERING)

gegilda, m., *guild companion;* ap. -n, XI, 60.

Gegnesburh, f., *Gainsborough, in Lincolnshire;* as. IV, 270.

gegyrela, m., *garment;* as. -n, I, i, vs. 22.

gehadod, pp. as adj., *in orders, clerical, monastic;* np. -e, X, 61; ap. -e, IV, 252.

gehæp, adj., *suitable;* dsf. -pre, III, 52.

gehātlond, n., *promised land;* gs. -es, V, vi, 75.

gehende, prep. w. dat., *near;* XVIII, 294.

gehērnes, f., *hearing;* ds. -se, V, vi, 67.

gehola, m., *protector,* gp. -holena, XIX, 31.

gehwā, pron., *each, every;* nsm. X, 163; gsn. -hwæs, V, vi, 39; dsm. -hwām, XV, 194, dsf. -hwām, XIV, 209, -hwǣm, XXIV, 1365, dsn. -hwām, XIX, 63; asm. -hwone, XVI, 67, -hwane, XVII, 9.

gehwǣr, adv., *everywhere;* V, ii, 46.

gehwæþer, pron., *both, either;* nsm. XXIV, 584; asf. -e, IV, 68, -hwæþre, IV, 52.

gehwilc (-hwylc), pron., *each, every, all;* nsm. XXII, i, 11, -hwylc, XVIII, 128; gsf. -hwylcre, XV, 180, gsn. -es, XVI, 20; dsm. -hwylcum, XVI, 46, dsf. -hwylcre, XVI, 57; asf. -hwilce, XXII, i, 4, -hwylce, XIX, 8, asn. -hwilc, II, i, vs. 12; isn. mǣla gehwylce, XX, 36 (*always*), þinga gehwylce, XX, 68 (*in every case*); npf. -hwylce, V, ii, 44.

gehygd, f. or n., *thought, mind, purpose;* ns. XIX, 72.

gelāc, n., *play, tumult;* as. XX, 35.

gelǣred, pp. as adj., *learned;* nsm. V, iv, 39; supl. apm. wk. -estan, V, vi, 52.

gelagu, n. pl., *extent;* ap. XX, 64.

gelāð, adj., *hateful;* as noun, *foe;* npm. as noun, -e, XIV, 206.

gelēafa, m., *belief, faith;* ds. -n, V, v, 14. (BELIEF)

gelīc, adj. w. dat., *similar, like;* asm. -ne, VI, iii, 2; npm. -e, X, 145; dp., -um, V, v, 57. (LIKE)

gelīce, adv., *similarly, alike, in the same way as;* VI, iii, 4; w. dat., him þæt gelīce, V, vi, 11.

gelīcnis, f., *likeness;* ds. -se, II, i, vs. 26. (LIKENESS)

gelimp, n., *calamity, event;* dp. -um, X, 114.

gelimplīc, adj., *suitable;* asf. -e, V, vi, 26; dp. as adv. -um, V, v, 3 (*by chance*).

gelōme, adv., *often, frequently;* IX, ii, 10.

gelustfullīce, adv., *gladly, joyfully;* comp. -līcor, V, v, 35. (LUSTFULLY)

gelȳfed, pp. as adj., *pious, full of faith;* nsm. IX, ii, 37. (Cf. gelēafa)

gelȳfed, adj., *weak, infirm;* gsf. -re, V, vi, 19. (Cf. LEFT)

gemæcscipe, m., *wedlock;* as. XV, 199.

gemǣne (-mēne), adj., *common, mutual;* nsm. X, 47, nsn. V, i, 37, -mēne, XII, i, 5; dsn. -mēnum, XII, i, 9; asn. XI, 71; np. X, 97.

gemǽre, n., *border, coast;* ap. -mǣro, V, i, **43.**

gēman, see gȳman.

gemāna, m., *intercourse, joining;* gs. -n, XVII, 40.

gemēne, see gemǽne.

gemet, n., *measure;* ds. -e, IX, i, 80; as. V, vi, 48; dp. -um, IX, i, **25.**

gemetfæst, adj., *even-tempered, moderate;* nsm. V, iii, 8; asn. XVI, 31.

gemetlīce, adv., *moderately, regularly;* V, vi, 91; VI, ii, 7.

gemindig, see gemyndig.

gemōt, n., *meeting, assembly, encounter;* ns. XVIII, 301; gs. -es, XVII, 50; **as.** XVIII, 199. (MOOT)

gemynd, n., *memory, remembrance, thought, mind;* ns. IX, ii, 56, XIX, 51; **ds.** -e, V, vi, 47; as. VIII, 2. (MIND)

gemyndig (-mindig), adj., *mindful;* nsm. XIX, 6, nsf. XXIV, 613; npm. -mindige, XXII, i, 10.

gēn (gīen), adv., *still, yet;* V, iv, 14; gīen, XIII, 413.

geneahhe (-nehe), adv., *frequently, often, sufficiently;* XIX, 56; -nehe, XVIII, 269.

genēat, m., *companion;* **ns.** XVIII, 310.

genehe, see geneahhe.

Genesis, *book of Genesis;* gs. V, vi, 73.

genihtsum, adj., *abundant;* npm. -e, V, i, 13.

genip, n., *darkness, mist;* ap. -u, XXIV, 1360.

genōg (-nōh), adj., *enough;* nsn. VI, ii, 3; asm. -nōhne, I, i, **vs. 17.** (ENOUGH)

gēo (gīu, iū), adv., *once, of old, formerly;* V, i, 22; gīu, V, v, 91; iū, VIII, **3;** iū gēara, V, i, 1 (*formerly*); gēara iū, XIX, 22 (*long ago*).

gēoc, f., *help;* ds. -e, XX, 101; as. -e, XXIV, 608.

gēocend, m., *savior, preserver;* as. XV, 198.

geofon (gifen), m. or n., *sea, ocean;* ns. XXIV, 515, gifen, XXI, iii, 3.

geofu, see giefu.

geogoð (geoguð, gioguð), f., *youth, young men* (collectively); **ns.** XXIII, 50, gioguð, VIII, 58; gs. -e, XXIV, 621; ds. geoguðe, XIV, 235. (YOUTH)

geogoðfeorh, m. or n., *youth;* ds. -fēore, XXIV, 537.

geoguð, see geogoð.

geolu, adj., *yellow;* isn. wk. geolwan, XXII, ii, **49.** (YELLOW)

gēomor, adj., *sad;* dsf. wk. gēomran, XX, 53.

gēomormōd, adj., *sad at heart, sorrowful;* nsm. XV, **173.**

geond (giond, gind, gynd), prep. w. acc., *through, throughout;* VII, 72; giond, VIII, 3; gind, XII, 33; gynd, X, 11; geond tō dæg, V, i, 64 (*up to this day*). (Cf. beYOND, YONDER)

geondhweorfan, S3, *to traverse, pass through;* pres. 3s. -hweorfeð, XIX, **51.**

geondscēawian, W2, *to survey, consider;* pres. 3s. -scēawað, XIX, 52.

geondþencan, W1, *to think over, reflect upon;* pres. 1s. -þence, XIX, 60; **3s.** -þenceð, XIX, 89.

geong (ging, gioncg), adj., *young;* nsm. XVIII, 210, nsm. wk. -a, XVIII, 155, gioncga, IV, 61; dsm. -um, XXIV, 2674, dsf. -re, XV, 201; asm. -ne, XVII, 44; voc. **sf. XV, 175;** npm. -e, XVII. 29; comp. nsm. gingra, I, i, **vs. 12.** (YOUNG)

georn (giorn), adj., *eager;* nsm. XVIII, 107; npm. -e, XVIII, 73, giorne, VIII, 10.

geornan, W1, w. gen., *to desire, entreat;* pret. pl. georndon, IV, 233. (YEARN)

georne, adv., *eagerly, earnestly, zealously, well, certainly;* IX, ii, 11; XVIII, 84; supl. geornost, X, 133.

geornful, adj., *eager;* nsm. XVIII, 274; asf. -le, V, iv, 3.

geornfullnes, f., *eagerness, zeal;* ds. -se, V, vi, 84.

geornlīce, adv., *eagerly, earnestly;* V, v, 3; XVIII, 265; comp. -līcor, V, v, 39.

gēotan, S2, *to pour out, shed;* inf. XV, 173.

gĕr, see gēar.

gerǣde, n., *trappings;* dp. -rǣdum, XVIII, 190.

gerēfa, m., *reeve, bailiff;* ns. IV, 2; as. -n, IV, 251. (REEVE, cf. SHERIFF)

gereord, n., *language, speech, voice;* ds. -e, III, 13; dp. -um, V, i, 33.

gereord, n., *meal;* dp. -um, XVI, 36.

gerēþru, n. pl., *steering oars, rudders;* dp. -m, IV, 122.

gerihte, n., *law;* np. -rihta, X, 4; gp. -rihta, X, 38; ap. -rihta, X, 21.

gerīm, n., *computation, number;* ns. IX, i, 8.

gerīm-bōc, f., *calendar;* np. -bēc, IX, i, 12.

gerisen, f., *due;* gp. -a, X, 38.

gerisenlīc, adj., *suitable, fitting;* apn. -e, V, vi, 3; comp. asn. -re, V, v, 56.

gerisenlīce, adv., *suitably, fittingly;* comp. -līcor, V, v, 77.

Germānia, Lat., *Germany;* gs. Germānie, V, ii, 17; ds. Germānie, V, i, 2.

gesǣlig, adj., *happy, prosperous;* ns. VI, ii, 2; np. -e, XIII, 411. (SILLY)

gesǣliglīc, adj., *happy, blessed;* np. -a, VIII, 4.

gesǣlð, f., *happiness, fortune;* ap. -a, IX, i, 8.

gescēad, n., *distinction, understanding;* ds. -e, IX, i, 9.

gescēadwīsnes, f., *intelligence, philosophy;* ns. VI, ii, 1.

gesceaft, f., *creature, creation, decree, fate, destiny;* ns. IX, i, 69; np. -a, IX, i, 53; gp. -a, VI, iii, 5; dp. -um, XVI, 56; ap. -a, II, i, vs. 26.

gesceap, n., *shape, creature, creation;* ds. -e, V, vi, 72; np. -u, XXIV, 650. (SHAPE)

gesceapenys (-nys), f., *creation;* gs. -se, IX, i, 30; **ds.** -se, IX, i, 44, -sceapennysse, IX, i, 68; as. -se, IX, i, 73.

gescrǣpe, adj., *suitable, suited;* nsn. V, i, 7; npn. V, i, 18.

gescȳ, n., *pair of shoes;* as. I, i, vs. 22.

geselda, m., *comrade, retainer;* ns. XXI, v, 3; ap. -n, XIX, 53.

geset, n., *seat;* np. -u, XIX, 93.

gesetnys, f., *law, decree;* ds. -se, IX, i, 8.

gesewenlīc, adj., *visible;* npm. -e, IX, ii, 13.

gesib(b), m., *a relative;* ns. -sib, X, 59; gp. -sibbra, XII, i, 49; dp. -sibban, X, 59.

gesihð (-syhð), f., *sight;* **ds.** -e, IX, ii, 15, -syhðe, V, vi, 123; as. -sihðe, II, ii, vs. 3. (SIGHT)

gesīð, m., *companion, fellow;* np. -as, XXIII, 14.

gesomnung, f., *assembly, congregation;* ds. -a, V, vi, 66.

gespong, n., *bond, chain;* ns. or p. XIII, 377.

gesprec, n., *discussion;* as. V, v, 23.

gesteal, n., *foundation;* ns. XIX, 110.

gestrēon, n., *property, possession;* np. VII, 143.

gesund, adj., *sound, safe, well;* np. -e, IX, ii, 33. (SOUND)

gesundfulnes (-nys), f., *prosperity, health, welfare;* ds. -se, VI, i, 14; as. -nysse, IX, i, 39.

geswencednys, f., *affliction, tribulation;* as. -se, II, ii, vs. 7.

geswincdæg, m., *day of hardship;* dp. -dagum, XX, 2.

geswing, n., *tossing, surging;* ns. XVI, 8. (SWING)

geswutelung, f., *explanation, declaration;* as. -e, IX, i, 3.

gesyhð, see gesihð.

gesȳne, adj., *visible, plain;* nsn. X, 49;. npf. XXIII, 1.

gesynto, f., *prosperity;* as. V, v, 38.

gēt, see gȳt.

getel (-tæl, -teall), n., *number, order, reckoning; tale, narrative;* ds. -e, IX, i, 80; as. IX, i, 7, -tæl, V, vi, 66; ap. -teall, IV, 326. (TALE)

getenge, adj., *near to, oppressive;* npm. XIV, 148.

getimbre, n., *building;* np. -timbro, V, ii, 45; ap. -timbro, V, ii, 42. (TIMBER)

getimbrung, f., *building, construction;* ds. -e, IX, i, 71.

getoht, n., *battle;* ds. -e, XVIII, 104.

getrum, n., *band, company;* ns. XXIII, 32.

getruma, m., *troop, company;* as. or p. -n, IV, 58.

getrȳwe, adj., *faithful, true;* nsm. III, 37. (TRUE)

getrȳwlīce, adv., *faithfully, honestly;* X, 64. (TRULY)

getrȳwð, f., *faith;* np. -a, X, 7; ap. -a, X, 189. (TRUTH)

geþafa, m., *consenter;* ns. XIII, 414.

geþafung, f., *permission, approval, consent;* ds. -e, V, iii, 5; as. -e, V, v, 43.

geðanc, m. or n., *thought, purpose, intention;* ds. -e, IX, ii, 22; as. XVIII, 13.

geðeaht, f. or n., *counsel;* ds. -e, XII, ii, 2; as. V, v, 23, -e, V, i, 48.

geþeahtere, m., *counselor,* np. -þeahteras, V, v, 58.

geþēode (-þiode), n., *language, nation;* gs. -s, VII, 148; as. VII, 32, -þiode, VIII, 33; gp. -þēoda, VIII, 47. (Cf. DUTCH)

geþēodnes, f., *association;* ds. -se, V, vi, 9.

geðincðu, f., *rank, dignity;* dp. -m, IX, i, 33.

geþinge, f., *result, issue;* gp. -þingea, XXIV, 525.

geþīode, see geþēode.

geþōht, m., *thought;* ds. -e, XIX, 88; as. XXIV, 610; np. -as, XX, 34. (THOUGHT)

geþræc, n., *press, tumult, violence;* as. XXI, iii, 2.

geþrang, n., *press, throng;* ds. -e, XVIII, 299. (THRONG)

geþungen, see þēon.

geþwære, adj., *harmonious, gentle;* npf. XXI, iii, 15.

geþyldig, adj., *patient;* nsm. XIX, 65.

gewæmmodlīce, adv., *corruptly;* III, 2.

gewald, see geweald.

gewealc, n., *rolling;* as. XX, 6.

geweald (-wald), n., *power, control, rule;* ds. -e, II, i, **vs.** 28; as. XIII, 368 -wald, IV, 8.

gewelhwær, adv., *nearly everywhere;* X, 29.

gewelhwilc (-hwylc), adj., *nearly every;* dsm. -um, X, 99, -hwylcon, X, 52.

geweorc (-werc), n., *work, labor; military work, fortification;* ns. XXIII, **2;** gs. -es, XXIV, 2711; ds. -e, IV, 92; as. V, v, 107, -werc, IV, 177; is. -e, V, **v,** 101; np. XIX, 87; ap. IV, 173. (WORK)

geweota, see gewita.

gewidre, n., *weather;* ap. -widru, XXIV, 1375. (Cf. WEATHER)

gewinn, n., *struggle, strife, conflict;* ns. VII, 120; ds. -e, V, ii, 17; **as.** XVIII, 214.

gewinna, m., *foe;* ap. -n, V, ii, 9.

gewintred, pp. as adj., *of sufficient winters,* i.e. *of age;* nsn. XI, 74.

gewis, adj., *certain;* nsm. V, vi, 127.

gewislīce (-wyslīce), adv., *certainly;* -wyslīce, III, 28; supl. -wislīcost, XXIV, 1350. (YWIS, arch.)

gewiss, adv., *certainly;* IX, ii, 42.

gewita (-weota), m., *witness;* ns. XI, 49; np. -weoton, XII, i, 59; dp. -weotan, XII, i, 2.

gewitenes, f., *departure, death;* gs. -se, V, vi, 89.

gewitnes, f., *witness, testimony, knowledge;* ns. XI, 22; ds. -se, XI, 24; as. **-se,** XI, 54; ap. -sa, XI, 53. (WITNESS)

gewitt, n., *intellect, senses, wits;* ds. -e, XXIV, 2703. (WIT)

gewrit, n., *writing, writ, scripture, book;* ns. XI, 22; gs. -es, **V,** vi, 76; ds. **-e,** XII, i, 1; np. -wriotu, XII, i, 46; gp. -a, V, i, 37; dp. -um, XVI, 14; **ap.** -wrioto, XII, 53. (WRIT)

gewuna, m., *custom;* ds. -n, IX, i, 10.

gewyrht, n., *desert, deed, work;* **as.** XI, 15; dp. -um, X, 91.

gewyslīce, see gewislīce.

gied, n., *song;* ds. -de, XXI, v, 10.

giefan, S5, *to give;* pret. pl. gēafan, V, ii, 14. (GIVE)

giefstōl, m., *throne;* gs. -es, XIX, 44.

giefu (gifu, gyfo, gefu, geofu), f., *gift;* ns. gyfo, V, **vi,** 56; ds. giefe, XVI, **71,** gyfe, V, vi, 2, gefe, XII, ii, 1; as. gife, IX, i, 48, gyfe, V, v, 11, as. or p. geofe XII, i, 52; gp. gifena, XX, 40; ap. gefe, V, v, 36. (GIFT)

giellan, S3, *to scream, yell;* pres. 3s. gielleð, XX, 62. (YELL)

gielp, m. or n., *boasting, pride;* gs. -es, XIX, 69. (YELP)

gieman, see gȳman.

gien, see gēn.

giet, see gȳt.

gif (gyf), conj., *if;* II, ii, **vs.** 13; gyf, VII, 79. (IF)

gifen, see geofen.

gifernes, f., *greediness;* ap. -sa, X, 121.

gifeðe (gyfeðe), adj., *given, granted;* nsn. XXIV, 2682, gyfeðe, XXIV, **555.**

gifian, W2, *to bestow gifts on;* pret. 3s. gifode, IV, 228.

gīfre, adj., *greedy, ravenous, eager;* nsm. XX, 62; supl. gīfrast, XV, 813.

gift (gyft), f., *price, portion, gift;* ns. XI, 61, gyft, XI, 62. (GIFT)

gifu, see giefu.

gild, see gyld.

gildan, see gieldan.

Gildas, m., *a British historian of the 6th century;* ns. X, 167.

gilpcwide, m., *boasting speech;* ns. XXIV, 640.

gim(m) (gym), m., *gem, jewel;* ns. gim, XXIII, 22, gym, **V, i,** 21; dp. gimmum, VI, ii, 23. (GEM, Lat. gemma)

gīman, see gȳman.

gind, see geond.

ging, see geong.

gioguð, see geogoð.

gioncg, see geong.

giond, see geond.

giongra, m., *follower, disciple;* dp. giongrum, XIII, 407.

giorn, see georn.

girnan, W1, w. gen., *to desire, long for, yearn for;* pret. pl. girndan, **VI, ii, 5.** (YEARN, cf. georn)

gīsel (gȳsel), m., *hostage;* ns. gȳsel, XVIII, 265; ap. gīslas, IV, 273.

gīslian, W2, *to give hostages;* pret. 3s. gīslode, IV, 280, gīslade, IV, **225;** pret. pl. gīslodon, IV, 288.

gīt, see gȳt.

git, see þū.

gītsere, m., *covetous person, miser;* ns. VI, ii, 22.

gītsung, f., *covetousness, greed;* ns. VI, ii, 18; as. -e, X, **172;** ap. -a, X, 120.

gīu, see gēo.

gegladian, W2, *to make glad, gladden;* pp. -gladod, IX, ii, 33. (GLADDEN)

glæd, adj., *glad, bright, pleasant, gracious;* nsf. gladu, VI, i, 6. (GLAD)

glædlīce, adv., *gladly;* IV, 311. (GLADLY)

glæshluttor, adj., *clear as glass;* nsf. -hlutru, VI, i, 4. (GLASS-)

glēaw, adj., *wise, prudent;* nsm. XIX, 73.

glēd, f., *fire, flame;* dp. -um, XXIV, 2677. (GLEED)

geglengan (-glencan), W1, *to adorn;* pret. 3s. -glencde, **V, vi,** 6; pp. -glenged, V, vi, 61.

glēowian, W2, *to jest;* pres. ptc. glēowiende, V, vi, 101.

glīdan, S1, *to glide;* pret. 3s. glād, XVII, 15; pret. pl. glidon, XXIV, **515.** (GLIDE)

glīwstæf, m., *joy;* dp. -stafum, XIX, 52.

glōf, f., *glove;* ds. -e, XXIII, 17. (GLOVE)

gnornian, W2, *to mourn, lament;* inf. XVIII, 315; pres. 3s. gnornað, XX, 92.

gōd, n., *good, goods, possessions, benefit;* gs. -es, XXII, i, 10, gs. after geunne. -es, XVIII, 176; ds. -e, XII, ii, 8; np. XVI, 71; dp. -um, **V, vi,** 65; ap. XII, **i. 52.** (GOOD)

gōd (good), adj., *good;* nsm. V, iii, 8, nsf. good, XXI, v, 10, nsn. II, i, **vs. 4;** gsm. or n., -es, VI, i, 15; dsm. -um, XVIII, 4, dsn. -um, II, ii, vs. 8, dsn. wk. -an, XIII, 410; asm. wk. -an, XVIII, 187, asf. -e, IV, 14, asn. XVIII, 13; npn. -e, II, i, vs. 31; gp. -ra, IV, 70; gp. wk. -ena, VIII, 41; apm. -e, XVIII, 170; comp. betera, *better;* nsm. his betera, XVIII, 276 ⟨*his lord*), nsn. betere, V, i, 66, betre, VIII, 54; npm. -n, XVII, 48; apn. -n, V, v, 41; supl. **betst,** *best;* nsn. XX, 73, nsm. wk. -a, VII, 37; isn. wk. -an, V, vi, 60; npm. wk. -an, V, i, 12; supl. sēlest (sēlost, sēolest), *best;* nsn. sēlost, V, v, 4; asm. wk. -an, I, i, **vs.** 22, asn. XXIV, 658, sēolest, XII, i, 4.   (GOOD, BETTER, BEST)

God, m., *God;* ns. II, i, vs. 1; gs. -es, I, ii, vs. 16; ds. -e, II, ii, vs. 11; **as.** XIII, 346; voc. s. I, ii, vs. 11; npn. -o, V, v, 38; gp. -a, V, v, 35.   (GOD)

godbearn, n., *godchild;* ap. X, 75.

godcund, adj., *divine, religious, holy;* nsf. **wk.** -e, V, i, 33; gsf. -re, V, vi, 57; dsf. -re, V, vi, 2; asm. -ne, IX, ii, 11; npm. wk. -an, VIII, 9; gp. -ra, VIII, 3; dp. -um, V, vi, 4.

godcundlīc, adj., *divine;* dsn. -um, IX, i, **9.**

godcundlīce, adv., *divinely;* V, vi, 13.

godcundnes, f., *divinity;* gs. -se, V, v, 29.

gōddǣd, f., *good deed;* dp. -an, X, 135; ap. -a, X, 136.   (GOOD DEED)

gōdfyrht, adj., *pious;* ap. -e, X, 136.

gōdian, W2, *to improve;* pres. ptc., gōdiende, X, 17.

Godmundingahām, m., *Goodmanham;* ns. V, v, 93.

Godrīc, m., *an Anglo-Saxon warrior;* ns. XVIII, 187.

Godrum, m., *Guthrum, a Danish king;* ns. IV, 103.

godsibb, m., *sponsor;* ap. -as, X, 75.   (GOSSIP)

Godwīg, m., *an Anglo-Saxon warrior;* ns. XVIII, 192.

Godwine, m., *Godwin, an Anglo-Saxon warrior;* ns. XVIII, 192; *earl of Wessex;* ns. IV, 343; *a bishop;* as. IV, 251.

gold, n., *gold;* ns. XIX, 32; ds. -e, VI, ii, 22.   (GOLD)

goldgiefa, m., *gold-giver, lord;* np. -n, XX, 83.

goldhroden, adj., *gold-adorned;* nsf. XXIV, 614.

goldwine, m., *gold-friend,* i.e. *lord;* ns. XIX, 35; as. XIX, **22.**

gomelfeax, see gamolfeax.

gomen, n., *game, diversion;* ds. -e, XX, 20 (see dōn).   (GAME)

gomol, see gamol.

gong, m., *going, course;* ds. -e, XI, 80.   (GANG)

gongan, see gangan.

gōs, f., *goose;* ap. gōes, XII, ii, **11.**   (GOOSE)

Gotland, n., *Jutland, Gothland;* ns. VII, 86, VII, 105.

grǣdig, adj., *greedy;* nsm. XX. 62; asm. -ne, XVII, 64; npm. -e, XIV, **162.** (GREEDY)

grǣf, n., *grave;* as. XX, 97.   (GRAVE)

grǣg, adj., *gray;* asn. wk. -e, XVII, 64.   (GRAY)

grǣgmǣl, adj., *gray-colored;* nsn. XXIV, 2682.

gegrǣmian, see gegremian.

grǣt, see grēat.

gram, adj., *grim, angry, cruel;* npm. -e, XVIII, 262; dp. -um, XVIII, 100.

grama, m., *wrath, anger;* ds. -n, IX, ii, 27.

Grantabrycgescīr, f., *Cambridgeshire;* as. -e, IV, 236.

grāp, f., *grasp, claw;* ds. -e, XXIV, 555.

grēat (grǣt), adj., *great, tall;* gsm. wk. grǣtan, IV, 332; npm. -e, XIII, 384. (GREAT)

Greccas, m. pl., *the Greeks;* np. VIII, 49.

Grēcisc, adj., *Greek;* npf. wk. -an, IX, i, 6.

Grēgōrius, m., Lat., *Pope Gregory the Great;* ns. V, iv, 6; ds. Grēgōrie, V, iv, 1.

gremian, W1, *to provoke, anger;* pres. pl. gremiað, IX, i, 39. (Cf. grama)

gegremian (-grǣmian), W2, *to enrage;* pret. pl. -grǣmedon, X, 169; pp. -gremod, XVIII, 138; pp. npm. -gremode, XVIII, 296.

Grēnawīc (Grēne-), n., *Greenwich;* as. IV, 294, Grēnewīc, IV, 323.

Grendel, m., *the monster slain by Beowulf;* ns. XXIV, 591; gs. Grendles, XXIV, 527; as. XXIV, 1354.

grēne, adj., *green;* nsm. XXIII, 35; isn. wk. grēnan, XXII, ii, 49. (GREEN)

grēot, n., *gravel, earth, dust;* ds. -e, XVIII, 315; as. XXII, i, 7.

grētan, W1, *to greet, approach, begin, summon;* inf. VIII, 1; pres. 3s. grēteð, XIX, 52; pret. 3s. grētte, V, vi, 28; pret. pl. grētton, XIV, 181. (GREET)

gegrētan, W1, *to greet;* pres. 3s. -grēteð, X, 138; pret. 3s. -grētte, XXIV, 652.

grim (grimm), adj., *cruel, fierce;* nsm. XXIV, 555, grimm, XVIII, 61; gsf. -re, XXIV, 527; np. -me, XIII, 390; apm. wk. -man, XIII, 407. (GRIM)

Grimbold, m., *one of King Alfred's priests;* ds. VIII, 71.

grīmhelm, m., *helmet;* as. XIV, 174.

grimlīc, adj., *fierce, cruel;* nsn. X, 5.

grimm, see grim.

grimman, S3, *to rage, roar;* pres. 3s. grimmeð, XXI, iii, 5.

grindan, S3, *to grind, sharpen;* pp. apm. gegrundene, XVIII, 109. (GRIND)

grindel, m., *bar;* np. grindlas, XIII, 384.

grið, n., *peace;* ds. -e, X, 79; as. XVIII, 35.

griðian, W2, *to protect;* inf. X, 33.

griðlēas, adj., *unprotected;* npf. -e, X, 37.

grōwan, S7, *to grow;* pres. ptc. asn. grōwende, II, i, vs. 11; pres. pl. grōwað, V, i, 8. (GROW)

grund, m., *ground, bottom, depth;* gs. -es, XIII, 346; ds. -e, XXIV, 553; as. IX, ii, 29; ap. -as, XIII, 407. (GROUND)

grundlēas, adj., *bottomless;* np. -e, XIII, 390. (GROUNDLESS)

grymetan, W1, *to roar;* pres. ptc. nsn. grymetende, XVI, 7.

gryre, m., *terror, horror;* gp. gryra, XXIV, 591.

gryrelēoð, n., *song of terror;* gp. -a, XVIII, 285.

guma, m., *man;* np. -n, XV, 813; gp. gumena, XIV, 174; ap. -n, XXIV, 614. (Cf. Lat. homo)

gūð, f., *war, battle;* ns. XIV, 158; gs. -e, XVIII, 192; ds. -e, XVII, 44; as. -e, XVIII, 325.

gūðcyning, m., *war-king;* ns. XXIV, 2677.

gūðfana, m., *war-banner;* ds. -n, IX, ii, 17.

gūðfremmende, adj., *battle-making, warring;* gp. -fremmendra, XIV, 231.

gūðhafoc, m., *war-hawk;* as. XVII, 64.

gūðplega, m., *war-play, battle;* ns. XVIII, 61.

gūðrinc, m., *warrior;* ns. XVIII, 138.

gūðrōf, adj., *battle-brave;* nsm. XXIV, 608.

gūðþrēat, m., *troop;* ns. XIV, 193.

gūðweard, m., *captain, leader;* ns. XIV, 174.

gyddian, W2, *to speak, discourse;* pret. 3s. gyddode, XXIV, 630.

gyf, see gif.

gyfeðe, see gifeðe.

gyfo, see giefu.

gyft, see gift.

gyld (gild), n., *tribute;* as. IV, 396, gild, IV, 292.

gyldan (gildan), S3, *to pay, yield, requite;* inf. VII, 52; pres. 3s. gylt, VII, 52; pres. pl. gyldað, VII, 49; subj. pres. 3s. gylde, X, 96, gilde, XI, 81; ind. pret. 3s. geald, IV, 204; pret. pl. guldon, IV, 396. (YIELD)

gylpan, S3, w. gen., *to boast;* inf. XVII, 44; pres. 1s. gylpe, XXIV, 586. (YELP)

gylpplega, m., *warfare;* as. -n, XIV, 240.

gylpword, n., *boastful word;* dp. -um, XVIII, 274.

gylt, m., *guilt, sin;* as. XI, 14. (GUILT)

gym, see gim (m).

gȳman (gīeman, gīman, gēman), W1, w. gen., *to care for, heed, observe, take care of;* inf. XIII, 346, gīeman, XIII, 349; subj. pres. 3s. gȳme, X, 20; ind. pret. 3s. gȳmde, V, vi, 82; pret. pl. gȳmdon, XVIII, 192, gīmdon, II, i, vs. 18, gēmdon, VI, ii, 11.

gȳmen, f., *care;* as. -ne, V, iv, 3.

gynd, see geond.

Gypeswīc, n., *Ipswich;* ns. IV, 202.

gyrstan-dæg, m., *yesterday;* as. III, 63. (YESTERDAY)

Gyrð, m., *son of Godwin;* IV, 394.

gegyrwan, W1, *to prepare, adorn;* pret. 3s. -gyrede, XXII, ii, 26; pp. nsm. -gyrwed, XXIV, 553. (Cf. gearu)

gȳsel, see gīsel.

gyst, m., *guest, stranger;* np. -as, XVIII, 86. (GUEST)

gȳt (gīet, gīt, gēt), adv., *yet, still;* V, v, 91; gīet, VIII, 36; gēt, V, i, 57; ða gȳt, V, v, 2 *(still),* ða gīt, VI, ii, 5, ða gēt, VI, ii, 13; ða gȳt ða, I, i, vs. 20 *(while still).* (YET)

gȳta, adv., *yet;* XVII, 66.

H

habban, W3, *to have, hold;* inf. V, i, 51; pres. ptc. hæbbende, II, i, vs. 12; pres. 1s. hæbbe, I, ii, vs. 12, hebbe, XII, ii, 26; 2s. hæfst, III, 10, hafast, V, v, 11; 3s. hæfð, XIII, 361, hafað, V, i, 4; pres pl. habbað, I, i, vs. 17; subj. pres. 3s. habbe, XII, i, 49, hebbe, XII, ii, 24 pres. pl. hæbben, VIII, 59, habbon,

II, i, vs. 30; imp. **s.** hafa, XXIV, 658; pl. habbaδ, II, i, vs. 28; ind. pret. 3s. hæfde, I, i, vs. 11, heafde, IV, 289; pret. pl. hæfdon, VII, 26, hæfdun. IV, 126, heafdon, IV, 235. (HAVE)

gehabban, W3. *to contain, hold, have;* inf. **V, i,** 47; pp. gehæfd, IX, i, 14.

hacod, m., *pike;* ap. -as, III, 96.

hād, m., *rank, office, condition; person, form;* ds. -e, V, i, 18; np. -as, VIII, 9; gp. -a, VIII, 3; ap. -as, XXI, ii, 12. (suffix-HOOD)

hādbreca, m., *violator of holy orders;* np. -n, X, 151.

hādbryce, m., *violation of holy orders;* ap. -brycas, X, 124.

hadian, W2, *to ordain, consecrate;* pp. npm. hadode, IV, 299.

hador, adj., *bright, clear-voiced;* nsm. XXIV, 497.

gehæftan, W1, *to catch, hold captive, chain;* pres. pl. -hæftaδ, III, 86; pp. -hæfted, XIII, 385; pp. npf. -hæfte, XIII, 380.

hæftnied, f., *captivity, thralldom;* ds. -e, IV, 117.

gehǣgan, W1, *to hedge in, entrap;* pp. -hǣged, XIV, 169.

hægl, m., *hail;* ns. XX, 17. (HAIL)

hægl-faru, f., *hail-storm;* as. -fare, XIX, 105.

hægstealdman, m., *warrior;* np. -men, XIV, 192.

hǣl, n., *good luck, safety;* as. XXIV, 653.

gehǣlan, W1, *to heal;* inf. XV, 174; pp. npm. -hǣlde, **V,** i, 77. (HEAL, cf. hāl)

hæle, m., *man;* ns. XIX, 73.

Hǣlend, m., *Saviour;* ns. I, ii, **vs.** 16; gs. -es, IX, ii, 41. (HEALer)

hæleδ, m., *man, warrior;* np. XVI, 20; gp. -a, XVII, 25; dp. -um, XIX, 105.

hǣlo, f., *health, salvation, welfare; greeting, hail;* ds. V, ii, 15; as. V, iv, 3. (Cf. hāl)

hærfest, m., *harvest, autumn;* ns. XXIII, 8; ds. -e, IX, i, 8. (HARVEST)

hǣring, m., *herring;* ap. hæringas, III, 101. (HERRING)

hæs, f., *command, bidding, behest;* ds. -e, XI, 38. (beHEST)

Hæsten, m., *a Danish chieftain;* ns. IV, 146.

Hæstingas (Hestingas), m. pl., *the district of Hastings, Hastings;* dp. Hestingan, IV, 391; ap. IV, 239.

hǣto, f., *heat;* ns. XIII, 389; ds. hǣte, III, 34. (HEAT)

hǣþ, f., *heath, waste;* ds. -e, XXIII, 29. (HEATH)

hǣþen, adj., *heathen;* dsm. hǣþnum, IV, 29; npm. hǣþne, IV, 23, npm. wk. hǣþnan, IV, 56; dp. -um, IX, i, 4; apm. -e, IV, 19. (HEATHEN)

hǣþengylda, m., *idolator, heathen worshiper;* ns. IX, i, 65.

hǣþennes, f., *heathenism;* gs. -se, V, iv, 14.

hǣδstapa, m., *heath-stepper, deer;* ns. XXIV, 1368.

Hǣþum, æt **Hǣþum**, *Haddeby, now Schleswig;* VII, 98.

hafela (heafola), m., *head;* gs. heafolan, XXIV, 2697; ds. heafolan, XXIV, 2679; as. -n, XXIV, 1372.

hafenian, W2, *to raise, lift up;* pret. 3s. hafenode, XVIII, 42.

hafoc (hafuc), m., *hawk;* ns. hafuc, XXIII, 17; as. XVIII, 8. (HAWK)

gehagian, W2, impers. **w.** acc., *to be convenient to;* subj. pres. 3s. -hagige, XII, i, 20.

hagol, m., *hail;* ds. hagle, XIX, 48.

hagostealdmon, m., *dweller in the homestead, youth;* ns. XXI, i, 2.

hāl, adj., *whole, sound, unharmed;* asm. -ne, I, i, vs. 27; npm. -e, XVIII, 292. (WHOLE, HALE)

haldan, gehaldan, see healdan, gehealdan.

hālettan, W1, *to salute;* pret. 3s. hālette, V, vi, 28.

Halfdene, m., *a Danish king;* ns. IV, 56.

hālgian, W2, *to hallow, consecrate;* pret. 3s. hālgode, IV, 373; pret. pl. hālgedon, V, v, 68; pp. dsf. hālgodre, IV, 376. (HALLOW)

gehālgian, W2, *to hallow, consecrate, bless;* pret. 3s. -halgode, IV, 396; pp. -hālgod, IV, 199; pp. dsf. -hālgodre, IX, ii, 52; pp. npm. -halgade, V, v, 25.

Hālgoland, n., *Helgeland, in northern Norway;* ns. VII, 76.

hālig, adj., *holy;* nsm. V, vi, 42, nsf. II, ii, vs. 5, nsf. wk. -e, IV, 212; gsf. wk. hālgan, IX, ii, 1, gsn. wk. hālgan, V, vi, 7; dsm. wk. hālgan, IX, i, 32, dsf. wk. hālgan, IX, ii, 50; asn. V, vi, 57; npm. -e, IX, i, 54; gp. ealra hāligra, IV, 185 (*All Saints*); apm. wk. hālgan, V, iv, 42, apf. -e, X, 77; supl. ism. hālgestan, V, v, 99. (HOLY)

hālignes, f., *holiness, sanctuary, religion;* gs. -se, V, v, 73; np. -sa, X, 37. (HOLINESS)

hals, see heals.

hālwende, adj., *sound, wholesome, salutary;* asf. V, i, 48; apn. V, vi, 124.

hālwendnes, f., *salubrity;* ds. -se, V, i, 65.

hām, m., *home, dwelling;* ds. IV, 192, -e, VII, 23; as. III, 21, as adv. V, ii, 10; np. -as, VI, ii, 4; ap. -as, XVII, 10. (HOME)

hamele (hamule), f., *rowlock;* ds. æt ǣlcere hamelan, IV, 361, æt ælcere hamulan, IV, 356 (*for every rower*).

hamor, n., *hammer;* gp. -a, XVII, 6. (HAMMER)

Hāmtūn, m., *Southampton,* ds. -e, IV, 11.

Hāmtūnscīr, f., *Hampshire;* ns. IV, 96; ds. -e, IV, 217; as. -e, IV, 240.

hamule, see hamele.

hāmweard, adv., *homeward;* IV, 157. (HOMEWARD)

hand (hond), f., *hand;* ns. IX, ii, 31, hond, XII, i, 18; ds. -a, V, vi, 106, hēoldan ... him tō handa, IV, 347 (*held .... of another*); as. I, i, vs. 22, hond, XXI, v, 4, on hand ēodon, V, ii, 52 (*surrendered*); np. -a, XIII, 380; gp. -a, XIII, 368; dp. -um, II, ii, vs. 8, -on, XVIII, 7, hondum, XIX, 4; ap. honda, V, vi, 126. (HAND)

handplega, m., *hand-play, encounter, fighting;* gs. -n, XVII, 25. (HAND-PLAY)

handrōf, adj., *brave;* gp. -ra, XIV, 247.

hangian (hongian), W2, *to hang;* inf. XXIII, 55; pres. 1s. hongige, XXI, i, 11; pres. pl. hongiað, XXIV, 1363; pret. 3s. hongode, XXII, ii, 38. (HANG)

hār, adj., *hoary, gray;* nsm. XVII, 39, nsm. wk. -a, XIX, 82; npm. -e, XIV, 181. (HOAR)

hara, m., *hare;* as. or p., -n, III, 61. (HARE)

Hardacnūt, m., *king of England;* ns. IV, 358; gs. -es, IV, 346; ds. -e, IV, 343.

Harold (Hareld), m., *a Danish earl;* ns. Hareld, IV, 61; *king of England, son of Cnut;* ns. IV, 353; ds. -e, IV, 349; as. IV, 342; *king of Norway;* ns. IV, 383.

hās, adj., *hoarse;* nsm. III, 26. (HOARSE)

hasopād, adj., *having a gray coat;* asm. wk. -an, XVII, 62.

hasu, adj., *gray, tawny;* npm. haswe, XXI, ii, 7.

hāt, adj., *hot, inspiring;* nsm. XXIV, 2691, nsn. XIII, 354; gsf. wk. -an, XIII, 362; asf. wk. -an, XIII, 439, asn. V, i, 17; npm. -e, XIII, 383, npf. XX, 11; apn., V, i, 18; comp. npm. -ran, XX, 64; supl. nsn. -ost, XXIII, 7.   (HOT)

hātan, S7, *to call, name, be named; order, command, cause;* hātte, pass. *be named or called;* inf. XIII, 344; pres. 1s. hāte, VIII, 2, hātu, XII, i, 1; 3s. hāteð, V, i, 5, hæt, IV, 131; pres. pl. hātað, VII, 43; pret. 3s. hēt, II, ii, vs. 5; pret. pl. hēton, V, ii, 10; pp. hāten, V, i, 1, gehāten, IX, ii, 6; pp. npm. hātene, V, i, 64; pp. npn. hātene, VII, 104; pass. 1s. hātte, XXI, i, 19; 2s. hāttest, XXII, ii, 3; 3s. hātte, VI, ii, 19, hætte, XXII, ii, 14.   (HIGHT, arch.)

gehāten, S7, *to promise;* pres. 1s. -hāte, XVIII, 246; pret. 2s. -hēte, V, v, 14; 3s. -hēt, V, iii, 10; pret. pl. -hēton, IV, 101.

hāt-heort, adj., *hot of heart, passionate;* nsm. XIX, 66.

gehāwian, W2, *to reconnoitre;* pret. 3s. -hāwade, IV, 171.

hē, hēo, hit, pers. pron., *he, she, it;* nsm. hē, I, i, vs. 11, nsf. hēo, V, vi, 51, hīo, VII, 108, nsn. hit, II, i, vs. 4, hyt, VII, 133; gsm. his, I, i, vs. 12, hys, II, ii, vs. 13, gsf. hiere, IV, 96, hire, VII, 114, hyra, IV, 346; dsm. him, I, i, vs. 12, hym, VII, 96, dsf. hire, IX, ii, 40; asm. hine, I, i, vs. 15, hyne, I, i, vs. 20, hiene, VIII, 23, asf. hīe, VIII, 69, hī, XVIII, 180, asn. hit, VII, 115; np. hīe, VI, ii, 6, hī, VI, i, 2, hȳ, VII, 20, hig, I, i, vs. 24, hīo, VI, ii, 5; gp. hiera, VII, 29, heora, II, i, vs. 21, hiora, V, iv, 27, hira, II, i, vs. 25, hyra, V, vi, 93; dp. him, V, v, 70, heom, XII, i, 12; ap. hī, IV, 248, hȳ, VII, 72, hig, I, i, vs. 14, hīo, XII, i, 12.   (HE, HIS, HIM, HER, IT)

hēafod, n., *head;* ns. IV, 258; ds. hēafde, IX, ii, 16; as. V, v, 7.   (HEAD)

hēafodlēas, adj., *headless;* nsm. XXI, i, 10.   (HEADLESS)

hēafodmæg, m., *near relative;* dp. -um, XXIV, 588.

hēafod-wund, f., *head-wound;* ds. -e, XI, 26.   (HEAD-WOUND)

heafola, see hafela.

hēagengel, m., *archangel;* ns. XV, 202.

hēah (hēoh), adj., *high;* nsm. XIX, 98; gsf. wk. hēan, V, i, 34; dsm. wk. hēohan, VI, i, 8; asm. hēanne, XIX, 82; dp. -um, XXI, ii, 10, hēan, V, ii, 55; apm. hēan, XX, 34; comp. dsm. hīeran, VIII, 63; asf. hȳrran, V, v, 104; supl. nsm. wk. hēhsta, XIII, 344.   (HIGH)

Hēahmund, m., *bishop of Sherborne;* ns. IV, 70.

hēahsele, m., *high hall;* ds. XXIV, 647.

hēahðungen, adj., *highborn, of high rank;* npm. -e, VII, 124.

heald, n., *rule;* gs. -es, *error for dat.*, IV, 342 (*to rule all England*).

heald, adj., *devoted;* supl. nsm. -est, IV, 349.

healdan (haldan, hioldan), S7, *to hold, keep, guard, rule;* inf. XII, ii, 6, haldan, XII, i, 53; ger. tō -ne, V, v, 5, tō haldonne, IV, 118; pres. pl. healdað, XX, 87; subj. pres. 2s. healde, V, v, 15; 3s. healde, IV, 368; pres. pl. healden, XI, 73; ind. pret. 3s. hēold, II, ii, vs. 1; pret. pl. hēoldon, XVIII, 20, hēoldau ongēan, IV, 283 (*resisted*), hīoldon, VIII, 34; subj. pret. 3s. hēolde, I, i, vs. 15; pp. healden, V, i, 58.   (HOLD)

gehealdan (-haldan, -hioldan), S7, *to hold, maintain, keep, preserve;* inf. XVIII, 167; pres. 3s. -healdeð, XIX, 112, -haldeð, XII, i, 12; subj. pres. 3s. -halde, XII, i, 54; imp. s. -heald, XXIV, 658; ind. pret. 3s. -hēold, IX, ii, 22; pret. pl. -hīoldon, VIII, 8; pp. -healden, XII, ii, 27.

healf. f., *half, part, side;* ds. -e, VII, 68; as. -e, IV, 134; gp. -a, XIV, 209; ap. -e, IV, 173. (HALF)

healf (half), adj., *half; idiomatic use with numerals;* dsn. halfe, XII, i, 22; asf. -e, IV, 238, asn. VII, 125; þriddan healfre, IV, 125 *(two and a half,* see note); ōðrum healfum læs þe xxx wintra, IV, 187 *(twenty-eight and a half years,* see note); fēorðe healf hund, IV, 24 *(three hundred and fifty,* see note). (HALF)

Healfdene, m., *father of Hrothgar;* gs. -s, XXIV, 645.

heall, f., *hall;* ns. V, v, 48; ds. -e, XI, 11. (HALL)

heals (hals), m., *neck;* ds. -e, XIII, 385; as. XXIV, 2691, hals, XVIII, 141.

hēan, adj., *low, mean, abject, depressed;* nsm. XIX, 23.

hēanes (hēannes), f., *height, excellence;* ns. hēannes, V, v, 106; gs. -se, V, i, 34.

hēanlīc, adj., *ignominious;* nsn. XVIII, 55.

hēap, m. or f., *crowd, throng, host;* ds. -e, XIV, 192; dp. -um, XVI, 67. (HEAP)

hēapmǣlum, adv., *in crowds;* V, ii, 30.

heard, adj., *hard, hardy, strong, brave, severe;* nsm. XVIII, 130, nsf. XIII, 432; gsm. -es, XVII, 25, gsn. -es, XIII, 383; asm. -ne, XVIII, 167, asf. -e, XVIII, 33, asn. XVIII, 214; npm. -e, XIII, 373; apn. XXIV, 540; comp. nsm. -ra, XVIII, 312; comp. asf. -ran, XXIV, 576; comp. npn. -ran, IX, i, 71. (HARD)

heardlīce, adv., *bravely, boldly;* XVIII, 261.

heardnys, f., *hardness;* ds. -se, II, ii, vs. 7. (HARDNESS)

hearg (hearh), m., *sanctuary (pagan);* ds. -e, V, v, 87; as. hearh, V, v, 90; ap. -as, V, v, 74.

hearm, m., *harm, injury, affliction, contumely;* gs. -es, XV, 171; as. XIII, 368; gp. -a, XVIII, 223. (HARM)

hearmscearu, f., *affliction;* ns. XIII, 432.

hearpe, f., *harp;* ds. hearpan, V, vi, 21; as. hearpan, V, vi, 22. (HARP)

hearra, m., *lord;* ns. XIII, 358; ds. -n, XIII, 339.

heaðogrim, adj., *battle-grim, fierce;* nsm. XXIV, 548.

heaðolāc, n., *battle;* ds. -e, XXIV, 584.

heaþolind, f., *war-linden, shield;* ap. -a, XVII, 6.

Heaþo-Rǣmas, m. pl., *a people of southern Norway;* ap. XXIV, 519.

heaðorǣs, m., *storm of battle;* ns. XXIV, 557; gp. -a, XXIV, 526.

heaðorinc, m., *warrior;* np. -as, XIV, 241.

heaðowylm, m., *war-wave, rage of battle;* np. -as, XIV, 148.

hēawan, S7, *to hew, cut down, kill;* pres. 3s. hēaweð, X, 66; pret. 3s. hēow, XVIII, 324; pret. pl. hēowon, XVIII, 181, hēowan, XVII, 6; pp. npn. gehēawene, IX, i, 71. (HEW)

hebban, S6, *to raise, lift;* inf. XXIV, 656. (HEAVE)

hebban, see habban.

hēdan, W1, w. gen., *to heed;* pret. 3s. hēdde, XXIV, 2697. (HEED)

gehēdde, see gehēgan.

hefe, m., *weight;* ds. IX, i, 80. (Cf. hebban)

hefig, adv., *heavy, serious;* nsm. IV, 369; comp. npf. -ran, XIX, 49. (HEAVY)

hefigian, W2, *to oppress;* pp. hefigad, V, vi, 91.

hēg, see hīg.

gehēgan, W1, *to achieve;* subj. pret. 3s. -hēdde, XXIV, 505.

hege, m., *hedge, fence;* dp. hegum, **V, v, 74.**

hēhst, see hēah.

helan, S4, *to conceal, cover;* pres. 1s. hele, XV, **193.**

heldor, n., *gate of hell;* gp. -a, XIII, 380.

hell, f., *hell;* gs. -e, XII, ii, 28; ds. -e, VI, ii, 19; as. -e, XIII, 348. (HELL)

helm (hellm), m., *helmet, covering; lord, protector;* ns. XXIV, 2705; ds. hellme, XXIII, 16. (HELM)

Helmingas, m. pl., *family to which Wealhþeow belonged;* gp. Helminga, XXIV, 620.

help, f., *help;* as. -e, XIX, 16. (HELP)

helpan, S3, w. dat. or gen., *to help;* inf. XXIV, 2684; subj. pres. 3s. helpe, X, 194; ind. pret. 3s. healp, XXIV, 2698. (HELP)

helsceaða, m., *hell-scather,* i.e. *devil;* np. -n, XVIII, 180.

henfugol, m., *hen;* ap. -fuglas, XII, ii, 11. (HEN FOWL)

Hengest, m., *legendary Jutish leader;* ns. V, ii, **26.**

hēo, see hē.

heofen, see heofon.

heofene, f., *heaven;* gs. heofenan, II, i, vs. 14; as. heofenan, II, i, vs. 1.

heofenlīc, see heofonlīc.

heofon (heofen), m., *heaven;* gs. -es, XII, i, 54; ds. -e, I, ii, vs. 13, heofne, XIII, 339; as. I, i, vs. 21; dp. -um, V, iv, 22, heofenum, XVIII, 172; ap. heofenas, I, i, vs. 18. (HEAVEN)

heofoncyning, m., *king of heaven;* gs. -es, XIII, 439.

heofonlīc (heofen-, hiaben-), adj., *heavenly;* nsf. V, vi, 56, nsf. wk. hiabenlīce, XII, ii, 27; gsn. wk. -an, V, vi, 9; dsf. heofenlīcere, IX, ii, 40; isn. wk. -an, V, vi, 113. (HEAVENLY)

heofonrīce, n., *kingdom of heaven;* gs. -s, V, iii, 5; ds. XIII, 358; as. XIII, 388.

hēoh, see hēah.

heolster, m., *darkness;* ns. XIX, 23.

heom, see hē.

heonon, adv., *hence;* **V, i,** 48; XIII, 415. (HENce)

heora, see hē.

heorawulf, m., *war-wolf;* np. -as, XIV, 181.

heord, f., *herd, flock; care, guardianship;* ns. V, vi, 25; as. -e, II, ii, vs. 1. (HERD)

heore, adj., *pleasant, safe;* nsf. heoru, XXIV, 1372.

Heorot, m., *the hall of the Danish king Hrothgar;* ds. -e, XXIV, 497.

heorot, see heort.

heort (heorot), m., *hart, stag;* ns. heorot, XXIV, 1369; gp. -a, V, i, 80; ap. -as, III, 61. (HART)

heorte, f., *heart;* ns. XVIII, 312; gs. heortan, XV, 174; ds. heortan, V, iv, 15; as. heortan, XIII, 354. (HEART)

Heortfordscīr, f., *Hertfordshire;* as. -e, IV, 237.

heorðgenēat, m., *hearth-companion, retainer;* np. -as, XVIII, 204. (HEARTH-)

heorðwerod, n., *band of hearth-companions, retainers;* as. XVIII, 24.

hēr, adv., *here;* I, i, vs. 17; *in this year;* IV, 1, and regularly at the beginning of each year in the Chronicle. (HERE) gehĕran, see gehẏran.

hĕr-beufan, adv., *here above;* XII, i, 46.

here, m., *army (used usually with reference to an invading army); devastation;* ns. V, iii, 1, X, 51; gs. -s, IV, 90, herges, XIV, 234; ds. XVIII, 292, herige, IV, 29; as. IX, ii, 26; ap. hergas, IV, 62.   (Cf. hergian)

herecist, f., *cohort;* ap. -e, XIV, 177.

Hereferþ, m., *a West-Saxon bishop;* ns. IV, 8.

hereflẏma, m., *fugitive from battle;* ap. -n, XVII, 23.

herefugol, m., *bird of prey, carrion bird;* np. -as, XIV, 161.

heregeatu, f., *war equipment, arms;* as. XVIII, 48.

herehẏð, f., *war-spoil, booty;* ds. -e, IV, 153.

herelãf, f., *remainder of an army;* dp. -um, XVII, 47.

herenes, f., *praise;* ds. -se, V, vi, 34.

heretoga, m., *leader, general;* ns. V, iii, 7; ds. -u, V, i, 61; np. -n, V, ii, 26.

hergian, W2, *to harry, ravage, devastate;* inf. IV, 315; pres. pl. hergiað, VII, 70; pret. 3s. hergode, IV, 317; pret. pl. hergodon, IV, 158, hergodan, IV, 294, hergedon, V, ii, 39.   (HARRY)

gehergian, W2, *to get by harrying, capture;* pp. -hergod, IV, 152.

hergung, f., *harrying;* gs. -e, IV, 220; ds. -e, IV, 215; gp. -a, IV, 234.

herian, W1, *to praise;* inf. V, vi, 37; subj. pres. pl. hergen, XX, 77.

hĕrinne, adv., *herein;* XIII, 436.   (HEREIN)

hĕr-tõeacen, adv., *here besides;* X, 160.

Hestingas, see Hæstingas.

hete, m., *hate, persecution;* ns. X, 54.   (HATE)

hetel (hetol), adj., *hostile, full of hate;* dsm. -um, IX, ii, 22; npm. hetole, X, 129.

hetelïce, adv., *violently, severely;* X, 88.

hetol, see hetel.

hettend, m., *foe;* np. XIV, 209.

hï, see hĕ.

hiabenlïc, see heofenlïc.

Hibernia, Lat. f., *Hibernia, Ireland;* ns. V, i, 65; ds. Hibernia, IV, 122.

hicgan, see hycgan.

hïd, m. or f., *hide (a measure of land);* gs. -es, XII, i, 26; as. -e, XII, i, 31; gp. -a, XII, i, 6.

hider (hieder), adv., *hither;* V, ii, 7; VII, 96; hiedeı, VIII, 12.   (HITHER)

hie, hiene, hiera, see hĕ.

hiera, see hĕah.

hïeran, gehïeran, see hẏran, gehẏran.

Hierdebõc, f., *Pastoral Book, Alfred's translation of the Cura Pastoralis;* ns. VIII, 68.

hiere, see hĕ.

Hieronimus, m., *Jerome;* ns. IX, ii, 4.

Hierusalem, f.. *Jerusalem;* gs. -e, V, ii, 41; ds. IX, ii, 38.

hig (hēg), n., *hay, grass;* as. III, 29, hēg, V, i, 68.   (HAY)

hïg! hïg! interj., *ha! ha!;* III, 30.

hig, see hē.

hige, see hyge.

hīgum, see hīwan.

hiht, see hyht.

hīium, see hīwan.

hild, f., *war, fight;* gs. -e, XIV, 162; ds. -e, XIV, 241; as. -e, XIV. 181.

hildebill, n., *battle-sword;* ds. -e, XXIV, 557

hilderinc, m., *warrior;* ns. XVII, 39.

him, see hē.

hindan, adv., *from behind;* XVII, 23.

hine, hīo, see hē.

hioldan, gehioldan, see healdan, gehealdan.

hīona, see hīwan.

hīora, hira, see hē.

gehīran, see gehȳran.

hīred, m., *household,* gs. -es, XI, 47.

hire, see hē.

hīredman, m., *retainer;* np. -men, XVIII, 261.

his, see hē.

Hispānia, Lat. f., *Spain;* ds. Hispānie, V, i, 3.

hit, see hē.

hīw, n., *hue, shape, form;* ns. XVI, 25; gs. -es, V, i, 13; ds. -e, II, i, vs. 12; gp. -a, XVI, 20; dp. -um, II, i, vs. 21. (HUE)

hīwan, m. pl., *members of a household, of a religious house (monks), a family,* np. XI, 7; gp. hīona, XII, ii, 3; dp. hīgum, XII, ii, 6, hīium, XII, ii, 23.

gehīwian, W2, *to make, fashion;* pp. -hīwod, IX, i, 64.

hlæst, n., *burden;* ap. XXI, ii, 15. (LAST)

hlǽw, m., *cave, mound;* ds. -e, XXIII, 26.

hlāf, m., *loaf, bread;* as. I, i, vs. 17; gp. -a, XII, ii, 5. (LOAF)

hlāford, m., *lord, master, ruler;* ns. XI, 39; gs. -es, XI, 38; ds. -e, VII, 1; as. X, 72; voc. s. III, 19. (LORD)

hlāfordlēas, adj., *lordless, without a lord;* nsm. XVIII, 251. (LORDLESS)

hlāfordswica, m., *traitor;* np. -n, X, 69.

hlāfordswice, m., *treason;* ns. X, 70.

hleahtor, m., *laughter;* ns. XXIV, 611; as. XX, 21. (LAUGHTER)

hlēapan, S7, *to leap;* pret. 3s. hlēop, V, v, 84. (LEAP)

gehlēapan, S7, *to leap upon, mount;* pret. 3s. -hlēop, XVIII, 189.

hlence, f., *coat of mail;* ap. hlencan, XIV, 218.

hlēo, m., *protector, lord; cover, shelter;* ns. XVIII, 74; as. XXI, iv, 5.

hlēomǣg, m., *protector;* gp. -a, XX, 25.

hleoða, see hlīð.

hlēoþor, n., *song, cry;* ds. hlēoþre, XXI, i, 4; as. XX, 20.

hlihhan, S6, *to laugh;* inf. XVII, 47; pret. 3s. hlōh, XVIII, 147. (LAUGH)

hlimman, W1, *to resound;* inf. XX, 18; pres. 3s. hlimmeð, XXI, iii, 5.

hlin (hlyn), m., *noise;* ns. XXI, ii, 7, hlyn, XXIV, 611.

hlīsa, m., *report;* ns. V, iv, 1.

hlið, n., *slope, hill, cliff;* ap. hleoða, XXI, iii, 7.

hlōð, f., *troop, band;* as. XI, 56.

hlūd, adj., *loud;* supl. nsm. -ast. XXIII, 4. (LOUD)

hlūde, adv., *loudly;* XXI, iii, 5.

hlūtor, adj., *clear, pure;* dsn. hlūtre, V, vi, 121; gp. hlūterra, VI, ii, 12; dp. hlūttrum, XIII, 397.

Hlȳda, m., *March;* as. IX, i, 23. (Cf. hlūd)

hlyn, see hlin.

hlyst, m., *hearing, sense of hearing;* ns. XI, 35. (LISTEN)

gehlystan, W1, *to listen;* pret. pl. gehlyston, XVIII, 92.

hnægan, W1, *to lay low;* pp. gehnæged, XX, 88.

hōcor, n., *derision;* ds. hōcere, X, 136.

hōcorwyrde, adj., *derisive;* npm. X, 131.

hogian, W2, *to consider, resolve;* pret. 1s. hogode, XXIV, 632; 3s. hogode, XVIII, 128; pret. pl. hogodon, XVIII, 123.

hōl, n., *calumny, slander;* ns. X, 54.

hold, adj., *gracious, friendly, faithful;* nsm. XX, 41; supl. -ost, XVIII, 24.

holm, m., *sea, ocean, water;* ns. XXIV, 519; ds. -e, XXI, ii, 10; as. XIX, 82; gp. -a, XX, 64.

holmmægen, n., *ocean;* ds. -mægne, XXI, iii, 9.

holt, m. or n., *wood, forest;* gs. -es (after wið, *toward*), XVIII, 8; ds. -e, IX, ii, 57. (HOLT)

holtwudu, m., *wood;* as. XXIV, 1369.

hond, see hand.

hondlocen, pp. as adj., *hand-linked;* nsf. XXIV, 551. (HAND-LOCKed)

hongian, see hangian.

hord, n. or m., *hoard, treasure;* as. XVII, 10. (HOARD)

hordcofa, m., *breast, heart;* as. -n, XIX, 14.

hōring, m., *adulterer, fornicator;* np. -as, X, 153.

horn, m., *horn;* ns. XIV, 192; ds. -e, XI, 75; dp. -um, XXIV, 1369. (HORN, Lat. cornus)

hors, n., *horse;* ds. -e, IX, ii, 29; as. VII, 138; dp. -um, IV, 138, -an, VII, 48; ap. VII, 136. (HORSE)

Horsa, m., *co-leader with Hengest;* ns. V, ii, 27.

Horsalēg, *Horsley, in Kent;* ds. -e, XII, i, 8.

horsc, adj., *ready-witted, clever;* nsm. XXI, ii, 1.

horshwæl, m., *walrus;* dp. -um, VII, 33.

horsian, W2, *to provide with horses;* inf. IV, 275; pp. npm. gehorsude, IV, 33.

hosp, m., *scorn, abuse, insult;* as. XV, 171.

hræd, adj., *quick;* isn. -e, V, v, 100.

hrædest, see hraðe.

hrǣding, f., *reading;* ds. -e, X, 161. (READING)

hrædlīce, adv, *quickly;* V, v, 49.

hrædwyrde, adj., *hasty of speech;* nsm. XIX, 66

hræfn (hrem), m., *raven;* as. XVII, 61; np. hremmas, XVIII, 106.　(RAVEN)

hrægl, n., *dress;* ds. -e, VII, 145; gp. -a, VI, ii, 5.　(RAIL)

hrān (rān, rānn), m., *reindeer, roe;* gs. -es, VII, 53; as. rānn, III, 61; gp. rāna, V, i, 80; ap. -as. VII, 44.

hran, see hron.

hraðe, adv., *quickly, soon;* V, iv, 40; comp. hraðor, XXIV, 543; supl. hrædest, X, 45 (*most briefly*).　(RATHE, comp. RATHER)

hrāw, m., *corpse;* ap. XVII, 60.

hrēam, m., *cry, clamor, noise;* ns. XVIII, 106; ds. -e, III, 26.

hreddan, W1, *to save, rescue;* inf. XXI, i, 18.

gehrēfan, W1, *to roof, cover;* pp. -ed, XXI, ii, 10.

hrēman, W1, w. gen., *to exult, boast;* inf. XVII, 39.

hrēmig, adj., w. gen. or dat., *exultant;* np. -e, XVII, 59.

hrem, see hræfn.

hrēo, adj., *rough, fierce;* nsm. XIX, 16; asf. XIX, 105; npf. XXIV, 548.

hrēosan, S2, *to fall, perish;* inf. XIX, 48; pres. ptc. nsf. hrēosende, XIX, 102; pres. pl. hrēosað, XV, 810.

hrēowan, S2, impers., *to repent, grieve;* pres. 3s. hrēoweð, XIII, 426.

hrēowlīce, adv., *miserably, cruelly;* X, 41; V, ii, 49.

hrēran, W1, *to stir, move;* inf. XIX, 4; pres. 1s. hrēre, XXI, ii, 8.

hrēðēadig, adj., *glorious, noble;* supl. nsm. -ēadegost, XXIII, 8.

hreðer, m. or n., *heart, thought;* as. XX, 63; gp. hreðra, XIX, 72.

hreþerloca, m., *breast;* as. -n, XX, 58.

hrīm, m., *rime, hoarfrost;* ns. XX, 32; ds. -e, XIX, 77; as. XIX, 48.　(RIME)

hrīmceald, adj., *rime-cold;* asf. -e, XIX, 4.　(RIME-COLD)

hrīmgicel, m., *icicle;* ap. -um, XX, 17.

hrīmig, adj., *rimy, covered with hoar-frost;* supl. nsm. -ost, XXIII, 6.　(RIMY)

hrīnan, S1, *to touch;* pp. hrinen, V, v, 51.

hrinde, pp. as adj., *covered with frost;* npm. XXIV, 1363.　(RIND, dial.)

hring, m., *ring;* ds. -e, XXIII, 22; as. I, i, vs. 22; gp. -a, XIII, 377; ap. -as, XVIII, 161.　(RING)

hringloca, m., *corslet;* ap. -n, XVIII, 145.

hringþegu, f., *receiving of rings;* ds. -þege, XX, 44.

hrīð, f., *snowstorm;* ns. XIX, 102.

hrīðer (hrÿðer), n., *cattle, ox;* as. XII, ii, 6; gp. hrÿðera, VII, 47.

hroden, pp. as adj., *adorned, decorated;* asn. XXIV, 495.

hrōf, m., *roof;* gs. -es, XXI, iv, 5; ds. -e, V, vi, 42; dp. -um, XXI, ii, 7; ap. -as, XXIII, 64.　(ROOF)

Hrōfescester, f., *Rochester;* ds. -cestre, XII, i, 43.

hron (hran), m., *whale;* gs. hranes, III, 109; np. -as, V, i, 10.

hronfix, m., *whale;* ap. -as, XXIV, 540.

hrōpan, S7, *to cry, howl;* pret. pl. hrēopon, XIV, 168.

Hrōðgār, m., *king of the Danes;* ns. XXIV, 653; gs. -es, XXIV, 613.

hrūse, f., *earth;* gs. hrūsan, XIX, 23; as. hrūsan, XIX, 102; a. or ds. hrūsan, V, ii, 45 (*usually read* hruron, *pret. of* hrēosan).

hrycg (hrygc), m., *back, top;* ds. -e, XXI, ii, 12; as. hrygc, XXII, ii, 28.   (RIDGE)

hryre, m., *fall, death;* gs. XIX, 7 (see note).   (Cf. hrēosan)

hrȳðer, see hrīðer.

hrȳðig, adj., *ruined;* npm. hrȳðge, XIX, 77.

hū, adv., *how;* I, i, vs. 17.   (HOW)

huilpe, f., *curlew?* gs. huilpan, XX, 21.

Humber (Humbre), f., *the Humber river;* gs. Humbre, IV, 35, Humbran, IV, 269; ds. Humbre, VIII, 17; as. Humbran, IV, 381.

hund, m., *dog;* np. -as, III, 70; dp. -um, XXIV, 1368; ap. -as, III, 53.   (HOUND)

hund, num., *hundred;* n. V, ii, 1, fēorðe healf hund, IV, 24 (*three hundred and fifty,* see note); d. -e, IV, 139; a. monig hund, IV, 159.   (HUNDred)

hundnigontig, num., *ninety;* d. -um, IV, 208.

hundtwelftig, num., *hundred and twenty;* g. -es, IV, 141.

Hunferð, see Unferð.

hungor (hunger), m., *hunger, famine;* ns. XX, 11, hunger, I, i, vs. 14; ds. hungre, I, i, vs. 17.   (HUNGER)

hunig, n., *honey;* ns. VII, 117; gs. -es, XII, ii, 10; ds. -e, V, i, 78, hunie, II, ii, vs. 8.   (HONEY)

hunta, m., *hunter;* ns. III, 48; np. -n, III, 16; ap. -n, VII, 24.   (HUNT, proper name)

Huntadūnscīr, f., *Huntingdonshire;* as. -e, IV, 238.

huntað, m., *hunting;* ds. -e, VII, 5.

huntian, W2, *to hunt;* inf. III, 56.   (HUNT)

huntnold, m., *hunting;* ds. -e, III, 62.

huntung, f., *hunting;* ds. -e, III, 64.   (HUNTING)

hūru, adv., *certainly, indeed, about;* VII, 110.

hūs, n., *house;* ns. V, vi, 93; ds. -e, I, i, vs. 17; as. V, v, 49; np. X, 37; gp. -a, XXIV, 658; dp. -um, VII, 126.   (HOUSE)

hūscarl, m. (Scand.), *house-carle, member of the king's body-guard;* dp. -um, IV, 347.

hūsl, n., *eucharist;* gs. -es, V, vi, 104; as. V, vi, 102.   (HOUSEL)

hwā, hwæt, interrog. pron., *who, what;* indef. pron., *anyone, someone;* nsm. V, v, 73, IX, ii, 51, nsn. II, ii, vs. 11; gsm. hwæs, III, 49; asm. hwæne, XVIII, 2, asn. hwæt, V, vi, 33; is. for hwon, V, vi, 97 (*why*), tō hwon, XX, 43.   (WHO, WHAT)

ŋwæl = hwēol?   See note to XIV, 161.

hwæl, m., *whale;* ns. VII, 36; gs. -es, VII, 51, hwales, VII, 50; as. III, 104; ap. -as, III, 114, hwalas, II, i, vs. 21.   (WHALE)

hwælhlence, f., *coat of mail;* as. -hlencan, XIV, 176.   (See note.)

hwælhunta, m., *whale-hunter;* np. -n, VII, 11.

hwælhuntað, m., *whale-hunting;* ns. VII, 38.

hwælmere, m., *sea;* ns. XXI, iii, 5.

hwælweg, m., *whale-path, ocean;* as. XX, 63.

hwænne, adv., *when;* XVIII, 67.   (WHEN)

hwǣr, adv., *where, somewhere, everywhere, anywhere;* XIX, 92; VIII, 81; wel hwǣr, VIII, 79 *(nearly everywhere).* (WHERE)

hwæt, adj., *bold, brave;* nsm. XX, 40.

hwæt, interrog. pron. used as interj., *lo!, well!, ah!;* VI, i, 7; V, v, 11; lā hwæt, X, 17 *(lo!).*

hwæt, see **hwā.**

hwǣte, m., *wheat;* gs. -s, IV, 362. (WHEAT)

Hwǣtedūn, f., *Waddington, in Surrey;* ds. -e, XII, i, 26.

hwæthwugu, pron., *something;* as. V, vi, 29.

hwæðer, pron. adj., *which (of two);* ns. VII, 13.

hwæðer (hwaðer), conj., *whether;* V, v, 7; hwaðer, V, i, 28; hwæðer... ðe, V, **iv,** 13 *(whether... or).* (WHETHER)

hwæðere (hwæðre), adv., *however, nevertheless;* V, ii, 44; hwæðre, XXIV, 555.

hwan, see **hwā.**

hwealf, n., *vault, arch;* as. XXIV, 576.

hwearfian, W2, *to move on, advance;* pret. 3s. hwearfode, XIV, 158.

hwelc, see **hwilc.**

hwēne, adv., (instr. of hwōn), *somewhat, a little;* VII, 62.

hweorfan, S3, *to turn, go, wander, traverse;* inf. XIX, 72; pres. ptc. hweorfende, V, iii, 1; pres. 3s. hweorfeð, XX, 58; pres. pl. hweorfað, XXIII, 59.

hwettan, W1, *to incite, whet;* pres. 3s. hweteð, XX, 63. (WHET, cf. hwæt)

hwī, adv., conj., (instr. of hwæt), *why;* II, ii, vs. 3; IX, i, 3. (WHY)

hwider (hwyder), adv., *whither;* XIX, 72; hwyder, XXIII, 58. (WHITHER)

hwīl (hwȳl), f., *while, time;* as. -e, IV, 14, þā hwīle, IV, 380 *(meanwhile),* þā hwīle þe IV, 368 *(while,* conj.); dp. -um, VI, i, 3, hwȳlum, VII, 131 *(at times, sometimes,* adv.); hwīlum... hwīlum, V, iii, 11, hwīlon... hwīlon, XVIII, 270 *(sometimes... sometimes).* (WHILE)

hwilc (hwelc, hwylc), pron. adj., *which, what;* indef. pron., *anyone, someone, some;* nsm. XIII, 414, hwylc, V, i, 51, nsf. hwilc, IX, ii, 42, hwelc, V, v, 31, hwylc, V, v, 5; dsm. -um, V, iv, 2, dsf. -re, V, iv, 10, dsn. -um, V, iv, 10; asm. hwylene, III, 47, asf. hwylce, V, vi, 50; npm. hwelce, VIII, 3, **npn.** hwelc, VIII, 24; apm. III, 95, apn. hwylce, III, 60. (WHICH)

hwīlendlīc, adj., *temporal, transitory;* gsn. -es, V, v, 16; dp. -um, V, **v, 15.**

hwīt, adj., *white;* nsm. XIII, 350; gsm. -es, V, iv, 8; dsn. -um, IX, ii, 47; **asm.** XVII, 63; isn. wk. -an, XXII, ii, 48; supl. -ost, XIII, 339. (WHITE)

hwītehlāf, m., *white loaf;* gp. -a, XII, ii, 5.

hwītlocced, adj., *fair-haired;* nsf. -u, XXI, **v, 4.** (WHITE-LOCKED)

hwōn, adv., *somewhat, a little;* VII, 14.

hwon, see **hwā.**

hwonne, conj., *when, until;* XIV, 250.

hwonon, adv., *whence;* V, **vi,** 54. (WHENCE)

hwȳ, see **hwī.**

hwyder, see **hwider.**

hwylc, see **hwilc.**

hwylchugu, pron., *some;* apm. hwylcehugu, V, **iv, 34.**

hwȳl, see hwīl.

gehwyrfan, W1, *to change;* pret. **3s.** -hwyrfde, V, vi, 69; subj. pret. 3s. -**hwyrfde** V, vi, 59; pp. -hwyrfed, XV, 188.

hwyrft, m., *turn, escape, outlet;* as. XIV, 210. (Cf. hweorfan)

hȳ, see hē.

hycgan (hicgan, hycgean), W1, *to think;* inf. w. gen. XIII, 397, inf. hicgan, XVIII, 4, hycgean, XXIII, 54; imp. pl. w. gen. hycgað, XIII, 432; subj. pres. 3s. hycge, XIX, 14.

hȳd, f., *hide, skin;* ns. VII, 35; ds. -e, VII, 51; IV, 125 (see þridda); is.? -e, XI, 41. (HIDE)

hȳdan, W1, *to hide, conceal;* inf. XXIV, 1372; pres. 3s. hȳdeð, XX, 102; pret. 3s. hȳdde, II, ii, vs. 6. (HIDE)

gehȳdan, W1, *to hide;* pret. 3s. -hȳdde, XIX, 84.

hyge (hige), m., *mind, heart, pride;* ns. XIII, 350, hige, XVIII, 312; ds. XIII, 426, hige, XVIII, 4; as. hige, XIII, 385.

hygecræftig, adj., *wise, sagacious;* nsm. XXI, ii, 1.

hygesorg, f., *sorrow;* as. -e, XV, 174.

hyht (hiht), m., *hope, expectation;* ns. XVI, 73; as. hiht, **IX, i, 78.**

hyldo, f., *favor;* ds. XIII, 406; as. XIII, 404. (Cf. hold)

hȳnan, W1, *to injure, ill-use, fell;* inf. XVIII, 180; pres. pl. hȳnað, X, 112; pret. 3s. hȳnde, XVIII, 324; pp. npf. gehȳnede, X, 40.

hyne, see hē.

hȳnðo, f., *humiliation, harm, injury;* as. XXIV, 593.

hyra, see hē.

hȳran (hīeran), W1, *to hear, obey, belong;* pres. 3s. hȳrð, VII, 91; pres. pl. hȳrað, VII, 97; pret. **1s.** hȳrde, V, v, 40; pret. pl. hȳrdon, V, **vi,** 128, hīerdon, IV, 29. (HEAR)

gehȳran (-hēran, -hīeran, -hīran), W1, *to hear, learn;* inf. V, **v,** 60, -hīeran, XI, 35; ger. tō gehȳrenne, V, vi, 70; pres. 2s. -hȳrst, XVIII, 45; 3s. -hȳreð, XV, 797; pret. 1s. -hȳrde, XVIII, 117, -hīrde, II, ii, vs. 7; 3s. -hȳrde, I, i, vs. 25, -hērde, VI, ii, 13; pret. pl. -hȳrdon, XIV, 222, -hȳrdan, X, 181, -hērdon, VI, ii, 6; pp. -hȳred, IX, i, 1.

hyrde, m., *guardian;* ns. XXIV, 610. (HERD)

hȳrling, m., *servant;* gp. -a, I, i, vs. 17; dp. -um, **I, i, vs. 19.** (HIRELING)

hyrned, adj., *horned;* ap. wk. -an, IX, i, 56.

hyrnednebb, adj., *having a horny beak;* asm. wk. -an, XVII, 62.

hȳrra, see hēah.

hyrst, f., *ornament, trappings;* dp. -um, XXI, i, **11.**

hȳrsum, adj., *obedient;* nsm. V, v, 16. (Cf. hȳran)

hȳrsumian, W2, w. dat., *to obey;* pret. pl. hȳrsumedon, VIII, 6.

hyrwan, W1, *to vilify, abuse;* pres. 3s. hyrweð, **X, 136.**

hys, see hē.

hysse (hyse), m., *young man, warrior;* ns. hyse, XVIII, 152; gs. -s, XVIII, **141;** np. hyssas, XVIII, 112; gp. hyssa, XVIII, 2; ap. hyssas, XVIII, 169.

hyt, see hē.

I

Iācôb, m., *Jacob;* gs. -es, II, ii, vs. 6.

ic, pers. pron., *I;* ns. II, ii, vs. 4; ds. mē, I, i, vs. 12; as. mē, XVIII 29, mec, XIX, 28; n. dual, wit, XXIV, 535; d. dual, unc, XIII, 387 (*Adam and me*); a. dual, unc, XXIV, 545; np. wē, VIII, 12; gp. ūre (obj. of helpan), X, 194, ūre nænig, X, 61 (*none of us*); dp. ūs, VII, 103; ap. ūs, XIII, 390. See also mīn, uncer, ūre. (I, ME, WE, OUR, US)

īdel (ȳdel), adj., *idle, empty, desolate, without form;* nsf. ȳdel, II, i, vs. 2 (*without form*), nsn. III, 5, XIX, 110; gsn. īdles, V, vi, 15; asf. wk. īdlan, V, v, 79, asn. on ȳdel, IX, i, 66 (*idly*); npn. īdlu, XIX, 87; dp. ȳdelum, IX, i, 67, dp. -an, X, 144. (IDLE)

ides, f., *woman, lady;* ns. XXIII, 43; gs. -e, XXIV, 1351.

iecan, W1, *to add to, increase;* pret. 3s. īhte, X, 10. (EKE, cf. ēac)

īegland, see īgland.

geiernan, S3, *to gain by running;* subj. pres. 3s. -ierne, XI, 3.

Iethrō, m., *Jethro, the father-in-law of Moses;* ns. II, ii, vs. 1.

īgland (īegland, ēgland), n., *island;* ds. īeglande, VI, ii, 19; as. IV, 156; is. ēglande, XVII, 66; np. VII, 82; gp. -a, VII, 95. (ISLAND)

Īglēa, *Highley Common, in Wiltshire;* ds. IV, 98.

ilca (ylca), pron. adj., *same, the same;* nsm. ylca, IX, i, 5; gsm. ylcan, V, ii, 7; asn. ilce, IV, 280, ylce, V, vi, 48; ism. ilcan, IV, 13, ylcan, VII, 128; npm. ylcan, V, iv, 13. (ILK, SC. ILKA)

Ilfing, f., *the river Elbing;* ns. VII, 112.

in, prep. w. dat. and acc., *in, into;* adv., *in;* IV, 104; V, vi, 65; XVIII, 157. (IN)

inbrydnes, f., *inspiration;* ds. -se, V, vi, 6.

inc, see þū.

inca, m., *cause of complaint, ill-will;* ds. -n, V, vi, 107; as. -n, XV, 178.

ince, m., *inch;* gs. -s, XI, 31. (INCH, Lat. uncia; cf. OUNCE)

incer, see þū.

indryhten, adj., *noble, excellent;* nsm. XIX, 12.

indryhto, f., *nobleness, glory;* ns. XX, 89.

ing = ging, geong, adj., *young;* np. -e, XIV, 190.

ingang (-gong), m., *entrance;* ds. -gonge, V, vi, 74; as. V, vi, 114.

ingangan, S7, *to go in, enter;* pres. ptc. -gangende, V, v, 6.

ingeðanc, m. or n., *thought;* as. X, 188.

ingong, see ingang.

innan, prep. w. dat. or acc., *in, within;* XIII, 342; XIII, 353.

innanbordes, adv., *within borders, at home;* VIII, 7.

inne, adv., *within, inside, in;* V, vi, 101; VII, 122.

inneweard, adj., *inward, inner;* dsn. -um, II, ii, vs. 1, dsf. -re, V, iv, 15. (INWARD)

intinga, m., *cause, occasion;* ns. V, vi, 20; ds. -n, V, iv, 2; as. -n, V, ii, 36.

intô, prep. w. dat. or acc., *into;* IV, 225. (INTO)

Inwære, m., *a Danish chieftain;* gs. -s, IV, 88.

inwit, adj., *deceitful, malign;* nsm. wk. as noun, -ta, XVII, **46.**
inwitgæst, m., *malicious stranger or foe;* ns. XXIV, 2670.
Iohann, m., *John;* ds. -e, VIII, 71.
Iōsēph, m., *Joseph;* gs. -es, XVI, 21; voc. s. XV, 164.
Iow, see þū.
Īraland, n., *Ireland;* ns. VII, 82; ds. -e, VII, 82; as., XVII, **56.**
īren, n., *iron, sword;* ns. XVIII, 253; gs. -es, XIII, 383; gp. irenna, **XXIV,** 2683. (IRON)
īrenbend, m., *iron bond, chain;* np. -a, XIII, 371.
irnan (yrnan), S3, *to run;* pres. ptc. yrnende, VII, 99; pret. 3s. arn, I, i, vs. 20, ærn, IV, 325.
Īsaāc, m., *Isaac;* gs. -es, II, ii, vs. 6.
īsceald (-cald), adj., *ice-cold;* asm. -ne, XX, 14, -caldne, XX, 19.   (ICE-COLD)
īsen, adj., *of iron;* apm. wk. -an, IX, ii, 48.
īsern, n., *iron, steel;* ns. XXIII, 26; gs. -es, V, i, 19; ds. -e, V, ii, 48.
īsigfeþera, adj., *with icy-wings;* nsm. XX, 24.   (ICY-)
Israēl (Israhēl), m., *Israel;* gp. -a, II, ii, vs. 9, Israhēla, XIV, 198.
iū, see gēo.
jugian, W2, *to yoke;* pres. 1s. jugie, III, 20.
geiukian, W2, *to yoke;* pp. dpm. wk. -iukodan, III, 22.   (Cf. YOKE)
Junius, Lat., *June;* ns. IV, 365.
iūwine, m., *former friend, lord;* as. XX, 92.

J

See **I.**

K

kynerīce, see cynerīce.
kyning, see cyning.
kyrtel, m., *kirtle, coat;* as. VII, 54.   (KIRTLE)

L

lā, interj., *lo!;* lā hwæt, X, 17.   (LO)
lāc, n., *sacrifice, offering;* dp. -um, X, **27.**
lācan, S7, *to swing;* inf. XXIII, 39.
lād, f., *way, journey;* gs. -e, XXIV, 569.   (LOAD, LODE)
lādigan, W2, *to confute;* inf. XV, 183.
gelæccan, W1, *to catch;* pret. 2s. -læhtest, III, 65.   (LATCH)
lædan, W1, *to lead, bring, take, derive;* inf. V, vi, 94; pres. 1s. læde, III, **40;** pres. pl. lædað, X, 114; subj. pres. 3s. læde, II, i, vs. 24; ind. pret. 3s. lædde, IX, ii, 18, V, ii, 29 (*derived*); pret. pl. læddon, XIV, 194, læddan, IV, **225;** pp. npf. lædde, V, i, 71.   (LEAD)

gelǣdan, W1, *to lead;* pret. **3s.** -lǣdde, **V, vi,** 51; pret. pl. -lǣddon, **IV,** 51; pp. npm. -lǣdde, V, iv, 24.

Lǣden (Lēden), **n.,** *Latin;* ns. Lēden, **V,** i, 36; ds. -e, VIII, 16; as. VIII, 68.

Lǣdengeðīode, n., *Latin language;* gs. -s, VIII, 64.

Lǣdenware (Lēden-), m. pl., *Latin people, Romans;* np. VIII, 51; gp. Lēdenwara, V, i, 36.

lǣfan (lēfan), W1, *to leave, let;* pret. pl. lǣfdon, VIII, 35, lēfdon, VIII, 25, subj. pret. pl. lǣfden, XI, 20. (LEAVE, cf. lāf)

Lǣland, n., *Laaland, an island of Denmark;* ns. VII, 101.

lǣn, n., *loan;* ds. tō lǣne, VIII, 81 (*as a loan, loaned*).

Lǣncanfeld, m., *Lingfield, in Surrey;* ds. -a, XII, i, 31. See also **Leangafeld.**

lǣne, adj., *transitory;* nsm. XIX, 108, nsn. XIX, 108.

lǣran, W1, *to teach, advise, exhort;* inf. V, vi, 66; pres. **1s.** lǣre, V, **v,** 67; **3s.** lǣreð, V, **v,** 17; subj. pres. 3s. lǣre, VIII, 62; ind. pret. 3s. lǣrde, V, **v,** 2; pp. lǣred, **V, v,** 29. (Cf. lār)

gelǣran, W1, *to teach;* pp. as adj., *learned;* pp. -lǣred, **V, vi,** 12; pp. npm. -lǣrede, VIII, 78; pp. gp. -lǣredra, X, 171.

lǣrig, m., *edge, border;* ns. XVIII, 284; as. XIV, **239.**

lǣs, f., *pasture;* ds. -e, III, 34; -we, V, i, 7.

lǣs, adv., *less;* V, **v,** 64; þē lǣs, X, 165 (*lest*). (LESS)

lǣssa, lǣst, see **lȳtel.**

lǣstan, W1, *to endure, hold out;* inf. XIV, 244. (LAST)

gelǣstan, W1, *to perform, carry out; help, stand by;* inf. XII, i, 53; 3s. -lǣsteð, XIII, 435; subj. pres. 2s. -lǣste, V, **v,** 14; 3s. -lǣste, X, 22; ind. pret. 3s. -lǣste, XVIII, 15; pret. pl. -lǣston, IV, 102.

lǣtan, S7, *to let, allow;* pres. **1s.** lǣte, XIII, 438; subj. pres. 3s. lǣte, XXI, iii, 11; imp. pl. lǣtað, I, ii, vs. 16; pret. 3s. lēt, VII, 9, IV, 329 (*let up, put ashore*); pret. pl. lētan, XVII, 60, lǣtan, IV, 252 (*release*). (LET)

lǣwan, W1, *to betray;* pp. npm. gelēwede, X, 147.

lǣwed, adj., *lay (man);* np. -e, X, 62; gp. -ra, X, **171.** (LEWD)

lāf, f., *remainder, remnant, heirloom;* ns. XVII, 54; gs. -e, V, ii, 50; ds. tō lāfe, VII, 130 (*remaining*); as. -e, IV, 335 (*widow*); dp. -um, XVII, 6 (*leavings of hammers, i.e. swords*).

lagian, W2, *to appoint,* pp. gelagod, X, 24. (Cf. **lagu**)

lagu, m., *ocean, water;* as., XX, 47.

lagu, f., *law;* ds. lage, X, 62; as. lage, X, 20; np. laga, X, 96; dp. -m, X, **185** (LAW)

laguflōd, m., *water, stream;* ns. XXIII, 46.

lagulād, f., *ocean-way, sea;* as. -e, XIX, 3.

lagustrēam, m., *sea-stream;* np. -as, XVIII, 66.

lahbryce, m., *breach or violation of law;* as. X, 172; ap. -brycas, X, 123.

lahlīce, adv., *lawfully;* X, 62.

Lambhȳð, *Lambeth, in Surrey;* ds. -e, IV, 364.

lampreda, m., *lamprey;* ap. -n, III, 96. (LAMPREY, Lat. lampreda)

land (lond), **n.,** *land, district;* **ns.** V, i, 17; **gs.** -es, V, i, 72; ds. -e, II, ii, **vs. 8.**

londe, V, vi, 74; as. II, ii, **vs.** 8, lond, VII, 13; np. V, ii, 44 *(district)*; gp. **-a**, XXIII, 46; dp. -um, VII, 30, londum, XII, i, 11; ap. lond, XII, i, 10. (LAND)

landbīgenga, m., *inhabitant;* dp. -n, V, ii, 33.

landfyrd, f., *land force;* ds. -e, IV, 382.

landlēod, m., *country man, people;* np. -e, **V, iv, 13.**

landmann, m., *inhabitant;* gp. -a, XIV, 179.

landscipe, m., *region;* as. XIII, 376. (Cf. LANDSCAPE)

lang, adj., *long;* nsm. IV, 133, nsm. wk. -a, XVIII, 273, nsn. V, i, 4; dsn. **wk.** -an, VII, 146; npm. -e, VII, 38; comp. lengra, VII, 37; apm. wk. lengran, **V, i, 29.** (LONG)

Langaland, n., *Langeland, island southeast of Denmark;* ns. VII, 101.

lange (longe), adv., *long, far;* V, iv, 41; longe, XV, 805; longe on dæg, IV, 68 *(far on in the day);* swā lange swā, IV, 254 *(as long as);* comp. leng, V, i, 67, lencg, VII, 124; supl. lengest, XXIII, 6, lengost, IV, 345. (LONG)

langfǣre, adj., *lasting, enduring;* comp. npn. -færran, IX, i, 71.

lār, f., *lore, teaching, doctrine;* ns. V, iv, 44; gs. -e, V, vi, 57; ds. -e, V, **v,** 65; **as.** -e, VIII, 12; np. -a, X, 46; dp. -um, VI, i, 10. (LORE)

lārcwide, m., *advice, precept;* dp. -cwidum, XIX, 38.

lārēow, m., *teacher;* ns. IX, i, 30; ds. -e, V, v, 99, lārewe, V, **v,** 102; voc. s., III, 1; np. -as, V, vi, 71; gp. -a, VIII, 20; ap. -as, V, iv, 35.

lāst, m., *track, path;* ds. on lāste, XIX, 97 *(behind);* as. on lāst, XIV, 167 *(behind),* on lāst legdon, XVII, 22 *(followed);* dp. -um, XX, 15. (LAST)

lāstword, n., *after-word, posthumous fame;* gp. -a, XX, 73.

late, adv., *late;* IV, 39; comp. lator, IX, i, 76. (LATE)

latian, W2, w. gen., *to delay;* subj. pres. 3s. latige, X, 164.

lāttēow, m., *leader, guide;* ns. V, iii, 7; np. -as, V, ii, 26.

lāð, n., *injury, hurt, evil;* ns. XXIII, 53; gs. -es, XIII, 394; ds. -e, XXIII, 53; as. XIII, 392.

lāð, adj., *loathsome, hateful, hostile;* as noun, *foe;* nsm. XV, 194, XIV, 195, nsn. X, 81; dsm. wk. -an, XXII, ii, 13, dsf. -ere, XVIII, 90; asf. -e, XXII, ii, 6, asf. wk. -an, XV, 183; npm. -e, XVIII, 86, npf. -e, X, 45; gp. -ra, XIV, 167; dp. -um, XIV, 179, XIV, 195; apn. lāð, XXIV, 1375; comp. asm. -ran, XIII, 376, asn. -re, XVIII, 50; npm. -ran, XIII, 429. (LOATH)

lāðgetēona, m., *evildoer;* np. -n, XXIV, 559.

lāþian, W2, *to be disliked;* pres. 3s. lāþað, X, 140. (LOATHE)

laðian, W2, *to invite, summon;* **pres.** 1s. laðige, XXI, i, 16; pret. pl. laðedon, V, ii, 33.

gelaðian, W2, *to invite, summon;* pret. 3s. -laðode, V, ii, 7; pp. -laðod, V, ii, 4.

lēad, n., *lead;* gs. -es, V, i, 19. (LEAD)

lēaf, n., *leaf;* ap. V, i, 75. (LEAF)

lēaf, f., *leave, permission;* ds. -e, IV, 190. (LEAVE)

lēan, n., *reward, gift;* ns. XIII, 435; dp. -um, XIII, 412.

Leangafeld, m., *Lingfield, in Surrey;* ds. **-a,** XII, i, 7. See also **Læncan-** feld.

gelēanian, W2, w. dat., *to reward, requite;* inf. XIII, 394.

lēas, adj., *false, deceptive; without, free from;* nsm. IX, 51, XIII, 372 *(without);* dsf. wk. -an, IX, ii, 27; asf. -e, XV, 188; npn. -e, XIX, 86. (-LESS)

lēasung, f., *falsehood;* gs. -e, V, vi, 15; ap. -a, X, 126.

leax, m., *salmon, pike;* ns. XXIII, 39; ap. -as, III, 101.

lecgan, W1, *to lay, put;* pres. 3s. legeð; pres. pl. lecgað, XX, 57; subj. pres. 3s. lecge, XIX, 42; ind. pret. pl. on lāst legdon, XVII, 22 *(followed).* (LAY)

Lēden, see Læden.

Lēdenware, see Lædenware.

lēfan, see læfan.

lēfnes, f., *leave, permission;* ns. V, iv, 38.

lēg, m., *flame, fire;* ns. XV, 809.

leger, n., *lying;* ds. -e, VII, 146.

lehtrian, W2, *to revile;* pres. 3s. lehtreð, X, 137.

lencten, m., *spring;* ns. XXIII, 6; ds. -e, IV, 311. (LENT)

lenctenlīc, adj., *of spring, vernal;* dsf. -ere, IX, i, 6.

gelendan, W1, *to come, go;* pret. 3s. -lende, IV, 114. (Cf. to land, i.e. to come to land)

leng, lengest, lengost, see lange.

gelengan, W1, *to lengthen, prolong;* inf. IX, i, 38. (Cf. lang)

lengra, see lang.

lēod, m., *prince;* as. XXIV, 625.

lēod, m. or f., usually pl., *people, nation;* gs. -e, IX, ii, 20; np. -a, IX, i, 6, -e, XVII, 11; gp. -a, XIV, 183; dp. -um, XVIII, 50, -on, XVIII, 23; ap. -a, XVIII, 37, -e, XXIV, 1345.

lēodhata, m., *tyrant;* np. -n, X, 129.

lēodmægen, n., *host;* gs. -mægnes, XIV, 167.

lēodscipe, m., *people;* ds. XIV, 244; as. IV, 304.

lēof, adj., *dear, beloved;* nsm. XIII, 339, ne lēof ne lāð, XXIV, 511 *(friend nor foe);* gsm. -es, XIX, 38; dsf. -re, XIX, 97, dsm. wk. -an, IX, ii, 46; asm. -ne, XVIII, 7; voc. sm. III, 19, III, 31 *(Sir);* gp. -ra, XIX, 31; voc. pm. -an, V, vi, 111; comp. nsn. -re, III, 7; asf. -ran, XIII, 412; supl. -ost, XVIII, 23, -ust, XII, i, 52; voc. pm. wk. -ostan, IX, ii, 1. (LIEF)

leofað, see libban.

Lēofrīc, m., *earl of Mercia;* ns. IV, 340.

Lēofsunu, m., *an Anglo-Saxon warrior;* ns. XVIII, 244.

lēoftæl, adj., *gracious;* nsm. XVI, 32.

Lēofwine, m., *son of Godwin;* ns. IV, 394; *an alderman;* gs. -s, IV, 331; *an abbot (Ms. error for* Lēofrūn); as. IV, 251.

lēoht, n., *light;* ns. II, i, vs. 3; gs. -es, XIII, 392; ds. -e, XXI, iv, 17; as. IX, i, 24; np. II, i, vs. 14; dp. -um, VI, i, 10; ap. II, i, vs. 16. (LIGHT)

lēoht, adj., *light, bright;* nsm. XIV, 251; gsm. -es, V, iv, 17; dp. -um, V, i, 49; apf. -e, V, i, 26. (LIGHT)

leoht, adj., *light of weight;* apn. -e, VII, 75. (LIGHT)

lēoma, m., *ray, beam, light, splendor, glow;* ns. IV, 133; ds. -n, XV, 204.

lēo, m. or f., *lion;* dp. lēonum, IX, i, 55. (Lat. leo)

gelēon, S1, *to lend, grant;* pres. 3s. -līð, XII, i, 49.

leornere, m., *scholar;* ap. leorneras, V, vi, 52.

leornian, W2, *to learn;* inf. III, 13; pret. pl. leornodon, V, vi, 71.   (LEARN)

geleornian (-liornian), W2, *to learn;* inf. V, vi, 68; pret. 1s. -liornode, VIII, 69; pret. 3s. -leornade, V, vi, 5; pret. pl. -liornodon, VIII, 49; pp. -leornad, V, v, 32, -liornod, VIII, 42.

leornung (liornung), f., *learning;* ds. -e, III, 6, liornunga, VIII, 60; as. liornunga, VIII, 10.   (LEARNING)

leornungcniht, m., *disciple;* np. -as, I, ii, vs. 15.

lēoð, n., *song, poem;* ns. V, vi, 70; gs. -es, V, vi, 15; as. V, vi, 19; is. -e, V, vi, 60; ap. V, vi, 3.

lēoðcræft, m., *poetic skill, poet's craft;* as. V, vi, 13.

lēoðsong, m., *song, poem;* gs. -es, V, vi, 58; dp. -um, V, vi, 8.

lēstan, W1, *to perform, carry out, avail;* inf. XII, i, 34.

lettan, W1, w. acc. of person and gen. of thing, *to hinder;* pret. pl. letton, XXIV, 569.   (LET)

gelettan, W1, *to prevent, hinder;* pret. 3s. -lette, XVIII, 164.

lēw, f., *weakness;* ds. -e, X, 145.

gelēwede, see lǣwan.

libban (lybban, lifian, lifgan), W3, *to live;* inf. XI, 6, lifian, V, i, 70, lifgan, XV, 194; pres. ptc. lybbende, I, i, vs. 13; pres. ptc. gsm. libgendes, XII, ii, 23, asn. lifiendne, X, 73, asn. libbende, II, i, vs. 21, gp. lifgendra, XX, 73; pres. 3s. leofað, XVI, 17; subj. pres. 3s. lifge, XX, 78; ind. pret. pl. lifdan, V, iv, 14.   (LIVE)

līc, n., *body, corpse;* ns. VII, 127.   (LYCH, LICHfield)

licgan, S5, *to lie, lie dead, extend;* inf. IV, 195; pres. 3s. ligeð, V, i, 26, līð, VII, 57; pres. pl. licgað, VII, 59; subj. pres. 3s. licge, X, 94; ind. pret. 3s. læg, VII, 19; pret. pl. lǣgon, XXIV, 566, lāgon, XVII, 28, lāgon ongēan, IV, 344 (*opposed*); subj. pret. 3s. lǣge, VII, 7.   (LIE)

līchama (līchoma), m., *body;* gs. -n, V, iv, 8; as. līchoman, VI, iii, 8.

līchamlīc (līcum-), adj., *bodily;* nsn. IX, i, 68; dsf. līcumlīcre, V, vi, 90.

līchoma, see līchama.

lician, W2, impers. w. dat., *to please;* pret. 3s. līcade, V, iv, 37; pret. pl. līcodon, XXIV, 639.   (LIKE)

līcsyrce, f., *coat of mail;* ns. XXIV, 550.

līcumlīc, see līchamlīc.

līcwund, f., *wound;* gs. -e, XIV, 239.

lid, n., *ship;* gs. -es, XVII, 27.

lidman (-mann), m., *sailor, pirate;* np. -men, XVIII, 99; gp. -manna, XVIII, 164.

gelīefan, see gelȳfan.

līf, n., *life;* ns. II, i, vs. 30; gs. -es, V, v, 24; ds. -e, II, i, vs. 20; as. V, vi, 88.   (LIFE)

lifgan, see libban.

lifian, see libban.

Līfing, m., *archbishop of Canterbury;* as. IV, 266.

lift, see lyft.

līfwynn, f., *joy of life;* gp. -a, XV, 806.

līg, m., *flame, fire;* ns. XIII, 376; ds. -e, II, ii, **vs. 2.**
līgȳð, f., *wave of flame;* dp. -um, XXIV, 2672.
līhtan, W1, *to alight;* pret. 3s. līhte, XVIII, 23. (LIGHT)
līhting, f., *lighting, illumination;* ds. -e, II, i, vs. 16. (LIGHTING)
lim, n., *limb;* ap. -o, V, **vi,** 26. (LIMB)
Limen, f., *the Limen river in Kent;* gs. -e, IV, 138.
limpan, S3, *to happen;* pres. 3s. limpeð, XX, 13.
gelimpan, S3, *to happen, come to pass;* inf. X, 91; pres. 3s. -limpð, X, 98; pret. 3s. -lamp, V, i, 42; pret. pl. -lumpon, IV, 241.
lind, f., *shield;* gs. -e, XIV, 239; as. -e, XVIII, 244; dp. -um, XIV, 228; ap. -e, XVIII, 99. (LINDEN)
Lindesīg, f., *Lindsey, a division of Lincolnshire;* ds. -e, IV, 272.
geliornian, see geleornian.
liornung, see leornung.
lioðobend, m., *fetter;* dp. -um, XIII, 382.
list, f., *skill, art;* ds. -e, XXI, iv, 4.
lītel, see lȳtel.
liðsman, m., *sailor;* np. -men, IV, 341.
līxan, W1, *to shine, glitter;* inf. XIV, 157; pres. 3s. līxeð, XVI, 27; pret. 3s. līxte, XVI, 24; pret. pl. līxton, XIV, 175.
loc, n., *lock, bolt;* dp. -um, V, i, 24. (LOCK)
loc, n., *enclosed place, fold, stable;* ap. -a, III, 35.
lōcian, W2, *to look;* ger. tō lōcienne, VI, i, 6; imp. s. lōca, VI, i, 1. (LOOK)
lof, n., *praise, glory;* ns. V, iv, 30; as. V, vi, 115.
gelōgian, W2, *to place;* pret. 3s. -lōgode, X, 78.
lond, see land.
londbūend, m., *land-dweller;* ap. XXIV, 1345.
longe, see lange.
longung, f., *longing;* as. -e, XX, 47. (LONGING)
lopystre, f., *lobster;* ap. lopystran, III, 102. (LOBSTER)
losian, W2, w. dat., *to escape, be lost;* inf. XXI, iii, 11; pres. 3s. losað, XIII, 434; subj. pres. 3s. losige, XI, 13. (LOSE)
lūcan, S3, *to lock, flow together;* pret. pl. XVIII, 66. (LOCK)
Lufa (Luba, Lubo), f., *Lufa, a nun;* ns. XII, ii, 1, Luba, XII, ii, 21, Luboₜ XII, ii, 19; gs. Lufe, XII, ii, 30.
lufe, f., *love;* ds. lufan, IV, 123; as. lufan, XV, 167. See also lufu.
lufian, W2, *to love;* inf. V, vi, 62; pres. pl. lufiað, X, 138; pret. 3s. lufude, VIₗ ii, 17; pret. pl. lufodon, VIII, 26. (LOVE)
luflīce, adv., *lovingly;* VIII, 1. (LOVELY)
lufsum, adj., *pleasant;* nsm. XVI, 32. (LOVESOME)
lufu, f., *love;* ds. lufe, IX, ii, 58. See also lufe. (LOVE)
Lunden, *London;* ds. -e, IV, 281; as. IV, 342.
Lundenburg, f., *London;* ds. -byrig, IV, 165; as. IV, **25.**
lungre, adv., *thoroughly, entirely;* XV, 167.
lust, m., *desire, joy, pleasure;* ns. XX, 36; as. XXIV, 599. (LUST)

lustlīce, adv., *gladly, willingly;* comp. -līcor, III, 79.   (LUSTILY)

lūtian, W2, *to idle;* inf. III, 21.

lybban, see libban.

gelȳfan (-līefan), W1, *to believe, trust, count on;* ger. tō gelȳfanne, V, **v**, 2; pres. 1s. -lȳfe, XIII, 401, -līefe, VIII, 21; 3s. -lȳfeð, XX, 27; subj. pres. 3s. -lȳfe, X, 81; ind. pret. 3s. -lȳfde, XXIV, 608 *(count on);* pret. pl. -lȳfdon, V, **v**, 111. (beLIEVE, cf. gelēafa)

lyft (lift), f., *air;* ns. XXIV, 1375; gs. -e, II, i, vs. 28; **ds. -e**, XXIII, 3, lifte, XXI, iv, 4; as. V, i, 72; gp. -a, V, i, 66 *(climate).*

lyftedor, m., *pillar of cloud;* ap. -as, XIV, 251.

lyfthelm, m., *cloud, air;* ns. XXIII, 46.

Lȳge, f., *river Lea;* ds. Lȳgan, IV, 162.

gelyhtan, W1, *to alight, dismount, approach,* pret. 3s. -lyhte, V, **v**, 87.

lȳsan, W1, *to release, deliver;* inf. XVIII, 37.

lȳt, n., *few, little;* as. XIX, 31.

lytegian, W2, *to dissemble;* inf. XVIII, 86.

lȳtel (lītel), adj., *little, small;* dsf. -re, X, 43; asf. lȳtle, VIII, 31, asn. X, 23, asn. wk. lȳtle, VII, 47; isn. lȳtle, IV, 76; npf. lȳtle, X, 7; apn. lȳtle, VII, 74; comp. læssa, *less;* nsm. VII, 36, nsf. læsse, XXII, ii, 21, nsn. læsse, II, i, vs. 16; dsn. -n, V, i, 25; asf. -n, XXII, ii, 22; supl. læst (læsst), *least, smallest,* nsm. wk. -a, VII, 134, nsn. wk. læsste, V, **v**, 52; asm. wk. -an, VII, 140. (LITTLE, LESS, LEAST)

lȳtlian, W2, *to lessen, diminish;* pres. 3s. lȳtlað, XVIII, 313.

lȳtling, m., *little one;* ap. -as, I, ii, vs. 16.

lȳþre, adj., *wicked;* asf. X, 174.

M

mā, indecl. noun, w. part. gen., comp. adv., *more;* ns. XVIII, 195; as. VII, **46**; adv. V, **v**, 39; þē mā, XVII, 46, ðon mā, V, iv, 39 *(any more, either).*

Maccbethu, m., *one of the three Scots who came to Alfred;* ns. IV, 128.

Maccus, m., *an Anglo-Saxon warrior;* ns. XVIII, 80.

Madia, *Midian;* ds. -n, II, ii, vs. 1.

mæg, m., *kinsman;* ns. XVIII, 5; gs. -es, II, ii, vs. 1; ds. mēge, XII, i, 30; voc. s. XV, 165; np. -as, XI, 20; gp. māga, XVII, 40, mēga, XII, ii, 7; dp. -um, XI, 25, māgum, VII, 123, mēgum, XII, i, 3.

mægburg, f., *family;* ds. -e, XI, 21.

mægen, n., *might, power, host, army;* ns. XIV, 210; gs. -es, V, **v**, 33, **mægnes,** XIV, 245; ds. -e, XXI, iv, 14; as. V, iii, 3.   (MAIN)

mægenellen, n., *mighty strength;* **as.** XXIV, 659.

mægenfæst, adj., *strong, mighty, vigorous;* comp. nsn. -re, IX, i, 69.

mægenhēap, m. or f., *army, troop;* dp. -um, XIV, 197.

mægenstrengo, f., *great strength;* ds. XXIV, 2678.

mægenþise, f., *strength;* ds. -þisan, XXI, iv, 10.

mǣgrǣs, m., *attack on relatives;* ap. -as, X, 123.

mǣgslaga, m., *slayer of relatives;* np. -n, X, 149.

mægð, f., *tribe, nation, race;* ns. V, iv, 23; ds. **-e, V,** v, 110, mægeðe, V, i, 40, as. -e, V, i, 5; gp. -a, V, ii, 29.

mægð, f., *virgin, maiden;* voc. s. XV, 176; gp. -a, XXI, i, 8.

mægðe, f., *camomile or maythem;* as. mægðan, XXII, ii, 26; voc. s. XXII, ii, 23.

mæl, n., *time;* ap. -a, XVIII, 212. (MEAL)

mǣlan, W1, *to speak, announce;* pret. 3s. mǣlde, XVIII, 26.

gemǣlan, W1, *to speak;* pret. 3s. -mǣlde, XVIII, 230.

Mældūn, f., *Maldon, in Essex;* ds. -e, IV, 203.

Mælinmun, m., *one of the three Scots who came to Alfred;* ns. **IV,** 128.

mænig, see monig.

mænigfeald, see manigfeald.

mǣran, W1, *to make famous, honor;* pp. gemǣred, V, vi, 2.

mǣre, adj., *famous, glorious;* nsn. V, i, 79; nsf. wk. XIX, 100; gsm. wk. mǣran, XV, 165, gsf. wk. mǣran, IX, ii, 56; dsm. mǣrum, XV, 210.

mǣrþu, f., *glory, glorious deed;* as. mǣrþo, XXIV, 659; gp. mǣrþa, XX, 84; ap. mǣrþa, X, 192.

Mǣs, f., *the river Meuse;* gs. -e, IV, 108.

mæsse, f., *mass;* ds. mæssan, IV, 186. (MASS, Lat. missa)

mæsse-æfen (-ǣfan), m., *eve of a festival;* as. IV, 375, -ǣfan, IV, 324.

mæsse-dæg, m., *mass day;* as. IV, 375. (MASS-DAY)

mæsseprēost (-prīost), m., *mass-priest;* ns. IX, **ii, 4;** ds. -e, VIII, 72, -prīoste, VIII, 71; np. -as, V, ii, **46.** (MASS-PRIEST)

mǣst, see micel.

mæst, m., *mast;* ns. XXIII, 24. (MAST)

mǣð, f., *right, fitness, honor, reverence;* ns. XVIII, 195; ds. -e, X, 29; as. -e, X, 79.

mǣðlan, W1, *to speak;* inf. XV, 797.

mǣw, m., *seagull;* as. XX, 22. (MEW)

maga, m., *young man;* ns. XXIV, 2675.

magan, PP, *to be able, be strong, can;* pres. 2s. miht, XXII, ii, 4, meaht, V, **vi,** 32; 3s. mæg, VII, 57; pres. pl. magon, V, i, 47, magan, X, 146, mahon, VI, i, 2; subj. pres. 2s. mæge, VIII, 22; 3s. mæge, VII, 86; pres. pl. mægen, VIII, 56; ind. pret. 3s. mihte, V, v, 8, mehte, IV, 155, meahte, V, vi, 11; pret. pl. mihton, IV, 345, mihtan, VI, ii, 17, meahton, VIII, 32, meahtan, XV, 800, mehton, IV, 150. (MAY, MIGHT)

mago, m., *son, man;* ns. XIX, 92.

magu-þegn, m., *thane, retainer, man;* np. -as, XIX, 62.

malscrung, f., *enchantment;* ds. -e, XXII, ii, 45.

malt, n., *malt;* gs. -es, XII, ii, 5. (MALT)

mān, n., *wickedness, crime;* gp. -a, X, 157.

mān, adj., *evil, wicked;* dp. -um, XIV, 149.

man (mann, mon, monn), m., *man;* ns. I. i, **vs. 11,** mann, V, i, 68, IX, ii, 37 (*person*), mon, V, **vi,** 84, monn, VI, ii, 15; gs. mannes, V, iii, 9, monnes, VI, ii, 15; ds. men, I, i, vs. 15, menn, X, 135; as. man, XXII, ii, 31, mon, V, vi, 12, mannon, XXIV, 577, monnan, XI, 65; voc. s. mon, XXI, iii, 12; np. menn, V, i, 74, men, I, ii, vs. 10; gp. manna, VI, ii, 18, monna, V, v, 53; dp. mannum, V, i, 76, monnum, VIII, 25; ap. menn, VI, iii, 8, men, V, vi, 52; voc. p. men, IX, ii, **1.** (MAN)

man (mon, mann, monn), indef. pron., *one, they;* I, i, vs. 16; mon, V, i, 5; mann, IV, 241; monn, V, i, 69.

mancus, m., *mancus, a coin worth 30 pence;* gp. mancessa, VIII, 76.

mancynn (mann-, mon-), n., *mankind, race of men;* gs. manncynnes, IV, 326, moncynnes, V, vi, 43; ds. moncynne, XIII, 363; as. IV, 317.

mǎndǣd, f., *evil deed;* gp. -a, V, vi, 83; ap. -a, X, 120.

mǎnfordǣdla, m., *wicked destroyer, evil-doer;* np. -n, XXIV, 563.

mǎnfull, adj., *wicked, evil;* nsm. I, ii, vs. 10, nsm. wk. -a, I, ii, vs. 11.

manian, see **monian.**

manig, see **monig.**

manigfeald (monig-, mænig-, menig-), adj., *manifold, numerous;* npn. monigfealde, XVI, 70; dp. -um, VIII, 66; apf. mænigfealde, X, 119, menigfealde, IX, i, 36; comp. nsn. mænigfealdre, X, 86.   (MANIFOLD)

mann, see **man.**

manncynn, see **mancynn.**

mannslaga, m., *man-slayer, murderer;* np. -n, X, 148.   (MAN-SLAYER)

mansliht (mon-), m., *man-slaughter, murder;* ds. monslihte, XI, 64; dp. -um, IV, 215; ap. -as, X, 123.

mǎnswara, m., *perjured person;* ns. XV, 193; np. -n, X, 150.

mansylen, f., *sale of a man, enslavement;* ap. -a, X, 121.

mǎra, see **micel.**

marc, n., *mark, half a pound;* ap. IV, 356.   (MARK)

Marīe, f., *Mary;* gs. Marīe, IV, 208; voc. s. Marīa, XV, 176.

Martiānus, m., *Emperor of Rome;* ns. V, ii, 2.

Martius, m., *March;* as. IX, i, 22.

gemartyrian, W2, *to martyr;* pret. pl. -martyredon, IV, 264; pp. -martyrod, IV, 265.   (MARTYR, Lat. martyr)

maðelian, W2, *to speak;* pret. 3s. maðelode, XIII, 347.

mǎðm, m., *treasure;* as. IX, ii, 44; gp. -a, VIII, 30; dp. -um, XX, 99.

māþþum-gyfa, m., *treasure-giver;* ns. XIX, 92.

māwan, S7, *to mow;* pres. 3s. māweð, V, i, 68.   (MOW)

max, n., *net;* dp. -um, III, 55; ap. III, 52.

Maxentius, m., *a Roman general;* ns. IX, ii, 8.

mē, see **ic.**

meaht, see **miht.**

mēar, see **mearg.**

mearc, f., *border, path, road;* as. mearc, XIV, 160.   (MARK, cf. MARCH)

mearcian, W2, *to mark;* pret. 3s. mearcode, IX, ii, 16; pp. mearcod, XIII, 363. (MARK)

gemearcian, W2, *to create;* pp. -mearcod, XIII, 395.

mearcstapa, m., *march-stepper;* ap. -n, XXIV, 1348.

mearcþrēat, m., *troop, band;* ds. -e, XIV, 173.

mearcweard, m., *watcher of the ways, guardian of the border;* np. -as, XIV, 168.

mearg (mēar), m., *horse, steed;* ns. XIX, 92; ds. mēare, XVIII, 239; as. mēar, XVIII, 188; gp. mēara, XIV, 171.   (Cf. MARE)

mearð, m., *marten;* gs. -es, VII, 52.

mec, see ic.

mēce, m., *sword;* as. XVIII, 167; gp. -a, XVII, 40; dp. mēcum, XVII, 24.

mecgan, W1, *to stir, mix;* inf. XXIII, 24.

medmicel (-mycel), adj., *limited, little;* dsn. -miclum, V, v, 54; asn. -mycel, V, vi, 119.

medo (meodo), m., *mead, a drink made from honey;* ns. VII, 121; ds. XXIV. 604, meodo, XVIII, 212; as. VII, 119. (MEAD)

medo-drinc, m., *mead-drink;* ds. -e, XX, 22.

medoful, n., *mead-cup;* as. XXIV, 624.

mēga, mēge, mēgum, see mǣg.

melcan, S3, *to milk;* pres. 1s. melke, III, 36. (MILK)

mengan, W1, *to mix, join;* inf. VI, ii, 10. (MINGLE)

gemengan, W1, *to mix, mingle;* pp. -menged, VI, i, 5.

menigeo, f., *multitude;* ns. VIII, 31; as. XIV, 205.

menigfeald, see manigfeald.

gemenigfealdan, W1, *to multiply, increase;* pp. npm. -menigfilde, II, i, vs. 22.

menniscnys (-nes), f., *incarnation;* ds. -se, V, ii, 2; -nesse, V, vi, 76. (MANNISH-NESS)

meodo, see medo.

meoduheall, f., *mead-hall;* ds. -e, XIX, 27. (MEAD-HALL)

meolc, f., *milk;* ds. meolece, II, ii, vs. 8; as. VII, 119; dp. -um, V, i, 78. (MILK)

Mēore, *Möre, a district in southern Sweden;* ns. VII, 105.

meotod, see metod.

mere, m., *mere, lake, sea;* ns. XXIV, 1362; ds. VII, 111; np. meras, VII, 72; ap. meras, VII, 73. (MERE)

meredēor, n., *sea monster;* as. XXIV, 558.

merefara, m., *seafarer;* gs. -n, XXIV, 502.

merefix, m., *sea-fish;* gp. -a, XXIV, 549.

mereflōd, m., *sea;* ds. -e, XX, 59.

meregrōta, m., *pearl;* np. -n, V, i, 13. (Cf. MARGUERITE)

merehengest, m., *sea-horse,* i.e. *ship;* ns. XXI, i, 6.

Meresīg, f., *Mersey, in Essex;* ns. IV, 156; ds. -e, IV, 161.

mere-strǣt, f., *sea-path;* ap. -a, XXIV, 514.

merestrēam, m., *sea, wave;* ns. XIV, 210.

merestrengo, f., *strength in the sea;* as. XXIV, 533.

mere-swȳn, n., *dolphin, porpoise;* np. V, i, 11; ap. III, 101.

Meretūn, m., *Merton;* ds. -e, IV, 66.

merewērig, adj., *sea-weary;* gs. -wērges, XX, 12.

mergen, see morgen.

mētan, W1, *to meet, find;* inf. VI, iii, 11; pret. 1s. mētte, V, v, 64. (MEET)

gemētan, W1, *to meet, find;* pres. pl. -mētað, IX, i, 2; pret. 3s. -mētte, IV, 48; pret. pl. -mētton, V, i, 44; pp. -mēted, V, i, 20, -mēt, I, i, vs. 24; pp. npm. -mētte, V, i, 12.

metan, S5, *to measure, traverse;* pret. pl. mǣton, XIV, 171. (METE)

mete, m., *meat, food;* gs. -s, XXII, i, 11; ds. II, i, vs. 29, XXII, ii, 26 *(drug);* as. XI, 9. (MEAT)

metian, W2, *to supply with food;* inf. IV, 275.

Metod (metud, meotod, meotud), m., *Lord, creator;* ns. meotod, XX, 108, meotud, XXIII, 49; gs. -es, V, vi, 38, metudes, XIX, 2, meotodes, XV, 210, meotudes, XV, 197; ds. -e, XVIII, 147; voc. s. XVIII, 175.

metsung, f., *provisions;* as. -e, IV, 220, -a, IV, 233.

meþelstede, m., *place of council;* ds. XVIII, 199.

micel (mycel), adj., *great, much;* nsm. VI, i, 7, mycel, I, i, vs. 14, nsm. wk. micla, IV, 135, nsf. X, 182, mycel, X, 19, nsn. XIII, 374, mycel, V, i, 46, nsn. wk. mycele, IV, 324; gsm. wk. miclan, IV, 139, gsf. -re, V, vi, 87, gsn. miccles, XVIII, 217; dsm. miclum, VI, i, 3, myclum, V, ii, 32, mycclum, IV, 226, dsm. wk. micclan, IX, ii, 27, myclan, X, 18, mycclan, IV, 205; asm. -ne, IV, 22, asm. wk. miclan, X, 190, asf. micle, IV, 40, asf. wk. miclan, II, ii, vs. 3, micelan, XXII, i, 6, asn. IV, 85, mycel, V, iii, 13, asn. wk. miccle, XVIII, 50; isn. myccle, V, i, 3, micle, VII, 36 (adv. *much*), swā micle swā, V, v, 63 *(as much as)*, mycele, V, i, 29 (adv. *much*), mycle, V, i, 66 (adv. *much*); npm. micle, VII, 72, myccle, XXIII, 4, npf. micle, X, 84; dp. miclum, VII, 150 (adv. *greatly*), micclum, IX, ii, 33 (adv. *greatly*), myclum, V, ii, 5, dp. wk., miclan, X, 14; apm. micle, IV, 101, apm. wk. micelan, II, i, vs. 21, micclan, IX, i, 57, apn. micele, II, i, vs. 16; comp. māra, *more;* nsm. w. instr. þȳ māra, VIII, 46 *(the more)*, nsf. māre, X, 90, nsn. māre, II, i, vs. 16; gsn. -n, XIV, 215; asm. -n, IV, 210, asf. -n, V, ii, 37, asn. māre, III, 28; npn. -n, V, ii, 30; apf. -n, V, v, 36; supl. mǣst, *most;* nsm. X, 70, nsf. VII, 48; dsm. wk. -an, VII, 139; asm. wk. -an, IV, 85, asf. -e, XVIII, 175, asf. wk. -an, V, vi, 6, asn. IV, 242, asn. wk. -e, IV, 29; npm. wk. -an, VII, 39; dp. wk. -um, V, i, 3; adverbially, mǣst ǣlc, X, 65 *(nearly everyone)*, mǣst ealle, IV, 341 *(almost all)*. (Sc. MICKLE, MUCH, MORE, MOST)

Michael, m., *the archangel;* gs. -es, IV, 246.

mid (mit), prep. w. dat., acc., instr., *with, among;* I, i, vs. 29; mid ealle, IX, ii, 29 *(altogether)*; mid þām þe, IX, i, 39 *(when)*; mid þȳ, V, i, 54 *(while, when)*; mit, III, 22.

mid (midd), adj., *mid, middle;* dsf. -re, II, ii, vs. 4, middre, V, i, 27; asm. -ne, IV, 83; dp. -dum, XIV, 168. (MID, Lat. medius)

middangeard (midan-, middon-), m., *earth, world;* ns. XIX, 62; gs. -es, V, i, 26, midangeardes, VI, ii, 3; as. V, vi, 123, middongeard, V, vi, 43. (MID-YARD, cf. Scand. midgarth)

middan-sumer, m., *midsummer, June 24th;* ds. -a, IV, 358. (MID-SUMMER)

midde, f., *middle;* ds. on middan, XXIV, 2705 *(in the middle)*.

Middelengle, m. pl., *Middle Angles;* np. V, ii, 22.

Middel Seaxe, m. pl., *Middle Saxons, Middlesex;* ap. IV, 236.

Middeltūn, m., *Milton Royal, in Kent;* ds. -e, IV, 147.

middeniht, f., *midnight;* as. V, vi, 102. (MIDNIGHT)

middeweard, adv., *toward the middle;* VII, 63.

middongeard, see middangeard.

Mierce, see Myrce.

miht (meaht), f., *might, power;* ds. meahte, XX, 108; as. -e, V, v, 38; dp. meahtum, XXI, ii, 10. (MIGHT)

mihtig, adj., *mighty;* nsm. XIII, 342, nsf. -u, XXII, ii, 8; gsm. -es, XJII, 403; dsm. wk. -an, IX, ii, 55; asn. XXIV, 558; npn. -u, XXII, ii, 36. (MIGHTY) mihtmōd, n., *strong passion;* ns. XIV, 149.

mīl, f., *mile;* ds. -e, VII, 132; gp. -a, IV, 141; dp. -um, VII, 136. (MILE, Lat. milia passuum)

milde, adj., *mild, kind, gracious, gentle;* nsm. I, ii, vs. 13; asn. XVI, 31; voc. sm. XVIII, 175. (MILD)

mildheortnes (-nis), f., *mercy;* ds. -se, I, i, vs. 20; as. -nisse, IV, 212.

mīlgemearc, n., *measure by miles;* gs. -es, XXIV, 1362.

mīlpæð, m., *mile-path,* i.e., *road, way;* ap. -þaðas, XIV, 171.

milts, f., *mercy;* gs. -e, XIX, 2.

min (mȳn), poss. pron., adj., *my, mine;* nsm. I, i, vs. 24, nsf. XVIII, 177; gsm. -es, I, i, vs. 17, gsf. -re, I, i, vs. 12, gsn. -es, II, ii, vs. 7; dsm. -um, I, i, vs. 18, -on, III, 37, dsn. -em, XII, ii, 22, mȳnan, III, 108; asm. -ne, I, i, vs. 12, asf. -e, XII, i, 32, asn. II, ii, vs. 10; voc. sm., III, 39; npn. -c, I, i, vs. 31; gp. -ra, XII, i, 19; apn. -e, III, 33; voc. pm. -e, V, vi, 111. (MINE)

mine, m., *favor, love;* as. minne, XIX, 27. (See note.)

misbēodan, S2, w. dat., *to ill-treat;* inf. X, 30.

misdǣd, f., *misdeed, sin, offense;* gp. -a, X, 119; dp. -um, X, 168, -an, X, 135; ap. -a, XI, 18. (MISDEED)

misenlīc, see missenlīc.

misfaran, S6, *to go astray, suffer;* pres. pl. -farað, IX, i, 47.

mislīc (mistlīc), adj., *various;* npm. mistlīce, VI, ii, 4, npn. -e, III, 73; dp. -um, IV, 370; apf. mistlīce, IV, 372, apn. mistlīce, X, 125.

mislimpan, S3, impers. w. dat., *to go wrong;* subj. pres. 3s. -limpe, X, 116.

missenlīc (misen-), adj., *various;* npm. -e, XIX, 75; gp. -ra, V, i, 9, misenlīcra, V, i, 6.

mist, m., *mist;* ap. -as, XIII, 391. (MIST)

mistlīc, see mislīc.

mit, see mid.

mitta, m., *a measure;* as. -n, XII, ii, 10.

mōd, n., *mind, heart, courage;* ns. VI, i, 16; gs. -es, XX, 36; ds. -e, V, ii, 55; as. V, iii, 3; is. -e, V, vi, 100; np. V, vi, 8. (MOOD)

mōdcearig, adj., *sorrowful of heart;* nsm. XIX, 2.

mōdgeðanc, m., *thought, purpose;* as. V, vi, 38.

mōdhēap, m., *bold host;* dp. -um, XIV, 242.

mōdig (mōdi), adj., *brave, resolute, proud;* nsm. XXIV, 604, mōdi, XVIII, 147; gsm. -es, XXIV, 2698, mōdges, XXIV, 502; npm. -e, XVIII, 80, mōdge, XIX, 62. (MOODY)

mōdiglīce, adv., *proudly;* XVIII, 200. (MOODILY)

mōdor, f., *mother;* ns. IX, ii, 37; ds. mēder, VI, iii, 3; as. X, 83. (MOTHER)

mōdsefa, m., *mind, heart;* ns. XIX, 59; as. -n, XIX, 10.

mōdwlonc, adj., *proud;* nsm. XX, 39.

Moises (Moyses), m., *Moses;* ns. II, ii, vs. 1, Moyses, IX, i, 17; gs. V, vi, 73; Moyses, V, i, 32; ds. Moise, II, ii, vs. 14, Moysen, IX, i, 18.

molde, f., *earth, land;* ns. XX, 103; ds. moldan, IX, ii, 44. (MOULD)

mon, see man.

mōna, m., *moon;* ns. IX, i, 75; gs. -n, IX, i, 74; ds. -n, VI, iii, 6; as. -n, IX, i, 14 (MOON) mōnan-dæg, m., *Monday;* ns. **IX,** i, 43; as. IX, i, 42. (MONDAY)

mōnaठ (mōnठ), m., *month;* ns. IX, i, 18; gs. mōnठes, IX, i, 22; ds. mōnठe, VII,
79; as. VII, 123, þæs ymb ānne mōnaठ, IV, 75 (*a month after this*), XII
mōnaठ, XII, ii, 9 (*a twelvemonth*); gp. mōnठa, IX, i, 18; dp. mōnठum, **IX,**
i, 19; ap. mōnठas, IX, i, 67. (MONTH)

moncynn, see mancynn.

mondryhten, m., *liege lord;* as. XIX, 41.

monian (manian), W2, *to exhort, admonish, advise, induce;* inf. manian, XVIII,
228; pres. 3s. monaठ, XX, 36; pret. 3s. monode, V, vi, 63; pp. monad, V, iv,
3; pp. apm. gemanode, XVIII, 231.

gemonian, W2, *to exhort;* pres. pl. -moniaठ, XX, 50.

monig (moni, manig, mænig), adj., *many;* nsm. XV, 801, moni, XVIII, 239,
manig, XVII, 17, mænig, XVIII, 282; asm. manigne, XVIII, 243, mænigne,
XVIII, 188, asn. V, vi, 47; npm. -e, V, ii, 50, monge, XVI, 1, manege, X, 70,
manega, IX, i, 40, mænige, III, 114, npf. mænige, X, 40; gp. -ra, V, ii, 29;
dp. -um, V, vi, 75, manegum, III, 108; apf. manege, X, 11, apn. monig, V
iv, 5, apm. wk., manegan, X, 76. (MANY)

monigfeald, see manigfeald.

monn, see man.

monsliht, see mansliht.

mōnठ, see mōnaठ.

monþwære, adj., *kind;* nsm. XVI, **31.**

monuc, m., *monk;* ns. III, 11. (MONK, Lat. monachus)

mōr, m., *moor;* ns. VII, 65; gs. -es, VII, 69; ds. -e, VII, 65; as. VII, 71; np. -as,
VII, 59; dp. -um, VII, 60; ap. -as, VII, 72. (MOOR)

mōrfæsten, n., *moor fastness;* dp. -um, IV, 87.

morgen (mergen), m., *morning;* ns. II, i, vs. 5, mergen, II, i, vs. 13; ds. -ne,
V, vi, 49, mergenne, XXIV, 565; as. III, 33, mergen, III, 41, merigen, IX,
i, 24. (MORN)

morgenlēoht, n., *morning light, sun;* ns. XXIV, 604.

morgentīd, f., *morning time;* as. XVII, 14.

Morkere, m., *earl of Northumberland;* ns. IV, 386.

morठdæd, f., *murder;* ap. -a, X, 120.

morþor (morþer), n. or m., *crime, sin, torment;* as. XV, 193, morठer, XIII, **342**
(MURDER)

morठorwyrhta, m., *murderer;* np. -n, X, 151.

mōtan, PP, *may, be allowed, must, can;* pres. 3s. mōt, XI, 59; pres. 1p. mōtan,
X, 16, mōte wē, X, 13; 3p. mōtan, VII, 142; subj. pres. 3s. mōte, XI, 24;
ind. pret. 1s. mōste, XIII, 369; 2s. mōst, XVIII, 30; 3s. mōste, IX, ii, 44; pret;
pl. mōston, IX, ii, 33. (MUST)

Moyses, see Moises.

mucgwyrt, f., *mugwort;* voc. s. XXII, ii, 1.

gemunan, PP, *to remember, call to mind;* pres. 3s. -mon, XIX, 34; imp. pl.
-munaठ, XVIII, 212 (w. gen.); pret. 1s. -munde, VIII, 28; 3s. -munde, **IV,**
372; pret. pl. -mundon, XIV, 220.

mund, f., *hand, protection;* ds. -e, X, 29; dp. -um, XXIV, 514.

mundbyrd, f., *protection, fine (paid for violating protection);* gs. -e, XI, 5.

Mundlinghām, m., *Mongeham, in Kent;* as. XII, ii, 22.

munt, m., *mountain, hill;* ns. VI, ii, 20; ds. -e, VI, i, 8.   (MOUNT, Lat. mons)

munuchād, m., *monkhood, monastic life;* ds. -e, V, vi, 64.   (MONKHOOD)

murnan, S3, *to care, mourn;* inf. XVIII, 259; pret. pl. XVIII, 96.   (MOURN)

muscul, f., *mussel;* np. -e, V, i, 12.   (MUSSEL, Lat. musculus)

musle, f., *mussel;* ap. muslan, III, 102.

mūð, m., *mouth;* ns. XXIII, 37; ds. -e, V, vi, 71; as. XVI, 43.   (MOUTH)

mūþa, m., *mouth of a river;* ns. IV, 139; as. -n, IV, 269.

mycel, see **micel.**

myclian, W2, *to increase,* inf. V, ii, 32.

mylenscearp, adj., *ground sharp;* dp. -um, XVII, 24.

myltystre (-testre), f., *harlot;* np. myltestran, X, 153; dp. myltystrum, I, i, **vs.** 30.

mȳn, see **mīn.**

myne, m., *minnow;* ap. mynas, III, 96.   (MINNOW)

gemyn (e)gian, W2, *to remember;* pret. 3s. -myngade, V, vi, 68; pret. pl. -mynegodon, V, ii, 31.

gemynian, W1, *to have in mind, be mindful of;* imp. s. -myne, V, **v**, 13, XXII, ii, 23.

mynster, n., *monastery, cathedral;* ds. mynstre, V, vi, 1 (*monastery*), Ealdan mynstre, IV, 338 (*the Cathedral*); as. IV, 373.   (MINSTER, Lat. monasterium)

mynsterhām, m., *monastery;* ap. -as, XII, i, 33.

mynsterhata, m., *persecutor of monasteries;* np. -n, X, 149.

gemyntan, W1, *to intend, plan;* pret. 3s. -mynte, IX, ii, 25; pp. -mynted, XIV, 197.

Myrce (Mierce), m. pl., *the Mercians;* np. V, ii, 23; gp. Miercna, IV, 26; dp. Myrcon, XVIII, 217; ap. Myrcean, IV, 329.

mȳre, f., *mare;* gs. mȳran, VII, 118; ds. mȳran, V, **v**, 83.   (Cf. mere, MARE)

myrhð, f., *mirth, joy;* ap. -a, X, 192.   (MIRTH)

N

nā (nō), adv., *no, not, not at all;* IX, i, 43; nō, XIX, 66.   (NO)

nabban, W3, = ne habban, *not to have, to be without, lack;* pres. 3s. næfð, XIII, 360; pres. pl. nabbað, IX, ii, 53; subj. pres. 3s. næbbe, XI, 8; ind. pret. 3s. næfde, VII, 46; pret. pl. næfdon, V, i, 54.

naca, m., *boat;* gs. -n, XX, 7.

nacod (naced), adj., *naked, bare;* dp. nacedum, IX, i, 57; apn. nacod, XXIV, 539.   (NAKED)

nædre (næddre, neddre), f., *adder, serpent;* ns. V, i, 70; as. næddran, XXII, ii, 33; np. nædran, V, i, 71, neddran, V, i, 21; dp. nædran, V, i, 74; ap. næddran, IX, i, 57.   (ADDER)

næfre, adv., *never;* I, i, **vs.** 29.   (NEVER)

nægl, m., *nail;* ap. -as, IX, ii, 48.   (NAIL)

nægled-cnearr, m., *nailed ship;* dp. -um, XVII, **53.**

Nægling, m., *Beowulf's sword;* ns. XXIV, 2680.

nǣnig (nǣni) = ne ǣnig, pron., adj., *no one, none, not any;* nsm. V, vi, 11, **V**, i 68, nǣni, XXIII, 63; dsm. nǣnegum, XXIV, 598; asm. -ne, V, vi, 108.

nǣnne, see **nǎn**.

nǣre, nǣren, **nǣron** = ne wǣre, ne wǣren, ne wǣron, see bēon.

nǣs = ne wǣs, see bēon.

nǣs, adv., *by no means;* XXIV, 562.

nǣss, m., *headland, cliff;* gp. -a, XXIV, 1360; ap. -as, XXIV, 1358.   (NESS)

genǣstan, W1, *to contend;* pres. 3s. -nǣsteð, XXI, iv, 10.

nāgan = ne āgan, PP, *not to have or possess;* pres. 3s. nāh, XI, 85; pret. pl. nāhton, XIV, 210.

nāh, see **nāgan**.

nalǣs (nales, nalles), **adv.**, *not, not at all;* V, vi, 12; nales, XIX, 32; nalles, VI, ii, 9.

nama (noma), m., *name;* ns. XVIII, 267; ds. -n, V, iv, 30, noman, XVI, 13; as. -n, V, i, 39; is. -n, V, iii, 7; np. -n, XII, i, 58.   (NAME)

nǎn (non, nǣnne, acc.), pron., adj., *no, none;* nsm. VI, ii, 12, non, VI, ii, 13, nsn. VI, iii, 4; gsf. -re, IV, 282, gsn. -es, VI, i, 15; dsf. -re, VI, i, 15, dsn. -um, IX, i, 9; asm. -ne, VI, iii, 11, nǣnne, VI, ii, 16, asf. -e, IX, i, 3, asn. IV, 345; dp. -um, XVII, 25; apf. -e, IX, i, 50.   (NONE)

nānwuht, n., *nothing, naught;* as. VI, ii, **6**.   (NAUGHT)

nāthwylc, pron., *someone;* gsm. -es, XV, 189.

Nativitas, Lat., *nativity;* ns. IV, 208.

nāðelǣs, adv., *none the less;* IV, 243.

nāðor, conj., *neither;* nāðor... ne, X, 63 *(neither... nor)*.

nāwiht (nāht, nōwiht, nōht), n., *nothing, naught;* ns. nāht, IX, i, 63, nōwiht. V, v, 63; as. V, v, 33, nōht, V, vi, 15; adv., *not, not at all;* nōht, V, v, 92; nōht þon lǣs, V, v, 36 *(none the less, nevertheless)*.   (NAUGHT)

nāwðer = ne + āhwæðer, pron., *neither;* nsn. XV,¶189.   (NEITHER)

ne, adv., *not;* I, i, vs. 16; ne... ne, VI, ii, 12 *(neither... nor)*.

nēah (nēh), adj., *near;* nēh, XVIII, 103; supl. nīehst, IV, 93, nȳhst, VII, 134; supl. nsf. wk. nēste, XII, i, 18; ds. wk. æt nȳhstan, X, 169 *(at last)*, æt nȳxtan, IV, 217 *(at last)*; adv., *near, nearly;* VII, 32, nēh, IV, 339; comp. nēar, XIV, 220; prep. w. dat., *near, about, almost;* IV, 158, nēh, V, vi, 98, nēah ðan ealle, V, i, 72 *(almost all)*.   (NIGH, NEAR, NEXT)

nēahstōw, f., *neighboring place;* ap. -a, VI, ii, 21.

nēalǣcan (-lēcan), W1, w. dat., *to approach;* inf. V, vi, 22; pres. 3s. -lǣcð, **X**, 2; pret. 3s. -lēcte, V, vi, 89.

genēalǣcan, W1, *to draw near, approach;* imp. s. -lǣce, II, ii, **vs.** 5; pret. 3s. -lǣhte, I, i, vs. 25.

nēan, adv., *from near, near;* XXIV, 528.

nēar, see **nēah**.

nearo, adj., *full of hardship;* **nsf.** XX, **7**.   (NARROW)

nearon, see bēon.

nēat, n., *cattle;* gp. -a, V, i, 7; dp. -um, V, i, 69.   (NEAT)

nēawest, m. or f., *neighborhood;* ds. -e, IV, 169.

nebb, n., *face;* as. II, ii, **vs.** 6.

neddre, see **nædre.**

nēde, see **nēod.**

nefne (nemne), conj., *unless, except;* XX, 46; nemne, **V, ii, 37.**

nēh, see **nēah.**

nellan = ne willan, anom., *to be unwilling, will not;* inf. III, 8; pres. 1s. nelle, XVIII, 246; 3s. nelle, XXIII, 44, nele, XVI, 32; pres. pl. nellað, IX, i, 42; pret. 3s. nolde, I, i, vs. 28; pret. pl. noldon, VIII, 38. (Cf. willy-NILLY)

nemnan, W1, *to name, call;* pres. 3s. nemð, II, ii, vs. 1; pret. 3s. nemde, V, vi, 28; pret. pl. nemdon, XXIV, 1354; pp. nemned, I, i, vs. 19, ge-, I, i, vs. 21; pp. npm. nemde, V, iv, 20, genemnde, IV, 128. (NAME)

nemne, see **nefne.**

nemðe, conj., *unless;* XIX, 113.

nēod (nēd, nȳd), f., *need, necessity, force;* ns. X, 165; is. as adv. nēde, XVII, 33 (*necessarily*), is. as adv. nȳde, X, 3. (NEED)

nēodlīce, adv., *eagerly, zealously;* comp. -līcor, **V, v, 34.**

neom = ne eom, see **bēon.**

nēotan (nīotan), S2, w. gen., *to use, enjoy;* inf. XVI, 11, nīotan, XIII, 401.

neoðone, adv., *beneath;* XIII, 375. (beNEATH)

nerian, W1, *to protect, save;* pres. 3s. nereð, XXIV, 572; pres. ptc. nsm. nergende, XXIII, 63.

generian, W1, *to save, rescue, preserve;* pres. 3s. -nereð, **V, v,** 18; pret. 3s. -nerede, **V, v, 15.**

nerwan, W1, *to curtail;* pp. npn. generwde, X, 44. (Cf. nearo)

nēste, see **nēah.**

nēten (nīten, nȳten), n., *beast, cattle;* ns. **V, vi,** 68; dp. nȳtenum, II, i, **vs.** 30; ap. nītenu, II, i, vs. 25, nȳtenu, II, i, vs. 28, nītena, II, i, vs. 24.

nett, n., *net;* dp. -um, III, 56, -an, III, 54. (NET)

Netelāmstyde (Netelhǣmstyde), m., *Nettlestead, in Kent;* ds. XII, i, 8, Netelhǣmstyde, XII, i, 36.

nēþan, W1, *to venture;* pret. pl. nēþdon, XXIV, 510.

nic = ne ic, *not I;* III, 105.

nicor, m., *water-monster,* ap. niceras, XXIV, **575.** (NICKER)

nīedbeðearf, adj., *necessary;* supl. -osta, VIII, 55.

nīehst, see **nēah.**

nigon (nygon), num., *nine;* **V, ii, 1;** nigene, XXIV, 575; nygon, XXII, ii, 30. (NINE)

niht, f., *night;* gs. -e, **V, vi,** 95; ds. -e, **V, i,** 27; as. II, i, vs. 5, -e, II, i, vs. 14; gp. -a, XXIV, 545; dp. -um, VII, 99; ap. XVI, 63, -a, **V, i,** 30. (NIGHT)

nihthelm, m., *cover of night;* as. XIX, 96.

nihtlang (-long), adj., *a night long;* asm. -ne, XIV, 208, -longne, XXIV, 528. (NIGHT-LONG)

nihtscūa, m., *shadow of night;* ns. XIX, **104.**

nihtwaco, f., *night-watch;* ns. XX, 7.

niman (nyman), S4, *to take, seize, capture:* inf. **V, ii,** 38; pres. 3s. nimð, VII, 140, nymeð, XXIV, 598; pres. pl. nimað, VII, 147, w. dat. XX, 48 (*produce*); imp. s. nim, XXII, i, 1; pret. 3s. nam, **V, v,** 84, frið nam, IV, 44 (*made* *peace*), nōm, IV, 1 (*took as wife*), sige nōm, IV, 12 (*won victory*); pret. pl. nāmon, IV, 33, nāman, IV, 217; pp. npf. numene, V, i, 11. (NIMble)

geniman, S4, *to take;* inf. III, 93; pres. 1s. -nime, III, 87; pret. 3s. -nam, IV, 111; pret. pl. -nāmon, IV, 160, -nāman, IV, 250; subj. pret. 3s. -nāme, XVIII, 71; pp. -numen, IV, 153.

nīobedd, n., *bed of death;* as. XIII, 343.

nīosian, W2, w. gen., *to seek out, attack;* inf. XXIV, 2671.

nīotan, see nēotan.

nioðor, see niðer.

nīpan, S1, *to grow dark;* pres. 3s. nīpeð, XIX, 104; pres. ptc. nsf. nīpende, XXIV, 547; pret. 3s. nāp, XX, 31.

genīpan, S1, *to grow dark;* pret. 3s. -nāp, XIX, 96.

nis = ne is, see bēon.

nīten, see nēten.

nīþ, m., *anger, hatred, violence;* ds. -e, XXIV, 2680; as. XX, 75.

nīð, m., *man, person;* gp. -ða, XVI, 13.

niðer (nioðor, nyðer), adv., *down, below;* XIII, 343; nioðor, XXIV, 2699 (*lower down*); nyðer, II, ii, vs. 8. (NETHER)

nīðgæst, m., *malicious stranger or foe;* as. XXIV, 2699.

niðre, adv., *below;* XVI, 74.

nīðwundor, n., *fearful wonder;* as. XXIV, 1365.

nīwan, adv., *lately, newly;* V, iv, 4.

nīwe, adj., *new;* nsf. wk. V, v, 28; dsf. wk. nīwan, IV, 376. (NEW)

nīwelnis, f., *abyss;* gs. -se, II, i, vs. 2.

genīwian, W2, *to renew;* pp. -nīwad, XIX, 50. (reNEW)

nō, see nā.

nōht, see nāwiht.

nōhwæðer, adv., *in no wise;* VIII, 24.

nolde, see nellan.

noma, see nama.

non, see nān.

Norren, adj., *Norwegian;* nsm. wk. -a, IV, 384.

norþ, adv., *north, northwards;* V, i, 4, VII, 4; comp. -or, VII, 61. (NORTH)

norðan, adv., *from the north;* V, ii, 9, XIX, 104; prep. w. dat., *north of;* be norðan, VII, 8.

Norðanhymbre, see Norðhymbre.

norðanwind, m., *north-wind;* ns. XXIV, 547; gs. -es, VII, 16. (NORTH-WIND)

norðdæl, m., *northern part;* ds. -e, V, i, 2; ap. -as, V, i, 53.

norþerne, adj., *northern;* npm. XVII, 18. (NORTHERN)

norðeweard (norðweard), adj., adv., *northward;* dsn. -um, VII, 3; adv. VII, 63, norðweard, IV, 289. (NORTHWARD)

Norðhymbre (-hembre, Norðanhymbre), m. pl., *Northumbrians, Northumbria;* gp. -hymbra, IV, 154, -hembra, V, ii, 23, Norðanhymbra, IV, 43; dp. -hymbrum, IV, 196, -hymbron, XVIII, 266; ap. -hymbre, IV, 36, -hymbran, IV, 330.

Norðman, m., *son of* Leofwine; ns. IV, 331.

Norðman(n), m., *Northman, Norwegian;* np. -men, VII, 71, -menn, XVII, 53; gp. -manna. VII, 2; ap. -men, VII, 71. (NORTHMAN)

norðmest, supl. adj., adv., *northernmost, farthest north;* VII, 2. (NORTHMOST)

norðrihte (-ryhte), adv., *northward, in a northerly direction;* VII, 8; **-ryhte,** VII, 7.

Norð Wealas, m. pl., *the North Welsh,* i.e. *Welsh;* dp. Wealum, IV, 152; ap. IV, 150.

norðweard, see norðeweard.

Norðweg, m., *Norway;* ns. VII, 84.

nosu, f., *nose;* ap. nosa, IV, 321. (NOSE)

notu, f., *office, employment, use;* ds. note, VIII, 60. (See note.)

nū, adv., *now;* I, i, vs. 19. (NOW)

nunne, f., *nun;* ds. nunnan, IV, 199. (NUN, Late Lat. nunna)

nȳdan, W1, *to compel, force;* pp. genȳded, XXIV, 2680. (Cf. nēod)

nȳdbād, f., *enforced contribution, toll;* as. -e, XXIV, 598.

nȳde, see nēod.

nȳdfara, m., *fugitive;* ns. XIV, 208.

nȳdgyld, n., *forced payment;* np. X, 97.

nȳdþearf, f., *necessity, need;* ns. X, 20.

nygon, see nigon.

nȳhst, see nēah.

nyman, see niman.

nys = ne is, see bēon.

nytan = ne witan, PP, *not to know;* subj. pres. 3s. nyte, XI, 45; ind. pret. 3s. nyste, IV, 3.

nȳten, see nēten.

nytenyss, f., *ignorance;* ds. -æ, III, 116.

nytt, f., *office, duty, service;* as. -e, XXIV, 494.

nyttness, f., *benefit, usefulness;* gs. -e, V, v, 33.

nyþer, see niþer.

nyðerian, W2, *to lower, abase, humble;* pres. 3s. nyþerað, I, ii, vs. 14; pp. genyðerud, I, ii, vs. 14.

nȳxta, see nēah.

O

ob, see of.

Odda, m., *an Anglo-Saxon warrior;* gs. -n, XVIII, 186.

of (ob), prep. w. dat., *of, from;* I, i, vs. 16; ob, XII, ii, 22. (OF)

of, adv., *off;* XI, 34. (OFF)

ōfer, m., *shore, bank;* ds. ōfre, XVIII, 28.

ofer, prep. w. acc. or dat., *over, across, beyond, after, against, contrary to;* II, i, vs. 2; XII, i, 23 (*beyond, after*); IV, 198 (*against, contrary to*); adv., *over;* VII, 86. (OVER) oferæca, m., *surplus;* as. -n, XII, i, 33.

oferbricgian, W2, *to bridge over;* inf. IX, i, 23.

ofercuman, S4, *to overcome;* pret. 3s. -cōm, IV, 390; pret. pl. -cōman, XVII, 72. (OVERCOME)

oferfēran, W1, *to travel over, traverse;* inf. VII, 66.

oferflītan, S1, *to overcome;* pret. 3s. -flāt, XXIV, 517.

oferfrēosan, S2, *to freeze over;* pp. -froren, VII, 154. (-FREEZE)

oferfyll, f., *gluttony;* ap. -a, X, 176.

ofergān, anom., *to over-run;* pp. -gān, IV, 235.

oferhelmian, W2, *to overhang, overshadow;* pres. 3s. -helmað, XXIV, 1364.

oferhoga, m., *despiser;* np. -n, X, 130.

oferholt, n., *forest (of spears) or wood (of defense),* i.e. *shields;* as. XIV, 157.

oferlīce, adv., *excessively;* X, 168.

ofermētto, f., *pride;* ns. XIII, 351; ds. -mētto, VI, i, 14.

ofermōd, n., *pride;* ds. -e, XVIII, 89.

ofermōd, adj., *proud;* nsm. wk. -a, XIII, 338.

ofermōdian, W2, *to be proud;* pres. 2p. -mōdige gē, VI, iii, 9.

oferniman, S4, *to overcome;* pp. -numen, V, i, 77.

ofersēcan, W1, *to overtax;* pret. 3s. -sōhte, XXIV, 2686.

oferswīðan, W1, *to overcome;* imp. s. -swīð, IX, i, 14.

oferweorpan, S3, *to throw over;* imp. s. -weorp, XXII, i, 1.

ofest, f., *haste;* ds. ofste, X, 1; dp. -um, XVI, 52.

Offa, m., *an Anglo-Saxon warrior;* ns. XVIII, 198; gs. -n, XVIII, 5; *king of Mercia;* gs. -n, IV, 1.

offrian, W2, *to offer, sacrifice;* pres. 2s. offrast, II, ii, vs. 12. (OFFER, Lat. offerre)

ofgiefan, S5, *to give up, desert;* pret. pl. -gēafon, XIX, 61.

ofrīdan, S1, *to overtake by riding;* inf. IV, 197.

ofscēotan, S2, *to shoot down;* pret. 3s. -scēat, XVIII, 77.

ofslēan, S6, *to slay, kill;* inf. III, 111; pres. 1s. -slēa, III, 55; 3s. -slihð, XI, 59; imp. pl. -slēað, I, i, vs. 23; pret. 1s. -slōh, XXIV, 574; 2s. -slōge, I, i, vs. 30; 3s. -slōh, I, i, vs. 27, -slōg, IV, 4; pret. pl. -slōgon, IV, 16; subj. pret. 3s. -slōge, VII, 39; pp. -slagen, IV, 331, -slægen, IV, 52, -slegen, V, v, 107; pp. gsm. -slægenes, VI, ii, 15; gsm. wk. -slegenan, XI, 66; npm. -slægene, IV, 44; gp. -slægenra, IV, 62.

ofstikian, W2, *to pierce, stab;* inf. III, 69; pret. 1s. -stikode, III, 71. (-STICK)

ofstlīce, adv., *quickly, hastily;* XVIII, 143.

oft, adv., *often;* VIII, 2; comp. -or, X, 50; supl. -ost, VIII, 22. (OFT)

Ōhthere, m., *a Norseman at King Alfred's court;* ns. VII, 1.

oll, n., *contempt, insult;* ds. -e, X, 137.

ombor, see ambor.

on (an), prep. w. dat., acc., instr., *on, in, at, to, into, against;* I, i, vs. 13; I, ii, vs. 17; VII, 91; VII, 71; an, XII, i, 5; adv., *at, on;* VI, i, 4. (ON)

onǣlan, W1, *to kindle;* pp. -ælæd, V, v, 8.

onbærnan (-bernan), W1, *to kindle, incite;* pp. -berned, V, vi, 87; pp npn. -bærnde, V, vi, 9.

onbelǣdan, W1, *to inflict;* inf. -lǣden, III, 8.

onbindan, S3, *to unbind, loose;* pret. 3s. -band, XXIV, 501. (UNBIND)

onbryrdnes, f., *inspiration;* ds. -se, V, v, 94.

oncnāwan, S7, *to know, recognize;* inf. VI, i, 11; pret. 3s. -cnēow, V, v, 8.

oncweðan, S5, *to address, answer;* pret. 3s. -cwæð, XVIII, 245

oncyrran, W1, *to change, reverse;* pres. 3s. -cyrreð, XX, 103.

ond, see and.

ondettan, see andettan.

ondhweorfan, S3, *to turn against;* pret. 3s. -hwearf, XXIV, 548.

ondrǣdan, S7, *to fear;* pres. 3s. -drǣdeð, XX, 106; pret. 2s. (refl.), -drēde, V, v, 12; pret. pl. -drēddon, IV, 291. (DREAD)

ondswarian, ondswearian, see andswarian.

ondward, ondweard, see andweard.

oneardian, W2, *to inhabit, dwell in;* pres. 3s. -eardað, V, ii, 20.

onemn, prep. w. dat., *near, side of;* XVIII, 184.

ōnettan, W1, *to hasten, revive;* pres. 3s. -netteð, XX, 49.

onfeohtan, S3, *to fight;* pres. ptc. -feohtende, IV, 63.

onfindan, S3, *to find, perceive;* pres. 3s. findeð, XXI, iv, 9; pret. 1s. -funde, XV, 178; pp. -funden, XXIV, 595.

onflyge, m., *flying sickness,* i.e. *infectious disease;* ds. XXII, ii, 5; dp. -flygnum, XXII, ii, 47.

onfōn, S7, w. acc., dat., gen., *to receive, seize, occupy;* inf. IV, 102; pres. 3s. -fēhð, I, ii, vs. 17; subj. pres. 2s. -fō, V, v, 14; pres. pl. -fōn, V, v, 42; ind. pret. 1s. -fēng, V, v, 78; 2s. rīce -fēnge, V, v, 13 (*succeeded to the kingdom*); 3s. -fēng, IV, 105, anfēng, IV, 227; pret. pl. -fēngon, V, iii, 9, sige -fēngon, V, iii, 11 (*won the victory*); subj. pret. 3s. -fēnge, V, vi, 64; pp. -fangen, IV, 312, -fongen, XV, 182; pp. asf. -fangene, V, vi, 59.

onforan, prep. w. acc., *before;* IV, 161.

ongān, anom., *to go on;* pres. pl. -gān, XXII, ii, **30.**

ongangan, S7, *to come on;* inf. XIV, 156.

ongēan (ongēgen, ongēn, agēn), prep. w. dat., acc., instr., adv., *against, towards, again, back, opposite;* IX, ii, 8; -gēn, II, ii, vs. 6; -gēgen, V, i, 3; agēn. I, i, vs. 20; adv. V, i, 5; eft ongēan, XVIII, 49 (*back again*); hēoldan... ongēan, IV, 284 (*resisted*); lāgon ongēan IV, 344 (*opposed*). (AGAIN)

ongēgen, see ongēan.

Ongelcyn, see Angelcynn.

Ongelþēod, see Angelþēod.

ongemang, prep. w. dat., *among, in, in the midst of;* VIII, 66. (AMONG)

ongēn, see ongēan.

ongildan, S3, *to pay penalty, be punished for;* inf. XXIII, 56.

onginnan (-gynnan, āginnan), S3, *to begin;* pres. 3s. -ginð, IX, i, 8; pres. pl. -ginnað, IX, i, 10, -gynnað, IX, 28; subj. pres. pl. āginnan, X, 159; imp. pl. -ginnað, XIII, 408; pret. 3s. -gan, I, t, vs. 28, -gon, XXIV, 2701; pret. pl. -gunnon, I, i, vs. 24; pp. -gunnen, IV, 174. (BEGIN)

ongietan (-giotan, -gytan), S5, *to understand, perceive;* inf. XIX, 73, -giotan, VIII, 32, -gytan, V, v, 8; pret. 1s. -geat, V, v, 62; 3s. -get, IV, 175; pret. pl. -gēaton, XVIII, 84.

ongynnan, see **onginnan.**

ongytenes, f., *knowledge, understanding;* g. or ds. -se, **V, v, 89.**

onhergian, W2, *to overrun;* pret. pl. -hergedon, V, ii, 9.

onhrēran, W1, *to move, disturb;* inf. XX, 96; pp. -hrēred, XIV, 226.

onhyldan, W1, *to incline, bend;* pret. 3s. -hylde, V, vi, 118.

oninnan, adv., *within;* VI, i, 8.

onlēon, S1, *to lend, give;* pret. 3s. -lāg, XIII, 358.

onlīcnes (anlīcnys, andlīcnis), f., *likeness;* ns. XXIV, 1351, anlīcnys, IX, ii, **54;** ds. -se, XIII, 396, andlīcnisse, II, i, vs. 26. (LIKENESS)

onlong, prep. w. gen., *along;* IV, 108. (ALONG)

onlūtan, S2, *to bow, incline;* inf. VIII, 39. (Cf. LOUT)

onlȳhtan, W1, *to enlighten;* subj. pres. 3s. -lȳhte, XV, 204.

onmēdla, m., *pride, pomp;* ns. XV, 814; np. -n, XX, 81.

on-middan, prep. w. dat., *in the midst of, amid;* II, ii, **vs. 2.** (AMID)

ono, interj., *lo, behold;* ono hwæt, V, v, 69.

onrīdan, S1, *to ride on;* pret. pl. -ridon, IV, 80.

onsǣge, adj., *assailing;* nsn. X, 51.

onscyte, m., *calumny;* dp. -scytan, X, 67.

onsecggan, W1, *to renounce;* inf. XI, 17.

onsendan, W1, *to send;* pres. 3s. -sendeð, XIX, 104; pret. 3s. -sende, V, iv, 42, -sænde, XXII, ii, 28; subj. pret. 3s. -sende, V, iv, 34.

onsittan, S5, *to dread;* inf. XXIV, 597.

onslǣpan, W1, *to sleep;* pret. 3s. -slǣpte, **V, vi, 27.**

onstāl, m., *supply;* as. VIII, 20.

onstellan, W1, *to place, establish;* pret. 3s. -stealde, V, vi, 40.

onstandan, S6, *to stand on;* pres. 2s. -stynst, II, ii, vs. 5.

onsȳn, see **ansȳn.**

ontendan, W1, *to kindle;* inf. IV, 210.

onþeon, S1 or 2, *to prosper, be useful;* inf. XIV, 241.

onwǣcan, W1, *to soften;* subj. pres. pl. -wǣcen, XIII, 403.

onwæcnan, W1, *to awake;* pres. 3s. -wæcneð, XIX, 45. (AWAKE)

onwald (-weald, anweald), m., *power, rule, authority;* ds. -e, IV, 187, anwealde, VI, iii, 8; as. VIII, 5, onweald, VIII, 7.

onweg, adv., *away;* XIX, 53. (AWAY)

onwendan, W1, *to deprive, transgress, change (to the worse);* inf. XIII, 400; pres. 3s. -wendeð, XIX, 107; pret. pl. -wendon, XIII, 405; pp. -wended, XIII, 431.

onwrēon, S1, *to reveal, disclose;* pret. 3s. -wrāh, XV, 195.

open, adj., *open;* voc. sf. -o, XXII, ii, 8. (OPEN)

openlīce, adv., *openly;* V, ii, 37. (OPENLY)

ōra, m., *ore;* dp. ōrum, V, i, 19. (ORE)

ord, n., *point, spear-point, spear; beginning; front of an army, line of battle;* ns. IX, i, 11 (*beginning*), XVIII, 69 (*front line*); ds. -e, XVIII, 124 (*spear*); as. XVIII, 110 (*spear-point*), V, vi, 40 (*beginning*); ap. XVIII, 47 (*spear*).

ordfruma, m., *beginning, author;* ns. IX, i, 51; ds. -n, XVI, 58.

Oreb, *Mt. Horeb;* ns. II, ii, vs. 1.

orf, n , *cattle;* gs. -es, IV, 371.

orfcwealm, m., *cattle-plague;* ns. X, 53.

orfcyn, n., *cattle;* ns. IX, i, 46.

ormǣte, adv., *excessively;* IX, ii, 28.

orsorgnes, f., *security, prosperity;* ds. -se, VI, i, 14.

geortrȳwan, W1, w. gen., *to despair;* subj. pres. 2s. -ortrȳwe, VI, i, 15.

ortrȳwe, adj., *despairing, hopeless;* nsn. XIV, 154.

orðanc, adj., *cunning, skillful;* nsn. XXIII, 2.

orwēne, adj., *hopeless;* npm. wk. -wēnan, XIV, 211.

Ōsbearn, m., *a Danish earl;* ns. IV, 61.

Ōsbryht, m., *king of the Northumbrians;* as. IV, 38.

Ōsmōd, m., *a West-Saxon alderman;* ns. IV, 9.

ōstre, f., *oyster;* ap. ōstran, III, 101. (OYSTER, Lat. ostrea)

Ōswold (-wald), m., *king of Bernicia after Edwin;* ds. Ōswalde, V, v, 108; *an Anglo-Saxon warrior;* ns. XVIII, 304.

oþ, prep. w. acc., *as far as, up to, until;* VII, 69; conj. *until;* used with þæt and þe, *until;* XIII, 340; oð ðæt, VI, iii, 16; oð ðe, XXIV, 649; oð ðæt hig ðe cuman, III, 53. See also oþþæt.

oþberan, S4, *to bear away;* pret. 3s. -bær, XIX, 81.

ōþer, adj., pron., *other, another;* num., *second;* nsm. I, ii, vs. 10, II, i, vs. 8 (*second*), nsn. X, 114; gsm. ōþres, IV, 335, gsn. ōþres, XXIV, 605; dsm. ōþrum, VII, 139, dsf. ōþre, VII, 68, dsn. ōþrum, X, 10; asm. -ne, VII, 133, asf. ōþre, VIII, 81, asn. V, i, 49; ism. ōþre, V, iii, 7; npm. ōþre, V, v, 57, þā ōþre, VII, 124, npf. ōþre, VIII, 53; dp. ōþrum, V, i, 37; apm. ōþre, V, iv, 7, apn. V, iv, 7, oðoro, XII, i, 20, ap. wk. ōþran, X, 76; ōþer... ōþer, *the one... the other,* VII, 55; dsn. ōþrum... ōþrum, IV, 56-7; asf. ōþre... ōþre, V, v, 50; ōþer, oððe... oððe, *one of the two, either... or,* IV, 194. (OTHER)

oðfæstan, W1, *to set to, put to;* pp. npm. -fæste, VIII, 60.

oðfeallan, S7, *to decline, fall off;* inf. VIII, 45, pp. nsf. -feallenu, VIII, 14.

oðstandan, S6, *to stop;* subj. pres. 3s. -stande, XI, 35.

oðða, see oððe.

oþþæt, conj., *until;* IV, 155. See also oþ.

oððe (oðða), conj., *or, either... or, both... and;* I, ii, vs. 11; oððe... oððe, VII, 57; oðða... oðða, V, i, 62.

oððon, conj., *or;* X, 72.

oðþringan, S3, w. dat. of person and acc. of thing, *to deprive;* pres. 3s. -þringeð, XX, 71.

oðwendan, W1, w. dat. of person and acc. of thing, *to deprive, take away from;* inf. XIII, 403.

ōwer, adv., *anywhere, ever;* XV, 199.

ōwiht, see āwiht.

oxa, m., *ox;* gs. -n, XI, 76; as. -n, XI, 73; dp. -n, III, 22; ap. -n, III, 40, oxon, III, 20, oxen, III, 25. (ox)

oxanhyrde, m., *oxherd, cowherd;* voc. s. III, 38; np. -hyrdas, III, 15. (OXHERD)

Oxenafordscīr, f., *Oxfordshire;* as. -e, IV, 236.

Oxnaford, m., *Oxford;* ds. -a, IV, 279.

P

pandher, m., *panther;* ns. XVI, 12. (PANTHER, Lat. panthera)

Panta, m., *the Panta or Blackwater, a river in Essex;* as. -n, XVIII, 68.

pāpa, m., *pope;* ns. V, iv, 38; ds. -n, V, iv, 32. (POPE, Lat. papa)

Paulīnus, m., *an Anglo-Saxon bishop;* ns. V, v, 1; ds. Paulīne, V, v, 98; as. V, v, 59.

Paulus, m., *Paul, the Apostle;* ns. IX, i, 61.

Peahte, Peahtum, Pehta, Pehtum, see Peohtas.

pening (pæning, peneg), m., *penny;* gp. -a, XII, i, 23, pæninga, XI, 76, penega, IV, 362; dp. pæningum, XI, 82. (PENNY)

Peohtas, m. pl., *Picts;* np. V, i, 52; gp. Peohta, V, i, 36, Pehta, V, i, 60, Peahte, V, i, 42; dp. Peahtum, V, i, 58, Pehtum, V, ii, 34.

Pēter, m., *Peter;* gs. Pētres, V, v, 100; ds. Pētre, XII, i, 14.

Pharaōh, m., *Pharaoh;* ds. Pharaōne, II, ii, vs. 10.

Pherezēus, m., *the Perizzites;* n. II, ii, vs. 8.

plega, m., *play, festivity;* ns. VII, 127; ds. -n, VII, 130. (PLAY)

plegian, W2, *to play, fight;* pret. 3s. plegode, V, iv, 29; pret. pl. plegodan, XVII, 52. (PLAY)

Plegmund, m., *archbishop of Canterbury;* ds. -e, VIII, 70.

plyhtlīc, adj., *dangerous;* nsn. III, 107.

port, m., *port, harbor;* ns. VII, 77; ds. -e, VII, 90. (PORT, Lat. portus)

Port, *Portland, in Dorsetshire;* as. IV, 14.

prass, m. (?), *pomp, tumult* (?); is. -e, XVIII, 68.

prēost, m., *priest;* ns. XII, ii, 13. (PRIEST, Lat. presbyter)

prica, m., *point;* ap. pricon, IX, i, 76. (PRICK)

prȳte, f., *pride;* ds. prȳtan, X, 145. (PRIDE)

R

racente, f., *fetter;* gp. racentan, XIII, 372; dp. racentum, XIII, 434.

rād, f., *expedition, raid;* ap. -e, IV, 80. (ROAD, RAID)

geræcan, W1, *to reach, obtain;* inf. X, 16; pret. 1s. -ræhte, XXIV, 556; 3s. -ræhte, XVIII, 142. (REACH)

ræced (reced), m. or n., *house, hall, palace;* gs. recedes, XXIII, 37; as. XXI, ii, 6.

ræd, m., *advice, good fortune, benefit;* ns. XIII, 424; ds. -e, V, iv, 45; as. IV, 206. (REDE)

rædan, W1, *to advise;* pret. 3s. XVIII, 18. (READ)

gerædan, W1, *to advise, counsel;* pres. 2s. -rædest, XVIII, 36; pret. 3s. -rædde, IV, 204; pret. pl. -ræddan, IV, 299, -rædden, IV, 361.

rædehere, m., *mounted force;* ds. IV, 120.

rædend, m., *giver;* ns. XVI, 55.

rædes-mann, m., *counsellor;* np. -menn, IV, 360.

ræding, f., *reading;* ds. -a, III, 12. (READING)

rǣge, f., *roe;* ap. rǣgan, III, 61.

ræpan, W1, *to capture;* pret. pl. ræpton, IV, 245.

ræpling, m., *captive;* ns. IV, 257.

ræran, W1, *to raise;* inf. V, vi, 115; pret. 3s. rærde, X, 10.   (REAR)

ræsan, W1, *to rush;* pret. 3s. ræsde, XXIV, 2690.

ræst, see rest.

ræswa, m.. *counsellor, leader;* np. -n, XIV, 234.

rān, see hrān.

rand (rond), m., *shield, boss, edge;* ns. XXIII, 37; ds. ronde, XXIV, 2673; as. rond, XXIV, 656; ap. -as, XVIII, 20.

rāsettan, W1, *to rage;* pres. 3s. rāsetteð, XV, 808.

raðe, adv., *soon, quickly, early;* I, i, vs. 22; raðe ðæs, IV, 272 (*quickly from that time,* see sē).   (RATHE, RATHER)

rēad, adj., *red;* nsm. wk. -a, XV, 809; dsn. -um, IX, ii, 20; isn. wk. -an, XXII, ii, 47.   (RED)

Rēada, m., *leader of the Scots;* ns. V, i, 61.

Rēadingas, m. pl., *Reading, in Berkshire;* dp. Rēadingum, IV, 47.

rēaf, n., *dress, clothing;* as. XVIII, 161; dp. -um, XIV, 212.

rēafere, m., *robber;* np. reaferas, X, 155; ap. reaferas, I, ii, vs. 11.   (REAVER)

rēafian, W2, *to rob, ravage, plunder;* pres. 1s. rēafige, XXI, ii, 6; pres. pl. rēafiað, X, 113.   (REAVE)

rēaflāc, n., *robbery, plundering;* ns. X, 54; as. X, 172.

rēc, m., *smoke;* np. -as, XXI, ii, 6.   (REEK)

rēcan, W1, w. gen., *to reck, care;* pres. pl. rēce wē, III, 4; pret. pl. rōhton, XVIII, 260.   (RECK, cf. reccan)

reccan, W1, *to narrate, tell;* pret. pl. rehton, V, vi, 56.

gereccan, W1, *to relate, explain, reckon, count;* subj. pres. 3s. -recce, XI, 25.

reced, see ræced.

recelēas, adj., *reckless, careless;* npm. -e, VIII, 44.   (RECKLESS)

recen, adj., *swift;* nsm. XV, 809.

regenmeld, f., *proper name* (Grendon), *solemn announcement* (Bosworth-Toller), "*prime telling*" (Cockayne); ds. -e, XXII, ii, 2.

regi, dat. of Lat. rex, *king;* XII, i, 2.

regn, n., *rain;* ns. V, i, 15.   (RAIN)

regolbryce, m., *breach of rules;* as. X, 171.

regollīc, adj., *regular;* dp. -um, V, vi, 85.

regollice, adv., *according to rules;* X, 61.

reht, see riht.

rehtfæderen (cynn understood), *direct descent on father's side;* ds. XII, 18.

rehtmēodrencynn, n., *direct descent on mother's side;* as. XII, i, 44.

rēnian, W2, *to prepare, set in order;* pret. 2s. rēnadest, XXII, ii, 2.

gerēnian, W2, *to adorn;* pp. -rēnod, XVIII, 161.

reodan, see rīdan.

rēon, see rōwan.

reord, f., *voice;* ds. -e, XX, 53.

reordian, W2, *to speak;* pret. **3s.** reordade, XV, 196.

gereordian, W2, *to take food, feast, feed;* ger. tō gereordienne, II, i, **vs. 30.**

rēotan, S2, *to weep;* pres. pl. rēotaδ, XXIV, 1376.

rest (ræst), f., *rest, bed;* ds. -e, V, vi, 26; as. ræste, XVI, 36.   (REST)

restan, W1, *to rest;* inf. V, vi, 97.   (REST)

rēδe, adj., *fierce, cruel, stern;* nsm. XV, 809; dp. rēδum, IX, i, 55; apn. XV, 798.

rēwyt, n., *rowing;* ns. III, 99.   (Cf. rōwan)

Ricard, m., *Richard I, Duke of Normandy;* gs. -es, IV, 335.

rice, n., *kingdom, sovereignty;* ns. I, ii, vs. 16; gs. -s, I, i, vs. 15; ds. -e, I, i, vs. 14, tō rīce fēng, VIII, 19 *(came to the throne)*; as. I, ii, vs. 17.

rice, adj., *powerful, rich, influential;* gp. rīcra, X, 172; supl. rīcost, XVIII, 36; npm. wk. rīcostan, VII, 118.   (RICH)

ricene (rycene), adv., *quickly, instantly;* XVIII, 93; rycene, XIX, 112.

ricsian, W2, *to rule, reign;* pres. 3s. rīcsaň, VI, i, 17; pret. 3s rīcsode, IV, 72.

rīdan, S1, *to ride;* inf. V, v, 83; pres. 1s. rīde, XXI, v, 7; 3s. rīdeδ, VII, 141; pret. 3s. rād, IX, ii, 28; pret. pl. ridon, IV, 48, reodan, XXII, ii, 9.   (RIDE)

gerīdan, S1, *to override, overrun; ride; get by riding; surprise; conquer;* pret. 3s. -rād, IV, 94, IV, 189; pret. pl. -ridon, IV, 84.

riht (ryht, reht), n., *right, duty, law;* ds. mid rihte, X, 22 *(rightly)*, mid rehte, XII, i, 53; as. XIV, 186 *(duty)*; is. ryhte, XI, 67 *(law)*.   (RIGHT)

riht, adj., *right, true, straight;* nsn. XVIII, 190, nsf. III, 4; dsm. -um, VI, i, 11   (RIGHT)

rihte (ryhte), adv., *rightly, exactly;* V, ii, 44; ryhte, VII, 16, XVI, 3.

rihtlagu, f., *just law;* gp. -laga, X, 130.

rihtlīc, adj., *right, just, proper;* supl. nsn. wk., -oste, IX, i, 34.

rihtlīce, adv., *rightly, justly, properly;* comp. -līcor, IV, 302; supl. -līcost, IX, i, 13.   (RIGHTLY)

rihtryne, m., *right course;* gs. -s, VI, i, 9; ds. VI, i, 7.

gerihtwīsian, W2, *to justify;* pp. -wīsud, I, ii, vs. 14.

rīm, n., *number;* ds. -e, V, i, 32; as. XVI, 3.

rīman, W1, *to count;* pret. 3s. rīmde, IV, 81.

rīnan, W1, *to rain;* subj. pres. 3s. rīne, V, v, 48.

rinc, m., *warrior, man;* dp. -um, XVIII, 18; ap. -as, XXI, i, 16.

rincgetæl, n., *number of warriors;* as. XIV, 234.

rinnan, S3, *to run;* pres. ptc. asf. rinnende, XXII, ii, 54.   (RUN)

rīp, n., *reaping, harvest;* gs. -es, IV, 170.   (Cf. RIPE)

gerīpan, S1, *to reap;* pret. pl. -rypon, IV, 169.   (REAP)

rōd, f., *cross, rood;* ns. IX, ii, 42; gs. -e, IX, ii, 1; ds. -e, IX, ii, 51; as. -e, IX ii, 18; ap. -a, IX, ii, 41.   (ROOD)

rōdetācn, n., *sign of the cross;* ds. -e, V, vi, 118; as. IX, ii, 12.

rodor, m., *heaven, sky;* np. roderas, XXIV, 1376; gp. -a, XV, 798.

rōf, adj., *strong, brave;* asm. wk., -an, XXIV, 2690; apm. -a, XIV, 226, see note.

Rōmāni, m. pl. Lat., *Romans;* np. IX, i, 4.

Rōmănisc, adj., *Roman;* nsm. IX, ii, **5;** gsf. -re, IX, ii, 20, gsn. -es, V, iii, **8;** dsf. -re, IX, i, 8.

rōmigan, W2, *to possess;* inf. XIII, 360.

rōtlīce, adv., *cheerfully;* V, vi, 104.

rōwan, S7, *to row, swim;* pret. pl. rêon, XXIV, 512. (ROW)

rūm, m., *room, opportunity;* ns. XXIV, 2690. (ROOM)

rūm, adj., *roomy, spacious;* nsm. XXIII, 37.

rūn, f., *secret meditation;* ds. -e, XIX, 111. (RUNE)

runol, adj., *foul-smelling;* isn. wk. runlan, XXII, ii, 48.

rycene, see ricene.

ryht, see riht.

ryhtæþelo, f., *true nobility;* ns. VI, iii, 13.

ryhte, see rihte.

ryhtend, m., *ruler;* ns. XV, 798.

ryhtgerȳne, n., *mystery;* ap. -rȳno, XV, 196.

ryht-gesamhīwan, m., f., *lawfully married persons;* np. XI, 69.

gerȳman, W1, *to extend, make room, clear, vacate;* pret. pl. -rȳmdon, VIII, **8;** pp. -rȳmed, XVIII, 93. (Cf. rūm)

rȳpan, W1, *to spoil, plunder;* pres. pl. rȳpað, X, **113.**

rȳpere, m., *spoiler;* np. rȳperas, X, 155; gp. rȳpera, X, 54.

gerypon, see gerīpan.

S

sacan, S6, *to fight, contend;* inf. XXIII, 53.

sācerd, m., *priest;* gs. -es, II, ii, vs. 1; np. -as, V, ii, 46.

sācerd-bana, m., *priest-slayer;* np. -n, X, 149.

sacu (saku), f., *war, battle;* ds. sace, XVII, 42, sake, XVII, 4. (SAKE)

sǣ, m. or f., *sea;* ns. IX, i, 76; gs. -s, XXII, ii, 28, sǣ, II, i, vs. 22; ds. sǣ, VII, 6; as. XX, 14, VII, 58; ap. -s, II, i, vs. 10. (SEA)

sǣbāt, m., *sea-boat, ship;* as. XXIV, 633. (SEA-BOAT)

sǣcc (secc), f., *fighting, battle;* gs. secce, XXIV, 600.

sǣ-cocc, m., *cockle;* ap. -as, III, 102. (SEA-COCKLE)

sǣd, n., *seed;* ns. II, i, vs. 11; as. II, i, vs. 11. (SEED)

sǣd, adj., *sad, sated;* nsm. XVII, 20. (SAD)

Sǣfern, f., *river Severn;* ds. be Sǣfern, IV, 177.

sǣflōd, n., *tide;* ns. IV, 324.

sǣfōr, f., *sea-journey;* gs. -e, XX, 42.

sǣgrund, m., *bottom of the sea;* ds. -e, XXIV, 564; ap. -as, XXI, iii, 10.

sǣl, m. or f., *happiness, joy; time, occasion;* ns. XXIV, 622 (*time*); dp. -um, XXIV, 643, sālum, XXIV, 607.

sǣlan, W1, *to bind;* inf. XIX, **21.** (Cf. sāl)

gesǣlan, W1, *to bind;* pret. 3s. -sǣlde, XVI, 59.

gesǣlan, W1, *to befall, chance;* pret. 3s. -sǣlde, XXIV, 574. (Cf. sāl)

sǣlida, m., *seaman, pirate;* as. -n, XVIII, 286; voc. s. XVIII, 45.

sǽlþ, f., *prosperity, wealth, happiness;* ap. -a, VI, i, 12.

sǽman, m., *seaman;* np. -men, XVIII, 29; dp. -mannum XVIII, 38 (SEA-MAN)

sǽnǽs(s), m., *sea-headland;* ap. -nǽssas, XXIV, 571.

sǽndan, see sendan.

sǽrima, m., *seashore;* ds. -n, IV, 205.

sǽ-rinc, m., *seaman, pirate;* ns. XVIII, 134.

sǽster, m., *a measure of grain;* ns. IV, 362. (Lat. sextarius)

sǽstrēam, m., *sea-wave, ocean;* dp. -um, XIV, 250.

sǽwiht, f., *sea animal;* gp. -a, V, i, 9.

saku, see sacu.

sāl, m., *rope, chain;* ns. XIII, 372. (Cf. sǽlan)

salo, adj., *sallow, dark-colored;* nsm. XXI, v, 11.

salowigpād, adj., *having a dark coat;* asm. wk. -an, XVII, 61.

sālum, see sǽl.

sam, conj., sam... sam, *whether... or;* VII, 154.

same, adv., *similarly;* swā same, *likewise, in like manner, in the same way,* VIII, 51. (SAME)

samod (somod), adv., *together;* VII, 112; somod ǽtgǽdere, XIV, 214 (*together*).

sāmworht, adj., *half-wrought, unfinished;* nsn. IV, 145.

Sancta, f. Lat., *saint;* gs. Sanctǽ, XII, ii, 8, Sancte, IV, 208.

Sanctus, m. Lat., *saint;* ns. V, iv, 43, XVI, 69; gs. Sancte, IV, 246; ds. Sancte, XII, i, 14.

sand, n., *sand, shore;* ds. -e, XIV, 220. (SAND)

Sandwīc (Sondwīc), n., *Sandwich, in Kent;* as. IV, 268, Sondwīc, IV, 22.

sang, see song.

sār, m., *pain, grief;* as. II, ii, vs. 8. (SORE)

sār, adj., *grievous, sad, sore;* nsn. XIII, 425; asf. -e, XV, 209; npf. -e, XIX, 50. (SORE)

sārcwide, m., *taunt, reproach;* gp. -cwida, XV, 170.

sāre, adv., *grievously, sorely;* X, 41.

sārlīc, adj., *sad, grievous;* nsn. V, iv, 16.

Sātan, m., *Satan;* ns. XIII, 345.

sāulðearf, f., *soul's benefit or need;* as. -e, XII, ii, 2.

sāwol (sāwul, sāul), f., *soul;* ns. XVIII, 177, sāwul, XXIII, 58; gs. sāwle, XII, i, 57; ds. sāwle, XII, i, 24; as. sāwle, XII, i, 32, sāule, XII, ii, 7; gp. sāwla, IX, i, 52; dp. sāulum, XIII, 397; ap. sāula, VI, iii, 7. (SOUL)

sāwuldrīor, m. or n., *life blood;* ds. -e, XXIV, 2693.

scacan, S6, *to shake, depart, flee;* pret. 3s. scēoc, XIV, 176; pp. scǽcen, XV, 804. (SHAKE)

scaduhelm, m., *darkness;* gp. -a, XXIV, 650. (SHADOW-HELMet)

scafan, S6, *to shave;* pret. 3s. scōf, V, i, 75. (SHAVE)

scamian, W2, w. dat. or acc. of person, *to cause shame;* pres. 3s. scamað, X, 135, X, 142. (SHAME)

scamu (scomu), f., *shame;* ns. X, 90; ds. scome, V, vi, 22. (SHAME)

scandlīc, adj., *disgraceful, shameful;* npn. -e, X, 96; dp. -an, X, 67.

sceadu, f., *shadow;* dp. -m, VI, ii, 12. (SHADE, SHADOW)

sceaft, m., *shaft;* ns. XVIII, 136. (SHAFT)

sceaft, f. or n., *creation, creature;* as. VI, iii, 12 (see fruma). (Cf. scyppan)

Sceaftesburg, f., *Shaftsbury, in Dorset;* ds. -byrig, IV, 337.

sceafða, m., *shaving;* ap. -n, V, i, 75.

scealc, m., *servant, man, rogue;* np. -as, XVIII, 181. (MARSHAL)

scēap, n., *sheep;* ns. XI, 81; gs. -es, XI, 80; gp. -a, V, i, 7; ap. II, ii, vs. 1. (SHEEP)

scēaphyrde (scēp-), m., *shepherd;* voc. s. III, 32; np. scēphyrdas, III, 15. (SHEPHERD)

sceard, adj. w. gen., *bereft of;* nsm. XVII, 40. (SHARD)

scear, f., *plowshare,* ds. -e, III, 22. (SHARE)

scearn, n., *dung;* as. III, 29.

scēat, m., *region, corner;* gp. -a, XVI, 68; ap. -as, XX, 61. (SHEET)

sceat(t), m., *money, treasure, tribute:* as. sceat, III, 115; dp. sceattum, XVIII, 40.

scēað, f., *sheath;* ds. -e, XVIII, 162. (SHEATH)

scēawung, f., *survey, inspection, showing;* ds. -e, VII, 33, V, ii, 48 (*showing*). (SHOWING)

scencan, W1, *to pour out;* pret. 3s. scencte, XXIV, 496.

scendan, W1, *to insult, shame;* pres. pl. scendað, X, 112.

scēot, n., *shooting, rapid movement;* ds. -e, XXIII, 40.

scēota, m., *trout;* ap. -n, III, 96.

scēotan, S2, *to shoot; refer;* pres. pl. scēotað, IX, ii, 51 (*refer*); pret. 3s. scēat, V, v, 88; pp. scoten, XVII, 19. (SHOOT)

Sceottas, see Scottas.

scēo-wyrhta, m., *shoemaker;* np. -n, III, 17. (SHOE-WRIGHT)

scēphyrde, see scēaphyrde.

sceppend, see scyppend.

scilling, m., *shilling;* as. XI, 31; gp. -a, XI, 27. (SHILLING)

scīnan, S1, *to shine;* inf. IX, ii, 13; pres. ptc. ds. wk. scīnendan, IX, ii, 12; prēs. 3s. scīneð, V, v, 65; subj. pres. pl. scīnon, II, i, vs. 15. (SHINE)

scip (scyp), n., *ship;* ns. VII, 99; ds. scype, XVIII, 40; as. scyp, III, 85; np. -u, IX, ii, 29; gp. -a, IV, 24; dp. -um, V, i, 71, -on, IV, 256, -an, IV, 356, scypum, III, 109; ap. -u, IV, 143, scypu, VII, 73, -a, IV, 74. (SHIP)

scipflota, m., *sailor, seaman;* np. -n, XVII, 11.

sciphere, m., *fleet, navy;* ds. IV, 380; as. V, ii, 12.

sciphlǣst, m., *ship-load, crew;* gp. -a, IV, 6; ap. -as, IV, 110.

gescipian, W2, *to provide with ships;* pp. npm. -scipode, IV, 137.

scippend, see scyppend.

sciprāp, m., *ship-rope, cable;* dp. -um, VII, 36; ap. -as, VII, 54. (SHIP-ROPE)

scīr, f., *shire, district;* ns. VII, 76; ds. -e, IV, 274. (SHIRE)

scīr, adj., *bright, clear;* asn. VI. ii, 9. (SHEER)

Scīreburne, f., *Sherborne, in Dorset;* ds. -burnan, IV, 46.

Scīringeshēal (Scīrincg-), m., *Sciringssal, a port in southern Norway;* ds. -e, VII, 89, Scīrincgeshēale, VII, 83; as. VII, 78.

scomu, see scamu.

Scōnēg, f., *Skaane, the southernmost district of the Scandinavian peninsula;* ns. VII, 101.

scop, m., *poet, singer;* ns. XXIV, 496. (Cf. scyppan)

scopgereord, n., *language of poetry;* ds. -e, V, vi, 5.

Scotland, n., *Scotland;* ds. -e, IV, 383; as. V, i, 44.

Scottas (Sceottas), m. pl., *the Scots, the Irish;* np. IV, 121; gp. Scotta, V, i, 35, Sceotta, V, i, 44; dp. Scottum, IV, 129.

scrīðan, S1, *to rush, dart, glide, go;* inf. XXIII, 40; pres. 3s. scrīðeð, XV. 809; pres. pl. scrīðað, XXIII, 13.

scrūd, n., *dress, garment;* as. III, 83. (SHROUD)

scrȳdan, W1, *to clothe;* imp. pl. scrȳdað, I, i, vs. 22.

scūfan, S2, *to push, shove;* pret. 3s. scēaf, XVIII, 136. (SHOVE)

sculan, PP, *shall, must, be necessary, ought, is said to;* pres. 1s. sceal, V, vi, 33; 2s. scealt, XV, 166; 3s. sceall, VII, 52, sceal, VII, 81; pres. pl. sculon, XIII, 397, sculan, V, iv, 26, sculan (w. verb of motion implied), X, 191, sceolon, VII, 135, sceolan, XXIII, 14, sceole gē, XVIII, 59; subj. pres. 3s. sceole, IX, i, 46, scyle, XV, 193; ind. pret. 3s. sceolde, VII, 16; pret. pl. scoldon, VIII, 11, sceoldon, VIII, 13, sceoldan, IV, 314; subj. pret. pl. sceolden, V, vi, 21. (SHALL)

scūr, m., *shower;* ns. XXIII, 40; dp. -um, XX, 17. (SHOWER)

scyld, m., *shield, protection;* ds. -e, XVIII, 136; as. XVII, 19; ap. -as, XVIII, 98. (SHIELD)

scyldburh, f., *shield-defense, phalanx;* ns. XVIII, 242.

scyldig, adj., *guilty;* nsm. XI, 4.

Scyldingas, m. pl., *the Danes;* gp. Scyldinga, XXIV, 500. (See note on l. 597)

scȳne, adj., *beautiful, fair;* nsn. XVI, 19; comp. scȳnra, XVI, 26; supl. scȳnost, XIII, 338. (SHEEN)

scyp, see scip.

scypen, n., *stable, stall;* ds. -e, V, vi, 25; as. -e, V, i, 69. (SHIPPEN, dial.)

scyppan, S6, *to create, make, shape;* inf. IX, i, 50; pret. 3s. scēop, XIII, 343. (SHAPE)

gescyppan, S6, *to create, make;* pret. 3s. -scēop, II, i, vs. 1; pp. npn. -sceapene, IX, i, 25.

scyppend (scippend, sceppend), m., *creator;* ns. V, vi, 42; -es, V, iv, 31; as. IX, i, 39, scippend, VI, iii, 12, sceppend, VI, iii, 15.

scyrian, W1, *to decree, appoint;* pp. gescyred, XIII, 424.

gescyrpan, W1, *to equip;* pp. asm. -scyrpedne, V, v, 86.

Scyttisc, adj., *Scottish;* nsm. XVII, 19.

Scyððia, f., *Scythia;* gs. V, i, 42.

sē, sēo, þæt, def. art., dem. pron., rel. pron., *the, that, he, she, it, who, which;* nsm., I, i, vs. 12 (*the*), VI, iii, 6 (*he*), VII, 138 (*who*), IV, 93 (*which*); nsf. sēo, II, i, vs. 2, sīo, VII, 13; nsn. þæt, XXIV, 1361, þet, XII, ii, 8; gsm. þæs, II, i, vs. 16, þes, IV, 335; gsf. þǣre, VI, ii, 3, þāre, IV, 169; gsn. þæs, I, i, vs. 15, þes, XII, i, 22, þæs (obj. of biddan) V, vi, 97; þæs, adv., conj., *from that time, afterward;* IV, 165; þæs ofer Ēastron, IV, 71 (*the following Easter*):

XVIII, 239 *(for this reason)*; XVI, 4 *(so)*; IX, ii, 58 *(for which)*; tō **þæs, XX,**
40, 41, *(so)*; þæs þe, VII, 146 *(because)*, XXIV, 1350 *(as)*, V, iv, 40 *(after,*
when); dsm. þǣm, XXIV, 1363; dsf. þǣre, II, i, vs. 2, þāre, XII, i, 12, þēare,
II, i, vs. 9; dsn. þǣm, VII, 2, þām, I, i, vs. 14, þān, VII, 142; asm. þone,
I, i, vs. 22, þæne, VII, 133; asf. þā, VI, i, 4; asn. þæt, I, i, vs. 25, þet, IV,
221; ism. þȳ, V, v, 51, before comp. VIII, 46 *(the)*; isn. þȳ, IV, 3 *(because)*,
X, 2 *(therefore)*, mid þȳ þe, V, v, 72 *(when)*; isn. þē, XVIII, 313 *(as)*, before
comp. XVII, 46 *(the)*; isn. þon, XXII, ii, 11, on þon, V, i, 29, æfter þon, V,
i, 42, tō þon, V, vi, 91 *(so)*, tō þan, V, ii, 32 *(so)*, be þon þe, XI, 10, ēac þan,
XIV, 245 *(before)*, þon mā, XI, 8 *(any more)*, see also forþan; np. þā, I, i, vs.
16; gp. þāra, VII, 27, þǣra, II, i, vs. 10; dp. þǣm, XII, i, 17, þām, I, i, vs. 16,
þān, VI, i, 5, þēm, XII, i, 12; ap. þā, V, iv, 35. (THAT)

sē = sīe, see bēon.

sealt, n., *salt;* ds. -e, XXIII, 45. (SALT)

sealt, adj., *salt;* nsn. XXII, ii, 56. (SALT)

sealtere, m., *salt-worker;* np. sealteras, III, 17.

sealtsēað, m., *salt-pit;* ap. -as, V, i, 17.

sealtȳð, f., *salt water, salt wave;* gp. -a, XVI, 8.

Sealwudu, m., *Selwood Forest, in Somerset;* ds. -wyda, IV, 95.

searacræft, m., *artifice, treachery;* ap. -as, X, 122.

sēarian, W2, *to wither;* pres. 3s. sēarað, XX, 89. (SEAR)

searo, f. or n., *armor* (often pl. **w.** sing. meaning); as. XIV, **219**; dp. searwum,
XXIV, 2700.

searogrim, adj., *fierce in battle, battle-grim;* nsm. XXIV, **594**.

searonīð, m., *battle, contest;* gp. -a, XXIV, 582.

Seaxe, Seaxan (Sexan), m. pl., *the Saxons;* np. Seaxan, V, ii, **9**, Sexan, XVII;
70; gp. Seaxna, V, ii, 4; dp. Seaxum, V, ii, 18.

sēcan (sēcean), W1, *to seek, strive;* inf. V, i, 50, sēcean, XVII, 55; pres. ptc.
sēcende, V, ii, 35, sōecende, XII, ii, 1; pres. 3s. sēceð, XVI, 36; subj. pres.
3s. sēce, XXIV, 1369; ind. pret. 1s. sōhte, V, **v**, 64; 3s. sōhte, VII, 43; pret.
pl. sōhtan, XVII, 58. (SEEK)

gesēcan (-sēcean), W1, *to seek, reach;* inf. XVIII, 222, -secean, XXIII, 44,
subj. pres. 1s. -sēce, XX, 38; ind. pret. 3s. -sōhte, IX, ii, 29; pret. pl. -sōhtan;
XVII, 27.

secce, see sæcc.

secg, m., *man, warrior;* ns. XVII, 17; gp. -a, XVII, 13; ap. -as, XVIII, 298.

secgan (secgean), W3, *to say, tell;* inf. V, ii, 11; pres. 1s. secge, I, i, **vs.** 18,
2s. segst, III, 116, sægest, III, 18; 3s. segeð, XVIII, 45; pres. pl. secgeað.
V, iv, 4, secggeaþ, XVII, 68; subj. pres. 3s. secge, IX, ii, 51; imp. s. sege,
II, ii, vs. 14, saga, XV, 209; pret. 1s. sægde, XVI, 34; 2s. sægdest, XXIV,
532; 3s. sægde, V, vi, 51, sǣde, V, iv, **11**; pret. pl. sægdon, V, vi, 56, **sǣdon,**
V, ii, 37; pp. sǣd, V, i, 39. (SAY)

gesecgan, W3, *to say, tell;* pret. 3s. -sǣde, XVIII, **120**.

secge, f., *speech;* ns. XV, 190.

sefa, m., *mind, spirit;* ns. XXIV, 594; as. -n, XIX, **57**.

sēfte, adv., *comfortably, easily;* XIII, 433.

segelgyrd, m., *sailyard;* ns. XXIII, 25. (SAILYARD)

segen, f., *speech, report;* as. -e, V, iv, 2.

segl, m. or n., *sail;* ds. -e, VII, 100. (SAIL)

seglian, W2, *to sail;* inf. VII, 21; pret. 3s. seglode, VII, 89, seglede, VII, **15,** seglde, VII, 18. (SAIL)

geseglian, W2, *to sail;* inf. VII, 12.

segn, m. or n., *sign, standard;* as. XIV, 172. (SIGN, Lat. signum)

segncyning, m., *war-king, king;* ns. XIV, 172.

gesegnian, W2, *to cross oneself;* pret. 3s. -sēnade, V, vi, **118.**

sēl, comp. adv., *better;* XXIV, 2687.

seldon, adv., *seldom;* III, 99. (SELDOM)

sele, m., *hall;* as. XIX, 25.

sele-drēam, m., *hall-joy;* np. -as, XIX, 93.

seleful, n., *hall-cup;* as. XXIV, 619.

selerǣdend, m., *hall counsellor;* ap. -e, XXIV, 1346.

Seles-dūn, f., *Selsdon, in Surrey;* ds. -e, XII, i, 6.

selesecg, m., *hall man,* i.e. *retainer;* ap. -as, XIX, 34.

sēlest, see gōd.

self (silf, sylf), adj., pron., *self, selfsame, own;* nsm. XI, 6, sylf, V, v, 95, nsm. wk. sylfa, V, v, 77, nsn. wk. sylfe, V, v, 65; gsm. sylfes, V, vi, 128; dsm. -um, VIII, 43, sylfum, IV, 328, silfum, II, i, vs. 11; asm. sylfne, V, v, 4, asn. wk. sylfe, V, v, 64; npm. -e, VIII, 25, sylfe, V, ii, 38, npm. wk. sylfan, V, vi, 70; gp. sylfra, XVIII, 38; dp. -um, IV, 37, sylfum, V, i, 62, silfon, II, i, vs. 29, dp. wk. sylfan, V, ii, 33. (SELF)

sellan (syllan), W1, *to give, sell;* inf. V, i, 48, syllan, **V, v,** 66; pres. 1s. sylle, I, ii, vs. 12, sello, XII, i, 9; 3s. seleð, XXIV, 1370 *(give up),* selð, VI, iii, 6, sylð, III, 77; subj. pres. 3s. selle, XI, 9; pres. pl. syllon, XVIII, 61; imp. s. syle, I, i, vs. 12; p. syllað, I, i, vs. 22; ind. pret. 2s. sealdest, I, i, vs. 29; 3s. sealde, I, i, vs. 16, salde, IV, 100; pret. pl. sealdon, IV, 396; subj. pret. 3s. sealde, V, v, 80; pp. seald, XII, ii, 27. (SELL)

gesellan (-syllan), W1, *to give up, give, pay, sell;* inf. XII, ii, **3,** -syllan, III, 94; subj. pres. 3s. -selle, XI, 29; ind. pret. 3s. -sealde, XVIII, 188, X, 82; pret. pl. -sealdon, XVIII, 184; pp. npm. -sealde, IV, 321.

sellend, m., *giver;* ns. XVI, 64.

sellīc, adj., *rare, wonderful;* comp. nsm. -ra, XVI, 30.

sēlost, see gōd.

gesēman, W1, *to reconcile;* inf. XVIII, 60.

semninga, adv., *presently;* XXIV, 644.

sendan (sændan), W1, *to send;* inf. XVIII, 30; pres. 3s. sendeð, XXIII, 9; pret. 3s. sende, I, i, vs. 15, sænde, XXII, ii, 39; pret. pl. sendon, V, ii, 12, sendan, V, ii, 10; subj. pret. 3s. sende, IV, 219; pp. sended, XXI, ii, 11. (SEND)

sēnian, W2, w. refl., *to cross oneself;* pres. ptc. sēniende, V, vi, 126.

sēo, see sē.

seofian, W2, *to sigh;* pret. pl. seofedun, XX, 10.

seofon (seofone, syfan), num., *seven;* XI, 3; seofone, XVII, 30; syfan, VII, 37. (SEVEN)

seofoða, num., *seventh:* dsf. wk. -n, IV, 94. (SEVENTH)

sēolest, see gōd.

seolfor (sylfor), n., *silver;* gs. seolfres, V, i, 20; ds. seolfre, IX, ii, 47, sylfore, XXI, i, 2. (SILVER)

seolh (siolh), m., *seal;* ns. XXII, ii, 28; gs. sēoles, VII, 51, sīoles, VII, 55; np. sēolas, V, i, 10. (SEAL)

seolocen, adj., *of silk, silken;* gp. -ra, VI, ii, 10. (SILKEN)

seomian, W2, *to wait, rest, hang, lie securely;* inf. XXIII, 25; pret. pl. seomedon, XIV, 209.

sēon, S5, *to see;* inf. XXIV, 1365; ger. tō sēonne, VI, i, 4. (SEE)

gesēon (-sīon), S5, *to see, perceive;* inf. V, i, 50, -sīon, VIII, 36; ger. tō gesēonne, II, ii, vs. 4; pres. 1s. -sēo, II, ii, vs. 3; 3s. -sihð, V, i, 70; subj. pres. 2s. -sēo, V, v, 40; imp. s. -seoh, V, v, 30; ind. pret. 3s. -seah, I, i, vs. 20; pret. pl. -sāwon, I, ii, vs. 15; pp. -sewen, V, v, 45 (*seems*), -sawen, V, v, 28 (see note), -segen, V, vi, 55.

seondan = **sind**, see **bēon**.

setl, n., *seat, throne; settlement;* gs. -es, V, iv, 33, V, i, 45 (*settlement*); ds. -e, XVII, 17; gp. -a, XIII, 411. (SETTLE)

settan, W1, *to set, place, impose;* pres. 1s. sette, III, 52; pres. pl. settað, XI, 2; pret. 3s. sette, V, v, 6; pret. pl. setton, XI, 21. (SET)

gesettan, W1, *to set, place, establish, appoint, occupy;* inf. XIII, 396; ger. tō gesettanne, XIII, 364; pres. 1s. -sette, XII, ii, 22; 3s. -set, VI, iii, 7; pret. 3s. -sette, II, i, vs. 17, IV, 115 (*occupy*), -sætte, IV, 266; pp. -seted, V, i, 2; pp. npm. -sette, V, iv, 8, npf. -sette, IX, i, 21.

sē-ðēah = **swā-ðēah**, adv., conj., *however, nevertheless, yet;* XV, 211.

seðel, n. or m., *residence;* as. V, i, 63.

sibǣðeling, m., *related noble;* np. -as, XXIV, 2708.

sibb, f., *peace, friendship, relationship;* ds. -e, V, ii, 15; as. -e, VIII, 7. (SIBling, gossip)

sibbleger (sibleger), n., *incest;* ap. -u, X, 124, siblegeru, X, 152.

sibgedriht, f., *host of kinsmen;* ns. XIV, 214.

Sībyrht, m., *an Anglo-Saxon warrior;* gs. -es, XVIII, 282.

Sicilia, f., *Sicily;* ns. VI, ii, 20.

sīd, adj., *wide, vast;* asm. -ne, XXIV, 507; gp. -ra, XV, 170; apm. -e, XXI, iii, 10.

Sidroc, m., *a Danish jarl;* ns. IV, 60; *his son;* ns. IV, 60.

siemle, see **symle**.

sig, see **bēon**.

sīgan, S1, *to sink, move, advance;* imp. p. sīgað, XXII, i, 8; pret. 3s. sāh, XVII, 17; pret. pl. sigon, XIV, 178.

sige, m., *victory;* gs. -s, IV, 387; ds. IX fi, 16; as. sige nōm, IV, 11 (*won the victory*).

sigefolc, n., *victorious people;* gp. -a, XXIII, 66.

sige-hwīl, f., *time of victory, victory;* gp. -a, XXIV, 2710.

sigelēas, adj., *unvictorious;* npm. -e, X, 100.

Sigen, f., *the river Seine;* as. -e, IV, 15.

sigerōf, adj., *victorious;* nsm. XXIV, 619.

Sige-Scyldingas, m. pl., "*Victory Scyldings,*" *Danes;* gp. -Scyldinga, XXIV, 597 sigewīf, n., *victorious woman;* voc. p. XXII, i, **8.**

Sigewulf (Sīgulf), m., *a kinsman of Alfred, dux;* ns. Sīgulf, XII, i, 36; ds. -e, XII, i, 35.

sigor, m., *victory;* gp. -a, XVI, 64.

Sīgulf, see Sigewulf.

silf, see self.

Sillende, *Zealand;* ns. VII, 87.

simle, see symle.

sīn, pron. adj., *his;* gsm. -es, XIII, 400.

sinc, n., *treasure;* ns. XXIII, 10; gs. -es, XIX, 25; as. XVIII, 59.

sincfæt, n., *precious cup;* ap. -fato, XXIV, 622. (-vat)

sincfāg, adj., *adorned with treasure;* nsm. XXI, i, 15.

sincgyfa, m., *treasure-giver, lord;* as. -n, XVIII, 278.

sinc-þegu, f., *receiving of treasure;* as. -þege, XIX, 34. (Cf. þicgan)

singāllīce, adv., *continually;* X, 112.

singan, S3, *to sing;* inf. V, vi, 17; pres. ptc. singende, XX, 22; pres. 1s. singe, III, 11; 3s. singeð, XX, 54; imp. s. sing, V, vi, 28; pret. 3s. sang, XVIII, 284, song, V, vi, 46; pret. pl. sungon, XIV, 159; subj. pret. 3s. sunge, V, vi, 58; pp. sungen, V, iv, 31. (sing)

sīo, see sē.

siodo, m., *custom, manner, morals;* as. VIII, 7.

siolh, see seolh.

gesīon, see gesēon.

Siric, m., *Archbishop of Canterbury;* ns. IV, 206.

sittan, S5, *to sit, settle, remain;* inf. XIII, 438; pres. 3s. on sit, X, 89 (*assail*); pres. pl. on sittað, X, 15 (*assail*); subj. pres. 2s. sitte, V, v, 47; imp. p. sitte gē, XXII, i, 8; ind. pret. 3s. sæt, V, v, 3, sætt, IV, 312; pret. pl. sǣton, IV, 23, ymbe sǣtan, IV, 247 (*besiege*); subj. pret. 3s. sǣte, IV, 346. (sit)

gesittan, S5, *to occupy, take possession of, hold;* pret. 3s. -sæt, IX, ii, 35, XXIV, 633 (*sit down in*); pret. pl. -sǣton, IV, 84.

sīð, m., *journey, motion, time, occasion, fate, venture, expedition;* ns. XIV, 207; gs. -es, XIII, 378; ds. -e, XX, 51; as. XXI, ii, 2; is. -e, XXIV, 2670; gp. -a, XXI, iii, 12; ap. -as, XX, 2.

sīðast, adj. supl., *latest, last;* nsn. XXIV, 2710.

sīðboda, m., *guide;* ns. XIV, 250.

sīðian, W2, *to journey, go;* inf. XVIII, 177; subj. pres. 1s. sīðie, XVIII, 251.

sīððan (siððon, syððan, syððon), adv., conj., *afterwards, after, since, when;* VI, iii, 13; siððon, IV, 254; syððan, I, i, vs. 30; syððon, IV, 312. (since)

sixta, see syxta.

slǣp, m., *sleep;* ns. XIX, 39; ds. -e, V, vi, 46. (sleep)

slǣpan, S7, *to sleep;* pres. ptc. slǣpende, V, vi, 46; pret. pl. slēpon, VI, ii, 11. (sleep)

slēan, S6, *to slay, strike, forge;* pret. 3s. slōh, XVIII, 163; pret. pl. slōgon, IV, 245, slōgan, V, ii, 40; subj. pret. 3s. slōge, XVIII, 117; pp. geslægen, IV, 7; pp. npm. slægene, V, ii, 47, geslægene, XIII, 383. (slay)

geslēan, S6, *to gain by fighting, win, slay;* pret. 3s. -slōg, IV, 12; pret. pl. -slōgon.

IV, 20, -slōgan, V, ii, 10, wæll -slōgan, V, iii, 14 (*made slaughter*); pp. npm. -slegene, V, i, 74 (*bitten*).

slege, m., *blow, stroke, murder;* gs. -s, XI, 66; ds. III, 112. (Cf. slēan)

slītan, S1, *to tear;* pret. 3s. slāt, XX, 11. (SLIT)

slīþen, adj., *grim, cruel;* nsf. XIX, 30.

slīðheard, adj., *severe, heavy;* nsm. wk. -a, XIII, 378.

smæl, adj., *small, narrow;* nsn. VII, 57; comp. nsn. -re, VII, 62; supl. smalost, VII, 64. (SMALL)

smǣte, adj., *refined, pure;* dsn. smǣtum, IX, ii, 18.

smēagan (smēan, smēacan), W2 or 3, *to consider, reflect;* pres. ptc. smēacende, XII, ii, 1; pres. pl. smēað, V, i, 34; subj. pres. 3s. smēage, 163; ind. pret. 3s. smēade, V, v, 4.

smēaung, f., *study;* ds. -e, V, i, 36.

smiðian, W2, *to forge;* inf. IX, ii, 17. (Cf. -SMITH)

smylte, adj., *calm, mild;* dsf. smyltre, V, vi, 122; asn. smylte, V, vi, 107; ism. smylte, V, vi, 122, isn. smylte, VI, i, 4.

smyltnys, f., *mildness;* ds. -se, V, i, 66.

snacc, f., *a small vessel, smack;* dp. -um, IV, 383.

snāw (snāu), m., *snow;* ns. snāu, V, i, 67; as. XIX, 48. (SNOW)

snell, adj., *quick, bold, keen;* npm. -e, XVIII, 29. (Sc. SNELL)

snelle, adv., *quickly;* XIV, 220.

snēome, adv., *straightway;* XVI, 42.

snīcan, S1, *to crawl, creep;* inf. XXII, ii, 31; pres. ptc. asm. snīcendne, V, i, 69. (SNEAK)

snīwan, W1, *to snow;* subj. pres. 3s. snīwe, V, v, 48; ind. pret. 3s. snīwde, XX, 31.

snot(t)or, adj., *wise;* nsm. snottor, XIX, 111, snotor, XXIII, 54, nsm. wk. snottra, XVI, 69; supl. nsm. snoterost, XXIII, 11.

snyttro, f., *wisdom, discernment;* as. V, v, 78. (Cf. snottor)

sōecende, see sēcende.

sōfte, adv., *softly, easily;* XVIII, 59. (SOFT)

somod, see samod.

somnigean, W2, *to assemble;* inf. XIV, 217.

gesomnian (-samnian), W2, *to assemble, collect;* inf. V, vi, 51; pp. npm. -samnode, VII, 135.

sōna, adv., *soon, at once;* V, iv, 32; VIII, 43; sōna swā, V, i, 71 (*as soon as*); sōna þæs þe, V, v, 87 (*as soon as*). (SOON)

Sondenstede (Sondemstyde), m., *Sanderstead, in Surrey;* ds. XII, i, 5, Sondemstyde, XII, i, 16.

Sondwīc, see Sandwīc.

song (sang), m., n., *song;* ns. V, vi, 69; gs. -es, V, vi, 48; ds. sange, III, 12; as. XX, 19. (SONG)

songcræft, m., *art of song, poetry;* as. V, vi, 14.

sorg, f., *sorrow;* ns. XIX, 30; as. -e, XX, 42; gp. -a, XIII, 364. (SORROW)

sorgcearu, f., *sorrow, care;* as. -ceare, XV, 209.

sorgian, W1, *to sorrow;* pres. ptc. nsm. sorgiende, XIII, 347; npm. **sorgiende,** V, ii, 53. (SORROW)

sorhfull, adj., *sorrowful, perilous;* asm. -ne, XXIV, 512. (SORROWFUL)

sōð, n., *truth;* ns. V, v, 65; gs. -es, VII, 31; ds. tō sōðe, XIX, 11 (*truly, in truth*); as. V, v, 64. (SOOTH)

sōð, adj., *true, real;* gsm. wk. -an, V, v, 89, gsf. wk. -an, V, i, 34; dsm. wk. -an, V, v, 78; asn. wk. -e, VI, i, 11. (SOOTH)

sōðe, adv., *truly, actually;* XV, 213.

sōðfæst, adj., *faithful, righteous, believing;* npm. -e, XVI, 66.

sōðfæstlice, adv., *truly;* XII, i, 47.

sōðfæstnys, f., *truthfulness, truth;* gs. -se, V, i, 34.

sōðgied, n., *true song or tale;* as. XX, 1.

sōðlice, adv., *truly, verily, in sooth;* I, i, vs. 11.

gespannan, S7, *to bind on, clasp;* pret. 3s. -spēon, XIV, 174. (SPAN)

spearwa, m., *sparrow;* ns. V, v, 49. (SPARROW)

specan, S5, *to speak;* pret. pl. spǣcan, X, 8. (SPEAK)

spēd, f., *riches, wealth, success, fortune;* as. -e, I, i, vs. 30; np. -a, VII, 41; ap. -a, VII, 125. (SPEED)

spēdan, W1, *to accede;* pres. pl. spēdað, XVIII. 34. (SPEED)

spēdig, adj., *rich, wealthy, prosperous;* nsm. VII, 41. (SPEEDY)

spell (spel), n., *tale, narrative, discourse, message;* gs. -es, V, vi, 67; as. VI, ii, 1, spel, V, vi, 57; np. spel, XIV, 203; gp. -a, VII, 29; dp. -um, V, vi, 75. (SPELL)

gespēon, see gespannan.

spere, n., *spear;* ns. XVIII, 137; ds. V, v, 88; as. V, v, 84; ap. speru, XVIII, 108. (SPEAR)

spīc, n., *bacon;* gs. -es, XII, ii, 6.

spildsið, m., *destructive journey, expedition;* ds. -e, XIV, 153.

spillan, W1, *to kill, destroy;* inf. XVIII, 34. (SPILL)

spor, n., *track, trace, footprint;* ds. -e, VIII, 38. (Cf. Du. spoor)

spōwan, S7, impers. **w.** dat., *to succeed;* pret. s. spēow, VIII, 8.

sprǣc, f., *speech, talk;* ns. III, 4; ds. -e, XXI, iv, 13, tō ðǣre sprǣce fēng, V, v, 44 (*took up speech or argument*); as. -e, XV, 183. (SPEECH)

sprecan, S5, *to speak;* inf. III, 1; pres. ptc. sprecende, V, v, 60; pres. 1s. sprece, XV, 190; 2s. spricest, XV, 179, sprycst, III, 10; 3s. spriceð, XIX, 70; pres. pl. sprecað, III, 2; subj. pres. pl. sprecan, III, 4; ind. pret. 2s. sprǣce, XXIV, 531; 3s. sprǣc, V, v, 10; pret. pl. sprǣcon, VII, 32, sprǣcan, V, v, 58; pp sprecen, XXIV, 643. (SPEAK)

sprengan, W1, *to break, burst;* pret. 3s. sprengde, XVIII, 137.

springan, S3, *to spring;* pret. 3s. sprang, XVIII, 137. (SPRING)

sprittan, W1, *to sprout, spring, to bring forth;* subj. pres. 3s. spritte, II, i, vs. 11.

sprot, m., *sprat, a kind of fish;* np.? sprote, III, 97. (SPRAT)

spyrigean, W2, *to follow, search, inquire;* inf. VIII, 36. (Sc. SPEIR, cf. SPOR)

spyrta, m., *basket;* as. or p. -n, III, 86.

stædefæst (stede-), adj., *steadfast;* npm. -e, XVIII, 127, **stedefæste,** XVIII, 249. (STEADFAST)

stæf, m., *letters, writing;* dp. stafum, V, vi, 4. (STAFF) stǽlan, W1, *to avenge, institute?* inf. XXIII, 54.

gestǽlan, W1, *to accuse of;* inf. XIII, 391.

stælhrān, m., *decoy-reindeer;* np. -as, VII, 44.

stælwyrðe, adj., *serviceable;* npn. IV, 180. (STALWART)

stǽnen, adj., *of stone;* asf. -e, V, v, 104.

Stængfordesbrycg, f., *Stamford Bridge;* ds. -e, IV, 389.

stǽr, n., *story, history;* gs. -es, V, vi, 67; as. V, vi, 73. (Lat. historia)

stǽð, n., *shore;* ds. staðe, VII, 112; ap. staðu, XXI, iii, 6.

stalian, W2, *to steal;* subj. pres. 3s. stalie, XI, 45.

stalu, f., *theft, robbery;* ns. X, 53; ds. stale, XI, 44; ap. stala, X, 121. (Cf. stelan)

stān, m., *stone;* ns. V, i, 20; ds. -e, XXI, iii, 7; dp. -um, XV, 192. (STONE)

stānclif, n., *stony cliff;* ap. -u, XX, 23.

standan, S6, *to stand;* inf. XVIII, 19; pres. ptc. standende, III, 70; pres. 1s. stande, III, 34; 3s. standeð, VII, 111, stondeð, XIX, 74, stond, XXII, ii, 15, stent, VII, 90, stynt, XVIII, 51; pres. pl. stondað, XIII, 418; pret. 3s. stōd, I, ii, vs. 11; pret. pl. stōdon, VIII, 30. (STAND)

gestandan, S6, *to stand;* inf. XVIII, 171.

stān-hleoþ, n., *rocky slope, cliff;* ap. -u, XIX, 101.

gestaþelian, W2, *to establish, strengthen;* pres. 3s. -staþelað, XX, 108; pret. 3s. -staþelade, XX, 104.

stealc, adj., *steep, high;* apn. XXI, iii, 7. (Cf. vb. STALK)

steall, m., *conformation, position;* gs. -es, V, i, 65.

stēam, m., *smoke, vapor;* ns. XVI, 45. (STEAM)

stēap, adj., *prominent;* nsm. XXIII, 23. (STEEP)

stearc, adj., *severe;* nsm. III, 21. (STARK, cf. STARCH)

stearn, m., *tern;* ns. XX, 23.

stēda, m., *steed;* ds. -n, V, v, 85. (STEED)

stede (styde), m., *place;* ns. styde, XIII, 356; as. XVIII, 19. (STEAD)

stedefæst, see stǽdefæst.

stefn, m., *stem, prow of a ship;* ds. -e, XVII, 34. (STEM)

stefn, f., *voice;* ds. -e, XVI, 44.

stefna, m., *prow;* ds. -n, XX, 7.

stemnettan, W1, *to stem, stand firm;* pret. pl. stemnetton, XVIII, 122.

stenc, m., *odor, fragrance;* ns. XVI, 44; as. XVI, 54. (STENCH)

stēorbord, n., *starboard, right side of a ship;* as. VII, 9. (STEER-BOARD, i.e. STARBOARD)

steorfa, m., *pestilence;* ns. X, 53. (Cf. steorfan)

steorra, m., *star;* ns. IV, 131; ap. -n, II, i, vs. 16. (STAR)

steppan, S6, *to step, advance, go;* pret. 3s. stōp, XVIII, 8. (STEP)

sticcemǣlum, adv., *piecemeal, here and there, bit by bit;* V, iii, 3; VII, 5.

stician, W2, *to stab, stick;* pres. 3s. sticade, V, v, 88; pp. npm. sticode, V, ii, 51 (STICK)

stīgan, S1, *to rise, ascend;* pres. pl. stīgað, XXI, ii, 6.

gæstīgan, S1, *to set out;* pret. 3s. -stāh, XXIV, 632.

stihtan, W1, *to incite;* pret. 3s. stihte, XVIII, 127.

stille, adj., *still, quiet;* npm. XXI, iii, 14.   (STILL)

stilnes, f., *peace, quiet;* ds. -se, V, vi, 119; as. -se, VIII, 58.   (STILLNESS)

stīme, *an herb, watercress? nettle?* ns. XXII, ii, 14.

gestincan, S3, *to smell;* pret. pl. -stuncan, V, i, 72.   (STINK)

stingan, S3, *to stab, thrust, sting;* pret. 3s. stang, XVIII, 138.   (STING)

stiran, see styrgan.

stiria, m., *sturgeon;* ap. -n, III, 101.

stirian, see styrgan.

stirigendlīce, adj., *moving;* asn. II, i, **vs.** 21.   (STIRRing)

stīð, adj., *strong, fierce, stern, stiff;* nsn. XVIII, 301; apm. -e, XX, 104.

stīðe, f., *an herb, lamb's cress or nettle;* ns. XXII, ii, 16.

stīðhycgende, adj., *brave, resolute;* npm. XVIII, 122.

stīðlīce, adv., *boldly, stoutly;* XVIII, 25.

stōdhors, n., *stallion;* as. V, v, 80.

stōl, m., *seat, throne;* as. XIII, 366.   (STOOL)

storm, m., *storm;* ds. -e, VI, i, 3; is. -e, V, v, 51; np. -as, XIX, 101.   (STORM)

stōw, f., *place, locality;* ns. II, ii, vs. 5; ds. -e, II, ii, vs. 8; as. -e, V, vi, 96; np. -a, X, 77; dp. -um, V, i, 8; ap. -a, VIII, 34, -e, V, i, 18 (*locality*).   (-STOW in Eng. place-names)

strǣt, f., *street;* ds. -e, IV, 273.   (STREET, Lat. strata via)

strang (strong), adj., *strong, powerful, hard, severe;* nsm. strong, XXI, ii, 3, nsf. strong, XXIV, 2684; npm. -e, X, 101; comp. nsn. strenhre, XV, 192; asm. strengran, V, ii, 12; apn. strangran, V, v, 41; supl. dp. strangestan, V, ii, 17.   (STRONG)

strange, adv., *strongly, severely;* IV, 360.

strēam, m., *stream;* ns. XXIII, 23; as. XVIII, 68; np. -as, XXI, iii, 6; ap. -as. XX, 34.   (STREAM)

strēgan, W1, *to strew, spread;* inf. XX, 97.

strengu, f., *strength;* ds. strengo, XXI, iv, 13.   (STRENGth, cf. strang)

strīc, n., *sedition;* ns. X, 53.

gestrīnan, W1, *to acquire, earn, gain;* pret. pl. -strīndon, XI, 23.   (Cf. gestrēon)

strong, see strang.

stronglīc, adj., *strong;* asm. wk. -an, XIII, 366.

strūdung, f., *robbery, spoliation;* ap. -a, X, 121.

strȳnd, f., *generation;* ds. -e, V, ii, 28.

stund, f., *an interval of time;* ds. -e, XVIII, 271; dp. -um as adv., XXI, ii, 3 (*vigorously, exceedingly*).   (STOUND, arch)

stunian, W2, *to fight against, combat* (Grendon); pres. 3s. stunað, XXII, ii, 15.

stunt, adj., *stupid, foolish;* npm. -e, IX, i, 36.   (STUNTed)

Stūrmere, m., *Sturmer village, in Essex;* as. XVIII, 249.

styde, see stede.

styrgan (styrian, stiran, stirian), W1, *to stir, agitate, move, stir up;* pres. 1s. styrge, XXI, iii, 9; 3s. styreð, XXIV, 1374; pres. pl. stirað, II, i, **vs.** 26, stiriað, II, i, **vs.** 28.   (STIR)

styric, n., *steer;* as. I, i, vs. 23.

styrman, W1, *to storm;* subj. pres. 3s. styrme, V, v, 49.   (Cf. storm)

suē ēihwelc swē = swā æghwelc swā, indef. pron., *whatsoever;* XII, ii, 9.

suin, see swȳn.

sum, pron., adj., *some, certain, a certain one, someone, one;* nsm. I, i, vs. 11, nsf. XIII, 432; gsm. -es, XXI, i, 15; dsm. be suman dǣle, X, 183 (*partly*), dsf. -re, V, ii, 34, dsn. -um, I, ii, vs. 10; asm. -ne, VIII, 53, asf. -e, IV, 296, asn. V, vi, 57; npm. -e, V, i, 74, hīe sume IV, 42 (*some of them*), npf. -e, IX, i, 10; dp. -um, V, i, 7; apm. -e, VII, 35, apf. -e, VIII, 54, apn. -u, IV, 160. (SOME)

sumer, see sumor.

sumerlīc, adj., *of summer;* dsm. -um, IX, i, 6.

sumor (sumer), m., *summer;* ns. VII, 154; gs. sumeres, XX, 54; ds. sumera, IV, 165; as. XI, 81.   (SUMMER)

sumorlida, m., *summer army;* ns. IV, 71.

Sumorsǣte (Sumur-), m. pl., *people of Somerset, Somerset;* np. IV, 95; gp. Sumursǣtna, IV, 93.

sund, n., *sea, water, swimming;* ds. -e, XXI, ii, 14, XXIV, 517 (*swimming*); as. XXIV, 507.   (SOUND)

sundhelm, m., *water-covering, sea;* ds. -e, XXI, iii, 10.

sundor, adv., *apart;* XIX, 111.   (SUNDER)

sundorgecynd, f., *remarkable character;* as. XVI, 30.

sundorhālga, m., *a Pharisee,* lit. *one holy in a manner different from others;* I, ii, vs. 10.

sunnan-dæg, m., *Sunday;* ns. III, 63; gs. -es, XI, 37; as. XI, 38.   (SUNDAY)

sunne, f., *sun;* ns. V, i, 14; gs. sunnan, XXIV, 648; ds. sunnan, VI, i, 1; as. sunnan, IX, i, 14.   (SUN)

sunstede, m., *solstice;* ds. IX, i, 7.

sunu, m., *son;* ns. I, i, vs. 13; gs. suna, IV, 347; ds. XII, i, 25, suna, IX, ii, 48; as. XV, 197; voc. s. I, i, vs. 31; np. suna, V, ii, 27; ap. suna, I, i, vs. 11.   (SON)

sunwlitig, adj., *sunbeautiful;* supl. nsm. -wlitegost, XXIII, 7.

sūsl, n., *torment, torture;* gp. -a, XVI, 59.

sūð, adv., *south, southwards;* IV, 26.   (SOUTH)

sūðan, adv., *from the south;* VII, 113; be sūðan, prep. w. dat., *south of;* VIII, 18; wið sūðan, prep. w. acc., *south of;* VII, 84.

sūðdǣl, m., *southern part;* ds. -e, V, i, 5; np. -as, V, i, 30; ap. -as, V, i, 54.

sūðerne, adj., *southern;* nsm. wk. sūðerna, VI, i, 3; asm. sūðerne, XVIII, 134 (SOUTHERN)

sūðeweard, adj., *southward;* dsn. -um, VII, 68.   (SOUTHWARD)

Sūþrīge (-rīg, -rege), *Surrey, the people of Surrey;* as. IV, 27, Sūþrīg, IV, 239; dp. Sūþregum, XII, i, 34.

sūðrihte, adv., *southwards, due south;* VII, 17.

Sūð Seaxe. m. pl., *South Saxons, Sussex;* np. Sūðseaxan, V, ii, 21; dp. -Seaxum. IV, 158; ap. IV, 239.

sūðweard, adv., *southward;* IV, 276.   (SOUTHWARD)

sūðweg, m., *way southward;* dp. -um, XIV, 155.

swā (swǣ, swē), adv., conj., *so, thus, as;* I, i, vs. 19; swǣ, VIII, 22, XVI, 6 *(as far as);* swā swā, IV, 154 *(so that);* swā swā, I, ii, vs. 17 *(just as);* swā swā, IX, i, 16 *(thus);* swā... swā, VI, ii, 18 *(as... as);* swā... swā, VII, 61 *(the... the);* swā... swā, XI, 12 *(whether... or);* swā... swē, XII, i, 29-30 *(either... or).* (so)

swā hwā swā, indef. pron., *whosoever;* XIII, 438.

swā hwæt swā, indef. pron., *whatsoever;* V, vi, 4.

swā hwaðer swā, indef. pron., *whichever;* XII, i, 29.

swā hwylc swā (swē hwylc swā, swā wylce swā), indef. pron., adj., *wnosoever, whichsoever, whatsoever;* I, ii, vs. 17; swē hwylc... swā, XII, i, 22; ap. swā wylce swā, III, 97.

swā līc swā, conj., *just as if;* V, v, 46.

swā some, adv., *in the same way, likewise;* XIII, 399.

swā-ðēah, adv., *however, nevertheless,* IX, ii, 54.

swæcc, m., *odor;* gp. -a, XVI, 46.

swǣs, adj., *beloved, own, dear;* asm. -ne, XIX, 50.

swǣsendu, n. pl., *banquet;* dp. -m, V, v, 46.

swæð, n., *track, footprint;* as. VIII, 36. (swath)

swāt, m., *sweat, blood;* ns. XXIV, 2693; ds. -e, XVII, 13. (Cf. sweat)

swaþrian, W2, *to subside;* pret. pl. swaþredon, XXIV, 570.

swē, swē hwylc swā, see swā, swā hwylc swā.

sweart, adj., *black, gloomy, dark;* gsf. wk. -an, XIII, 345; asm. wk. -an, XVII, 61; npn. wk. -an, VI, i, 2; apm. wk. -an, XIII, 391. (swart)

swebban, W1, *to put to sleep, kill;* pres. 3s. swefeð, XXIV, 600. (Cf. swefan)

swefan, S5, *to sleep;* pres. 3s. swifeð, XVI, 39.

swefl, m., *sulphur,* ds. -e, VI, ii, 20.

swefn, n., *sleep, dream;* ds. -e, IX, ii, 12; as. V, vi, 27.

swefot, m., *sleep, slumber;* ds. -e, XVI, 39.

swēg, m., *noise, sound, music;* ns. XXIV, 644; as. I, i, vs. 25.

swegel, n., *heaven, sky, sun;* ns. XXIII, 7; gs. swegles, XV, 203.

Swegen, m., *king of Denmark;* ns. IV, 207; ds. -e, IV, 288.

swēghlēoþor, m., *melody;* ns. XVI, 42.

sweglwered, adj., *clothed with radiance;* nsf. XXIV, 606.

swelce, see swylce.

swelgan, S3, w. dat., *to swallow, inhale;* inf. XXI, i, 15. (swallow)

sweltan, S3, *to die;* inf. XV, 191; subj. pres. 3s. swelte, XI, 51; ind. pret pl. swulton, V, i, 72. (swelter, sultry)

swencan, W1, *to press hard, harass;* pp. swenced, XXIV, 1368.

sweng, m., *stroke, blow;* gs. -es, XVIII, 118; ds. -e, XXIV, 2686.

Swēoland, n., *Sweden;* ns. VII, 69.

Swēon, m. pl., *Swedes;* dp. VII, 106.

gesweorcan, S3, *to become dark, clouded;* subj. pres. 3s. -sweorce, XIX, 59.

sweord (swurd), n., *sword;* ns. XXIII, 25; gs. -es, XVII, 68; ds. -e, XXIV, 561, swurde, XVIII, 118; as. V, v, 83, swurd, XVIII, 15; gp. -a, XVII, 4; dp. -um, XVII, 30; ap. swurd, XVIII, 47. (sword)

swēot, n., *troop, band;* as. XIV, 220.

sweotol (swutol), adj., *clear;* nsn. V, i, 29, swutol, X, 49.

sweotole (sweotule), adv., *clearly;* V, v, 8; sweotule, XIX, 11.

swēte, adj., *sweet;* nsm. XVI, 64; as. as noun, XX, 95; comp. nsm. **swēttra**, XVI, 46; supl. asn. wk. swēteste, V, vi, 69. (SWEET)

swētnes, f., *sweetness;* ds. -se, V, vi, 6. (SWEETNESS)

sweðrian, W2, *to subside, diminish;* inf. XXIV, 2702.

geswīcan, S1, *to leave off, desist* (w. gen.); *fail;* pres. 3s. -swīceð, XXI, iv, 12; pret. 3s. -swāc, XXIV, 2681 (*fail*); subj. pret. pl. -swicon, IV, 220.

swicc, m., *fragrance, perfume;* ds. -e, XVI, 66.

swīcdōm, m., *deceit, deception;* ds. -e, IX, ii, 23; ap. -as, X, 122.

swīcian, W2, *to be treacherous;* pret. 3s. swīcode, X, 65.

swīfan, S1, *to move;* subj. pres. 3s. swīfe, VI, i, 7.

Swifneh, m., *a teacher of the Scots;* ns. IV, 129.

swift (swyft), adj., *swift;* npn. wk. -an, VII, 142; dp. -um, III, 59; supl. nsm. -ust, XXIII, 3; asn. wk. -oste, VII, 138; apn. swyftoste, VII, 136. (SWIFT)

swīge, f., *silence;* ns. XV, 190.

swilc, swilce, see swylc, swylce.

swimman (swymman), S3, *to swim;* pres. ptc. swimmende, II, i, vs. 20; pres. pl. swimmað, XIX, 53, swymmað, III, 97. (SWIM)

swīn, see swȳn.

swincan, S3, *to toil, labor;* pret. pl. swuncon, XXIV, 517; subj. pret. 1s. swunce, IX, i, 66. (SWINK, arch)

swincgel, f., *whip;* ap. swincgla, III, 8.

swingere, m., *whipper, scourger;* ns. XXI, iv, 7. (SWINGER)

swinsung, f., *melody, harmony;* ds. -e, V, vi, 58.

swirman, W1, *to swarm;* subj. pres. pl. swirman, XXII, i, 7.

switol, adj., *clear, evident;* supl. nsn. -ost, XXIII, 10. (See note.)

swīð, adj., *strong, active, right;* comp. f., sēo swīðre, *the right hand;* comp. nsm. -ra, XVI, 46; dsm. -ran, XXII, i, 2, dsf. -ran, XXII, i, 1; asf. -ran, V, v, 7; supl. nsf. -ost, XIII, 351; ns. sēo swīðre, IX, ii, 19; ds. his swīðran, IX, ii, 18.

swīðe (swȳðe), adv., *very, exceedingly;* comp., *more, rather;* supl., *especially, almost, very often;* II, i, vs. 31; swȳðe, VII, 4; tō swȳðe, X, 36 (*too much*); tō þan swīðe, V, ii, 32 (*so greatly*); comp. swȳðor, X, 135; supl. swīðost, VII, 32, IX, i, 72, swȳþost, III, 60.

swīðferhþ, adj., *strong-hearted, brave;* npm. -e, XXIV, 493.

swiðrian, W2, *to weaken, lessen;* pret. 3s. swiðrade, XIV, 242.

swōr, error for **sār**, n., *pain,* or for spor, n., *scar;* as. XIV, 239. (See notes.)

swōrettan, W1, *to sigh;* pret. 3s. swōrette, V, iv, 16.

swōtmettas, m. pl., *sweetmeats, dainties;* np. VI, ii, 4. (SWEETMEATS)

geswugian, W2, w. gen., *to be silent;* pret. pl. -swugedan, X, 175.

swurd, see sweord.

swuster, f., *sister;* gs. XVIII, 115. (SISTER)

geswutelian, W2, *to reveal, make manifest;* pret. 3s. -swutelode, IX, ii, 40; pp. -swutelod, IX, ii, 2. (Cf. sweotol) swutelung, f., *evidence, testimony;* as. -e, IX, ii, 45.

swutol, see sweotol.

swyft, see swift.

swylc (swilc), pron., adj., *such;* nsm. XXIV, 2708; gsm. -es, III, 103, gsf. -re, V, iv, 12; npf. swilce, VI, ii, 18; gp. -ra, XXIV, 582, -era, I, ii, vs. 16; dp. -um, IX, i, 65, swilcan, X, 179. (SUCH)

swylce (swilce, swelce), adv., *likewise;* XVII, 19; swilce, II, i, vs. 20; swelce VIII, 33; conj., *as, such as, as if,* I, ii, vs. 11; IX, i, 38.

swymman, see swimman.

swȳn (swīn, suīn), n., *swine, hog;* as. suīn, XII, ii, 6; gp. -a, VII, 47, swīna, XII, i, 11; ap. I, i, vs. 15. (SWINE)

swynsian, W2, *to make a cheerful sound;* pret. 3s. swynsode, XXIV, 611.

swytolgesȳne, adj., *clearly seen, manifest;* nsn. X, 115.

swȳðe, see swīðe.

syfan, see seofan.

syl, f., *plow;* ds. III, 23; as. III, 20.

sylen, f., *grant;* as. -e, V, v, 12.

sylf, see self.

sylfor, see seolfor.

syllan, gesyllan, see sellan, gesellan.

symbel, n., *feast, banquet;* ds. symble, V, vi, 23; as. XXIV, 564; gp. symbla, XIX, 93.

symle (simle, siemle), adv., *ever, always;* I, i, vs. 31; simle, VI, ii, 20; siemle, VI, i, 16.

synderlīce, adv., *especially, peculiarly;* V, vi, 1.

syndriglīce, adv., *separately;* V, v, 27.

synfull, adj., *sinful;* dsm. -um, I, ii, vs. 13. (SINFUL)

syngian, W2, *to sin;* subj. pres. pl. syngian, X, 143; ind. pret. 3s. syngode, I, i, vs. 18, syngude, I, i, vs. 21.

synlēaw, f., *sinful injury;* ap. -a, X, 147.

synn, f., *sin, crime, wrong;* as. or p. -e, XIII, 391; gp. -a, V, vi, 83; dp. -um, V, ii, 43, -an, X, 3; ap. -a, X, 119. (SIN)

synnig, adj., *sinful, guilty, wicked;* asm. -ne, XI, 59.

syrdgetrum (error for fyrdgetrum?), n., *order of battle, array;* as. XIV, 178.

syruwrenc, m., *trick, deceit;* ap. syrewrenceas, IV, 248.

syrwan, W1, *to arm;* pp. nsm. gesyrwed, XVIII, 159.

syððan, see siððan.

syx, num., *six;* V, v, 109; g. -a, VII, 39. (SIX)

syxta (sixta), num., *sixth;* V, ii, 3; sixta, II, i, vs. 31. (SIXTH)

syxtig, num., *sixty;* VII, 40. (SIXTY)

T

tācen (tācon), n., *sign, token;* ds. tācne, II, ii, vs. 12; as. tācon, V, v, 8; dp tācnum, II, i, vs. 14. (TOKEN)

tǣcan, W1, *to teach, show, direct;* subj. pres. 2s. tǣce, III, 1; pres. pl. tǣcan, X, 145; ind. pret. 3s. tǣhte, XVIII, 18. (TEACH) tægl, m., *tail;* ns. XI, 76. (TAIL)

tǣlan, W1, *to blame;* pres. 3s. tǣleð, X, **137.**

tælgh (telg), m., *dye from a shell fish;* ns. V, i, 14; gp. telga, XVI, **22.**

tǣsan, W1, *to pierce;* pret. 3s. tǣsde, XVIII, 270.

talian, W2, *to claim, maintain;* pres. 1s. talige, XXIV, 532; 2s. talast, XXIV. 594.

tam, adj., *tame;* gp. -ra, VII, 43. (TAME)

tēag, f., *chain;* dp. -um, XVI, 60.

tealt, adj., *unstable;* npf. -e, X, 58.

tēar, m., *tear;* ap. -as, XV, 172. (TEAR)

tela, adv., *well;* tela witan, V, v, 86 (*to know what one is doing*); interj., *well,* V, vi, 117.

telg, see tælgh.

tellan, W1, *to count, reckon, consider, tell;* pres. 3s. telð, IX, i, 31. (TELL)

getellan, W1, *to count, tell off;* pret. pl. -tealdon, XIV, 224; pp. -teald, IX, i, 4, -teled, XIV, 232.

Temes, f., *the Thames river;* gs. -e, IV, 24; ds. -e, IV, 79; as. -e, IV, 27.

tempel (templ), n., *temple;* ns. XV, 206; ds. temple, I, ii, vs. 10; as. templ, V, v, 67. (TEMPLE, Lat. templum)

tēon, S2, *to draw, bring, put;* subj. pres. 3s. tēo, XI, 4; pres. pl. tēon, II, i, vs. 20; ind. pret. 3s. tēah, XXIV, 553; pret. pl. tugon, II, i, vs. 21. (TOW from pp.)

tēon, W1, *to decree, create;* pret. 3s. tēode, V, vi, 44; pp. getēod, XII, i, **49.**

tēona, m., *injury, insult;* ds. -n, IX, i, 48. (TEEN, arch.)

tēonhete, m., *hate;* ds. XIV, 224.

tēoþung, f., *tithe;* ap. -a, I, ii, vs. 12.

Terfinnas, m. pl., *the Terfinns;* gp. Terfinna, VII, **27.**

ticcen, n., *kid;* as. I, i, vs. 29.

tīd, f., *time, tide, season, hour;* ns. XVIII, 104; gs. -e, V, vi, 117; ds. -e, V, i, 59; as. V, iii, 6; np. -a, VI, ii, 17; dp. -um, II, i, vs. 14; ap. -a, III, 11. (TIDE)

tīdege, m., *fear of death;* ns. XX, 69.

getihtan, W1, *to urge, incite;* pres. 1s. -tihte, III, 52.

tihtend, m., *instigator;* ns. IX, i, 51.

til, adj., *good;* nsm. XIX, 112.

tīma, m., *time;* ns. IX, i, 34, tīme, IV, 369; ds. tō tīman, IV, 242 (*in good time*); as. -n, IV, 263. (TIME)

timbran, W1, *to build;* inf. V, v, 104; pres. 3s. timbreð, V, i, 69. (Cf. TIMBER)

getimbran, W1, *to build;* pret. 3s. -timbrede, V, v, 101.

getimbrian, W2, *to build;* pp. npf. -timbrade, V, i, 24.

getīmian, W2, *to happen;* pret. 3s. -tīmode, IX, ii, 25.

tintreg, n., *torment;* dp. -um, V, v, 18.

tintreglīc, adj., *full of torment;* gsn. wk. -an, V, **vi, 79.**

tīr, m., *fame, glory;* ns. XVIII, 104; as. XVII, **3.**

tīrēadig, adj., *famous;* gp. -ra, XIV, 184.

tīrfæst, adj., *glorious;* gp. -ra, XXIII, 32.

tīrfruma, m., *King of glory;* gs. -n, XV, 206.

tō, prep. w. dat., gen., acc., *to, for, at, toward;* I, i, **vs.** 12; IV, 299; IV, 297; VI, ii, 8; tō hwæs, XIV, 192 (*whither*); tō þæs, V, i, 46 (*so*); him cwædon þā tō, IX, ii, 13 (postpositive use); tō ærnað, VII, 147 (adv.). (TO)

tō, adv., *too;* XVIII, 55. (TOO)

tōætȳcan, W1, *to add;* pret. 3s. -ætȳhte, V, v, 59.

tōberstan, S3, *to burst, break;* pret. 3s. -bærst, XVIII, 136.

tōbrecan, S4, *to break up, destroy;* pret. pl. -brǣcon, IV, 179; pp. -brocen XVIII, 242; pp. npn. -brocene, X, 87.

tōbūgan, S2, *to submit;* pret. 3s. -bēah, IV, 384.

tōcyme, m., *coming;* ds. X, 4.

tō-dæg, adv., *to-day;* IX, ii, 1. (TO-DAY)

tōdǣlan, W1, *to divide, separate;* pres. 3s. -dǣlð, VI, i, 9; pres. pl. -dǣlað, VII, 129; subj. pres. pl. -dǣlon, II, i, **vs.** 14; ind. pret. 3s. -dǣlde, II, i, **vs. 4,** -dǣld, IV, 328; pret. pl. -dǣldon, II, i, vs. 18; pp. apf. -dǣlede, V, i, 18.

tōdrīfan, S1, *to drive apart, separate;* pret. 3s. -drāf, XXIV, 545.

tōēacan, prep. w. dat., *in addition to, besides;* VII, 33.

tōemnes, prep. w. dat., *along, alongside;* VII, 68.

tōflēogan, S2, *to fly;* pret. 3s. -flēah, XXII, ii, 33.

tōforan, prep. w. dat., *before;* IV, 267.

tōgædere, adv., *together;* V, ii, 13. (TOGETHER)

tōgēanes, prep. w. dat., acc., *against, towards;* IV, 380; XX, 76.

tōgenȳdan, W1, *to force, compel;* pp. -nȳdd, III, 9.

tōgeþēodan, W1, *to join;* pret. 3s. -þēodde, V, vi, 48.

tōlicgan, S5, *to lie between, separate, divide;* pres. 3s. -līþ, VII, **108.**

tōmiddes, prep. w. dat., *in the midst of, amid;* II, i, **vs.** 6.

tor, m., *tower;* dp. -rum, V, i, **23.**

torht, adj., *bright, glorious;* gsm. -es, XV, 206; dsn. wk. -an, XV, 186.

torn, n., *anger, indignation;* as. XIX, 112.

tornword, n., *insulting word;* gp. -a, XV, 172.

tōscēotan, S2, *to rush forward;* pret. pl. -scuton, IX, ii, 29.

tōslītan, S1, *to tear, kill;* pret. 3s. -slāt, XXII, ii, 31.

tōslūpan, S2, *to be dissolved;* inf. XXII, ii, 55.

tōsomne, adv., *together;* XIV, 207.

tōstandan, S6, *to put off;* subj. pres. 3s. -e, XI, 61.

tōstencan, W1, *to expel;* pp. apm. -stencte, V, iii, 2.

Tostig, m., *son of Godwin, earl of Northumberland;* ns. IV, 381; **as. IV, 390.**

tōteran, S4, *to tear to pieces, destroy;* pret. pl. -tǣron, IX, i, 56.

tōtwǣman, W1, *to separate, divide;* subj. pres. 3s. -twǣme, II, i, **vs.** 6; ind. pret. 3s. -twǣmde, II, i, vs. 7; pp. -twǣmed, XVIII, 241.

tōþ, m., *tooth;* dp. -um, VII, 34; ap. tēþ, VII, 34. (TOOTH)

tōðmægen, n., *strength of tusk;* gs. -es, XXIII, 20.

tōweard (toward), adj., *future;* gsm. wk. -an, V, vi, 79; dsn. wk. tōwardan, XII, i, 55. (TOWARD)

tōweard, prep. **w.** dat., *toward;* VII, 137. (TOWARD) tōweorpan, S3, *to destroy, overthrow;* inf. V, v, 75; pret. 3s. -wearp, V, v, 94.

tōwiþere, prep. w. dat., *to, against;* XV, 185.

tōwyrd, f., *occasion, opportunity;* as. -e, V, ii, 36.

trahtnere, m., *commentator;* ns. IX, ii, 50.

tredan, S5, *to tread;* inf. XIV, 160; pret. 3s. træd, XXIV, 1352. (TREAD)

Trenta, m., *Trent river;* gs. -n, IV, 270.

trēow (trīow), n., *tree, wood;* ds. -e, V, v, 101; as. II, i, vs. 11; np. -a, IX, i, 70; gp. -a, VI, ii, 8, trīowa, VI, ii, 12; dp. -um, V, i, 6. (TREE)

trēow, f., *pledge, covenant, faith, truth;* ns. XXIII, 32; as. -e, XIX, 112; dp. -um, XIV, 149. (TRUth)

getrīewan, W1, *to clear oneself;* subj. pres. 3s. -trīewe, XI, 65. (Cf. trēow)

trum, adj., *strong, firm;* nsm. XXIII, 20; supl. dp. -estum, V, i, 24.

Trūsō, *a city on the Drausensee;* ns. VII, 111.

trym, n., *step;* as. XVIII, 247.

trymenes, f., *exhortation;* dp. -sum, V, iv, 43.

trymian, W1, *to exhort, strengthen, encourage;* inf. XVIII, 17. (See also trymman)

trymman, W1, *to be strong, make strong, strengthen, exhort;* pret. pl. trymedon, XIV, 158. (Cf. trum)

getrymman, W1, *to strengthen, encourage, create, establish;* pres. ptc. -trymmende, V, vi, 113; pp. -trymed, XII, i, 27, -trymmed, XVIII, 22.

tū, see twēgen.

tuelfta, see twelfta.

tūn, m., *farm, town;* ds. -e, I, i, vs. 15; gp. -a, IV, 326. (TOWN)

tunece, f., *coat;* ns. XVI, 22. (TUNIC, Lat. tunica)

tunge, f., *tongue;* ns. V, vi, 124; as. tungan, V, vi, 16. (TONGUE)

tūngerēfa, m., *town-reeve, bailiff;* ds. -n, V, vi, 49. (TOWN-REEVE)

tungol, n., *star, heavenly body, sun;* ns. XVII, 14; np. tungla, IX, i, 25; dp. tunglum, VI, i, 1; ap. tungla, IX, i, 27.

tūwa, num., *twice;* I, ii, vs. 12.

twā, see twēgen.

twēgen (twǣgen), m., twā, n., f., tū, n., num., *two;* nm. I, ii, vs. 10, twǣgen, IV, 393, tuēgen, IV, 8; g. twega, XVIII, 207, twēgea, XI, 76; d. twām, VII, 40, twǣm, IV, 56, tuǣm, IV, 67; am. I, i, vs. 11, af. twā, IV, 173, an. twā, II, i, vs. 16, tū, IV, 111. (TWAIN, TWO)

twelf, num., *twelve;* am. -e, XIV, 225. (TWELVE)

twelfta (tuelfta), num., *twelfth;* asm. twelfta mæsse-ǣfen, IV, 375 (*eve of Epiphany*), twelftan mæsse-dæg, IV, 379 (*Epiphany*); asf. tuelftan niht, IV, 83 (*Twelfth Night or Epiphany*). (TWELFTH)

twēntig, num., *twenty;* VII, 46. (TWENTY)

twēo, m., *grief, doubt;* ds. -n, XX, 69, on twēon cyme, V, i, 56 (*be doubtful*).

twēowa, adv., *twice;* III, 36.

Twēoxneam, m., *Twinham, in Hampshire;* as. IV, 190.

tȳdran, W1, *to be prolific;* inf. XXIII, 48.

tyht, m., *motion;* ds. -e, XV, 811.

tӯman, W1, *to teem;* inf. XXIII, 48.   (TEEM)

tӯn, num., *ten;* VII, 53; -e, X, 102.   (TEN)

Þ

þā, adv., conj., *then, when;* I, i, vs. 12; XXIV, 512; þā þā, VIII, 19 (*when*); þā... þā, I, i, vs. 14 (*when... then*); þā hē þā... þā, V, vi, 26–7 (*when hē then... then*).

þā, pron., see sē.

þægn, see þegen.

þǣm, þǣne, see sē.

þǣr (þār), adv., *there, where;* IV, 20; VII, 64; þār, I, i, vs. 13; þǣr þǣr, VIII, 23 (*there where*).   (THERE)

þǣra, þǣre, see sē.

þǣrin, adv., *therein;* IV, 247.   (THEREIN)

þǣron, adv., *thereon, upon it;* IX, ii, 24.   (THEREON)

þǣrtō (þērtō), adv., *thereto, thither;* III, 36; þērtō, XII, i, 26.   (THERETO)

þǣrymbūtan, adv., *thereabout;* VI, ii, 21.   (THEREABOUT)

þæs, ðæt, pron., see sē.

þæt (þætt, þet), conj., *that, so that, in order that;* I, i, vs. 15; þætt, VIII, 44; þet, IV, 270.   (THAT)

þætte, conj., *that, so that, in order that;* V, iv, 30.

þafian (þafigean), W2, *to allow, permit;* inf. þafigean, V, iv, 38; pret. 3s. þafode, V, vi, 64.

geþafian, W2, *to permit, consent to;* inf. V, v, 24; pres. 1s. -þafie, XII, ii, 13; pret. 3s. -þafade, V, v, 26; pret. pl. -þafedon, V, i, 55.

þām, þān, þan, see sē.

þanc (þonc), m., *thanks, grace, mercy;* ns. þonc, VIII, 19; as. XVIII, 120, þonc, XV, 209; ap. -as, I, ii, vs. 11.   (THANKS)

þancian, W2, *to thank, give thanks;* pres. ptc. þancigende, IX, i, 62; pres. pl. þanciað, IX, ii, 58; pret. 3s. þancode, XXIV, 625.   (THANK)

geþancian, W2, w. dat. of person, gen. of thing, *to thank;* pres. 1s. -þancie, XVIII, 173.

þanon (þonon, þonan), adv., *thence;* III, 115; þonon, IV, 123; þonan, VI, iii, 16.   (THENCE)

þār, see þǣr.

þāra, þāre, see sē.

þās, see þēs.

þāþā, conj., *when;* IX, i, 66.

þē, see þū, sē.

þe, indecl. rel., *that, which, who;* I, i, vs. 12 and *passim,* in many combinations, þæs þe, þēah þe, þӯ lǣs þe, etc., q.v.; conj. with comp., *than;* lǣs þe XXX wintra, IV, 188; correlatively, *or;* hwæþer... þe, V, iv, 13 (*whether... or*).

þēah (þǣh), adv., conj., *although, yet, nevertheless, however:* VI, i, 6; VII, 3; þǣh, IV, 351; þēah þe, IV, 359.   (THOUGH)

þēare, see sē.

þearf, f., *need, want, necessity;* ns. V, vi, 103; ds. -e, XVIII, 201; as. -e, XI, 7.

þearfan, W1, *to need, suffer;* pres. ptc. as adj., dsn. þearfendum, V, ii, 54 (*needy, poor*).

þearle, adv., *extremely, severely, hard;* III, 19; IX, ii, 38; XVII, 23.

þēaw, m., *habit, custom, practice;* ns. V, vi, 93; gp. -a, X, 131; dp. -um, IX, ii, 6; ap. -as, VIII, 27. (THEWS)

þec, see þū.

þeccan, W1, *to cover, enfold;* pres. 3s. þeceþ, XXI, i, 1; subj. pres. 3s. þecce, XXI, ii, 14; ind. pret. pl. þehton, XXIV, 513. (THATCH)

þegen (þegn, þēn, þeng, þægn), m., *servant, thane, warrior;* ns. X, 95, þegn, XXIV, 494, þeng, V, vi, 97; ds. -e, X, 94, þegne, XIII, 409; as. XVIII, 151, þēn, V, vi, 95; np. -as, XVIII, 205, þegnas, XIV, 170, þægnas, IV, 287; gp. þegna, V, v, 34; dp. þegnum, V, v, 47, þēnan, X, 30. (THANE)

þegengyld, n., *compensation for a thane;* d. or i. s. -e, X, 96.

þegenlīce, adv., *like a thane, bravely;* XVIII, 294.

þegn, þēn, see þegen.

þēm, see sē.

þencan (þencean), W1, *to think, intend;* inf. XX, 96, þencean, XIII, 408; pres. 3s. þenceð, XIII, 401; pret. 3s. þōhte, V, v, 4; pret. pl. þōhton, XXIV, 541, (THINK)

geþencan (-þencean), W1, *to think of, remember, recall;* inf. VI, iii, 12, -þencean. VIII, 18; imp. s. -þenc, VIII, 23.

þenden (þendan), conj., *while, as long as;* XIII, 410; þendan, XV, 800.

þeng, see þegen.

þengel, m., *prince, king, lord;* ns. XIV, 173.

þēnian, W2, *to serve;* inf. V, vi, 95; pret. 1s. þēnode, XXIV, 560.

þēning, f., *service-book, ritual;* ap. -a, VIII, 15.

þēning-bōc, f., *service-book, missal;* np. -bēc, IX, i, 10.

þēod (þīod), f., *people, nation, tribe;* ns. V, i, 42; gs. -e, IV, 37; ds. -e, V, ii, 43, -a, IV, 295; as. -e, V, i, 44; np. -a, IX, i, 7, þīoda, VIII, 53; gp. -a, V, i, 33; dp. -um, V, ii, 30; ap. -e, V, i, 47.

geþēodan, W1, *to join;* pret. 3s. -þēodde, V, vi, 65; pp. npm. -þēodde, V, ii, 13.

þēodcyning, m., *people's king;* gs. -es, XXIV, 2694.

þēoden, m., *lord, prince, king;* ns. XVI, 63; gs. þēodnes, XIX, 95; ds. þēodne, XVIII, 294; as. XVIII, 158; voc. s. XVIII, 178.

þēodenhold, adj., *loyal, faithful;* npm. -e, XIV, 182.

þēodenmādm, m., *princely treasure;* ap. -as, XIII, 409.

þēodsceaða (-scaða), m., *people's foe;* ns. XXIV, 2688; np. -scaðan, X, 156.

þēodscype (-scipe), m., *nation; service, discipline;* ns. X, 118, -scipe, IV, 290; dp. -scypum, V, vi, 85.

þēodwiga, m., *champion of the people;* ns. XVI, 38.

þēodwita, m., *sage, historian;* ns. X, 167.

þēof, m., *thief;* ns. XI, 51; np. -as, X, 155; gp. -a, IX, ii, 42; dp. -um, XI, 50, -an, III, 41; ap. -as, XI, 56. (THIEF)

þēof-slege, m., *murder of a thief;* ds. XI, 58.

þēon, S1, 2, *to thrive, prosper;* pp. as adj. nsm. geþungen, V, iv, 39 (*excellent*).

geþēon, S1, 2. *to thrive, prosper;* inf. XXIII, 44; pres. pl. -þēoð, IX, i, 47.

þēos, þeossum, see þēs.

þēostru (þēostro, þ̄ystro), f., *darkness;* ns. þ̄ystro, XIII, 389; np. II, i, **vs. 2,** þēostro, VI, i, 9; gp. þ̄ystra, V, iv, 18; dp. -m, II, i, vs. 4, þ̄ystrum, XXIII, 51; ap. or s., þēostra, II, i, **vs. 5.**

þēow (þīow), m., *servant, slave;* as. I, i, vs. 26; np. -as, X, 29; gp. -a, V, vi. 66, þīowa, VIII, 31; dp. -um, I, i, vs. 22; ap. -as, X, 33.

þēɔwa, m., *servant;* ns. XI, 40; np. -n, VII, 119.

þēowan, W1, w. dat., *to serve;* pret. 1s. þēodde, V, v, 40, þēowde, V, vi, 122.

þēowdōm, m., *servitude;* as. V, ii, 52.

þēowian, W2, *to serve;* pret. 1s. þēowude, I, i, vs. 29.

geþēowian, W2, *to enslave;* pp. npn. -þēowode, X, 43.

þēowmon, m., *bondman, serf;* ns. XI, 38.

þēowot, m., *servitude, slavery, bondage;* as. XI, 48.

þēr-tō, see þǣrtō.

þēs, þēos, þis, dem. pron. adj., *this;* nsm. I, i, vs. 24; nsf. þēos, II, ii, **vs. 3;** nsn. þis, V, i, 6; gsm. þises, VI, ii, 2; gsf. þisse, VI, i, 13, þyssere, IX, i, 23, þysse, V, vi, 2; gsn. þisses, VIII, 67, þyses, V, i, 41, þysses, V, i, 38; dsm. þisum, IX, i, 11, þisan, X, 41, þysum, IX, i, 5; dsf. þisse, II, ii, vs. 12, þissere, IX, i, 12, þysse, XXIII, 2; dsn. þisum, IV, 207, þissum, VII, 83, þisem, XII, ii, 26, þyssum, XIII, 437, ǣr þissum, VIII, 64 *(before this),* ǣr þison, X, 14, beforan þyssum, XVII, 67; asm. þisne, XVI, 7, þysne, IX, i, 1; asf. þās, II, ii, vs. 3; asn. þis, VI, ii, 1; isn. þīs, IV, 357, þȳs, XIII, 370; np. þās, VII, 102; gp. þissa, VI, i, 16; dp. þisum, IV, 322, þissum, XIII, 382, þyssum, XIII, 434, þeossum, V, v, 57. (THIS)

þes, see sē.

þet, see þæt.

þicgan, S5, *to receive, devour, partake of;* pres. 3s. þigeð, XVI, 35; pret. pl. þēgon, XXIV, 563.

geþicgan, S5, *to receive, partake of, drink;* pret. 3s. -þeah, XXIV, 618.

þider (þyder, þyðer), adv., *thither;* XIV, 196; þyder, VII, 33; þyþer, V, iv, 7. (THITHER)

þiderweard, adv., *thitherward;* VII, 91. (THITHERWARD)

þiefð (þȳfð), f., *theft;* d. or gs. -e, XI, 49; ds. þȳfðe, X, 43. (THEFT)

þīn, poss. pron., adj., *thy, thine;* nsm. I, i, vs. 19, nsf. V, v, 48; gsm. -es, II, ii, vs. 6, gsf. -re, VI, i, 10; dsf. -re, V, vi, 104; asn. II, ii, vs. 5; npn. -e, I, i, vs. 31; gp. -ra, V, v, 11; dp. -um, I, i, vs. 19; apm. -e, IX, ii, 14, apf. -e, XVIII, 37. (THINE)

þincggewrit, n., *will;* ns. XII, ii, 30.

þing (þingc), n., *thing;* ns. IX, i, 56, þingc, III, 107; as. III, 45; np. I, i, **vs.** 31; gp. -a, XX, 68; dp. -um, V, v, 37; ap. I, i, vs. 13. (THING)

geþingan, W1, *to determine, appoint;* pp. -þinged, XXIV, 647.

þingian, W2, refl., *to reconcile oneself (with);* inf. X, 182.

þīod, see þēod.

þīowotdōm, m., *service;* ap. -as, VIII, 11.

þis, þīs, þisan, þisem, þises, þisne, þison, þissa, þisse, þissere, þisses, þissum, þisum, see þēs.

þīwen, f., *handmaid;* ns. XII, ii, 21.

þolian, W2, *to endure, suffer; forfeit* (legal usage); inf. XVIII, 201; pres. pl. þoliað, XIII, 389; subj. pres. 3s. þolie, XI, 43; pres. pl. þolien, XIII, 367; ind. pret. 3s. þolade, XVI, 63; pret. pl. þolodon, II, ii, vs. 9. (Sc. THOLE)

geþolian, W2, *to permit, allow;* inf. XVIII, 6.

þon, see sē.

þonan, see þanon.

þonc, see þanc.

þoncol, adj., *thoughtful, wise;* voc. sm. XXI, iii, 12.

þone, see sē.

þonne (þanne, þænne), adv., *then, when;* II, ii, vs. 12 (*when*); þanne, XII, i, 23 (*then*); þænne, III, 28 (*then*); þænne, III, 39 (*when*); conj., *than;* mā þonne, VII, 46; þænne, III, 7; correlative, *then... when;* VI, i, 5. (THAN, THEN)

þonon, see þanon.

þorngeblǽd, m., *thorn blister,* i.e. *one caused by the prick of a thorn;* as. XXII, ii, 51. (THORN-)

þrǽcwīg, m., *violent conflict, war;* gs. -es, XIV, 182.

þrǽl, m., *serf;* ns. X, 94; ds. -e, X, 94; as. X, 95; gp. -a, X, 92. (Cf. THRALL)

þrǽlriht, n., *serf's right;* np., X, 44.

þrāg, f., *time;* ns. XIX, 95; dp. as adv. -um, XXI, ii, 4 (*sometimes, at times*).

þrēa, f., *misery, calamity;* as. XIII, 389.

þrēanȳd, f., *dire constraint;* dp. -um, XVI, 61.

þrēatian, W2, *to press hard, harass;* pret. pl. þrēatedon, XXIV, 560. (THREATEN)

þrēo (þrīe, þrȳ), num., *three;* n. þrīe, IV, 121; g. -ra, VII, 64; d. þrīm, V, ii, 5; a. IX, ii, 41, þrȳ, V, i, 67. (THREE)

þrēoniht, f. pl., *three nights;* gp. -a, XVI, 38.

þridda, num., *third;* nsm. II, i, vs. 13, nsn. þridde, V, i, 59; dsm. -n, XXIV, 2688, dsf. of þriddan healfre hȳde, IV, 125 (*of the third a half hide,* i.e. *two and a half hides*); asm. -n, VII, 133, asn. þridde, V, v, 13; ism. -n, XVI, 61. (THIRD)

þrīe, see þrēo.

þringan, S3, *to throng, crowd; afflict;* pret. pl. XVI, 67; pp. geþrungen, XX, 8. (Cf. THRONG)

geþrīstigan, W1, *to dare, venture;* pres. 1s. -þrīstge, III, 116.

þrītig (þrittig), num., *thirty;* VII, 63; gs. -es, IV, 141; gp. -a, IV, 103; dp. þrittigum, V, i, 23. (THIRTY)

þrōwian, W2, *to suffer, endure;* pret. 1s. þrōwade, XX, 3; 3s. þrōwode, IX, ii, 2; þrōwade, IX, ii, 39. (Cf. THROE)

þrōwung, f., *suffering, passion;* gs. -e, IX, ii, 56; ds. -e, V, vi, 77.

þrȳ, see þrēo.

þryccan, W1, *to afflict;* pp. þrycced, V, vi, 91.

þrym, m., *multitude, force, host; glory, majesty;* ns. XIX, 95; ds. -me, IX, ii, 9; as. XV, 204; np. -as, XXIII, 4.

þrymful, adj., *mighty;* nsm. XXI, ii, 4.

þrȳste, adj., *brave, venturesome,* nsm. III, 72.

þrȳð, f., *host; strength, might;* dp. -um, XVI, 51, XXIV, 494.

þrȳþærn, n., *mighty hall;* as. XXIV, 657.

þrȳþu, f., *strength, glory;* np. þrȳþe, XIX, 99.

þrȳþword, n., *strong word(s);* ns. XXIV, 643.

þū, pers. pron., *thou;* ns. II, ii, vs. 5; ds. þē, II, ii, vs. 12; as. þē, I, i, vs. 18, þec, V, v, 15; voc. s. IX, ii, 14; n. dual, git, XXIV, 508; g. dual, incer, XXIV, 584; d. dual, inc, XXIV, 510; np. gē, I, ii, vs. 16; gp. ēower, II, ii, vs. 13; dp. ēow, I, ii, vs. 14, ĭow, VIII, 54. See also þīn, ēower. (THOU, THEE, YE, YOUR, YOU)

þūf, m., *standard, banner;* ap. -as, XIV, 160.

þunar, m., *thunder;* ns. XXIII, 4. (THUNDER)

þunian, W2, *to stand up, reach high; sound, resound;* inf. XIV, 160; pres. 1s. þunie, XXI, ii, 4.

þurfan, PP, *to need, be required, have occasion;* pres. 3s. þearf, XXIV, 595; pres. pl. þurfon, XVIII, 249, þurfe wē, XVIII, 34; pret. 3s. þorfte, XVII, 39; pret. pl. þorftan, XVII, 47.

þurh, prep. w. acc., dat., gen., *through;* V, iv, 35; IX, ii, 20; IV, 241; þurh þæt þe, X, 78 (*because*). (THROUGH, THOROUGH)

þurhflēon, S2, *to fly through;* subj. pres. 3s. -flēo, V, v, 49.

þurhwadan, S6, *to penetrate;* pret. 3s. -wōd, XVIII, 296.

þūrkil (þūrcyl), m., *a Danish leader;* ns. IV, 284, þurcyl, IV, 293; ds. þūrcylle, IV, 329.

þurstān, m., *an Anglo-Saxon warrior;* gs. -es, XVIII, 298.

þurstig, adj., *thirsty;* npm. -e, XIV, 182. (THIRSTY)

þus, adv., *thus;* I, ii, vs. 11. (THUS)

þūsend, num., *thousand;* IV, 206; -u, XII, i, 11; -o, XIV, 184; g. -a, IV, 62. (THOUSAND)

þūsendmǽlum, adv., *by thousands;* XIV, 196.

geþwǽrlǽcan, W1, *to agree, assent to;* pres. 3s. -þwǽrlǽcð, IX, i, 74.

þwyrlīce, adv., *perversely;* IX, i, 53.

þȳ, see sē.

þyder, see þider.

þylian, W2, *to cover with planks;* inf. IX, ii, 24.

þyncan (þincan), W1, w. dat., *to seem;* inf. þincan, X, 57; pres. 3s. þynceð, V, v, 40, þyncð, VIII, 54, þinceð, XVIII, 55; pret. 3s. þūhte, IV, 351. (me-THINKS)

geþyncan, W1, *to conceive, seem, appear;* pp. -þūht, IX, i, 13; pp. np. -þūhte, IX, i, 53.

þyrel, adj., *pierced;* nsn. XI, 29; apn. XI, 27. (THRILL, NOSTRIL, cf. þurh)

þyrne, f., *thorn bush;* ns. II, ii, vs. 2.

þyrs, m., *giant, demon;* ns. XXIII, 42.

þys, þyses, see þēs.

þys(tel)geblǽd, m., *thistle blister,* i.e. *one caused by the vrick of a thistle;* as. XXII, ii, 51. (THISTLE-)

þyslīc, adj., *such;* nsn. V, v, 44.

þysne, þysse, þyssere, þysses, þyssum, þysum, see þēs.

þȳstre, adj., *dark;* dp. þȳstrum, XXIII, 42.

þȳstro, see þēostru.
þȳðer, see þider.
þȳwan, W1, *to drive;* pres. ptc. þȳwende, III, 20.

U

Uene Ualete, Lat., *farewell;* XII, ii, 29.
ufan, adv., *above;* XIII, 375.
ūhte, f., *dawn;* gp. ūhtna, XIX, 8.
Uhtrēd, m., *earl of Northumbria;* ns. IV, 271.
ūhtsang, m., *morning song, matins;* as. V, vi, 116.
ūhttīd, f., *dawn;* as. XIV, 216.
Una, Lat., *Una, the name of an herb;* ns. XXII, ii, 3.
unæþele, adj., *not noble, mean;* nsm. VI, iii, 17; asm. -æþelne, VI, iii, 11.
unārīmædlīc, adj., *innumerable;* apn. -e, IV, 326.
unāsecgendlīc, adj., *indescribable, not to be told;* nsn. IV, 253; apn. -e, IV, 218.
unbeboht, pp. as adj., *unsold;* gp. -a, VII, 43.
unbefliten, pp. *undisputed;* XII, i, 16.
unbefohten, pp. as adj., *unopposed;* npm. -e, XVIII, 57.
unc, see ic.
uncer, poss. pron. adj., dual, *our (two);* nsn. uncer, XII, i, 4; dsn. uncum, XII, i, 9.
unclǣne, adj., *unclean;* npm. III, 88; apm. wk. -clǣnan, III, 89. (UNCLEAN)
uncoþu, f., *disease;* ns. X, 53.
uncræft, m., *ill-practice;* dp. -an, X, 190.
uncūð, adj., *unknown, uncertain, strange;* nsf. V, v, 46, nsn. VIII, 78. (UN-COUTH)
undǣd, f., *crime;* ds. -e, X, 142.
under, prep. w. dat., acc., *under;* II, i, vs. 7; under þǣm, IV, 195 (*during that time*). (UNDER)
underfōn, S7, *to receive, accept, undertake;* pret. pl. -fēngon, IX, ii, 34, -fēngan, X, 186; pp. -fangen, IV, 359.
undergietan, S5, *to understand, perceive;* pret. 3s. -geat, IV, 274.
understandan (-stondan), S6, *to understand;* inf. X, 110, -stondan, VIII, 15; subj. pres. 3s. -stande, X, 85; imp. pl. -standað, X, 6. (UNDERSTAND)
underþēodan, W1, *to subject;* pret. 3s. (refl.), -þēodde, V, v, 35; pp. -þēoded, V, vi, 85.
unearg, adj., *not cowardly, brave;* npm. -e, XVIII, 206.
unfǣge, adj., *undoomed;* asm. -fǣgne, XXIV, 573.
Unferð, m., *one of Hrōðgar's courtiers;* ns. XXIV, 499; voc. s. XXIV, 530.
unforbærned, pp. as adj., *unburned;* nsm. VII, 122.
unforcūð, adj., *excellent, noble;* nsm. XVIII, 51.
unforht, adj., *fearless;* npm. -e, XIV, 180.
unforscēawodlīce, adv., *unaware;* III, 54.
unforworht, pp. as adj., *innocent;* npm. -e, X, 42.

unfriþ, n., *lack of peace, hostility;* ds. -e, VII, 21.

ungēara, adv., *erelong, soon;* XXIV, 602.

ungecynde, adj., *not belonging by race;* asm. -cyndne, IV, 38.

ungefohge, adv., *excessively;* VII, 143.

ungelǣred, pp. as adj., *untaught;* npm. -e, III, 2.

ungelēaflīc, adj., *incredible;* nsn. IV, 351.

ungelīc, adj., *unlike;* nsm. XIII, 356, nsn. V, ii, 41.   (UNLIKE)

ungelimp, n., *misfortune;* gp. -a, X, 98.

ungemetlīc, adj., *immense;* nsn. IV, 42.

ungerīm, n., *countless number, host;* ns. X, 157.

ungesǣlþ, f., *unhappiness, misfortune;* np. -a, IV, 241; ap. -a, VI, i, 12.

ungetrȳwð, f. (pl.), *treachery;* np. -e, X, 68.

ungeþuǣrnes, f., *discord;* ns. IV, 36.

ungewyder, n., *bad weather;* ap. -u, IV, 372.

unglǣd, adj., *cheerless, unpleasant;* nsf. -gladu, VI, i, 6.

ungnȳðe, adj., *unstinted;* npn. XVI, 71.

ungylde, n., *excessive tax;* np. -gylda, X, 54.

unīeþelīce, adv., *with difficulty;* IV, 87.

unlagu, f., *bad law;* ap. -laga, X, 11.

unlȳtel, adj., *great, much;* nsf. XXIV, 498, nsn. X, 19.

unmurnlīce, adv., *pitilessly, relentlessly;* XV, 812.

unnan, PP, w. dat. of person, gen. of thing, *to grant, wish;* pres. 1s. ann, XII, i, 50, onn, XII, i, 4; subj. pres. 3s. unne, IV, 369; ind. pret. 3s. ūþe, XXIV, 503.

geunnan, PP, w. dat. of person, gen. of thing, *to grant;* inf. XII, i, 27; subj. pres. 2s. -unne, XVIII, 176; ind. pret. 3s. -ūþe, IV, 378.

unnett, adj., *useless, vain;* apf. wk. -an, VI, i, 12.

unoferswīðendlīc, adj., *invincible;* nsn. V, ii, 13.

unorne, adj., *old;* nsm. XVIII, 256.

unrǣd, m., *folly, evil counsel;* gs. -es, XXI, iv, 12, IV, 241.

unriht, n., *wrong, sin, injustice;* as. X, 10; gp. -a, X, 8.

unrihthǣmere, m., *adulterer;* ap. -hǣmeras, I, ii, vs. 11.

unrihtlīce, adv., *wrongly;* X, 66.

unrihtwīs, adj., *unrighteous;* apm. -e, I, ii, vs. 11.

unrīm, n., *countless number;* ns. XVII, 31; ds. (indeclinable), V, i, 25.

unrīme, adj., *numberless, countless;* npn. -rīmu, XVI, 2.

unsǣpig, adj., *sapless;* npn. -e, IX, i, 72.

unscennan, W1, *to unfasten, unhitch;* pres. 3s. -scenþ, III, 39.

unscyldig, adj., *innocent;* apm. -e, X, 76.

unsidu, m., *vice;* ap. -sida, X, 122.

unsnotornes, f., *folly;* as. -se, X, 174.

unspēdig, adj., *poor;* npm. wk. -an, VII, 119.

untrum, adj., *weak, infirm, ill;* gp. -ra, V, vi, 92; apm. wk. -an, V, vi, 93.

untrymnes, f., *weakness, illness;* ds. -se, V, vi, 90.

unþēaw, m., *vice, bad habit;* dp. -um, VI, iii, **15.**

unþinged, pp. as adj., *unexpected;* nsm. XX, 106.

unwāclīce, adv., *unwaveringly;* XVIII, 308.

unwæder, see unweder.

unwæstm, m., *failure of crops;* gp. -a, X, 55.

unwearnum, adv., *irresistibly;* XX, 63.

unweaxen, pp. as adj., *ungrown, young;* nsm. XVIII, 152.

unweder (unwæder), n., *bad weather;* np. -a, X, 55; dp. -wæderum, IV, 370.

unwurðlīce, adv., *unworthily;* XIII, 440.   (UNWORTHILY)

ūp (upp), adv., *up, upwards;* I, ii, vs. 13; upp, XVII, 13; wiðupp, VII, 59 *(above).*   (UP)

ūpāstīgnes, f., *ascension;* ds. -se, V, vi, **77.**

ūpgang, m., *approach;* as. XVIII, 87.

uppan, prep. w. dat. or acc., *upon, on;* II, ii, vs. 12.   (UPON)

uppe, adv., *above, on high, up;* XVI, 74.

uppweard, adv., *upwards, inland;* IV, 269.   (UPWARD)

ūprodor, m., *upper sky;* as. XX, 105.

ūre, poss. pron. adj., *our;* gsm. -s, V, ii, 2; dsf. ūre, II, i, vs. 26; asm. ūrne, IX, i, 78, asn. ūre, IV, 245; isn. ūre, VIII, 38; npm. ūre, VIII, 34, npf. ūre, VI, ii, 17, npn. ūre, V, v, 38; gp. ūra, V, v, 35; dp. ūrum, X, 103; apf. ūre, IX, i, 78.   (OUR)

ūrigfeþra, adj., *dewy-winged;* nsm. XX, 25.

ūs, see ic.

ūt, adv., *out, outside, without;* I, i, vs. 28.   (OUT)

ūtan, adv., *from without, outside;* VII, 30; V, v, 105.

ūtan, see uton.

ūtanbordes, adv., *abroad, beyond the border;* VIII, 12.

ūtbrengan, W1, *to bring out;* inf. IV, 172.

ūte, adv., *outside, without;* V, v, 49; VI, ii, **11.**

ūtera, comp. adj., *outer;* nsn. ūterre, XI, 29.   (OUTER)

ūteweard, adj., *outside;* fram... ūteweardum, IV, 144 *(from the outside of).*   (OUTWARD)

ūtgong, m., *departure;* ds. -e, V, vi, 74.

ūtlagian, W2, *to outlaw;* pp. asm. -lagede, IV, 309.

ūton (utan, utun), w. inf., *let us;* II, i, vs. 26; utan, V, vi, 117; utun, I, i, vs. 23

ūt-wyrpan, W1, *to throw out;* pres. 1s. -wyrpe, III, 89.

ūðwita, m., *wise man, philosopher;* np. -n, XVII, 69.

W

wā, interj., *woe, alas;* IX, i, 59; wā lā, XIII, 368.   (WOE)

wāc, adj., *weak, pliant;* nsm. XIX, 67; asm. -ne, XVIII, 43; apm. wāc (for wāce), XIV, 233; comp. npm. -ran, XX, 87.   (Cf. WEAK)

wāce, adv., *feebly, negligently;* XV, 799.

wācian, W2, *to become weak, waver;* inf. XVIII. 10.

wacian, W2, *to keep watch;* pres. ptc. waciende, III, 41; imp. s. **waca, XXIV,** 660. (WATCH)

wadan, S6, *to advance, go, travel;* inf. XVIII, 140; pret. **3s.** wōd, XVIII, 130; pret. pl. wōdon, XVIII, 96. (WADE)

gewadan, S6, *to advance, go;* pret. 3s. -wōd, XVIII, 157.

wæccan, W1, *to watch, keep awake;* pres. ptc. nsf. wæccende, XIV, 213. (WATCH)

Wæclingastræt, see Wætlinga stræt.

wæd, n., *water, sea;* np. wado, XXIV, 546, wadu, XXIV, 581; gp. wada, XXIV, 508 (sing. meaning).

wædd, see wed.

wǣdla, m., *a poor man;* ns. I, i, **vs. 14.**

wǣg (wēg), m., *wave;* ds. -e, XXI, iii, 8; as. XX, 19; ap. wēgas, XIX, 48.

wǣg, m., *wall;* ds. wāge, XXI, i, 12.

wǣg, f., *pound;* gp. -a, VIII, 79.

wǣl, m. or n., *deep pool, gulf, stream;* ds. -e, XXIII, 39.

wæl (wæll), n., *body of the slain, slaughter, carnage;* ns. XVII, 65; ds. -e, XVIII, 279; as. wæll, V, iii, 13. (Cf. Valhalla, Valkyrie)

wælcēasega, m., *lover of carrion;* ns. XIV, 164.

wælcerie, f., *witch, sorceress;* np. wælcerian, X, 154. (Cf. Valkyrie)

wælcwealm, m., *death, slaughter;* ns. XXI, ii, 8.

wælfeld, m., *field of slaughter;* ds. -a, XVII, 51.

wælgīfre, adj., *greedy for slaughter;* npn. -gīfru, XIX, 100.

wælhrēow (wælrēow), adj., *cruel, murderous, fierce in battle;* nsm. IX, ii, **8,** wælrēow, XXIV, 629 (*fierce in battle*); apf. -e, X, 43.

wæll, see wæl.

wæll-seax, n., *battle-knife;* **ds.** -e, XXIV, 2703.

wælnet, n., *death-net;* np. (?), XIV, 202.

wælræst, f., *slaughter-bed;* as. -e, XVIII, **113.**

wælrēow, see wælhrēow.

wælsleaht (-sliht), m., *slaughter;* **ns.** -sliht, IV, 68; gp. -a, XIX, **7.**

wælspere, n., *war spear, slaughter-spear;* as. XVIII, 322.

wælstōw, f., *place of slaughter, battlefield;* gs. -e, IV, 8; ds. -e, XVII, 43.

wælwulf, m., *slaughter-wolf, warrior;* np. -as, XVIII, 96.

wændan, see wendan.

wǣpen, n., *weapon;* ns. XVIII, 252; gs. wǣpnes, XVIII, 168; ds. wǣpne, XVIII, 228; as. V, v, 80, wǣpn, XI, 11; np. wǣpen, XIX, 100; gp. wǣpna, XVIII, 83; dp. wǣpnum, VII, 144. (WEAPON)

wǣpenwiga, m., *armed warrior;* ns. XXI, i, 1.

wǣpengewrixl, n., *conflict of weapons;* ns. X, 93; gs. -es, XVII, 51.

wǣpnedcynn, n., *weaponed sex,* i.e. *men, male line;* gs. -es, XIV, 188; **ds. -e,** V, i, 57 (*male line*). (WEAPONED-)

wærc, m., *pain, ache;* ds. -e, XXII, ii, 15.

Wærferð, m., *bishop of Worcester;* **ns.** VIII, **1**

wærlīce, adv., *carefully;* X, 189.

wǣrloga, m., *traitor;* **np.** -n, X, 156.

wæstm (westmˋ, m. or n., *fruit, growth; form, stature;* ds. -e, IX, i, 75; as. II, i, vs. 11, westm, II, i, vs. 12; dp. -um, V, i, 6, XXIV, 1352 (*form, stature*); ap. -as, XXIII, 9. (Cf. weaxan)

wæstmbærnys, f., *fruitfulness, fertility;* as. -se, V, ii, 11.

wæstmberende, pres. ptc. as adj., *fruitful;* nsf. V, iv, 44.

wæta, m., *moisture;* as. -n, VI, ii, 9. (Cf. WET)

wæter, n., *water;* ns. XVI, 6; gs. -es, VII, 153; ds. -e, XVIII, 64; as. V, i, 17; gp. -a, II, i, vs. 10; dp. -um, II, i, vs. 6; ap. -u, II, i, vs. 2. (WATER)

wætergeblæd, m., *water blister;* as. XXII, ii, 51.

wæterian, W2, *to water;* inf. III, 29; pp. apm. wæterode, III, 42. (WATER)

Wætlinga stræt (Wæclinga-), f., *Watling Street;* ds. -e, IV, 273; d. or as. Wæclingastræte, IV, 278.

wālā, interj., *alas;* X, 106; wālā wā, V, iv, 16.

waldend, see wealdend.

wamb, f., *stomach;* as. I, i, vs. 16. (WOMB)

wan, see won.

wana, m., *want, lack;* ns. ānes wana þrittigum, V, i, 23 (*twenty-nine*).

wandian, W2, *to waver, hesitate;* inf. XVIII, 258; pret. 3s. wandode, XVIII, 268.

wanhȳdig, adj., *heedless, rash;* nsm. XIX, 67.

wanian (wonian), W2, *to wane, lessen, diminish, decline;* inf. IX, i, 42; subj. pres. 3s. wonie, XII, i, 55; ind. pret. pl. wanedan, X, 35. (WANE)

gewanian (-wonian), W2, *to diminish, curtail, lessen, wane, injure;* inf. X, 25; subj. pres. 3s. -wonie, XII, i, 56; pp. npn. -wanode, X, 45; dsm. -wanedum, IX, i, 70.

wanung, f., *waning, decrease;* ds. -e, IX, i, 75. (WANING)

wār, n., *seaweed;* ds. -e, XXI, iii, 8.

warian (warigean), W2, *to guard, attend, inhabit;* pres. 3s. waraδ, XIX, 32; pres. pl. warigeaδ, XXIV, 1358.

warnian, W2, *to warn, take warning* (w. refl.); inf. X, 179. (WARN)

wāδ, f., *wandering, roving;* as. -e, XXI, ii, 11

waþum, m., *wave;* gp. waþema, XIX, 24.

wē, see ic.

wēa, m., *woe, suffering;* ns. XXIII, 13; gs. -n, XIV, 213. (WOE, cf. wā)

weal, see weall.

Wēalas, m. pl., *the Welsh;* ap. XVII, 72.

wealcan, S7, *to roll, toss; revolve in one's mind, scheme;* inf. IV, 345; pp. gewealcen, XXI, iii, 4.

weald, m., *weald, forest;* ds. -e, XVII, 65, -a, IV, 142; as. IV, 143. (WEALD, cf. WOLD)

wealdan, S7, w. gen. or dat., *to wield, control, govern, rule;* inf. XVIII, 83; pres. 3s. welt, VI, iii, 6; pret. 3s. wēolde, IV, 54; pret. pl. wēoldan, X, 55. (WIELD)

gewealdan, S7, w. dat., *to control;* pret. 3s. -wēold, XXIV, 2703.

wealdend (waldend), m., *ruler, lord;* as. IX, ii, 19; voc. s. waldend, XVIII, 173; np. waldend, XIX, 78.

wealhstōd, m., *interpreter. translator;* ap. -as. VIII. 52.

Wealhþēow, f., *queen of Hroðgar;* ns. XXIV, 612; ds. -þēon, XXIV, 629.

Wealingaford, m., *Wallingford, in Berkshire;* ds. -a, IV, 285.

weall (weal), m., *wall, rampart;* ns. weal, XIX, 98; gs. -es, V, v, 106; ds. -e, XIX, 80; np. -as, XIX, 76; dp. -um, V, i, 23; ap. -as, V, ii, 42.   (WALL)

weallan, S7, *to well, boil, surge;* inf. XXIII, 45; pres. ptc. asm. wk. weallendan, X, 191; npn. weallende, XXIV, 546, weallendu, XXIV, 581; pret. 3s. wēoll, XIII, 353, wēol, XXIV, 515.   (WELL)

weallstān, m., *stone for building;* gp. -a, XXIII, 3.

wealsteal, m., *wall-place, foundation;* as. XIX, 88.

wealwian, W2, *to roll;* pres. ptc. wealwiende, VI, i, 8.   (WALLOW)

weard, m. or f., *guard, guardian, protector;* ns. V, vi, 43; as. V, vi, 37; np. -as, XIV, 221.   (WARD)

weardian, W2, *to inhabit, occupy;* inf. XVI, 11.   (WARD)

wearh, m., *outlaw, villain;* ns. XXIII, 55.

weastern, adj., *western;* npm. wk. -an, IV, 287.   (WESTERN)

weaxan (wexan), S7, *to grow, wax, increase;* inf. V, ii, 31; pres. pl. weaxað, V, i, 78; imp. pl. weaxað, II, i, vs. 22, wexað, II, i, vs. 28; subj. pret. 3s. wēoxe, IX, ii, 57.   (WAX)

geweaxan, S7, *to grow;* pret. 3s. -wēox. XXI, v, 6.

wecg, m., *mass of metal;* gp. -a, V, i, 19.   (WEDGE)

wed (wedd, wædd), n., *pledge, security;* ds. wædde, IV, 308; as. XI, 54, wedd, X, 188; np. X, 87.   (WEDDING)

wēdan, W1, *to be mad;* pret. 3s. wēdde, V, v, 87.   (Cf. wōd)

wedbryce, m., *breaking a pledge;* ap. -brycas, X, 126.

wedd, see wed.

wēden, adj., *blue;* isn. wk. -an, XXII, ii, 48.

weder, n., *weather, season;* ds. -e, VI, i, 4; gp. -a, XXIV, 546; dp. -um, XXIII, 42.   (WEATHER)

Wederas, m. pl., *the Geats;* gp. Wedera, XXIV, 498, Wedra, XXIV, 2705.

wedloga, m., *violator of agreement;* np. -n, X, 156.

wēg, see wǣg.

weg, m., *way, path;* gs. -es, VII, 141; np. -as, XIII, 381; dp. -um, VII, 47; as. as adv. ealne weg, VI, ii, 7 (*always*).   (WAY)

wegan, S5, *to bear, carry, move, go, have;* inf. V, v, 82; pres. 3s. wigeð, XXIV, 599 (*have*); pres. pl. wegað, XXI, i, 14; pret. 3s. wæg, XXIV, 2704; pret. pl. wǣgon, XIV, 180, wǣgun, XXI, iv, 3.   (WEIGH)

wegbrēde, f., *plantain;* voc. s. XXII, ii, 7.

wēge, n., *wey (a measure of weight);* gp. wēga, XII, ii, 6.   (WEY)

wegnest, n., *viaticum;* ds. -e, V, vi, 113.

wel, adv., *well;* V, iv, 21; VII, 26; wel hwǣr, VIII, 79 (*almost everywhere*); comp. bet, X, 13; supl. betst, VIII, 73.   (WELL)

wela, m., *wealth, riches, prosperity;* ns. XIII, 431; ds. -n, XIII, 420; as. -n, VIII, 35.   (WEAL)

gewelgian, W2, *to endow;* pp. -welgad, XVI, 41.

welig, adj., *wealthy, prosperous;* nsn. V, i, 6; npm. -e, VI, ii, 4.

well, m., *well, spring, fountain;* gp. -a. VI. ii. 12.   (WELL)

wemman, W1, *to spot, defile;* pp. gewemmed, IX, ii, 20. (Cf. wom)

wēn, f., *hope, expectation, belief, opinion;* ds. -e, XV, 212; dp. -um, XIV, 176, wēnan, XIV, 165.

wēnan, W1 (sometimes w. gen.), *to ween, think, hope, expect, suppose;* pres. 1s. wēne, VIII, 16; 3s. wēneþ, XXIV, 600; pres. pl. wēnaþ, XXI, iii, 1; subj. pres. 3s. wēne, X, 48; ind. pret. 3s. wēnde, XVIII, 239; pret. pl. wēndon, V, v, 86. (WEEN)

wendan (wændan), **W1,** *to turn, go, change, translate;* inf. VIII, 43; subj. pres. 1s. wende, XVIII, 252; pres. pl. wenden, VIII, 56; ind. pret. 3s. wende, IV, 157, wænde, IV, 319; pret. pl. wendon, VIII, 49. (WEND)

gewendan, W1, *to return, bring about, compass, turn, go;* inf. XIII, 428; pret. 3s. -wende, IX, ii, 26; refl. -wende, IV, 318 (*go*).

wenian, W1, *to entertain, treat;* inf. wenian mid wynnum, XIX, 29 ("*treat kindly,*" Sweet; "*entertain joyfully,*" Bright); pret. 3s. wenede to wiste, XIX, **36** (*entertained at the feast, feasted*).

wēod, f., *weed;* np. -a, XXII, ii, 55. (See note on āspringan.) (WEED)

weolcscyll, f., *shell-fish, cockle;* np. -e, V, i, 11. (-SHELL)

weoloc, m., *shell-fish, mollusk;* np. -as, V, i, 13.

weolocrēad, adj., *shell-fish red;* nsm. wk. -a, V, i, 14.

Weonodland (Winod-), n., *Wendland, a part of northern Germany;* ns. VII, 100; ds. -e, VII, 109, Winodlande, VII, 113; as. VII, 108.

weorc (weork), n., *work;* gs. weorkes, III, 10; ds. -e, IX, i, 61; dp. -um, XI, 37; ap. II, ii, **vs. 7.** (WORK)

weorldār, f., *worldly prosperity;* as. -e, XII, i, **56.**

weorod, see werod.

weorpan (wyrpan), S3, *to throw, cast;* pres. 1s. wyrpe, III, 86; 3s. weorpeð, XXII, ii, 17; pres. pl. w. dat. of thing, weorpað, XXI, iii, 6; pret. 3s. wearp, XIII, 342. (WARP)

weorpere, m., *thrower;* ns. XXI, iv, **7.**

weorð, n., *price;* ds. -e, XII, i, 22. (WORTH)

weorð (weorðe, wurðe, wyrðe), adj., *worthy, held in honor, worth;* nsm. XI, 76 (*worth*), XXI, iv, 1, wyrðe, I, i, vs. 19, nsf. weorðe, V, **v,** 56; gsm. wyrðes, V, vi, 48; comp. npm. wurðran, XIII, 422; supl. npm. weorþuste, IV, 104. (WORTH)

weorðan (wurðan), S3, *to become, happen, be;* used with pp. to form passive voice; inf. VI, ii, 17, wurðan, XIII, 414; pres. 3s. weorð, XIII, 405, wyrð, VI, i, 5, weorðeð, XII, i, 50, wurðeð, XIII, 430; pres. pl. weorðað, XXI, iii, 14; subj. pres. 3s. weorðe, X, 93; ind. pret. 3s. wearð, I, i, vs. 14; pret. pl. wurdon, IX, i, 21, wurdan, XVII, 48; subj. pret. 2s. wurde, XXIV, 587; 3s. wurde, XVIII, 1. (woe WORTH the day)

geweorðan (-wurðan), S3, *to become, happen, be;* inf. -wurðan, XIII, 387; subj. pres. 3s. -weorðe, II, i, vs. 3, -wurðe, II, i, vs. 6; ind. pret. 1s. -wearð, XV, 210; 3s. -wearð, X, 82, -wearð him and ðām folce... ānes, IV, 313 (*they agreed*); pp. -worden, IV, 388; pp. apf. -wordene, X, 180.

weorðe, see weorð.

weorðian (wurðian), W2, *to honor;* inf. wurðian, XIII, 353; pres. pl. wurðiað, IX, ii, 1; pret. 3s. weorðude, IV, 107.

geweorðian, W2, *to honor;* pp. -weorðad, V, vi, 2.

weorðscipe (wurð-), m., *honor, dignity;* ds. X, 111, wurðscipe, IV, 226; as. VI, ii, 16. (WORSHIP)

weorðung, f., *honor, worship;* ds. -e, X, 24.

weorud, see werod.

weoruld, see woruld.

weoruldhād (weorold-), m., *secular life;* ds. -e, V, vi, 18; as. weorold- V, vi, 63.

weota, see wita.

wēpnedhād, m., *male sex;* gs. -es, XII, i, 50.

wer, m., *man;* ns. V, iv, 39; gs. -es, XXIV, 1352; ds. -e, IX, i, 32; np. -as, XVI, 14; gp. -a, XIV, 149; dp. -um, XXI, iv, 1; ap. -as, IV, 253. (WERwolf, Lat. vir.

Wērburg, f., *wife of Alfred, dux;* ns. XII, i, 4; gs. -e, XII, i, 15; ds. -e, XII, i, 9.

wered, n., *sweet drink;* as. XXIV, 496.

wered, see werod.

wergeld (wergild, weregild, wergield), n., *wergeld, the legal money equivalent of a man's life;* ns. wergield, XI, 67; ds. weregilde, XI, 14, wergielde, XI, 66; ap. wergeld, XII, i, 14.

wergeldþēof (-gild-), m., *thief whose wergeld was paid as a punishment for his crime·* gs. -es, XI, 83; as. -gild- XI, 84.

wergulu, f., *crabapple;* ns. XXII, ii, 27.

werhād, m., *male sex;* gs. -es, II, i, vs. 27.

werhðo, f., *damnation;* as. XXIV, 589.

werian (werigean), W1, *to enclose, defend;* inf. XXIV, 541, werigean, XIV, 237; pret. pl. weredon, XIV, 202.

gewerian, W1, *to enter into an alliance with, make a treaty with;* pret. pl. -weredon, V, ii, 34.

wērig, adj., *weary, sad, miserable;* nsm. XV, 802; asm. -ne, XIX, 57; npm. -e XVIII, 303. (WEARY)

wērigmōd, adj., *disheartened, weary in spirit;* nsm. XIX, 15.

werod (wered, werud, weorod, weorud, weryd), n., *band, host, company;* ns. XIV, 221, werud, XIV, 204, weorud, V, ii, 13; gs. -es, XIV, 230; ds. -e, XIV, 170, werede, IV, 76, weorode, XVII, 34; as. XIV, 194, weryd, I, i, vs. 25; is. -e, XIII, 370; np. weorod, V, ii, 30; gp. -a, XIII, 386, wereda, XIII, 352

weroð (more commonly waroð), n., *shore;* as. VI, ii, 13.

werðēod, f., *human race;* as. -e, XXII, ii, 53.

werud, weryd, see werod.

wesan, see bēon.

Wesseaxe, see West Seaxe.

west, adv., *west, westward;* VII, 114. (WEST)

westan, adv., *from the west;* XXII, ii, 53.

westanwind, m., *west wind;* gs. -es, VII, 14. (WEST WIND)

Westarhām, m., *Westerham, in Kent;* as. XII, i, 6.

westdǣl, m., *western part;* ds. -e, V, i, 2.

wēste, adj., *waste, desolate;* nsn. V, ii, 25.

wēsten, n., *waste, desert;* ds. -e, II, ii, vs. 1; dp. -um, V, ii, 50.

westlang, adv., *in a westerly direction;* IV. 141.

westm, see wæstm.

Westmynster, n., *Westminster;* ds. -mynstre, IV, 354.

Westsæ, m. or f., *Western Sea,* i.e. *the ocean west of Norway;* as. VII, 3; *sea west of England;* as. V, ii, 40.

West Seaxe (West Seaxan, Westsexe, Westseaxe, Wesseaxe), m. pl., *the West Saxons, Wessex;* np. Westsexe, XVII, 20, Westseaxan, V, ii, 21; gp. West Seaxna, IV, 28, Westseaxna, XVII, 59, Wesseaxna, IV, 31; dp. West Seaxum, IV, 89, West Seaxon, IV, 344; ap. West Seaxe, IV, 47, West Seaxan, IV, 328.

westweard, adv., *westward;* IV, 136. (WESTWARD)

weðer, m., *wether;* ap. weðras, XII, ii, 6. (WETHER)

Weþmōr, m., *Wedmore, in Somerset;* as. IV, 106.

wexan, see weaxan.

wībed, see wīgbed.

wīc, n., *dwelling, encampment;* dp. -um, XIV, 200. (Warwick. Norwich, Lat. vicus)

wicce, f., *witch;* np. wiccan, X, 154. (WITCH)

wicg (wycg), n., *horse;* ns. wycg, XXI, i, 5; ds. -e, XVIII, 240.

Wicganbeorg, m., *Wigborough, Somerset;* ds. -e, IV, 20.

wīcian, W2, *to dwell, camp;* pres. pl. wīciað, VII, 5; pret. 3s. wīcode, VII, 80.

gewīcian, W2, *to dwell, encamp;* pret. 3s. -wīcode, IV, 191; pret. pl. -wīcodon, VII, 27; pp. -wīcod, IV, 175.

wīcing, m., *viking, pirate;* ds. -e, X, 92; as. XVIII, 139; gp. -a, XVIII, 26; dp. -um, XVIII, 116; ap. -as, XVIII, 322.

wīd, adj., *great, extended, wide;* npm. -e, XVI, 4. (WIDE)

wīde, adv., *widely, far and wide;* XV, 185; supl. wīdost, XX, 57.

wīdgill, adj., *spacious, widespreading;* dsn. -um, II, ii, vs. 8.

wīdsæ, m. or f., *wide sea, open sea;* as. VII, 9.

wīdsceop, adj., *numerous;* npm. -e, XVI, 6.

wiece, see wuce.

wif, n., *woman, wife;* ns. XI, 45; ds. -e, XX, 45; as. XI, 61; ap. IV, 181. (WIFE)

wīfcynn, n., *female line;* ds. -e, V, i, 57.

wīfhād, m., *female sex;* gs. -es, II, i, vs. 27.

wīg (wigg), m. or n., *war, battle, troops;* ns. XIX, 80; gs. -es, XIV, 176, wigges, XVII, 20; ds. -e, VIII, 9; as. XIV, 243.

wiga (wihga), m., *warrior;* ns. XVIII, 210; as. -n, XIV, 188; np. -n, XVIII, 79; gp. wigena, XVIII, 135, wihgena, V, ii, 12.

wīgbed (wībed), n., *altar;* dp. wībedum, V, ii, 46; ap. V, v, 73, -bede, V, v, 67.

wīgblāc, adj., *war-bright, shining in armor;* nsn. XIV, 204.

Wīgelin, m., *an Anglo-Saxon warrior;* gs. -es, XVIII, 300.

wigelung, see wiglung.

wīgend, m., *warrior;* np. XIV, 180.

wīgheard, adj., *bold in battle;* asm. -ne, XVIII, 75.

wīglēoð, n., *war-signal;* as. XIV, 221.

wiglian, W2, *to practice sorcery or divination;* pres. pl. wīgliað, IX, i, 36.

wīglīc, adj., *warlike;* nsn. XIV, 233.

wīglung (wīgelung), f., *sorcery, divination;* ns. IX, i, 73; dp. -um, IX, i, 60; ap. wīgelunga, IX, i, 36.

wīgplega, m., *battle;* ds. -n, XVIII, 268.

wīgsmiδ, m., *war-smith,* i.e. *warrior;* np. -as, XVII, 72.

Wīgþēn, m., *a West-Saxon bishop;* ns. IV, 8.

wīhaga, m., *phalanx;* **as.** -n, XVIII, 102.

wihgena, see wiga.

wiht, f., *wight, creature, aught, anything;* as. XVI, 32; gp. -a, XXII, i, 4; used adverbially, *at all;* ds. -e, XIII, 400, mid wihte, XIII, 381; as. wiht, XXIV, 541. (WIGHT, WHIT)

Wiht, f., *Isle of Wight;* as. V, ii, 19. (Cf. Lat. Vectis)

Wihta, m., *grandfather of Hengest and Horsa;* ns. V, ii, 27; gs. V, ii, 28.

Wihtgyls, m., *father of Hengest and Horsa;* gs. -es, V, ii, 27.

Wihtsǣtan, m. pl., *inhabitants of the Isle of Wight;* np. V, ii, 19.

gewildan, W1, *to subdue, conquer, control;* imp. pl. -wildaδ, II, i, vs. 28.

wilde, adj., *wild;* nsm. XXIII, 18; npm. VII, 59; apm. wk. wildan, VII, 45. (WILD)

wildēor, n., *wild animal, reindeer;* np. III, 73; dp. -um, VII, 42; ap. III, 53

wilder, n., *wild animal;* gs. wildres, XVI, 43; gp. wildra, XVI, 9.

wilgehlēδa, m., *pleasant companion;* ap. -n, XXI, i, 5.

willa, m., *will, desire, gratification, pleasure, desirable thing;* ns. V, iv, 37; gs. -n, XIII, 400; ds. -n, V, iv, 45; **as.** -n, XXIV, 635; gp. wilna, XXIV, 660 (*desirable thing*). (WILL)

willan (wyllan, willæn), anom., *to wish, be willing;* aux. *will;* pres. 1s. wille, XII, i, 47, willa, XII, ii, 3; 2s. wilt, V, v, 17; 3s. wile, XIII, 396; pres. pl. willaδ, XVIII, 35, wyllaδ, V, i, 50, wille gē, III, 3; subj. pres. 2s. wille, VIII, 21; 3s. wille, VIII, 63, wile, XII, i, 42; pres. pl. willan, X, 146, willæn, XII, i, 35; ind. pret. 1s. wolde, VIII, 79; 3s. wolde, V, iv, 38; pret. pl. woldon, V, vi, 86, woldan, V, ii, 38, uuoldon, IV, 101. (WILL)

wille, f., *well;* ds. -n, V, **v**, 25.

Willelm, m., *William the Conqueror;* **ns.** IV, 391; ds. -e, IV, 380.

willian, W2, *to wish, desire;* pres. 1s. willio, XII, i, 47.

wilnian, W2, *to wish, desire;* subj. pres. 2s. wilnige, VI, **i**, 11; ind. pret. 2s. wilnadest, V, v, 13; 3s. wilnade, V, iv, 42.

gewilnian, W2, *to wish, desire;* pret. 3s. -wilnode, I, i, vs. 16.

wilnung, f., *desire, wish;* ds. -a, VIII, 45.

Wilsǣtan, m. pl., *people of Wiltshire;* np. IV, 96.

willsumnes, f., *willingness;* ds. -se, V, vi, 122.

Wiltūn, m., *Wilton, in Wiltshire;* ds. -e, IV, 76.

Wiltūnscīr, f., *Wiltshire;* ds. -e, IV, 240.

wīn, n., *wine;* ds. -e, XXI, i, 17; as. VI, ii, 9. (WINE, Lat. vinum)

wīnærn, n., *wine-hall;* gs. -es, XXIV, 654.

Winburne, f., *Wimborne, in Dorset;* ds. -burnan, IV, 73.

Winceaster, f., *Winchester;* ds. -ceastre, IV, 280.

wind, m., *wind;* ns. VI, i, 3; ds. -e, XIX, 76; as. VII, 80. (WIND)

windan, S3, *to wind, fly, brandish, twist;* inf. XIII, 418; pret. 3s. wand, XVIII,

43; pret. pl. **wundon,** XVIII, 106; pp. nsn. **wunden,** XIX, 32 *(twisted).* (WIND)

windig, adj., *windy;* apm. -e, XXIV, 572. (WINDY)

wine, m., *friend, lord;* ns. XVIII, 250; voc. s. XXIV, 530; ap. winas, XVIII, 228.

Winedas, m. pl., *the Wends;* dp. Winedum, VII, 90.

winedrihten (-dryhten), m., *friendly lord;* gs. -dryhtnes, XIX, 37; as. XVIII, 248.

wineléas, adj., *friendless;* nsm. XIX, 45.

winemæg, m., *friendly kinsman;* gp. -a, XIX, 7; dp. -um, XX, 16; ap. -māgas, XVIII, 306.

winewincle, f., *periwinkle;* ap. -winclan, III, 102.

wīngāl, adj., *flushed with wine;* nsm. XX, 29.

wīngeard, m., *vineyard;* np. -as, V, i, 8.

winnan, S3, *to fight, strive;* inf. XIII, 346; pres. ptc. winnende, XXI, iii, **8;** pret. 2s. wunne, XXIV, 506; 3s. wann, IX, ii, 8; pret. pl. wunnon, V, ii, **15.** (WIN)

gewinnan, S3, *to win, gain by fighting;* inf. XIII, 402.

Winodland, see Weonodland.

wīnsæl, n., *wine-hall;* np. -salo, XIX, 78.

winter, m., *winter, year;* ns. VII, 154; gs. wintres, V, i, 68, wintrys, XXIV, 516, wintra, IV, 88; ds. wintra, VII, 5; as. IV, 23; gp. wintra, V, ii, 1, wintre, XI, 49; dp. wintrum, XVIII, 210. (WINTER)

wintercearig, adj., *full of the care of years;* nsm. XIX, 24.

winte؛setl, n., *winter quarters;* as. IV, 33, -setle, IV, 222.

winterstund, f., *winter-hour;* as. -e, XIII, 370.

wintertīd, f., *winter-time;* ds. -e, V, v, 47.

wiorold, see woruld.

wiota, see wita.

wiotan, see witan.

wīrboga, m., *bent wire;* dp. -bogum, XXI, i, 3. (WIRE BOW)

wircean, see wyrcan.

Wīrhēal, m., *the Wirral, in Cheshire;* ds. -e, IV, 149.

wirt, see wyrt.

wīs, adj., *wise;* nsm. XVIII, 219, nsm. wk. -a, IX, ii, 50; dsm. -e, XIX, 88; apm. -e, VIII, 52. (WISE)

wīsdōm, m., *wisdom, learning, philosophy;* ns. VI, iii, 1; ds. -e, VIII, 9; as. V, i, 33. (WISDOM)

wīse, f., *manner, fashion, matter;* ns. V, i, 56; gs. wīsan, XII, i, 58; as. wīsan, V, vi, 59, X, 31, on ōðre wīsan, V, vi, 86 *(otherwise);* ap. wīsan, X, 69. (WISE)

wīsfæst, adj., *wise, learned;* nsf. XXIV, 626; npm. -e, XVI, 14.

wīsian, W2, *to direct, guide;* pret. 3s. wīsode, XVIII, 141.

Wīsle, f., *the Vistula river;* ns. VII, 107.

Wīslemūða, m., *mouth of the Vistula;* as. -n, VII, 107

wīslīc, adj., *wise;* nsn. V, v, 40.

wist, f., *feast, food;* ds. -e, XIX, 36.

Wīstān, m., *an Anglo-Saxon warrior;* ns. XVIII, 297.

gewistfullian, W2, *to feast;* inf. I, i, vs. 23; pret. 1s. -fullude, I, i, vs. 29.

gewistlǣcan, W1, *to feast;* inf. I, i, vs. 24.

wit, n., *wit, intelligence;* ns. XXIV, 589. (WIT)

wit, see ic.

wita (weota, wiota, wyta), m., *wise man, counsellor;* ns. V, v, 43; np. -n, IV, 219, wiotan, VIII, 3; gp. witena, IV, 190, wiotona, VIII, 41; dp. witum, V, v, 27, wytum, V, v, 23, weotum, XII, i, 2. (Cf. witan)

witan (wiotan), PP, *to know, perceive;* inf. XVI, 3; ger. tō wiotonne, VIII, 55: pres. 1s. wāt, V, v, 38; 3s. wāt, XVIII, 94; pres. pl. witan, V, i, 48; subj. pres. 3s. wite, XXIV, 1367; ind. pret. 1s. wiste, II, ii, vs. 8; 3s. wiste, V, v, 87. wisse, XIX, 27 (*show*); pret. pl. wiston, VIII, 32, wistan, V, vi, 109. (to WIT, WOT, WIST)

gewitan, PP, *to know, ascertain;* inf. XXIV, 1350.

gewitan, S1, *to go, depart;* inf. XX, 52; pres. 1s. -wīte, XXI, iii, 1; 3s. -wīteð, XXIV, 1360; subj. pres. 3s. -wīte, V, v, 50; ind. pret. 1s. -wāt, V, vi, 31, 3s. -wāt, XVII, 35; pret. pl. -witon, V, ii, 25, -witan, XVII, 53; subj. pret. 3s. -wite, V, iv, 40; pp. npm. -witene, XX, 80.

wīte, n., *punishment, torment, injury, evil;* ns. XIII, 355; gs. -s, V, vi, 79; ds. XI, 39; as. XIII, 367; np. wītu, VIII, 24; gp. wīta, XIII, 393.

wītedōm, m., *prophecy;* ns. XV, 212.

wītig, adj., *wise;* nsm. XXII, ii, 37. (WITTY)

Wītland, n., *Witland, in East Prussia;* ns. VII, 108; as. VII, 108.

witodlīce, adv., *truly, verily, indeed;* II, ii, vs. 9; IX, i, 17.

wið, prep. w. gen., dat., acc., *towards, against, with, along, for;* VI, ii, 10; VII, 3; X, 83; wið ðon ðe, IV, 220 (*on condition that*). (WITH)

wiðerlēan, n., *requital;* ns. XVIII, 116.

wiðerweardnes, f., *opposition, adverseness;* ds. -se, VI, i, 15.

wiðerwinna, m., *opponent;* ap. -n, IX, ii, 15.

wiðmetenes, f., *comparison;* ds. -se, V, v, 45.

wiðsacan, S6, w. dat., *to renounce;* inf. V, v, 71.

wiðstandan, S6, w. dat., *to resist, oppose, prevent;* inf. VI, i, 10; pres. 3s. -stent, VI, i, 9, -stondeð, V, i, 51; subj. pres. 2s. -stonde, XXII, ii, 12; ind. pret. 2s. -stōde, XXII, ii, 11, 3s. -stōd, V, ii, 40. (WITHSTAND)

wiðstunian, W2, *to dash against;* pres. 3s. -stunað, XXII, ii, 16; pret. 2s. -stunedest, XXII, ii, 11.

wlanc (wlonc), adj., *proud;* nsm. XXIII, 27, wlonc, XX, 29, nsf. wlonc, XIX, 80; dsn. wloncum, XXI, v, 7, dsn. wk. -an, XVIII, 240; asm. -ne, XVIII, 139; npm. -e, XIV, 170; apm. -e, XIV, 204, wlonce, XXI, i, 17.

wlenco, f., *pride, daring;* ds. wlence, XXIV, 508. (Cf. wlanc)

wlītan, S1, *to look;* pret. 3s. wlāt, XVIII, 172.

wlitig, adj., *beautiful, lovely;* nsm. XVI, 65.

wlitigian, W2, *to become beautiful;* pres. pl. wlitigiað, XX, 49.

wlonc, see wlanc.

Wōden, m., *great-grandfather of Hengest and Horsa;* ns. V, ii, 28; *chief of the Norse gods;* ns. XXII, ii, 32.

wōh, adj., *crooked;* dp. wōum, XXI, i, 3.

wōhdōm, m., *unjust decision;* ap. -as, X, 173.

wōhgestrēon, n., *unjust acquisition;* gp. -a, X, 172.

wolcen, n., *cloud;* ds. wolcne, XIII, 418; np. wolcnu, VI, i, 2; dp. wolcnum, XXIV, 651. (WELKIN)

wom, m. or n., *spot, stain, sin, evil;* gp. -a, XV, 179.

wōma, m., *sound, noise, terror;* ns. XIV, 202.

won (wonn, wan), adj., *dark, black;* nsm. XIX, 103, wonn, XIV, 164, nsn. XXIV, 1374; isn. wk. wonnan, XXII, ii, 49; npn. wan. XXIV, 651. (WAN)

wong, m., *field, plain;* np. -as, XV, 810.

wongstede, m., *place, spot;* ds. XV, 802.

wonian, gewonian, see wanian, gewanian.

wōp, m., *outcry;* ns. XIV, 200. (Cf. wēpan)

word, n., *word;* ns. VIII, 68; gs. -es, X, 65; ds. -e, VIII, 69; as. V, v, 1; np. XXIV, 612; gp. -e, XV, 169; dp. -um, V, iv, 29, -on, XVIII, 306; ap. V, v, 20. (WORD)

wordgecwid, n., *agreement;* np. -cweodu, XII, i, 13.

wordlēan, n., *word requital;* gp. -a, XXI, v, 9.

wōrian, W2, *to crumble, totter;* pres. pl. wōriaδ, XIX, 78.

worn, m., *multitude, crowd, great number;* ns. XIV, 195; as. XV, 169, worn fela, XXIV, 530 (*a great many things*); np. -as, XVI, 6.

woruld (worold, world, weoruld, wiorold), f., *world, life;* ns. X, 1; gs. -e, VI, i, 13, worolde, V, vi, 8, worlde, XXIV, 2711, wiorolde, XII, ii, 25; ds. -e, V, vi, 96; as. XV, 810, world, XVI, 4, weoruld, XIX, 107; ap. -e, XXII, ii, 39. (WORLD)

woruldcund, adj., *worldly, secular, earthly;* nsm. XV, 212; gp. -ra, VIII, 4.

woruldgesǣlig, adj., *worldly prosperous;* nsm. XVIII, 219.

woruldlīc, adj., *worldly, of the world;* gsf. -ere, IX, i, 30. (WORLDLY)

woruldrīce, n., *world;* ds. XIX, 65.

woruldscamu, f., *public disgrace;* ds. -scame, X, 106.

woruldstrūdere, m., *world spoiler;* np. -strūderas, X, 155.

woruldδing, n., *worldly affair;* gp. -a, VIII, 21.

wōδ, f., *sound, strain;* gp. -a, XVI, 43.

wōδbora, m., *sound-bearer, singer, poet;* ds. -n, XXI, v, 9.

wracu, f., *punishment, revenge, vengeance, enmity, malice;* as. wrace, XIII, 393; ds. wrace, IX, i, 53, wrǣce, XXI, ii, 4. (Cf. wrecan)

wrǣcc, n., *vengeance;* ns. V, ii, 41.

wrǣcca, m., *exile;* gs. -n, XX, 15.

wrǣclāst, m., *path of exile;* ns. XIX, 32; ap. -as, XIX, 5.

wrǣclīce, adv., *abroad, in exile;* I, i, vs. 13.

wrǣtlīc, adj., *marvelous, wonderful;* nsn. XVI, 19; asf. -e, XVI, 9; comp. nsm. -ra, XVI, 27.

wrāδ, adj., *angry, wroth, horrible;* nsm. XIII, 405; gpn. -ra, XV, 804; as a noun, *enemy, foe;* asm. or p. -an, XXII, ii, 17; dp. -um, XV, 185. (WROTH)

wrāδlīc, adj., *grievous, severe;* nsn. XIII, 355.

wrecan, S5, *to avenge, drive out; tell, utter;* inf. XVIII, 248, XX, 1 (*tell, utter*), XXI, ii, 11 (see notes): pres. 3s. wreceδ, XXII, ii, 17; subj. pres. 3s. wrǣce,

XXI, ii, 2 (see notes); **ind. pret. 3s. wræc**, XVIII, 279; subj. pret. 3s. **wræce**, XVIII, 257. (WREAK)

gewrecan, S5, *to avenge;* inf. XVIII, 208.

wrēgan, W1, *to rouse, excite;* pp. gewrēged, XXI, iii, 3.

wrēon, S2, *to cover;* pret. 3s. wrēah, XXI, ii, 12; pret. pl. wrugon, XXI, iii, 15.

wrītan, S1, *to write;* inf. XII, i, 1; pres. 1s. wrīte, XII, ii, 13; subj. pres. 3s. wrīte, VIII, 81; ind. pret. 3s. wrāt, IX, ii, 50; pret. pl. writon, V, vi, 71; pp. gewriten, XII, i, 44. (WRITE)

wrīxendlīce, adv., *in turn;* V, vi, 109.

wrohtlāc, n. pl., *accusation;* dp. -an, X, 67.

wuce (wiece), f., *week;* gs. wucan, IX, i, 42; ds. wucan, I, ii, vs. 12, wiecan, IV, 94; dp. wucum, IV, 201; ap. wucan, IV, 355, wiecan, IV, 103. (WEEK)

wudu, m., *wood, forest;* ns. XXIII, 33; gs. wuda, IV, 140; ds. wuda, V, ii, 54; as. XVIII, 193; dp. -m, III, 74. (WOOD)

wudublēd, f., *forest fruit;* dp. -um, XVI, 47.

wuldor, n., *glory;* ns. IX, i, 81.

Wuldorfæder, m., *Father of Glory;* gs. V, vi, 39.

wuldorgeflogena, m., *exile from glory,* i.e. *devil;* dp. -flogenum, XXII, ii, 46.

wuldortān, m., *wondrous twig,* i.e. *thunderbolt;* ap. -as, XXII, ii, 32.

wulf, m., *wolf;* ns. XIX, 82; as. XVII, 65; np. -as, XIV, 164; dp. -um, IX, i, 55 (WOLF)

Wulfheard, m., *a West-Saxon alderman;* ns. IV, 11.

wulfhliþ, n., *wolf-slope, retreat of wolves;* ap. -hleoþu, XXIV, 1358.

Wulfmǣr (Wulmǣr), m.. *an Anglo-Saxon warrior;* ns. XVIII, 113, Wulmǣr XVIII, 183.

Wulfstān, m., *a Scandinavian voyager;* ns. VII, 98; *an Anglo-Saxon warrior;* ns. XVIII, 75; gs. -es, XVIII, 155; ds. -e, XVIII, 79.

wund, f., *wound;* ns. XI, 31; as. -e, XVIII, 139; dp. -um, XVII, 43. (WOUND)

wund, adj., *wounded;* nsm. XVIII, 113; npm. -e, XXIV, 565.

wunderlīce, adv., *wonderfully;* IX, i, 74.

wundian, W2, *to wound;* pp. gewundod, VI, ii, 15. (WOUND)

wundor, n., *wonder;* ns. VI, iii, 4; gp. wundra, V, vi, 39. (WONDER)

wundrian, W2, w. gen., *to wonder, wonder at;* pret. 1s. wundrade, VIII, 40; 3s. wundrade, V, vi, 97. (WONDER)

wundrum, adv., *wondrously;* XVI, 19.

wunian, W2, *to dwell, live, remain;* pres. 3s. wunað, XXIII, 66; pres. pl. wuniað, XX, 87; subj. pres. 3s. wunige, V, ii, 25; pret. 1s. wunade, XX, 15; pret. pl. wunodon, IX, i, 54, wunedon, V, ii, 55. (WONT)

gewunian, W2, *to dwell, remain, be accustomed;* inf. XXIII, 18; pret. 3s. -wunade V, vi, 2.

wurðan, gewurðan, see weorðan, geweorðan.

wurðe, see weorð.

wurðian, see weorðian.

gewurðian, W2, *to honor, adorn;* pp. -wurðad, V, i, 22.

wurðlīce, adv., *worthily;* XVIII, 279. (WORTHILY)

wurðmynt, m. or f., *honor, glory;* ds. -e, IX, i, 32.

wurðscipe, see weorðscipe.

wycg, see wicg.

wydewe, f., *widow;* np. wydewan, X, 39. (WIDOW)

gewylan, W1, *to band together;* pp. asf. gewylede, X, 109.

wyllan, see willan.

wyllgespryng, m., *fountain;* dp. -um, V, i, 10.

wylm, m., *welling, surging, flood, fervor;* ds. -e, V, vi, 86, XXIV, 516.   (Cf. weallan)

wyn (wynn), f., *joy;* ns. XIX, 36; ds. wynne, XIII, 367; as. XX, 27; gp. wynna, XVIII, 174; dp. mid wynnum, XIX, 29 *(joyfully).*

wynsum, adj., *pleasant, charming;* nsm. XVI, 65; npn. V, vi, 70, -e, XXIV, 612; comp. nsm. -ra, XVI, 45; supl. nsm. -ast, XVI, 43.   (WINSOME)

wyrcan (wyrcean, wircean), W1, *to work, create, make, do;* pret. *wrought;* inf. V, vi, 11, wyrcean, V, v, 105, wircean, II, i, vs. 26; pres. ptc. wircende, II, i, vs. 11; pres. 2s. wyrcst, III, 38; 3s. wyrcð, X, 104; pres. pl. wyrcað, VII, 152; subj. pres. 3s. wyrce, XI, 38; ind. pret. 3s. worhte, V, v, 105; pret. pl. worhton, IV, 173, worhtan, X, 62, wrohton, IV, 278.   (WORK, WROUGHT)

gewyrcan, W1, *to make, create, work;* pret. *wrought;* inf. VII, 151; pres. pl. -wyrcað, X, 193; subj. pres. 3s. -wyrce, XX, 74; ind. pret. 3s. -weorhte, V, vi, 80, -worhte, II, i, vs. 7; subj. pret. 1s. -worhte, XXIV, 635; pp. -worht, II, i, vs. 3; pp. asm. -worhtne, XIII, 395; npm. -worhte, X, 128; npn. -worhte, IX, i, 72; gpm. -worhtra, XV, 179.

wyrcend, m., *worker;* nsm. IX, i, 51.

wyrd, f., *fate;* ns. XIX, 5; ds. -e, XIX, 15; gp. -a, XIX, 107.   (WEIRD, cf. weorðan)

wyrdan, W1, *to mar;* inf. V, i, 15.

wyrhta, m., *worker;* ds. -n, XI, 78.   (WRIGHT)

wyrigung, f., *cursing, curse;* ns. IX, i, 49; as. -e, IX, i, 47.

wyrm, m., *dragon, snake;* ns. XXIV, 2669; as. XXIV, 2705, V, i, 70 *(snake).* (WORM)

gewyrman, W1, *to warm;* pp. -wyrmed, V, v, 48.

wyrmcynn, n., *race of serpents;* ds. -e, IX, i, 55.

wyrmgeblæd, m., *worm-blister.* i.e. *one made by a snake-bite;* as. XXII, ii, 50.

wyrmlic, n., *figure of a dragon, serpentine ornamentation;* dp. -um, XIX, 98.

wyrnan, W1, w. dat. of person and gen. of thing, *to deny, refuse, withhold;* pret 3s. wyrnde, XVIII, 118; pret. pl. wyrndon, XVII, 24.

wyrpan, see weorpan.

wyrsa, see yfel.

wyrsian, W2, *to become worse, deteriorate;* pret. pl. wyrsedan, X, 36.

wyrt (wirt), f., *root, herb, vegetable, plant;* ns. XXII, ii, 14; as. wirte, II, i, vs. 12; np. -a, XXII, ii, 46; dp. -um, XXIV, 1364; ap. -a, II, i, vs. 29, -e, XXII, ii, 37.   (WORT)

wyrðe, see weorðe.

wyta, see wita.

Y

ȳdel, see īdel.

yfel, n., *evil;* gs. -es, XVIII, 133; ds. -e, XXIII, 50; as. X, 10; gp. -a, V, v, 18; dp. -um, IV, 322; ap. IV, 218.   (EVIL)

yfel, adj., *evil, bad, wicked;* nsm. IX, i, 51; dsm. wk. -an, X, 134; apf. wk. -an, VI, i, 12; comp. wyrsa, *worse;* nsn. wyrse, X, 3; gp. wyrsan, XXIV, 525; apf. wyrsan, X, 180.   (EVIL, WORSE)

yfel-dǣd, f., *evil deed;* dp. -um, IX, i, 54.   (EVIL DEED)

yfele, adv., *badly, ill;* XIII, 387.

yfelian, W2, *to grow evil;* inf. X, 4.

yfelwillende, adj., *evilly disposed, wicked;* apm. VI, ii, 16.

ylca, see ilca.

yldan, W1, *to delay;* pret. 3s. ylde, V, v, 2.   (Cf. eald)

ylde, m. pl., *men;* gp. ylda, XXIV, 605.

ylding, f., *delay;* ns. V, ii, 29.

yldo, f., *old age, age;* ns. XX, 70; gs. V, vi, 19; ds. V, i, 18.   (Cf. eald)

yldra, yldest, yldost, see eald.

yldran, m. pl., *elders, forefathers, ancestors, parents;* np. VIII, 34.   (ELDERS)

ylfetu, f., *swan;* gs. ylfete, XX, 19.

ymb, prep. w. acc., *about, around, at, after, concerning;* VII, 30; XIII, 354; XXIV, 507; XI, 85; þæs ymb iiii niht, IV, 49 (*after four nights*)

ymbærnan, W1, *to pass around;* pret. pl. -ærndon, V, i, 43.

ymbe, n., *swarm of bees;* as. XXII, i, title.

ymbe (embe), prep. w. acc., *about, around, concerning, after;* VI, ii, 14; embe, XVIII, 249.

ymbefōn, S7, *to clasp, encircle;* pret. 3s. -fēng, XXIV, 2691.

ymbgān, anom., w. acc., *to go around;* pret. 3s. -ēode, XXIV, 620.

ymbhwyrft, m., *surface;* as. XVI, 68.

ymbryne (-rene), m., *course;* ds. IX, i, 2; as. IX, i, 5, -rene, IX, i, 74.

ymbset, n., *siege;* gs. -es, V, iii, 13.

ymbsettan, W1, *to surround;* pp. npm. or n. -sette, V, v, 74.

ymbsittan, S5, *to sit around;* pret. pl. -sæton, XXIV, 564.

geyrgan, W1, *to dishearten;* pp. npm. -yrgde, X, 101.

yrhðo (yrgðo), f., *cowardice;* as. XVIII, 6, yrhðe, X, 174, yrgðo, V, ii, 11. (Cf. earg)

Yrīc, m., *Eric, earl of Northumbria;* ds. -e, IV, 329.

yrmðu (yrmð, earmðu), f., *poverty, misery;* ns. yrmð, X, 82; ds. yrmðe, X, 106; as. earmðe, IV, 259; ap. yrmða, X, 15.   (Cf. earm)

yrnan, see irnan.

yrre, n., *anger;* ns. X, 88; ds. V, iv, 26; as. X, 46.

yrre, adj., *angry, fierce;* nsm. XIII, 342.

yrþlincg (-lingc), m., *farmer, ploughman;* ns. yrþlingc, III, 39; ds. -e, III, 42; voc. s. yrþlingc, III, 18; np. -as, III, 15.

ȳsgeblǣd, m., *ice blister;* as. XXII, ii, 51.   (ICE ≈)

ȳtemest, adj. supl., *final, last;* apn. wk. -an, V, vi, 125.   (Cf. ᴜᴛᴍᴏsᴛ)

yteren, adj., *of an otter;* asm. -ne, VII, 54.

ȳþ, f., *wave;* np. -a, XXI, iii, 15; gp. -a, XX, 6; dp. -um, VI, i, 5.

ȳðan, W1, *to lay waste;* pret. 3s. ȳðde, XIX, 85.

ȳðast, see ēaðe.

ȳðgeblond, n., *surging waves;* ns. XXIV, 1373.

ȳðlāf, f., *leaving of waves,* i.e. *shore;* ds. -e, XXIV, 566.